Roy Cole
June 1985
Bamako, Mali

Maa bè maa kun Ségu la
Nka maa si ségu Taabali tè

« CHEMINS D'IDENTITÉ »

*Collection dirigée par Daniel Radford*

DU MÊME AUTEUR

*chez le même éditeur*

UNE SAISON A RIHATA (1981)
*roman*

*Chez d'autres éditeurs*

HEREMAKHONON, *roman*
LA POÉSIE ANTILLAISE
(Collection « Classiques du monde », Nathan, 1977).
LE ROMAN ANTILLAIS
(Collection « Classiques du monde », Nathan, 1978).
LE PROFIL D'UNE ŒUVRE
Cahier d'un retour au pays natal
(Hatier, 1978).
LA PAROLE DES FEMMES
(L'Harmattan, 1979).

MARYSE CONDÉ

# SÉGOU

## Les murailles de terre

*roman*

ÉDITIONS ROBERT LAFFONT
PARIS

ISBN 2-221-01197-X

*A mon aïeule bambara*

Je ne saurais citer tous ceux qui m'ont aidée de leurs indications bibliographiques ou m'ont donné accès à leur documentation.

Pourtant, je tiens à remercier tout particulièrement mes amis, historiens et chercheurs en sciences humaines Amouzouvi Akakpo, Adame Ba Konare, Ibrahima Baba Kake, Lilyan Kesteloot, Elikia M'Bokolo, Madina Ly Tall, Olabiyi Yai, Robert Pageard et Oliveira dos Santos.

Grâce à eux, cette fiction ne prend pas trop de liberté avec le réel.

*Première partie*

# LA PAROLE QUI TOMBE DE NUIT

# 1

***Ségou est un jardin où pousse la ruse. Ségou est bâtie sur la trahison. Parle de Ségou hors de Ségou, mais ne parle pas de Ségou dans Ségou.***

Pourquoi ce chant des griots, qu'il avait entendu tant de fois sans y prêter grande attention, ne pouvait-il quitter l'esprit de Dousika ? Pourquoi cette appréhension, tenace, comme la nausée d'une femme enceinte ? Pourquoi cette crainte au seuil du jour ? Dousika scruta ses rêves pour découvrir un signe, une indication de ce qui peut-être l'attendait. Rien. Il avait dormi d'un sommeil profond pendant lequel aucun ancêtre ne s'était adressé à lui. Assis sur une natte dans le vestibule de sa case, Dousika prit une bouchée de dègué, la bouillie de mil mêlée de lait caillé et de miel qu'il affectionnait le matin. Il la trouva trop liquide pour son goût et, avec irritation, il héla sa première femme, Nya, afin de la rabrouer. En l'attendant, il prit son frotte-dents de n'tomi, le ficha entre ses belles dents limées afin que, mélangée à sa salive, la sève alimente sa force physique et sa puissance sexuelle.

Comme Nya ne répondait pas, il se leva, sortit de sa case et entra dans la première cour de la concession où habitaient ses femmes.

Elle était déserte. Déserte ?

Seuls quelques vans destinés au mil traînaient sur le sable immaculé à côté de petits escabeaux de bois.

Dousika était un noble, un yèrèwolo, membre du Conseil royal, ami personnel du Mansa[1], père d'une dizaine de fils légitimes, régnant en sa qualité de fa, c'est-à-dire de patriarche sur cinq familles, la sienne d'abord, ensuite celles de ses frères cadets qui vivaient autour de lui. La concession de Dousika était à l'image du rang qu'il occupait dans la société de Ségou. Sur la rue, sa haute façade de terre battue s'agrémentait de sculptures et de dessins triangulaires creusés à même la muraille et se terminait par des tourelles de hauteur inégale et du plus heureux effet. L'intérieur se composait d'une série de cases de terre également avec des toits en terrasse, communiquant les unes avec les autres par une succession de cours. La première était plantée d'un magnifique dubale dont le panache, véritable dôme de verdure, était soutenu par une cinquantaine de colonnes formées par les racines descendant du tronc primitif.

D'une certaine manière, le dubale était le témoin et le gardien de la vie des Traoré. C'était sous ses puissantes racines que le placenta de nombre d'ancêtres avait été enterré après l'heureuse délivrance. C'est à son ombre que les femmes et enfants s'asseyaient pour se conter des histoires et les hommes pour prendre des décisions touchant à la vie de la famille. En saison sèche, il protégeait du soleil. En saison d'hivernage, il donnait du bois de chauffage. La nuit venue, les esprits des ancêtres se dissimulaient dans son feuillage et veillaient sur le sommeil des vivants. Quand ils étaient mécontents, ils le faisaient savoir en exprimant une série de sons légers, à la fois mystérieux et transparents comme un code. Alors, ceux à qui l'expérience donnait le pouvoir de les déchiffrer, hochaient la tête :

— Attention, nos pères ont parlé ce soir !

Tous ceux qui franchissaient le seuil de la concession des Traoré savaient à qui ils avaient affaire. Ils devinaient aussitôt que ses occupants possédaient des coudées de bonne terre, plantées de mil, de coton, de fonio, cultivées par des centaines d'esclaves de case et de captifs. Dans des resserres s'entassaient des sacs de cauris et de poudre d'or libéralement offerte par le Mansa, et dans un enclos, derrière les cases, s'ébrouaient des chevaux arabes achetés aux Maures. L'opulence se devinait à mille signes. Déserte, la première cour, alors que d'habitude elle grouillait de monde ? Filles et garçons, pareillement nus ; les premières les reins ceints d'un collier de perles ou de cauris, les seconds d'un fil de coton. Femmes occupées à piler le mil ou à le vanner, à filer le coton en écoutant les bons mots de quelque bouffon, ou les chants épiques d'un griot en quête d'un plat

---

1. Roi.

de to[2]. Hommes bavardant tout en préparant des flèches de chasse ou en affûtant des instruments aratoires. De plus en plus irrité, Dousika entra dans la seconde cour sur laquelle donnaient les cases de ses trois femmes et de sa concubine, Sira.

Il trouva cette dernière prostrée sur une natte, une expression de souffrance déformant son beau visage luisant de sueur. Il l'apostropha :

— Mais où sont-ils tous ?

Elle s'efforça de se redresser et murmura dans son mauvais bambara :

— Au fleuve, kokè[3].

Il hurla presque :

— Au fleuve ? Que sont-ils tous allés faire au fleuve ?

Elle parvint à articuler :

— Un homme blanc ! Il y a un homme blanc sur la rive du Joliba[4] !

Un homme blanc ? Est-ce que cette femme délirait ? Le regard de Dousika descendit jusqu'à son ventre, énorme sous le pagne lâchement noué, puis, effrayé, remonta sur les murs d'argile, mêlée de kaolin des cases. Seul en face d'une femme sur le point d'accoucher !...

Il fit rudement pour cacher sa frayeur :

— Qu'est-ce qui t'arrive ?

Elle balbutia d'un ton d'excuse :

— Je crois que c'est le moment...

Depuis plusieurs mois, Dousika n'approchait plus Sira, enceinte pour la deuxième fois, par égard pour la vie qu'elle portait en elle. De même, pendant tout le travail de l'accouchement, il devrait se tenir loin d'elle et n'apparaître qu'après sa délivrance, avec le prêtre-féticheur alors qu'elle tiendrait déjà son nouveau-né dans ses bras. Sa présence, tandis qu'elle souffrait, ne risquait-elle pas d'irriter les ancêtres ? Il hésitait à battre en retraite, à la laisser seule, quand Nya parut, un enfant au dos, deux autres accrochés à ses pagnes de coton teint à l'indigo. Il explosa :

— Où étais-tu ? Je comprends que tout le monde perde la tête ici. Mais toi !

Sans un mot d'explication, encore moins d'excuse, Nya passa devant lui et se pencha sur Sira :

---

2. Pâte de farine de mil, plat très apprécié.
3. Appellation donnée par une épouse à son mari car elle ne doit pas prononcer son nom.
4. Nom bambara du fleuve Niger.

— Il y a longtemps que tu souffres ?

L'autre souffla :

— Non ! Cela m'a pris tout à l'heure !

D'une autre que Nya, Dousika n'aurait pas supporté pareille désinvolture, frisant l'impertinence. Mais elle était sa première épouse, sa bara muso, à laquelle il avait délégué une part de son autorité et de ce fait capable de lui parler d'égal à égal. Ensuite, elle était née Coulibali, apparentée à l'ancienne famille régnante de Ségou et tout noble qu'il était, Dousika ne pouvait se vanter d'une aussi prestigieuse origine. C'étaient les ancêtres de Nya qui avaient fondé cette ville sur la rive du Joliba, vite devenue le cœur d'un vaste empire. C'étaient les frères de ses ancêtres qui régnaient sur le Kaarta. Aussi dans l'amour que Dousika lui portait entrait une large part de respect, presque de crainte. Il se retira et dans la première cour, il se heurta à un messager du palais. L'homme se jeta dans la poussière en signe de respect et prostré par terre le salua :

— Toi et le jour !

Puis il débita la devise des Traoré :

— Traoré, Traoré, Traoré, l'homme au long nom ne paye pas le prix de son passage du fleuve [5].

Enfin il livra son message :

— Traoré, le Mansa te demande d'urgence au palais !...

Dousika fut surpris :

— Au palais ? Mais ce n'est pas jour du Conseil !

L'homme releva la tête :

— Ce n'est pas pour le Conseil. Il y a un homme blanc sur le bord du fleuve qui demande à être reçu par le Mansa...

— Un homme blanc ?

Sira ne délirait donc pas ? Dousika, il est vrai, avait déjà entendu parler de cet homme blanc. Des cavaliers venant du Kaarta affirmaient l'avoir rencontré monté sur un cheval aussi épuisé que lui-même. Pourtant il avait cru à un de ces récits dont les femmes divertissent les enfants le soir et n'y avait point prêté attention. Se coiffant de son chapeau conique, car le soleil commençait de monter dans le ciel, Dousika sortit de sa concession.

En 1797, Ségou, la ville aux 1444 balanzas, arbre sacré, avatar terrestre de Pemba, dieu de la création, capitale du royaume bambara du même nom était une énorme agglomération composée de quatre quartiers, disposés le long du Joliba, qui, à cet endroit, avait bien trois cents mètres de large. Si Ségou-Koro abritait le tombeau de

5. Allusion à la puissance des Traoré.

l'ancêtre fondateur, Biton Coulibali, à Ségou-Sikoro s'élevait le palais du Mansa Monzon Diarra. A des journées de marche à la ronde, on n'aurait pas pu trouver lieu plus animé. Le marché principal se tenait sur une grande place carrée, autour de laquelle étaient disposés des hangars aux cloisons de bois ou de nattes, aux toitures recouvertes de terre battue sous lesquels les femmes vendaient tout ce qui peut se vendre : mil, oignons, riz, patates douces, poisson fumé, poisson frais, piments, beurre de karité, poulets, tandis que des artisans suspendaient sur des cordes les objets de leur commerce, bandes de coton tissé, sandales, selles de chevaux, calebasses finement décorées. A gauche du marché se trouvait le bazar où l'on entassait les captifs de guerre, liés les uns aux autres par des branches arrachées aux jeunes arbres. Dousika ne prêtait aucune attention à ce spectacle trop familier. Au risque de nuire à sa dignité, il se hâtait, arrêtant d'un geste ferme les griots toujours à l'affût par les rues et prêts à chanter les louanges des hommes bien nés.

Ségou était à l'apogée de sa gloire. Sa puissance s'étendait jusqu'aux marches de Djenné, la grande cité marchande sur la rive du Bani. On la craignait jusqu'à Tombouctou, à la lisière du désert. Les Peuls du Macina étaient ses vassaux et lui payaient annuellement de lourds tributs de bétail et d'or. A vrai dire, il n'en avait pas toujours été ainsi. Cent, cent cinquante ans plus tôt, Ségou ne comptait nullement parmi les cités du Soudan. Ce n'était qu'un village où Niangolo Coulibali avait pris refuge tandis que son frère Barangolo s'installait plus au nord. Puis Biton, son fils, s'était fait l'ami du dieu Faro, le maître de l'eau, le maître de la connaissance et avec sa protection avait transformé un amas de cases de torchis en une orgueilleuse construction dont le nom seul faisait trembler Somonos, Bozos, Dogons, Touaregs, Peuls, Sarakolés... A tous ces peuples, Ségou faisait la guerre et ainsi obtenait des esclaves qu'elle revendait sur ses marchés ou qu'elle employait à cultiver ses champs. La guerre était le nerf de sa puissance et de sa gloire.

Si Dousika hâtait ainsi le pas, c'est que l'appel du Mansa le rassurait, le persuadait qu'il n'était pas tombé en défaveur comme il le craignait. A la cour, il ne manquait pas de gens qui jalousaient sa trop grande intimité avec Monzon Diarra et les relations particulières, ce pacte d'amitié, de plaisanterie et d'entraide qui existait entre eux. Alors, ils avaient pris pour prétexte son attitude vis-à-vis de la guerre. Ils chuchotaient à l'oreille de Monzon : « Dousika Traoré est le seul qui s'oppose à ta gloire. Il dit que les Bambaras en ont assez de guerroyer. C'est qu'en lui-même, il te jalouse et jalouse ta fortune. N'oublie pas que sa femme est une Coulibali ! »

Et peu à peu, Dousika voyait naître la méfiance dans le regard de

Monzon et poindre, à chaque fois qu'il se posait sur lui, une interrogation :

« Est-il mon ami ou mon ennemi ? »

Dousika entra dans la cour du palais. C'était un magnifique édifice, bâti par des maçons venus de Djenné. Il était entouré d'un mur de briques de terre aussi épais que celui d'une ville, percé d'une unique porte devant laquelle se tenaient en permanence des gardes armés de fusil venus de la côte par le canal des traitants. Dousika traversa sept vestibules pleins de tondyons[6] jusqu'à la salle de réunion du Conseil, devant laquelle se tenaient des féticheurs occupés à déchiffrer l'avenir au moyen de noix de kolas et de cauris tandis que des courtisans attendaient le bon plaisir des griots pour être introduits auprès du Mansa.

Monzon Diarra était allongé sur une peau de bœuf posée sur une estrade, le coude gauche enfoncé dans un oreiller en cuir de chèvre orné d'arabesques. Il semblait soucieux. D'une main, il caressait l'une des deux grandes tresses qui lui partaient du milieu de la tête pour se croiser sous le menton. De l'autre, il roulait l'anneau qui ornait son oreille gauche. Trois esclaves l'éventaient. Deux autres, accroupis non loin, préparaient le tabac dans de petits mortiers avant de le lui présenter dans de lourdes tabatières en or.

Le Conseil était au complet et Dousika éprouva un sentiment de rage en constatant qu'il était le dernier à pénétrer dans la pièce. Selon la coutume, il s'inclina profondément en se frappant la poitrine et se traîna sur les genoux jusqu'à sa place, à côté de son mortel ennemi, Samaké.

Monzon Diarra avait hérité de la beauté de sa mère Makoro dont les griots chantaient encore la mémoire. Toute sa personne inspirait le respect et la terreur comme si la royauté usurpée par son père Ngolo aux descendants de Biton Coulibali avait trouvé la légitimité en lui. Il portait une blouse de coton blanc, tissé sur les meilleurs métiers de Ségou, et un pantalon de même couleur serré à la taille par une large ceinture. Son front était ceint d'une bande de coton tandis que ses bras musclés étaient décorés de cornes et de dents d'animaux destinées à le protéger, mais aussi d'amulettes fabriquées par des marabouts : petits sachets de cuir finement ouvragés renfermant des versets du Coran. Il abaissa son regard sur Dousika et fit moqueusement :

— Hé, Dousika, laquelle de tes femmes t'a retenu jusqu'à maintenant ?

---

6. Corps de soldats, créé par l'ancêtre fondateur Biton Coulibali.

La vile assemblée des courtisans éclata de rire, tandis que Dousika, réprimant sa colère, faisait d'un ton d'excuse :

— Maître des énergies, il y a bien peu de temps que ton messager est venu me prévenir. Vois, j'ai marché si vite que je transpire encore…

Après cette interruption, Tiétiguiba Danté, le chef des griots, qui transmettait à l'assemblée les paroles du Mansa, se leva :

— Le maître des dieux et des hommes, celui qui siège sur la peau royale, le grand Mansa Monzon vous a convoqués pour une raison. Un homme blanc, blanc avec deux oreilles rouges comme des tisons, se trouve de l'autre côté du fleuve et demande à être reçu devant lui. Que veut-il ?

Là-dessus, Tiétiguiba se rassit, et selon le cérémonial un autre griot se leva. Tiétiguiba était un personnage redouté de tous à cause de sa grande intimité avec le souverain. Il était vêtu de façon assez impressionnante d'une blouse de cotonnade bleu indigo et blanc et coiffé d'un cimier orné de poils de fauve et de cauris. Comme il avait également fonction d'espion, son regard parcourait successivement chaque membre du Conseil comme s'il entendait le jauger et faire son rapport. Quand le second griot se fut tu, il se leva de nouveau :

— Cet homme blanc dit qu'il n'est pas pareil à un Maure. Il ne veut rien vendre et rien acheter. Il dit qu'il est venu regarder le Joliba…

Ce fut un éclat de rire. N'y avait-il donc pas de rivière au pays de l'homme blanc ? Et une rivière ne ressemble-t-elle pas à une autre ? Non, cela cachait quelque piège, et l'homme blanc ne voulait pas révéler le but réel de sa visite.

Dousika demanda la parole et dit :

— A-t-on interrogé les buguridala[7] et les mori[8] ?

Samaké se moqua tout bas :

— On ne t'a pas attendu pour le faire…

Une fois de plus, Dousika maîtrisa sa colère et répéta sa question. Tiétiguiba lui répondit :

— Ils ne se prononcent pas !

Ils ne se prononçaient pas ? C'était bien le signe de l'extrême gravité de la situation ! Tiétiguiba poursuivit :

— Ils disent que, quoi que nous fassions de cet homme blanc, d'autres pareils à lui viendront et se multiplieront parmi nous.

Stupéfaits, les membres du Conseil se regardèrent. Des hommes blancs s'installer à Ségou et vivre parmi les Bambaras ? Amis ou

7. Géomanciens.
8. Marabouts musulmans.

ennemis, cela semblait impossible ! Dousika se pencha et murmura, cette fois à l'adresse de son ami Koné, assis à quelque distance de lui :

— Est-ce que tu l'as vu, cet homme blanc ?

Malheureusement, dans le silence qui régnait, cette remarque, assez puérile il est vrai, fut entendue de tous. Le Mansa se redressa et lui jeta avec ironie :

— Si tu veux le voir, il est sur l'autre rive du Joliba. Tu y trouveras les femmes, les enfants et les nyamakala[9]...

Cette fois encore, l'assemblée éclata d'un rire obséquieux. Et Dousika fut à nouveau au centre des railleries et des sarcasmes. A la vérité, que lui reprochait-on ? De tenir, d'une certaine manière, un double langage. De faire profession de haïr la guerre tout en profitant de sa part de butin et en s'enrichissant sans mal puisqu'il prenait rarement part aux expéditions, de se griser de sa familiarité avec le Mansa et des origines royales de sa femme au point de traiter tout le monde avec mépris, bref de devenir arrogant et vain. Certains disaient qu'il avait de qui tenir, son père, Falé, ayant été le plus orgueilleux des yèrèwolow qui ait jamais foulé le sol de la ville. Au point que les dieux l'avaient puni, lui faisant rencontrer une mort ignominieuse quand son cheval l'avait jeté au milieu d'un marais où il avait agonisé des heures durant.

On n'allait pas jusqu'à en souhaiter autant à Dousika. Pourtant tout le monde à la cour était d'avis qu'une bonne leçon ne lui ferait pas de mal.

Pendant ce temps, Nya se penchait sur Sira.

Les deux femmes n'étaient plus seules. Etant donné l'affluence de ceux qui voulaient voir l'homme blanc, les pirogues traversant le Joliba étaient prises d'assaut. Aussi après des heures d'attente, nombre d'esclaves, la mort dans l'âme, avaient dû revenir accomplir leurs obligations dans la concession.

En hâte, Nya avait fait chercher Souka, la matrone, qui avait délivré toutes les épouses de Dousika et ranimé de ses mains habiles plus d'un nouveau-né hésitant à entrer dans le monde visible. En attendant, elle faisait déjà brûler des plantes destinées à chasser les mauvais esprits et à favoriser la montée du lait. Puis elle revint vers Sira accroupie afin de faciliter l'expulsion.

Sira occupait une position particulière dans la concession. Ce n'était pas une Bambara, mais une Peule. Le Mansa Monzon, au

9. Hommes de caste.

cours d'une expédition contre ses vassaux peuls du Macina dont les ardo [10] n'étaient jamais prêts à s'acquitter de l'impôt, avait capturé en guise de représailles une douzaine de garçons et de filles choisis parmi les meilleures familles de la capitale, Tenenkou. Il avait l'intention de les restituer dès paiement des sommes dues. Mais un jour, Dousika, traversant une des cours du palais pour se rendre à la séance du Conseil, avait aperçu Sira et l'avait souhaitée pour concubine. Vu les liens qui les unissaient, Monzon, malgré son déplaisir, n'avait pu la lui refuser. Par la suite, l'impôt avait été payé et la famille de Sira avait envoyé une délégation pour la reprendre. Mais Dousika avait refusé d'obéir. D'ailleurs il était trop tard, Sira était déjà grosse. Etrangère et captive, Dousika n'avait pu l'épouser. Cependant il était évident qu'il la préférait à ses compagnes légitimes, à celles qui partageaient sa langue et ses dieux.

D'abord Nya avait haï Sira. Ce n'était certes pas la première fois que Dousika prenait une concubine. On ne comptait plus les esclaves qui, la nuit, se succédaient dans sa case. Pourtant, jamais à aucune d'entre elles, il n'avait accordé tant de prix. Elle ne s'y trompait pas, elle lisait sa passion à mille signes, invisibles pour les autres. Puis sans qu'elle sache comment, sa haine et sa jalousie avaient fait place à des sentiments de pitié, de solidarité et d'affection. Le sort qui avait frappé Sira aurait pu la frapper également. La violence des hommes, le caprice de l'un d'entre eux auraient pu l'arracher à la maison de son père, aux bras de sa mère pour en faire un objet de troc, d'échange. Alors, à la surprise de tous, elle s'était mise à protéger son ancienne rivale.

Malgré son empire sur elle-même, Sira poussa un gémissement. Nya, qui ne voulait pas entendre dire que sa coépouse avait manqué de courage au moment de l'épreuve suprême, lui posa vivement la main sur la bouche. En même temps, elle songea qu'une fois Souka arrivée, elle irait déposer une nouvelle offrande dans la case aux autels dans la dernière cour de la concession. Elle n'y avait pas manqué peu après son réveil, mais sachant que, l'hivernage précédent, Sira avait accouché d'un enfant mort-né, il fallait redoubler de précautions. Elle tenait en réserve un coq blanc dont la couleur plairait au dieu Faro qui, nuit et jour, veille à la bonne marche de l'univers.

Souka entra. C'était une femme déjà âgée, l'épouse d'un forgeron-féticheur, elle-même en communication avec les puissances tutélaires et qui donnait une grande impression d'autorité. Elle

10. Chefs de guerre peuls, originaires du clan Diallo.

portait autour du cou un collier de cornes d'animaux remplies de poudres et d'onguents bienfaisants. Un coup d'œil à Sira la persuada qu'elle avait encore de longues heures devant elle, et elle commença à piler des racines et des feuilles dans un mortier tout en murmurant des prières connues d'elle seule. Rassurée par sa venue, Nya sortit pour aller recueillir un peu de lait de chèvre qu'il serait bon de faire avaler au nouveau-né avant celui de sa mère.

Dans les cours, l'agitation avait repris. Tout le monde semblait revenu du fleuve. Niéli, la deuxième épouse, assise devant sa porte, mangeait voracement des n'gomi, beignets de mil qu'une de ses esclaves lui avait préparés. Nya se reprochait les sentiments qu'elle éprouvait pour Niéli qui aurait dû être sa petite sœur. Pourtant comment s'accommoder de sa paresse, de ses caprices, de ses criailleries constantes ? C'est que Niéli n'arrivait pas à oublier la manière dont elle était entrée dans la concession. Des années plus tôt, Falé, le père de Dousika, accompagnait le Mansa Ngolo Diarra à Niamina. Comme il passait la soirée chez un noble bambara de leurs relations, il s'aperçut que l'épouse de son hôte était enceinte. Selon la coutume, il demanda l'enfant pour son fils si c'était une fille.

Dousika était un fils respectueux. Il avait toujours traité avec justice cette épouse qu'il n'avait pas choisie, mais il ne l'avait jamais aimée. Depuis l'arrivée de Sira au foyer, cette différence de sentiments, perceptible à une infinité de détails, de menus gestes, torturait Niéli.

Niéli s'arrêta de mastiquer ses n'gomi et interrogea :

— L'étrangère a accouché ?

Elle n'appelait jamais Sira autrement. Nya ne releva pas l'expression et se borna à répondre :

— Non, le petit inconnu n'est pas encore parmi nous. Les ancêtres fassent que son voyage soit aisé…

Niéli fut bien forcée de marmonner la prière d'usage. Nya se dirigea vers la petite case aux autels. C'était un lieu secret où ne pénétraient que les prêtres-féticheurs attachés à la famille, les chefs des différentes cellules familiales et quelques femmes investies comme elle-même d'une certaine autorité. Dans la deuxième cour, elle se heurta à Dousika de retour du palais et visiblement à sa recherche. Il commença :

— Monzon m'a encore humilié et…

Elle l'interrompit :

— Défais la ceinture de ton pantalon. Sira est en travail…

Ne pouvait-elle dominer sa rancœur ? Ce qu'elle reprochait en réalité à Dousika, ce n'était plus la présence de Sira. C'était l'usure que le temps avait apportée à ses sentiments pour elle. La mort de son désir. La routine installée dans leurs relations. A présent, pendant les nuits qu'elle passait dans sa case, ils dormaient sans se toucher. Leurs seules conversations tournaient autour des enfants, de l'usage des biens, des soucis de la vie publique. Ah, qu'il est dur de vieillir !

Il fit d'un ton suppliant :

— Ecoute-moi ! Je te dis que Monzon s'est raillé de moi par deux fois en plein Conseil... Fais venir Koumaré...

Nya fixa le sol de sable blanc mêlé à des pierres finement pilées :

— Quand veux-tu le voir ?

— Mais le plus vite possible !...

Koumaré était le forgeron-féticheur, grand prêtre du Komo[11] qui, depuis des années, interprétait pour Dousika les signes de l'invisible et du visible et tentait de prévenir tous les événements défavorables. De toute façon, il faudrait bientôt l'appeler, dès que l'enfant de Sira serait né, afin qu'il l'entoure de protections. Nya reprit sa marche. Mais, comme elle allait entrer dans la troisième cour, elle eut pitié de Dousika qui restait debout, immobile, ne sachant s'il devait la suivre ou retourner vers sa case. Se détournant, elle dit avec bienveillance :

— Attends-moi. Je reviens dans un instant.

Il la regarda s'éloigner, partagé entre le chagrin que lui causait son indifférence et le désir de s'accrocher à son pagne comme un petit enfant. Quel âge avait-elle ? Il ne le savait pas, pas plus que son âge à lui-même. Ils étaient mariés depuis seize saisons sèches. Alors, elle devait en compter trente-deux ! Sa taille s'était alourdie. Ses seins s'étaient affaissés et déjà les rides de la responsabilité accusaient ses traits, altiers et fins, comme ceux de tous les Coulibali qu'on disait les plus beaux des Bambaras. Au repos, on la croyait sévère. Mais quand elle souriait, une lumière éclatait dans ses yeux allongés, obliques. Nya, il avait besoin de sa force ! Pourquoi la lui refusait-elle ?

La case aux autels dans laquelle Nya entra contenait un billot de bois nommé pembélé, représentation du dieu Pemba qui, en tourbillonnant, avait créé la terre tandis que le dieu Faro s'attribuait le ciel et les eaux. Autour du pembélé étaient disposées des pierres rouges représentant les ancêtres de la famille, et des boli, objets fétiches faits des matières les plus diverses, queues de hyènes, queues de scorpions, écorces, racines d'arbres, régulièrement arrosés de sang d'animaux, concentrés symboliques des forces de l'univers et destinés à assurer à la famille bonheur, prospérité, fécondité.

11. Importante société secrète à la tête de laquelle se trouve un clergé dirigé par un grand prêtre.

Nya se saisit d'un petit balai de fibre végétale et nettoya soigneusement le sol. Tout était en ordre. Pourtant le sang qui couvrait les boli était sec. Elle reviendrait bientôt les rafraîchir, car ils devaient avoir soif.

# 2

Sira était seule avec sa peur et sa douleur.

Peur, car l'année précédente, elle avait accouché d'un enfant mort-né. Neuf mois d'anxiété pour mettre au monde une petite boule de chair à laquelle les dieux n'avaient pas voulu insuffler la vie. Pourquoi ? S'irritaient-ils de cette alliance contre nature entre une Peule et un Bambara ?

*Toi Peul, garde ton troupeau.*
*Noir conserve ta bêche, celle-qui-fatigue.*

Ainsi dit le poème pastoral. Aucun lien n'était possible entre ces deux races d'hommes. Pourtant ils savaient bien qu'elle ne l'avait pas voulue elle-même et qu'elle n'était qu'une victime... Alors pourquoi la punir ? Et allaient-ils la punir à nouveau ? La condamner à cette attente stérile ? A un nouvel enterrement alors qu'elle souhaitait s'épanouir dans la gloire d'un baptême ? Elle regarda le monticule dans sa case, là où avait été enfoui le petit être aussitôt enlevé à son affection, et ses yeux s'emplirent de larmes. Que les dieux accordent la vie à son enfant, même si c'était celui d'un Bambara, d'un homme qu'elle aurait dû haïr.

Malgré elle, elle gémit et Souka, s'approchant, rectifia sa position accroupie, l'aida à nouer ses mains derrière sa nuque, puis lui massa doucement le ventre en chantonnant. L'odeur des fumigations de wolo, plante aimée du dieu Faro et qui favorise les naissances, lui emplit les narines. Elle eut un éternuement qui déclencha en elle une telle vague de souffrances qu'elle crut mourir. Elle se rappela les préceptes de sa mère, de Nya, de toutes les femmes qui étaient passées par là avant elle. Ne pas broncher. Etre maîtresse de sa douleur. Mais c'était impossible. Impossible ! Elle serra les dents, se mordit les lèvres, sentit la fade saveur du sang, puis ouvrit les yeux sur la chevelure finement tressée et hérissée de gris-gris de Souka, penchée vers son bas-ventre.

Alors qu'elle était enfant, elle s'était aventurée avec un de ses frères dans le marigot de Dia où il menait paître les vaches en saison sèche. Comme c'était l'hivernage, les eaux étaient hautes. Ils avaient perdu pied et s'étaient trouvés emportés sans défense, parmi les plantes aquatiques qui couvraient la surface. Ils avaient cru qu'ils ne reverraient plus jamais leur mère et la case de leur père quand une rizière était apparue, leur offrant l'aide de ses tiges encore fragiles. C'était la même terreur qu'elle revivait à présent, le même désarroi et, soudain, la même paix. Inattendue.

Incrédule, Sira entendit un pleur ou plutôt un vagissement. Elle balbutia :

— Qu'est-ce que c'est ?

Souka se leva emportant vers la calebasse d'eau tiède un petit tas de chairs sanguinolentes qu'elle se mit à laver avec des gestes étonnamment doux et précautionneux :

— Un bilakoro[1] de plus...

Puis, entourant Nya, les esclaves entrèrent en hâte, apportant, les unes un bouillon au poisson sec et au piment, les autres des lianes pilées afin de lui masser le ventre.

Elle murmura à l'adresse de Nya :

— Il est vivant, bien vivant ?

Nya feignit de ne pas entendre cette question malencontreuse qui pouvait irriter les dieux.

Souka, quant à elle, regardait le nouveau-né. Elle en avait reçu dans ses mains larges et puissantes ! Elle en avait sectionné des cordons ombilicaux ! Enterré des placentas ! Aussi lui suffisait-il d'étudier le dessin d'une bouche, le modelé d'une paupière pour deviner l'enfant qui ferait l'orgueil de ses parents ou, au contraire, celui qui se traînerait longtemps sur des jambes trop grêles. Elle savait que le petit garçon qu'elle tenait là sur ses genoux serait un aventureux, promis à un destin singulier. Il serait bon que Nya offre aux boli familiaux un œuf pondu par une poule noire, sans une seule plume blanche et des cœurs d'antilope. En outre, Dousika ne devrait pas être avare de coqs au plumage rouge dont il répandrait le sang

1. Garçon non circoncis.

afin d'en enduire le sexe du nouveau-né. Il fallait que ces précautions soient prises pour assurer la bonne vie. Souka massa de beurre de karité le petit corps informe et tiède, l'enveloppa d'un fin linge blanc, puis le remit à sa mère, répondant silencieusement à l'interrogation que contenait le regard de Nya :

— Mais oui, il est beau ! Et les dieux lui prêteront vie...

Sira prit enfin son fils contre elle. Selon la tradition, il ne recevrait son nom qu'au huitième jour. Pourtant, venu après un aîné mort-né, elle savait qu'on l'appellerait Malobali. Elle pressa contre la sienne sa petite bouche fragile, étonnée qu'une chair si légère pèse déjà d'un tel poids dans sa vie. Son fils était là, bien vivant. Quelles que soient les conditions de sa naissance, il la vengeait de son humiliation, de ses souffrances, de sa déchéance, fille d'un ardo peul, éleveur de centaines de têtes de bétail, devenue concubine d'un agriculteur.

Quand Sira pensait à sa vie d'autrefois, elle croyait rêver. Dans le Macina, la vie était rythmée par les saisons, les troupeaux allant et venant des pâturages de Dia à ceux de Mourdia. Les femmes trayaient les vaches, fabriquaient du beurre que les esclaves allaient troquer contre du mil sur les marchés des environs. Les hommes étaient amoureux de leurs bêtes plus que de leurs épouses et en chantaient la beauté le soir devant les feux de bois. Aussi les autres peuples se moquaient :

*Ton père est mort, tu n'as pas pleuré.*
*Ta mère est morte, tu n'as pas pleuré.*
*Un menu bovin a crevé et tu dis Yoo !*
*La maison est détruite !*

Mais les autres peuples comptaient-ils ? On ne s'en rapprochait qu'en saison sèche afin de négocier l'accès à la pâture et à l'eau pour le bétail.

Puis un jour, des tondyons bambaras avaient surgi coiffés de bonnets à deux pointes, vêtus de tuniques jaunes s'arrêtant au-dessus du genou, bardés de cornes et de dents d'animaux ou d'amulettes achetées aux musulmans. L'odeur de la poudre emplissant ses narines, Sira s'était retrouvée à Ségou dans le palais du Mansa. Malgré le chagrin que lui causait sa captivité, elle ne pouvait s'empêcher d'admirer le nouveau cadre de sa vie. Derrière des murs qui défiaient le ciel, des esclaves tissaient, assis sous des auvents devant leurs appareils faits de quatre bois verticaux enfoncés en terre et reliés par des tiges horizontales, et elle ne se lassait pas de regarder, fascinée, le long serpent blanc de la bande. Des maçons réparaient et recrépissaient les façades. Partout, des commerçants offraient des tapis de Barbarie, des parfums, des soieries tandis que des bouffons, le corps disparaissant littéralement dans des vêtements faits de petits losanges de peau de bêtes étoilés de cauris, caracolaient pour la plus grande joie des enfants royaux. Comme les Peuls, quant à eux, ne bâtissaient pas, se contentant de leurs cases rondes en paille tressée ou en branchages, tout cela la fascinait.

Etait-ce pour la punir de ces sentiments d'admiration involontaires, presque inconscients pour ses vainqueurs que les dieux l'avaient livrée à Dousika ?

Non, il ne fallait pas penser à Dousika sinon la joie de l'instant serait gâchée. Pourtant peut-on abstraire un enfant de son père ?

Justement il entrait, Dousika, flanqué de Koumaré qu'on était allé quérir en vitesse pour les premiers sacrifices. Elle détourna la tête pour ne pas rencontrer son regard et partager sa joie. En même temps, elle se reprochait son hypocrisie. Qu'est-ce qui la retenait de le quitter, de quitter Ségou ? Elle se persuadait qu'elle attendait des dieux ou de son peuple une vengeance éclatante qui la dépasserait elle-même. Etait-ce la vérité ?

Quelques semaines auparavant, un artisan labo[2] était entré dans la concession pour proposer des mortiers, des pilons et des manches d'outils. Ils s'étaient reconnus au parler, le doux parler foulfouldé[3]. L'homme lui avait donné des nouvelles du pays. Les Peuls en avaient assez de la domination de Ségou, des razzias et des exactions des Bambaras. Se détournant de l'ardo Ya Gallo du clan des Dialloubé[4], ils plaçaient tous leurs espoirs dans un jeune homme, Amadou Hammadi Boubou du clan des Barri, musulman fervent, qui avait juré de les unir dans un Etat unique, souverain, qui ne reconnaîtrait d'autre maître qu'Allah ! Du coup, on chuchotait une prédiction faite quelques siècles plus tôt à l'Askia[5] Mohammed du royaume songhaï de Gao. On lui avait annoncé qu'un Peul porterait un coup mortel au royaume bambara et fonderait un vaste empire. Amadou Hammadi Boubou serait ce Peul-là !

Etait-ce possible ?

Caressant doucement la tête de son nouveau-né, Sira imagina le serpent du feu touchant de sa langue bifide le palais du Mansa, les concessions, les bouquets de cailcédrat et s'arrêtant en bordure du

---

2. Caste peule qui travaille le bois.
3. Le foulfouldé est le nom de la langue des Peuls du Macina.
4. Les Dialloubé, c.-à-d. « ceux qui portent le nom patronymique de Diallo », dynastie régnante peule.
5. Mot songhaï qui signifie « roi ».

Joliba après avoir calciné les flottilles de pirogues des Somonos. Ah, il fallait au moins cela pour la venger ! Elle ferma les yeux.

Pendant ce temps, Souka déclinait toutes les particularités corporelles qui permettraient à Koumaré de déterminer de quel ancêtre le nouveau-né était la réincarnation. Sira entendit ensuite le battement d'ailes et le cri bref du coq que le féticheur égorgeait. Enfin le silence se fit et elle se retrouva seule avec son fils.

Naba tira Tiékoro par la blouse et gémit :

— Rentrons à présent. J'ai faim. Je suis fatigué..

Mais Tiékoro ne pouvait s'y décider : il voulait de toutes ses forces voir l'homme blanc. Il interrogea un homme qui venait vers eux, la sueur ruisselant sur son torse nu :

— Tu l'as vu ? Comment est-il ?

L'homme eut une moue :

— Il est pareil à un Maure. A part qu'il a deux oreilles rouges et les cheveux couleur d'herbe en saison sèche...

Tiékoro eut une inspiration :

— Les arbres ! Il faut grimper aux arbres !

Levant la tête, il s'aperçut que cela aussi était impossible. Les branches des karités ou des fromagers étaient chargées de grappes humaines. Il fit avec dépit :

— Eh bien, allons-nous-en !

A quinze ans, Tiékoro, fils aîné de Dousika, fils de Nya, sa première épouse, atteignait presque la taille d'un adulte. Les griots, qui venaient dans la concession chanter les louanges de la famille, le comparaient à un rônier qui s'élève dans le désert et lui prédisaient un avenir incomparable. C'était un adolescent silencieux, réfléchi, que l'on s'accordait à trouver arrogant. Quelques mois auparavant, il avait été circoncis, mais il n'avait pas encore été initié au Komo.

En réalité, Tiékoro avait un secret. Qui le rongeait.

Tout avait commencé un jour où, par curiosité, il était entré dans une mosquée. La veille, il avait entendu résonner l'appel du muezzin et quelque chose d'indicible s'était éveillé en lui. Il en était convaincu, c'était à lui que cette voix sublime s'adressait. Pourtant la timidité avait été la plus forte et il n'avait pas suivi les Somonos qui pénétraient à l'intérieur de l'édifice. Il n'en avait eu le courage que le lendemain après s'être armé de résolutions toute la nuit.

Dans une cour, un homme de l'âge de son père était assis sur une natte. Il portait un ample vêtement bleu foncé sur un pantalon de même teinte. Il était chaussé de babouches jaune clair. Sur son crâne rasé de près, un petit bonnet rouge sombre était posé. Jusque-là, rien d'extraordinaire. Ce n'était pas la première fois que Tiékoro voyait des hommes pareillement accoutrés, jusque dans l'enceinte du palais du Mansa où il accompagnait quelquefois son père. Ce qui l'intrigua, ce fut l'occupation à laquelle se livrait l'homme. Dans sa main droite, il tenait une tige de bois terminée par une pointe acérée. La trempant dans un récipient, il traçait ensuite de minuscules dessins sur une surface blanche. Tiékoro s'accroupit près de lui et interrogea :

— Qu'est-ce que tu fais là ?

L'homme sourit et dit :

— Tu vois bien, j'écris...

Tiékoro tourna et retourna dans sa tête ce dernier mot qu'il ne comprenait pas. Puis un éclair illumina son esprit. Il se rappela les amulettes que certains portaient et il s'exclama :

— Ah ! Tu fais de la magie...

L'homme rit et demanda :

— Tu es un Bambara n'est-ce pas ?

Sensible au mépris qui perçait dans la voix, Tiékoro répliqua avec orgueil :

— Oui, je suis le fils de Dousika Traoré, conseiller à la cour...

— Alors, cela ne m'étonne pas que tu ignores ce qu'écrire signifie...

Tiékoro fut ulcéré. Il chercha une réponse cinglante et n'en trouva pas. Et puis, que peut un enfant devant un adulte ? Pourtant, dès le lendemain, il prenait à nouveau le chemin de la mosquée. Désormais ses visites devinrent quotidiennes.

A présent, Naba se plaignait :

— Tu vas trop vite...

Tiékoro ralentit son allure :

— Qu'est-ce que tu ferais si je m'en allais ?

L'enfant le regarda avec surprise :

— A la guerre ? Avec le Mansa ?

Tiékoro secoua vivement la tête :

— Ah non, je ne ferai jamais ces guerres-là !

Tuer, violer, piller ! Sang, que de sang répandu ! D'ailleurs, toute l'histoire de Ségou n'était-elle pas sanglante et violente ?

De sa fondation à son expansion par Biton aux jours présents ! Ce n'était que meurtres et massacres. Jeunes gens emmurés vifs, vierges immolées à l'entrée des portes, empereurs étranglés par leurs esclaves au moyen de bandelettes de coton. Avec, en leitmotiv, les sacrifices. Sacrifices aux boli de la ville, du royaume, des ancêtres, de la famille. Chaque fois que Tiékoro passait devant la case qui abritait ceux des Traoré, il frissonnait. Un jour, il avait osé pénétrer à l'intérieur et s'était demandé, terrifié, d'où venait le sang qui se coagulait sur ces formes immondes.

Ah, une autre religion qui parlerait d'amour ! Qui interdirait ces funèbres sacrifices ! Qui délivrerait l'homme de la peur. Peur de l'invisible. Et même peur du visible ! Comme ils passaient devant la mosquée des Somonos, Tiékoro pressa le pas, craignant qu'on le reconnaisse et que Naba découvre son secret. Puis il eut honte de sa lâcheté. Un croyant ne doit-il pas être prêt à mourir pour sa foi ?... Et il était un croyant n'est-ce pas ?

« Il n'y a de dieu que Dieu et Mahomet est l'envoyé d'Allah ! »

Ces paroles l'enivraient. Il n'avait qu'un désir. Quitter Ségou. Partir pour Djenné ou, mieux, Tombouctou et s'inscrire à l'université de Sankoré [6].

Les deux garçons se mirent à courir à fond de train par les rues tortueuses, sautant par-dessus le dos des moutons et des chèvres, évitant de justesse les femmes peules, qui, à cette heure, venaient offrir leurs calebasses de lait. Des cabarets, les tondyons, buveurs de dolo [7], leur lançaient de grasses plaisanteries.

Quand ils arrivèrent en nage dans la concession, tout le monde se précipita vers eux et ce fut un brouhaha :

— Vous l'avez vu ? Vous l'avez vu ?...

— Le Blanc ?

Force fut d'avouer qu'il n'en était rien. Flacoro, la troisième épouse de Dousika, guère plus âgée que Tiékoro, eut une moue :

— C'était bien la peine de passer la journée au bord de l'eau...

Puis elle ajouta :

— Sira a eu un garçon...

Un garçon ? Et bien en vie ? Le cœur de Tiékoro s'emplit de joie.

Son intimité avec Sira avait commencé avec son intérêt pour l'islam. Il avait entendu dire que de nombreux Peuls pratiquaient cette religion. Pourtant quand il avait eu le courage d'interroger Sira, elle n'avait pas pu le renseigner. Un de ses oncles s'était converti, mais elle ne savait rien de lui. L'islam était tout nouveau venu dans la région, apporté par les caravanes des Arabes comme une marchandise exotique !

Tiékoro alla rôder près de la case de Sira dont l'accès, il le savait, serait interdit à tous pendant huit jours. Il vit en sortir son père avec Koumaré, le féticheur. Cachant la frayeur que lui inspirait ce dernier, il salua poliment les deux hommes et se préparait à s'éloigner

6. Célèbre université soudanienne.
7. Bière de mil.

prestement, quand son père lui fit signe de le suivre. Tremblant, il obéit.

Quelques années auparavant, Tiékoro admirait son père comme un dieu. Bien plus que le Mansa. Quand avait-il commencé de le considérer comme un barbare doublé d'un ignorant buveur d'alcool ? Quand l'œuvre des musulmans avait grandi dans sa vie. Mais ne plus admirer son père ne signifiait pas cesser de le chérir. Aussi Tiékoro souffrait-il de ce divorce entre cœur et esprit, entre sentiments instinctifs et réflexions de l'intelligence. Il s'assit en silence dans un coin du vestibule et, conscient de l'honneur qui lui était fait, prit une pincée de tabac dans la tabatière qu'on lui tendait. Il n'osait regarder dans la direction de Koumaré, car il croyait que celui-ci saurait déchiffrer ses pensées, découvrir ce qu'il cachait à tous. Et en effet, le féticheur le fixait de ses prunelles piquetées de rouge. Dès que ce fut possible sans trop d'irrespect, il se leva et sortit au-dehors. Sous l'effet de la peur et de l'effort qu'il avait dû faire, son estomac se contracta et il vomit douloureusement contre le mur d'une des cases, un jus brunâtre mêlé de glaires. Ensuite, il demeura immobile, la tête en feu. Combien de temps encore pourrait-il cacher son secret ?

Cependant, demeuré seul avec Dousika, Koumaré était pensif. Son regard ne quittait pas la porte basse par laquelle Tiékoro s'était retiré. Quelque chose travaillait l'esprit de ce garçon. Quoi ?

D'un petit sac il sortit un jeu de douze cauris divinatoires et les répandit sur le sol. Ce qu'il vit lui parut si surprenant qu'il les ramassa, remettant l'opération à plus tard. Dousika s'aperçut de son étonnement et dit d'une voix pressante :

— Qu'est-ce que tu vois, Koumaré ? Qu'est-ce que tu vois ?

En fait, il ne pensait qu'à lui-même et aux railleries du Conseil, Koumaré décida de ne point le détromper :

— Je ne peux rien te dire. L'affaire n'est pas claire. Toute la nuit, je vais travailler. Ensuite, je pourrai te parler…

Ah non, l'affaire n'était pas claire ! Un fils arrivait, un autre s'en allait ! Le père s'élevait, puis s'abaissait ! Un véritable chaos s'installait dans une concession jusque-là bien ordonnée. Pourquoi ?

Koumaré appartenait à l'une des trois grandes familles de forgerons « de race » dont les ancêtres, originaires du village souterrain de Gwonna, avaient découvert le secret des métaux. Un jour qu'ils se chauffaient à un grand feu, ils avaient vu fondre l'un des cailloux du foyer. Ils l'avaient ramassé et avaient alors constaté qu'il s'agissait d'un corps dur qu'ils n'arrivèrent pas à briser. Ce fut le premier morceau de cuivre. Ensuite, ils découvrirent les secrets de l'or et du fer. Ils fabriquèrent alors des armes, des couteaux, des flèches, des pointes, et grâce à eux, les Bambaras purent remplacer leurs anciens outils faits de silex. Comme les forgerons étaient sous la protection du dieu Faro et de ses auxiliaires, les génies maîtres de l'air et du vent, ils étaient aussi les maîtres de la divination.

Pour Koumaré, l'invisible n'avait pas de secrets.

# 3

« Ce qui est de nuit est parole d'inconnu tombant dans le sein du hasard. La mauvaise parole est une puanteur. Elle agit sur la force de l'homme. Elle va du nez à la gorge, au foie et au sexe. »

C'est ce que pensait Monzon Diarra en fixant Samaké. Aussi l'interrompit-il brutalement :

— Qu'est-ce qui me prouve que ta parole est bonne ? Comment sais-tu tout cela ?

Samaké parvint à soutenir ce regard que les griots comparaient à celui du chacal et répondit :

— Maître, je le sais par ma première femme, Sanaba qui, tu le sais, est du même groupe d'âge que Nya, la première femme de Dousika. Et puis, elles appartiennent à la même confrérie. Tu connais les femmes, elles parlent. Avant-hier, Dousika a reçu une délégation de Déssékoro que tu as battu à Guémou et qui s'est replié à Dioka avec sa cour. Il a pour mission de réconcilier les deux clans Coulibali, celui du Kaarta et celui de Ségou. Dans un but : te renverser et faire l'unité des deux royaumes sous la même famille..

Monzon secoua la tête :

— Je ne te crois pas...

Les Coulibali du Kaarta et ceux de Ségou se haïssaient. Une réconciliation entre eux était invraisemblable ! Tiétiguiba Danté, qui avait aménagé cette entrevue secrète et avait partie liée avec Samaké et ceux qui voulaient perdre Dousika, intervint :

— Maître des énergies, ne t'y trompe pas. Les Coulibali n'ont jamais accepté que ton père les écarte du trône de Ségou. Ils ne reculeront devant rien pour revenir au pouvoir. Dousika, tu le sais, est avide de richesses. Sans avoir cependant l'énergie de se battre pour les gagner. On lui aura promis de l'or...

Monzon semblait souffrir et murmura :

— Dousika est mon frère de sang. Nous avons été circoncis le même jour. Pourquoi ? Pourquoi ? Qu'est-ce qu'il peut obtenir en me trahissant que je ne peux lui donner ? Samaké et Tiétiguiba échangèrent un regard, surpris de la sincérité de cette douleur. Puis Monzon se leva d'un bond et se mit à arpenter la pièce. Effrayés, les esclaves s'écartèrent, craignant que la colère royale ne se retourne contre eux. Monzon revint s'asseoir sur sa peau de bœuf, retrouvant son empire sur lui-même :

— Demain, au Conseil, je l'interrogerai et, la lame sur la gorge, il faudra bien qu'il avoue...

Tiétiguiba Danté secoua la tête :

— Impétueux, emporté comme ton père ! Non, maître, ce n'est pas ainsi que tu dois agir. Prends-le par la ruse...

Il s'approcha du roi, demeurant cependant à distance respectueuse afin que son souffle ne puisse pas l'effleurer :

— Déshonore-le. Reproche-lui d'avoir triché sur ses impôts. Pour cette raison, bannis-le de la cour. Qu'il ne siège plus ni au Conseil, ni au Tribunal. Et alors, mets-le sous surveillance. Tu verras bien comment il réagit.

Monzon ne dit rien et demeura plongé dans ses réflexions. Il n'avait pas la cruauté de certains suzerains avant lui. De Dékoro, par exemple, fils de Biton qui, furieux des revers de ses troupes devant Kirango et Doroni, villes qu'il entendait soumettre, avait placé quatre fois soixante hommes de chaque côté d'un carré que son forgeron-féticheur avait tracé en terre et les avait fait incorporer tout vifs dans une muraille en s'écriant : « Ainsi j'habiterai au milieu de mes esclaves qui me serviront de gré ou de force. »

Au contraire, Monzon exerçait son métier de roi avec justice et tolérance. La trahison de Dousika lui faisait mal. Que gagnerait ce dernier à changer de maître ? Un nouveau Mansa le comblerait-il davantage ? Est-ce vrai qu'il était sous l'influence de sa première épouse Nya ? Alors dans ce cas, tout était possible. Qui sait jusqu'où une femme peut conduire un homme si elle se rend maîtresse de son esprit ou de son corps ?

A ce moment, un esclave vint l'informer que Mori Zoumana demandait à le voir. Mori Zoumana était un des plus puissants devins de Ségou. Il travaillait avec les quatre grands boli, mais avait aussi appris la magie des Arabes dont il parlait parfaitement la langue. Il était vêtu à la musulmane d'un séroual, d'un caftan blanc, la tête recouverte d'un haïk. Pour marquer son indépendance d'esprit, il ne se prosterna pas sur terre devant le Mansa, mais s'accroupit sur ses talons :

— Maître des énergies, c'est l'esprit de ton père lui-même qui est venu m'indiquer la conduite à suivre. Dès demain matin, dépêche un messager à l'homme blanc. Dis-lui que, voulant l'aider, lui qui se trouve si loin de son pays, tu lui envoies un sac de cinq mille cauris afin d'acheter des vivres. Dis-lui aussi qu'il peut utiliser les services de ton messager comme guide jusqu'à Djenné, s'il a l'intention de s'y rendre. Mais ne lui permets pas d'entrer dans Ségou.

Monzon eut un geste d'assentiment, puis interrogea :

— Où se trouve l'homme blanc à présent ?

— Une femme lui a donné refuge...

Les quatre hommes se regardèrent, se mirent à rire et Monzon, malgré l'humeur où l'avait mis l'annonce de la trahison de Dousika, se permit une plaisanterie :

— Eh bien, il connaîtra à la fois et l'eau de la femme et l'eau du fleuve de Ségou.

Samaké, Tiétiguiba Danté et Mori Zoumana se retirèrent. Pour se changer les idées, Monzon fit appeler Macalou, un de ses griots favoris qui entra, son tamani[1] sous le bras. S'apercevant de l'état d'esprit de son maître, Macalou demanda doucement :

— Qu'est-ce que tu veux que je te chante ? L'histoire de la fondation de Ségou ? Ou l'histoire de ton père ?

Monzon eut un geste signifiant qu'il lui en laissait le choix et Macalou, qui connaissait ses préférences, se mit à chanter l'histoire de Ngolo Diarra :

« Le père de Ngolo étant mort, un de ses oncles, Menkoro, dut se rendre auprès du roi Biton pour s'acquitter de la redevance et emmena l'enfant avec lui à Ségou. Menkoro comme d'habitude prit l'hospitalité chez Danté Balo, la femme d'un des forgerons de la cour. Comme d'habitude, il courut les cabarets et se gonfla le ventre de dolo tant et si bien que le lendemain il s'aperçut qu'il avait gaspillé la totalité des charges de mil destiné à payer la redevance. Alors, il vint trouver son hôtesse et lui expliqua que pendant la nuit, des tondyons l'avaient volé et se lamenta sur le sort que Biton allait lui faire connaître. La brave femme se laissa abuser par cet apparent désespoir et accepta d'intervenir auprès de Biton afin qu'il accepte l'enfant à titre de gage... »

Monzon écoutait le récit tellement familier. Biton, séduit par

1. Tam-tam d'aisselle.

l'intelligence de Ngolo, lui confiant tous ses secrets, puis alerté, cherchant à s'en défaire... En vain. Après la mort de Biton et des années d'anarchie, Ngolo prit le pouvoir. Alors il revint à son village et fit mettre à mort tous ses parents pour se venger d'avoir été réduit en esclavage.

En même temps, par-dessus ces paroles familières et ces accords harmonieux, sa pensée suivait Dousika et aussi cet homme blanc aux portes de son royaume. Les deux faits étaient-ils liés, la trahison de son ami et la présence de cet inconnu, peut-être vomi par un monde effrayant ? Etaient-ce deux signes trompeusement distincts que lui envoyaient les dieux ? Contre quoi voulaient-ils le mettre en garde ?

Il se croyait invincible. Il croyait que son royaume l'était aussi. Et voilà que, dans l'ombre, des dangers peut-être les menaçaient. Il frissonna.

Autour de lui, la salle s'assombrissait, les mèches des lampes ayant bu le beurre de karité. Comme il était très tard, les esclaves d'ailleurs à moitié endormis n'osaient les remplacer.

Macalou terminait son récit :

« Ngolo Diarra régna seize ans. Avant de mourir, il consulta ses féticheurs sur les moyens de rendre son nom inoubliable. Alors, ils lui conseillèrent de donner une de ses filles à Allah, ce qu'il fit aussitôt, la confiant au marabout Markaké Darbo, du village de Kalabougou. Puis ils lui conseillèrent aussi de mettre des boucles d'or aux ouïes de cent vingt caïmans : " De cette façon, ton nom ne périra pas tant qu'il y aura des caïmans dans le fleuve... " »

Tant qu'il y aura des caïmans dans le fleuve ! Les dieux ont une façon de se moquer par ces phrases énigmatiques, ouvertes à toutes les interprétations ! Cela signifiait-il que dans mille ans, dix mille ans, la postérité garderait le souvenir de Ngolo ? Et lui, que resterait-il de lui ? Le souvenir d'un Mansa puissant et juste ? Puissant ? Ne voilà-t-il pas que les Peuls, qu'il n'avait jamais entièrement soumis, recommençaient de s'agiter ?... Cette fois ils avaient trouvé un nouveau prétexte, la religion. L'islam. Monzon, même s'il utilisait les services de marabouts musulmans, avait la plus grande répugnance pour l'islam, qui châtre les hommes, réduit le nombre de leurs femmes, interdit l'alcool. Sans alcool, l'homme peut-il vivre ? Où, sans lui, trouver la force d'affronter jour après jour ?

Comme pour lui donner raison, dans une autre salle du palais, Tiétiguiba Danté et Samaké vidaient des calebasses de dolo avec Fatoma, le maître de la guerre, lui aussi partie prenante du complot contre Dousika et des tondyons.

Le maître de la guerre braillait :

— Bientôt, je revêtirai mon habit jaune, mon habit de guerre et je partirai au combat. Ségou n'est pas faite pour la paix. Ségou aime l'odeur de la poudre et le goût du sang...

C'était bien l'avis de tous.

Mais Samaké avait à faire et laissa les buveurs s'enivrer. Chaque fois qu'il traversait le palais royal de nuit avec cette enfilade de vestibules chichement éclairés ou carrément obscurs, Samaké ressentait une frayeur qu'il n'éprouvait jamais au combat. C'est que les hommes ne sont pas redoutables. Seuls les esprits le sont et Samaké s'attendait toujours à les voir surgir des jarres de terre ventrues qui contenaient les offrandes destinées à les apaiser et qui n'y étaient pas parvenues.

Fané, son féticheur qui le guettait, se détacha de l'ombre du troisième vestibule. Samaké l'interrogea :

— Alors ?

— Elle a eu un fils...

— L'enfant vit ?

— Oui...

Samaké eut un geste de colère :

— Est-ce pour cela que je te paye ?

Fané se mit à marcher au même pas, expliquant :

— Dousika Traoré est un homme très riche et qui ne lésine pas. Il a donné à Koumaré le double de ce que tu m'as offert. Aussi, je n'ai pu défaire son travail. L'enfant vit. Mais crois-moi, il n'aura pas une bonne vie. Ses parents ne verront pas tous les fruits de sa semence et il ne sera pas à leur chevet lors du grand départ. Il sera une flèche empoisonnée dans le cœur de sa mère. Il connaîtra une mauvaise mort.

Samaké était l'âme du complot ourdi contre Dousika. Il était lui aussi un noble, un yèrèwolo. Mais ses parents qui venaient de la région de Pogo, s'étaient longtemps opposés à Ségou. Il était le premier de sa famille à être bien en cour, et Monzon le traitait subtilement comme un vassal soumis. Après les expéditions militaires où il se distinguait régulièrement par sa folle bravoure, sa part de butin était toujours plus réduite que celle de Dousika qui prenait le moins de part possible aux combats. Ensuite, par deux fois, celui-ci l'avait humilié, lui enlevant des femmes par des présents supérieurs à ceux qu'il pouvait offrir. C'est pour toutes ces raisons qu'il avait décidé de le perdre.

La nuit à Ségou, quand la lune ne brillait pas, refusant de se lever au-dessus du Joliba, on se croyait enveloppé dans un voile épais, plus sombre que le plus sombre indigo. Seules brillaient quelques lumières, celles des cabarets où se consommait le dolo. Le dolo n'était pas une boisson quelconque, tout juste bonne à chauffer le ventre. Du temps de Biton Coulibali l'ancêtre, son commerce avait fait l'objet d'un véritable monopole royal. Si ce monopole n'existait plus, Monzon Diarra exerçait une étroite surveillance sur les cabarets où il se consommait. Ses espions avaient partie liée avec les tenancières et se mêlaient aux groupes de buveurs affalés des heures durant devant les marmites bouillantes. Dans ces lieux-là, on trafiquait de tout. Des commerçants venus de Kangaba ou du Bouré proposaient de l'or à un taux inférieur à celui fixé par le Mansa et qui était de cinq cents cauris pour un moutoukou[2]. Du kola doux venu de Goutougou. Des amulettes achetées aux Maures musulmans. Et aussi, on complotait. Fané et Samaké pressèrent le pas, car ils avaient tous deux peur d'être mangés par la nuit. Le premier rentrait chez lui dans le quartier des forgerons adossé au fleuve. Le second allait retrouver au cabaret de Batanemba ses amis qui attendaient l'issue de son entrevue avec le Mansa.

« Elle s'est jetée dans le puits ! Elle s'est jetée dans le puits ! »

Vingt têtes se pressaient au-dessus du boyau béant d'où montaient des bouffées de fraîcheur et au fond duquel miroitait l'eau. Par un jeu compliqué de cordes, de lianes on avait remonté le corps frêle, aux seins aigus comme ceux d'une fille à peine nubile, au ventre bombé comme un doux monticule. On l'avait posée sur la terre qu'elle avait si grandement offensée en osant prendre sa vie, et une femme, apitoyée, enlevant un de ses pagnes, avait recouvert sa nudité.

A présent, qui allait toucher à ce corps ? Ce corps de suicidée ? Ce corps de suppliciée ?

A cet instant de son rêve, Siga s'éveilla.

La nuit. La nuit, présence pesante. Il avait peur. De la nuit ou de son rêve ? Il ignorait si les choses s'étaient passées ainsi. Il était trop jeune, deux ou trois ans et par la suite, personne ne lui avait plus jamais parlé de sa mère. Il savait seulement cela : elle-s'était-jetée-dans-le-puits.

Siga était le fils de Dousika, né le même jour que Tiékoro, à quelques heures d'intervalle. Mais voilà, sa mère était une captive que Dousika avait dû renverser un jour où la vue de son pagne trop serré sur ses fesses l'avait excité. Aussi au huitième jour, alors qu'en l'honneur de Tiékoro on faisait ruisseler le sang des béliers blancs

2. Mithkal en bambara, unité de mesure, monnaie.

dans le vacarme des buru[3], des bala[4] et des tam-tams de toutes dimensions, deux coqs seulement avaient été dépêchés auprès des dieux et des ancêtres afin qu'ils ne prennent pas totalement Siga en grippe. De même lors de la circoncision. Siga et Tiékoro avaient été aussi braves l'un que l'autre sous le couteau du forgeron-féticheur. Enfin hommes, bientôt admis à porter le pantalon, ils avaient dansé, côte à côte, sous les exclamations des femmes tandis qu'éclataient les coups de feu et que les griots annonçaient à pleine voie la nouvelle et sanglante naissance. Pourtant Dousika et la famille n'avaient d'yeux que pour Tiékoro vêtu de sa blouse ocre, coiffé du haut bonnet à oreilles, prolongé par des brides. Aussi cette cérémonie qui aurait dû remplir Siga de fierté lui avait-elle laissé un goût de frustration et de cendre.

Ah, les hasards d'un vagin ! Aurait-il germé dans celui-ci et non dans cet autre que toute sa vie aurait été changée. Il était aussi beau que Tiékoro, aussi grand. Souvent on les prenait l'un pour l'autre, le teint très noir comme leur père, les yeux brillants et bien fendus, la bouche charnue et pourpre, avec sur les joues les scarifications rituelles des fils de nobles. Et pourtant, tout était différent.

Etait-ce surprenant si toute l'existence de Siga s'était résumée à un combat non pas pour rivaliser avec le favori, ce qui était impensable, mais pour le forcer à le regarder en face, non pas comme un égal, au moins comme un autre être humain. Or Tiékoro ne voyait pas Siga. Il adorait son jeune frère Naba qui le suivait partout fidèlement. Il ignorait Siga. Il ne le méprisait pas, il l'ignorait.

Depuis quelque temps, Siga lui aussi avait un secret. Qui le rongeait.

C'était celui de Tiékoro.

Siga n'ignorait pas la présence de musulmans dans Ségou. C'étaient des Maures, des Somonos, des Sarakolés, en tout cas des étrangers et des gens étranges qui portaient de longs vêtements flottants et dont les filles n'allaient pas les seins nus. On les voyait se presser tels des moutons vers leurs mosquées, bizarrement coiffés d'un croissant de lune, ou tout bonnement se prosterner dans la poussière dans les rues, sur les places et les marchés. Il éprouvait pour eux le mépris de tout bon Bambara.

Or ne voilà-t-il pas qu'il avait vu, de ses yeux vu, Tiékoro entrer dans l'enceinte d'une mosquée ! Se plaquant contre le mur d'enceinte, il l'avait vu ôter ses sandales de peau de bœuf et s'incliner parmi les autres. Un autre jour, il l'avait vu tracer des signes cabalistiques sur

3. Trompes.
4. Xylophones.

une planchette sous la direction d'un vieillard. Etait-il devenu fou ? Le premier geste de Siga avait été de courir vers Nya pour lui conter toute l'affaire. Puis il avait pris peur. La faute était si grave. Ne risquait-il pas de connaître le sort du messager porteur de mauvaises nouvelles ? Frappé, puni, disgracié à jamais ? Alors il s'était tu et ce silence qui faisait de lui un complice le torturait. Il en dépérissait, perdant le sommeil et le goût du manger au point qu'on chuchotait autour de lui que sa mère, lasse de rôder seule de branche en branche, comme un esprit malfaisant, privé de la possibilité de se réincarner, sollicitait sa compagnie et lui buvait le sang. Nya avait fini par s'émouvoir et l'avait emmené voir Koumaré qui ne s'était pas donné de mal pour un fils d'esclave et avait prescrit des bains d'une eau mêlée de racines et de poudre de palmier rônier.

Comme Tiékoro, comme Naba, comme tous les enfants de la famille, Siga adorait et respectait Nya. C'est elle qui l'avait élevé. Après le suicide de sa mère, elle l'avait ramassé près de la fosse à banco[5] où il se traînait et l'avait emmené dans sa case. Elle l'avait nourri de son trop-plein de lait, de lait destiné à Tiékoro. Elle lui avait donné le dèguè ou le to dont Tiékoro, rassasié, ne voulait plus, les n'gomi qu'il avait refusé de grignoter. Elle avait été juste. Elle avait été bonne. Chacun à sa place : le fils d'une captive n'est pas le fils d'une princesse.

Siga se leva, enjamba deux ou trois corps nus autour de lui. Car il n'était pas encore d'âge à avoir une case et dormait parmi une dizaine de garçons de son âge, fils de Dousika ou de ses quatre cadets Diémogo, Bo, Da et Mama, qu'indistinctement ils appelaient père, grandissant sous leur commune autorité. Puis il alla s'accroupir près de la porte et fixa le rectangle d'ébène plaqué contre elle.

La nuit sur Ségou.

Pas une étoile dans le ciel. Au-dessus des toits en terrasse des maisons serrées les unes contre les autres comme des bêtes craintives s'élevaient les bouquets des cailcédrats, des baobabs et, plus élancés, des rôniers. L'odeur d'huîtres et de vase du fleuve était rabattue par la brise nocturne, fraîche, même si le jour avait été une fournaise. Et c'était un des charmes de cette ville que cette clémence dispensée par l'ombre aux corps fatigués. Siga entendait un concert de ronflements qui irritait encore son insomnie. Quelque part, un coq chanta. Mais c'était une erreur de ce stupide volatile. La nuit était encore jeune, pleine de vigueur, peuplée d'esprits qui se vengeaient enfin d'avoir

---

5. Argile mêlée d'eau, de sable, de crottin et de paille dont on fait les constructions.

été tenus à l'écart des vivants et tentaient de communiquer avec eux par le rêve.

Existe-t-il des pays où la nuit n'existe pas ?

Le pays des hommes blancs peut-être ? Comme tous les habitants de Ségou, Siga avait couru sur la rive du Joliba pour apercevoir l'étrange visiteur. Il n'avait rien vu. Qu'une grande bousculade. Pirogues prises d'assaut. Imprudents se débattant au milieu du courant. Où était-il à présent, l'homme blanc ? Avait-il trouvé un toit pour s'abriter ? Une terreur superstitieuse envahit Siga. Peut-être n'était-ce pas un homme après tout, mais un esprit malin. Alors le Mansa avait eu raison de ne pas le laisser entrer dans la ville. Fugitivement, Siga éprouva un sentiment de gratitude pour celui qui gouvernait. Puis il revint vers sa natte sur laquelle il se roula en boule...

« Elle s'est jetée dans le puits. Elle s'est jetée dans le puits ! »

Le cercle se resserre. Le corps frêle. Les seins aigus. Le doux monticule du ventre. Le geste apitoyé de la femme.

Siga s'aperçut qu'il avait dormi quelques instants, c'est-à-dire qu'il avait retrouvé l'obsession de ses nuits. Laquelle était préférable ? Celle de ses veilles ! Siga prit une décision. Il savait que Nya se réveillait la première ; après avoir aspergé et fumigé sa case pour en chasser les derniers esprits traînant après le lever du jour, elle gagnait la case de bains des femmes et se lavait interminablement avec un savon de séné. Ensuite, négligeant l'aide de ses esclaves, car elle aimait tout faire par elle-même, elle mettait à cuire des takoula[6] dans le four en banco et préparait le dègué des plus jeunes enfants.

Pas question de l'approcher à ces moments-là. Il s'accroupirait à gauche de sa porte et attendrait le moment où, ayant reçu les salutations de tous, elle consentirait à s'asseoir pour prendre cette infusion de casse qui soignait ses migraines. Il se prit la tête entre les mains, priant les dieux de lui pardonner la douleur qu'il allait causer.

6. Pain de farine de mil.

# 4

Les crieurs royaux s'arrêtant aux carrefours annoncèrent à tous la destitution de Dousika Traoré, conseiller à la cour, membre du Tribunal royal. De mémoire de Segoukaw[1], on n'avait jamais vu cela ! Un noble traité publiquement de voleur ! La nouvelle quitta la capitale, gagna les villages de guerriers où Dousika ne manquait pas d'amis. Tout le monde renifla l'odeur de charogne du coup monté. Quel était cet impôt somptuaire, égal au quarantième de la fortune en or et en cauris dont Dousika ne se serait pas acquitté ? Cette fortune en or et en cauris ne la tenait-il pas précisément du Mansa ? Comment donc pouvait-elle être imposable ? Certains affirmèrent au contraire que le Mansa qui paraissait vouloir dégrader Dousika l'épargnait encore. Il s'était rendu coupable de connivence avec l'ennemi héréditaire du Kaarta, et à ce titre méritait la mort.

Cette dernière explication ne parvint pas à convaincre.

Les causes de la querelle avec les Bambaras du Kaarta se perdaient dans la nuit des temps puisqu'elle remontait aux démêlés des deux frères Niangolo et Barangolo. Elle s'épaississait d'année en année, surtout depuis le renversement du clan des Coulibali de Ségou par les Diarra. Qu'aurait gagné Dousika à s'y mêler ? Ceux qui rappelaient que sa femme était une Coulibali oubliaient la haine qui existait entre les Coulibali de Ségou et ceux du Kaarta... Dans cette confusion, on aurait souhaité que Dousika se défende comme un homme. Or il n'en faisait rien.

---

1. Habitants de Ségou.

Sitôt rendu public l'arrêt qui le bannissait de la cour, on ne le vit plus dans les rues de Ségou, écoutant un diély[2] rencontré au hasard d'un carrefour, commandant des sandales à son cordonnier favori, vidant une calebasse de dolo avec les hommes de sa classe d'âge ou les rejoignant sous un balanza pour bavarder, rire, jouer au wori[3]. De même, une atmosphère de deuil s'était abattue sur sa concession. Les curieux qui venaient rôder sous ses murs affirmaient qu'ils n'entendaient rien. Pas un pleur d'enfant, pas une querelle de femmes.

Pour Dousika, en effet, la nuit avait pris possession du monde. A jamais. Les yeux clos dans l'ombre de sa case, il demeurait prostré sur sa natte, cependant que des interrogations, toujours les mêmes, se pressaient dans son esprit. Quand avait-il négligé les dieux et les ancêtres ? Quand avait-il négligé de leur offrir une part de ses récoltes ? Quand avait-il négligé d'arroser les boli de sang ? Quand avait-il porté un aliment à sa bouche sans d'abord rassasier la terre, notre mère à tous ? La rage le prenait. Il n'avait aucun reproche à se faire. Tout cela venait de son fils aîné, de Tiékoro, celui-là même qui aurait dû faire son orgueil. Il se rappelait la tranquille audace de l'enfant debout devant lui :

— Fa, je te l'assure. Il n'y a d'autre dieu qu'Allah et Mahomet est son prophète !

Paroles dangereuses qui avaient déchaîné sur lui la fureur des dieux et des ancêtres, déchaînant à leur tour celle du Mansa ! Un Traoré musulman ! Un Traoré qui tournait le dos aux protecteurs du clan !

Ah, ce n'était pas Samaké et ses acolytes qui étaient les artisans de sa déchéance. Ils n'étaient que l'instrument d'une colère plus haute que son propre fils avait suscitée. Dousika gémit et se tourna fiévreusement de droite et de gauche. Puis il entendit dans le vestibule le pas de Nya. Il aurait souhaité qu'elle s'attendrisse, qu'elle le console comme un enfant. Or si elle le veillait et le soignait à tout moment, il entrait dans ses regards, dans sa voix des nuances de froideur et de mépris comme si elle lui reprochait de se laisser aller si entièrement au découragement. Elle resta là, debout dans un angle de la pièce, puis fit :

— Koumaré est là qui veut te voir…

Koumaré était, avec Nya, la seule personne à franchir le seuil de sa case depuis l'annonce de sa destitution. Il entra et Dousika tenta de deviner sur ce visage sombre, indéchiffrable, les signes de son avenir. Koumaré commença par lancer des pincées de poudre aux quatre

2. Griot en bambara.
3. Sorte de jeu de damiers.

coins de la pièce. Ensuite il s'accroupit et demeura un long instant immobile comme s'il se tenait à l'écoute. Enfin, il s'approcha de la natte d'où Dousika guettait fiévreusement ses gestes :

— Traoré, c'était dur, mais enfin ton père et ton grand-père sont venus me parler. Voici ce qu'ils ont dit : « Dousika, laisse Tiékoro aller là où il veut aller. »

Stupéfié, incrédule, Dousika parvint à se redresser :

— C'est tout ce qu'ils t'ont dit ?

Koumaré inclina la tête :

— Rien d'autre. Laisse-le donc aller à Tombouctou. Frotter son front dans la poussière. Mais moi, je voudrais savoir pourquoi les ancêtres ont parlé comme cela. Je vais continuer à les interroger. Aussi je vais me retirer sept jours. Ne laisse pas ton garçon quitter Ségou avant mon retour.

Là-dessus, Koumaré se leva. La noix de kola et les plantes divinatoires qu'il mâchait continuellement coloriaient de rouge l'intérieur de ses lèvres lui faisant une lippe sanglante, comme le blanc de ses yeux qui semblaient habités du feu de sa forge. Il cracha soigneusement un jus noirâtre aux extrémités de la natte et sortit. Près du dubale, il se heurta à Nya qui s'était retirée par discrétion pendant son entretien avec Dousika. Celle-ci l'interrogea humblement, s'excusant presque de son audace :

— Qu'arrivera-t-il à mon fils ?

Koumaré consentit à marmonner :

— Rassure-toi, il va partir ! Nos dieux ne lui reprennent pas la vie...

Dans son saisissement de bonheur, Nya ne put rien dire.

Dousika aussi était heureux, ou du moins apaisé puisque son père et son grand-père avaient consenti à quitter l'invisible pour exprimer leurs volontés à Koumaré. Si le dialogue se nouait, c'est que le pardon était possible. Pour la première fois depuis quinze jours, il eut la force de se lever et de quitter sa case.

On n'était pas loin du milieu du jour. Le ciel de saison sèche pareil à un pagne d'indigo tout neuf. En son centre les ramages d'or du soleil. La vie continuait.

Dousika pensa à son dernier-né, Malobali. Vu sa maladie, c'était l'aîné de ses frères cadets, Diémogo, qui avait présidé la cérémonie du nom, effectué les sacrifices aux côtés de Koumaré, reçu parents et visiteurs. Aussi se sentit-il un peu coupable envers l'enfant et il se dirigea vers la case de Sira.

Son temps de retraite rituel terminé, elle se tenait au seuil de sa porte, son nourrisson dans les bras. A la vue de ses formes redevenues sveltes, de ses épaules rondes, de sa peau claire et-

brillante de Peule, une bouffée de désir l'envahit. Il s'efforça de n'en rien laisser paraître, fixant son fils. On avait rasé les cheveux soyeux de l'enfant, à l'exception d'une bande médiane allant du front à la nuque. Ses yeux obliques aux paupières noircies à l'antimoine avaient l'éclat de ceux de sa mère et il y avait dans le modelé de ses pommettes hautes quelque chose qui rappelait indiscutablement son origine peule.

Dousika pensa : « Trop beau ! Seule une femme a droit à tant de beauté… »

Il prit le petit corps contre lui, puis l'écartant, le tint par les pieds, la tête en bas, pour vérifier la flexibilité de ses muscles. Sira protesta doucement :

— Il vient de téter, kokè…

Pourtant Malobali ne vomissait pas, ne pleurait pas, et son regard étincelant virevoltait de droite et de gauche, comme s'il cherchait à comprendre ce qui brusquement avait bouleversé l'ordre de l'univers autour de lui. Ce serait un fier gaillard, curieux des êtres et des choses. Dousika le remit à sa mère.

Un fils s'en vient, un fils s'en va. La vie, c'est la bande de coton du métier à tisser, tombe de la résurrection, chambre des époux et matrice prolifique.

Dousika n'avait pas revu Sira depuis son accouchement. Aussi aurait-il aimé qu'elle commente les terribles événements qui s'étaient abattus sur lui. Or elle se taisait, le visage un peu détourné pour ne pas rencontrer son regard. Il l'interrogea :

— Qu'est-ce que tu penses de ce qui arrive à notre famille ?

Elle le regarda en face :

— Ce n'est pas ma famille.

— C'est celle de ton fils…

Elle lui tint tête :

— Ce n'est pas la mienne…

Elle disait vrai. Dousika eut honte de lui-même, debout, là, à mendier l'amour d'une captive. Qui se souciait de lui dans cette concession ? Personne. Ni Nya ni Sira, car ses autres compagnes ne comptaient pas, ne lui accordaient de prix. Il reprit tristement le chemin de sa case.

Nya, quant à elle, s'était rendue directement dans la cour où habitaient les jeunes garçons de la famille. Tiékoro qui, loin de tenter de se faire oublier, affichait à présent ses convictions religieuses, était assis sur le seuil d'une des cases et traçait des signes sur une tablette, entouré d'un cercle de curieux.

Nya frissonna : son fils était devenu un magicien d'une espèce particulière ! Comment cette métamorphose s'était-elle produite ? Et à son insu ? Une sorte de terreur sacrée renforçait l'amour aveugle qu'elle lui avait toujours porté, comme à un premier-né.

Tiékoro lui désigna les signes qui couvraient sa tablette :

— Tu sais ce que j'ai écrit là ?

Nya ne répondit pas et pour cause. Alors, il reprit :

— J'ai écrit le divin nom d'Allah...

Nya baissa la tête, pénétrée de son ignorance et de son indignité. Pourtant Tiékoro n'agissait point ainsi pour humilier sa mère. Il ne faisait qu'exprimer l'excès de bonheur qu'il éprouvait à ne plus cacher sa foi. Voir s'épanouir comme une gerbe d'étoiles les quatre lettres sacrées. *Alif. Lam. Lam. Hâ.* [4]

Tiékoro se rappelait les tâtonnements de sa main et les railleries de son maître. El-Hadj Ibrahima ne le battait pas comme les petits Maures ou les petits Somonos de son école dont il brûlait aussi le corps avec des tisons quand leurs erreurs en récitant les versets du Coran l'irritaient par trop. Non, lui, il le raillait.

— Bambara ! Tu ne seras jamais qu'un vil adorateur de fétiches ! Un buveur de dolo !

— Va-t'en sacrifier tes poulets !

Alors Tiékoro serrait les dents, maudissant ses doigts gourds, malhabiles et sa misérable mémoire. « Parole venue de Dieu, tu couleras en moi. Tu feras un temple de mon corps. » A la fin d'une récitation parfaite, El-Hadj Ibrahima lui adressait un sourire et ce sourire, il l'emportait avec lui à la concession. Il illuminait ses soirées, ses nuits, lui donnant la force de poursuivre son enseignement.

Nya posa la main sur celle de son fils et murmura :

— Tiékoro, Koumaré vient de me le dire. Tu partiras pour Tombouctou. Les ancêtres te donnent la route.

La mère et le fils se regardèrent. Tiékoro aimait sa mère. A vrai dire, il avait toujours pensé à elle comme à une partie intégrante de lui-même. Elle était la charpente de son être et de son existence. Il savait que son adhésion à l'islam risquait de les séparer l'un de l'autre. Il en souffrait. Il s'y refusait. Et pourtant la réalité était là. Voilà qu'il allait la quitter. Vivre loin d'elle. Pour combien d'années ? Aussi en apprenant cette nouvelle qui aurait dû le remplir de joie, ses yeux s'emplirent de larmes. Des paroles de pardon lui montèrent aux lèvres. En même temps, une profonde exaltation l'envahit.

Il se leva d'un bond pour aller prévenir son maître.

4. Les quatre lettres qui forment le nom d'Allah en arabe.

Koumaré prit place dans une barque de paille et rama vers une petite île située au milieu du fleuve.

C'était la tombée de la nuit, car le travail qu'il allait faire exigeait l'ombre et le secret. Le voyant s'embarquer, les derniers pêcheurs somonos, ramenant leurs poissons, détournaient prudemment la tête, car, connaissant ce redoutable forgeron-féticheur, ils savaient que ce qui allait se passer n'était pas du ressort du commun des mortels. Au fur et à mesure que Koumaré ramait, les murailles de Ségou s'enfonçaient dans la nuit. Des hordes de vautours, immobiles, serraient les ailes à leur faîte et se confondaient avec les énormes pieux qui les hérissaient. Sur la plage rocheuse à leur pied, quelques formes confuses se dessinaient. Koumaré resserra autour de ses épaules la peau de bouc qu'il portait pour se protéger des variations de température, car l'air fraîchissait, et tira d'une corne d'antilope un peu de tabac à priser qu'il se plaça dans la narine. Puis il se remit à ramer.

Il fut vite arrivé. Dissimulant sa barque dans les roseaux, il gagna le monticule sur lequel s'élevait un abri de paille, pareil à celui d'un berger peul, et pourtant personne ne s'y serait trompé. On savait que c'était le temple de redoutables dialogues avec l'invisible.

Depuis trois jours, Koumaré s'abstenait de toutes relations sexuelles avec ses femmes, car il craignait de disperser sa force en versant sa semence. De même, il mâchait du daga qui rend clairvoyant. Très vite, il se mit à chercher parmi les plantes qui poussaient autour de la case celles qui seraient nécessaires à ses travaux.

La tâche qui l'attendait était dure. Une masse informe de troubles et de deuils semblait en réserve pour la famille de Dousika. Quelle en était la cause ? La conversion du fils aîné à l'islam ? Dans ce cas, pourquoi les dieux et les ancêtres acceptaient-ils son départ pour Tombouctou ? Etait-ce une ruse ? Un moyen encore plus redoutable de perdre Dousika ? Quels orages envisageaient-ils de déchaîner sur sa tête ?

Koumaré posa dans une petite calebasse des écorces fraîches de cailcédrat, des poils de phacochère et versa là-dessus quelques gouttes de sang menstruel d'une femme ayant avorté sept fois. Puis il ajouta de la poudre de cœur de lion séché, tout en murmurant les paroles rituelles :

*Ke korte, père, ancêtre,*
*qui es dans la région d'en bas*
*tu me vois, complètement aveugle*
*ke korte, prête-moi tes yeux...*

Il posa délicatement la pâte qu'il avait obtenue sur une feuille de baobab qu'il plia en quatre et qu'il mastiqua. Puis il s'étendit sur la terre nue et parut s'endormir.

En réalité, il était tombé en transe. Laissant là son corps d'homme, son esprit voyageait dans la région d'en bas.

Ce voyage dura sept jours et sept nuits. Mais le temps des humains et celui de la région d'en bas ne se mesurent pas de la même manière. En temps des humains, le voyage de Koumaré ne dura que trois jours et trois nuits.

Et pendant ces trois jours et trois nuits, Ségou vivait sa vie de métropole. Les flottilles de pirogues civiles et militaires qui montaient et descendaient le Joliba chargées de passagers, de marchandises et de chevaux rivalisaient de vitesse avec les bancs de poissons migrateurs. Les ânes, sur lesquels l'on transbordait les marchandises, trottaient docilement jusqu'aux différents marchés. L'on ne parlait plus de l'homme blanc, car on avait d'autres soucis et d'autres sujets de conversation. L'islam !

Voilà qu'il frappait une des meilleures familles du royaume ! Il paraissait que le fils aîné de Dousika Traoré avait été converti par l'imam de la mosquée de la Pointe des Somonos. Jusqu'alors par une sorte d'accord tacite, ces gens-là ne faisaient pas de prosélytisme parmi les Bambaras. Puisqu'ils rompaient cette règle, le Mansa devait intervenir et frapper un grand coup. Fermer toutes les mosquées, pourchasser tous ceux qui osaient clamer l'obscène profession de foi : « Il n'y a d'autre dieu qu'Allah et Mahomet est son prophète ! »

Au lieu de cela, Monzon tergiversait.

Monzon tergiversait car, il en avait conscience, le royaume de Ségou devenait chaque jour davantage pareil à un îlot, cerné de pays gagnés à l'islam. Or la nouvelle foi ne comportait pas que des désavantages. D'abord ses signes cabalistiques avaient autant d'effet que bien des sacrifices. Parmi les familles somonos, Kane, Dyire, Tyéro, les Mansa de Ségou comptaient depuis des générations des mori qui étaient capables de résoudre leurs problèmes aussi excellemment que les prêtres-féticheurs. D'autre part, ces signes permettaient d'entretenir, de consolider des alliances avec des peuples très lointains et créaient une communauté morale à laquelle il faisait bon d'appartenir. En même temps, l'islam était dangereux puisqu'il sapait le pouvoir des rois, plaçant la suprématie entre les mains d'un dieu unique et suprême, parfaitement étranger à l'univers bambara. Comment ne pas se méfier de cet Allah dont la cité était quelque part à l'est ?

A la fin de son voyage dans la région d'en bas, Koumaré se réveilla, les oreilles encore bruissantes du tumulte qui y régnait. Gémissements des esprits négligés par leur descendance, oublieuse des sacrifices et des libations nécessaires. Plaintes des esprits cherchant à se réincarner dans des corps d'enfants mâles et n'y parvenant pas. Cris de colère des esprits irrités par ces crimes odieux que les humains ne cessent de commettre. Il alla prendre les racines qu'il avait laissées dans une calebasse. Pilées et mâchées, elles le réintégreraient dans le monde des humains.

Enfin, il voyait clair dans l'avenir des Traoré. La mansuétude des dieux et des ancêtres vis-à-vis de Tiékoro n'était qu'apparente. Les efforts conjugués des nombreux ennemis de Dousika les avaient rendus sourds à toutes les prières, insensibles à tous les sacrifices. Tout allait très mal pour Dousika et le travail acharné de Koumaré n'avait pu que limiter les dégâts.

Quatre fils, Tiékoro, Siga, Naba et le dernier-né, Malobali, devaient être considérés comme des otages, des boucs émissaires, malmenés à plaisir par le destin afin que la famille tout entière ne périsse pas. Quatre fils : Tiékoro, Siga, Naba, Malobali sur une vingtaine d'enfants. Après tout, Dousika s'en tirait à bon compte.

Pourtant, Koumaré était troublé. Les esprits des dieux et des ancêtres ne le lui avaient pas caché. Contre le nouveau dieu, cet Allah qu'avait adopté le petit Tiékoro, on ne pouvait rien. Il serait pareil à un glaive. En son nom, le sang inonderait la terre. Le feu crépiterait dans les enclos. Des peuples pacifiques prendraient les armes. Le fils se détournerait du père. Le frère du frère. Une autre aristocratie naîtrait tandis que se dessineraient de nouveaux rapports entre les humains.

Le jour se levait. Des volutes de voile grisâtre se dispersaient aux quatre coins du ciel contre lequel se détachait l'arrogante silhouette des palmiers rôniers. Les hommes, les bêtes s'éveillaient, secouant les peurs nocturnes. Les premiers scrutaient leurs rêves. Les autres passeraient des heures dans leur terreur. Pensivement, Koumaré se dirigea vers le fleuve. Il descendit dans l'eau froide dont le toucher le fit frissonner, il s'y plongea. L'eau du Joliba, siège favori du dieu Faro. L'eau essentielle. L'enfant prend forme et vie dans l'eau du ventre de sa mère. L'homme se régénère chaque fois qu'il retrouve son contact. Koumaré nagea longuement en suivant le courant. Les crocodiles et les bêtes aquatiques, sentant son pouvoir, s'écartaient. Puis il revint vers la rive et reprit sa barque pour retourner vers Ségou.

Peut-être Allah et les dieux des Bambaras parviendraient-ils à un accord ? Ces derniers laisseraient le nouveau venu, orgueilleux, occuper le devant de la scène. Ils travailleraient dans l'ombre, car il n'était pas possible qu'ils soient entièrement défaits. Makungoba, Nangoloko, Kontara, Bagala..., grands fétiches du royaume honorés tous les ans par d'éclatantes cérémonies, ils ne pouvaient être méprisés, oubliés ou alors Ségou ne serait plus Ségou. Ce ne serait qu'une courtisane, soumise à un vainqueur, une captive...

Sur la berge grise du Joliba, parsemée de coquillages d'huîtres géantes, des femmes puisaient de l'eau dans des calebasses. Des esclaves s'en allaient en file et en ordre sous la conduite d'un chef. Tout ce monde évita soigneusement de regarder le féticheur, car il n'est jamais prudent de croiser un maître du Komo. Qui sait si, irrité, il ne mettrait pas en branle ces forces qui frappent de stérilité, de mort violente ou d'épidémies. Aussi le féticheur ne voyait-il que paupières baissées, yeux clos, attitudes furtives et craintives. Il arriva bientôt en vue de la concession de Dousika. Il avait hâte de lui transmettre les ordres de l'au-delà :

— Oui, ton fils Tiékoro doit partir. Mais il doit être accompagné de son frère Siga. Siga et Tiékoro sont les deux souffles contrastés d'un même esprit, des doubles, en vérité. L'un n'a pas d'identité sans l'autre. Leurs destins sont complémentaires. Les fils de leur vie sont aussi mêlés les uns aux autres que ceux de la bande de coton sortant du métier.

Comme Koumaré entrait dans la première cour, encore déserte, vu l'heure matinale, Tiékoro surgit entre les cases. Sans doute se rendait-il à la première prière, car on entendait la voix lointaine du muezzin quelque part par-dessus les toits en terrasse. Il s'immobilisa, visiblement effrayé. Koumaré n'avait jamais prêté une attention particulière à ce garçon, qui pour lui ne se distinguait pas des autres fils de la concession. C'est sous son couteau que son prépuce était tombé, mais alors, il ne lui avait pas semblé plus brave que les autres, serrant les dents pour ne pas hurler. Brusquement, il décelait sur ses traits encore enfantins une audace, une intelligence jointe aux signes d'une surprenante exigeance intérieure. Quelle force avait jeté cet adolescent sur le chemin de l'islam ? Où avait-il trouvé le courage de se détourner de pratiques honorées par sa famille et son peuple ? Impossible d'imaginer ce combat solitaire.

Tiékoro fixait Koumaré. Peu à peu, sa frayeur s'apaisait. Au lieu d'une forme redoutable, il n'avait plus sous les yeux qu'un homme d'âge mûr, presque un vieillard, la barbe raide et hirsute, portant autour de son corps des têtes d'oiseaux, des cornes de biche enveloppées de drap rouge, des queues de vache et une peau de bouc grisâtre, véritable épouvantail. Avec une paisible hauteur, il le salua :

— *As salam aleykum*[5]...

5. Salutation musulmane : « La paix sur vous tous. »

# 5

Au sortir de Ségou, ce sont les marches du désert.

La terre est ocre et brûlante. L'herbe, quand elle parvient à pousser, est jaunâtre. Plus souvent, elle cède la place à une croûte désolée et pierreuse dont se nourrissent seulement les baobabs, les acacias et l'arbre à karité, symbole de toute la région.

Parfois jaillit du sol, comme un rempart barrant l'horizon, une falaise tombant à pic sur le plan nu de la plaine environnante, à la fois montagne et citadelle dans laquelle s'accrochent les Dogons. Tout se courbe devant l'harmattan quand il souffle avec force, chassant les Peuls et leurs troupeaux toujours plus loin vers les points d'eau. Puis la pierre disparaît, vaincue par le sable, çà et là piqué de graminées aux graines acérées comme des aiguilles. A perte de vue s'étendent de grandes plaines d'un blanc tirant sur le jaune sous un ciel rouge pâle. Pas un chant d'oiseau. Pas un feulement de fauve. On croit que rien ne vit hors le fleuve aperçu par endroits comme un mirage né de la solitude et de l'effroi.

Et pourtant, à leur propre surprise, Siga et Tiékoro s'éprirent de ces paysages arides qui ne se soucient pas de l'humain. Quand Tiékoro se prosternait parmi les Maures de la caravane en direction de La Mecque, il se sentait empli de Dieu, envahi de sa présence brûlante comme le vent. Siga, quant à lui, éprouvait un sentiment de paix qu'il n'avait jamais goûté comme si le fantôme de sa mère consentait à rester dans son suaire. Et les deux frères se trouvaient brusquement proches, unis comme des voyageurs sur un radeau.

Tombouctou quand ils y entrèrent n'était plus qu'une captive se souvenant d'un passé de splendeur. Des siècles auparavant, elle avait été avec Gao le fleuron de l'Empire songhaï, encore appelé empire de l'or et du sel. L'Empire songhaï avait détruit l'empire du Mali en l'amputant de ses provinces du Nord afin de contrôler l'or du Bambouk et du Galam. C'est le commerce qui assurait sa prospérité. Comme Ségou, le commerce des esclaves, en direction du Maghreb, mais aussi celui du kola, de l'or, des ivoires et du sel. Des caravanes armées contre le pillage des Maures et des Touaregs partaient vers la « mer saharienne ». La mer saharienne d'où devait venir en fin de compte le danger, puis la ruine. Au XVIe siècle, les Marocains du sultan Moulaye Ahmed désireux de s'emparer des salines et des mines d'or avaient détruit l'Empire songhaï de fond en comble, avant de le livrer à leurs descendants, aux fils qu'ils avaient eus des femmes de l'aristocratie locale, les Armas. Depuis cette conquête, Tombouctou que tant de lettrés et de voyageurs avaient chantée comme une femme, ou un Peul son troupeau de vaches, n'était plus qu'un corps sans âme. Cependant Siga et Tiékoro ne trouvèrent pas le lieu entièrement dénué de charme.

Les deux garçons et leurs mentors entrèrent par le faubourg d'Albaradiou qui servait de caravansérail aux voyageurs, surtout à ceux qui venaient du Maghreb. Puis ils se séparèrent de ces derniers, les Maures ne songeant qu'à se reposer avant de disposer de leurs marchandises, d'en charger d'autres et d'entamer le voyage du retour. Bientôt, ils atteignirent le Madougou, c'est-à-dire le palais construit par le Mansa Moussa de retour de La Mecque. Ils ne connaissaient rien de l'histoire de la ville et n'osaient pas interroger les passants, principalement des Touaregs si effrayants dans leurs lourds boubous d'indigo avec leurs turbans et leurs lithams, leur sabre à double tranchant dont la garde était en croix et leur poignard retenu au poignet par un large bracelet de cuir. Ils tombèrent sur le marché aux viandes, sinistre spectacle avec ses quartiers entiers de bœufs ou de moutons tout couverts de mouches. Des musulmans reconnaissables à leurs vêtements et à leurs crânes rasés faisaient griller des gigots sur des traverses de bois.

Des deux garçons, Tiékoro était le plus déçu, car El-Hadj Ibrahima, son maître à Ségou, lui avait tant parlé de cette ville, « séjour habituel des saints et des hommes pieux dont le sol n'avait jamais été souillé par le culte des idoles », qu'il s'attendait à un site paradisiaque. A la vérité, Tombouctou n'était pas plus belle que Ségou. Mais surtout, Tiékoro souffrait de l'anonymat dans lequel il vivait depuis qu'avaient disparu les murailles de sa ville natale. Pour tous il n'était qu'un Bambara appartenant à un peuple puissant peut-être, mais qui ne jouissait pas d'une bonne réputation et passait pour sanguinaire et idolâtre. Quand on apprenait qu'il allait étudier la théologie à l'université de Sankoré, on s'esclaffait :

— Depuis quand les Bambaras se mettent-ils à l'étude et à l'islam ?

Ou bien on raillait sa mauvaise connaissance de l'arabe dont El-Hadj Ibrahima n'avait pu lui enseigner que des rudiments lors de ses leçons à Ségou.

Tiékoro se tourna vers Siga, planté dans le sable, terrorisé par deux Touaregs qui ne lui prêtaient à vrai dire aucune attention. Que de peuples les deux frères avaient côtoyés pendant ce voyage ! D'abord les Bozos et les Somonos qu'ils connaissaient déjà, pêcheurs vivant pratiquement dans le lit du fleuve et se nommant eux-mêmes les « maîtres de l'eau ». Ensuite des Sarakolés, « maîtres de la terre », quant à eux, grands cultivateurs hérissant leurs champs de coton, de tabac et d'indigo de petits épouvantails, fichés sur de gros piquets fourchus ; des Dogons à la fois craintifs et farouches, sortant par groupes de leurs maisons creusées dans la paroi des rochers ou nichées dans leurs aspérités ; des Malinkés, seigneurs commerçants, vivant dans le souvenir du grand empire du Mali qu'avaient fondé leurs ancêtres et refusant d'en admettre la décadence, puisqu'il n'était plus qu'un vassal de Ségou. Partout des Peuls musulmans ou encore fétichistes, mais toujours méprisant souverainement les autres peuples, et des Arabes guidant d'interminables caravanes de chameaux…

El-Hadj Ibrahima avait remis à Tiékoro une lettre pour son ami El-Hadj Baba Abou, grand lettré musulman de Tombouctou, en lui demandant d'aider ce garçon issu d'une famille fétichiste, qui avait trouvé tout seul le chemin du vrai Dieu.

Après avoir beaucoup erré, Tiékoro et Siga arrivèrent dans le quartier Kisimo-Banku, au sud de la ville. El-Hadj Baba Abou habitait une fort belle maison de terre bâtie comme celles de Ségou. Mais elle n'était pas recouverte comme à Ségou d'un enduit rougeâtre mêlé d'huile de karité. Elle était badigeonnée de kaolin. De même, elle ne présentait pas sur la rue une façade impénétrable, tout juste percée d'une porte. Elle était entourée d'un mur très bas, de sorte que du dehors on voyait ce qui se passait au-dedans. Le premier étage se terminait par une terrasse sur laquelle étaient allongées des jeunes filles qui pouffèrent de rire à l'approche des étrangers. Et il est certain qu'ils ne devaient pas payer de mine après ces nuits passées dans de rudimentaires gîtes d'étape, se lavant hâtivement la bouche avec l'eau d'une outre en peau de chèvre, bien heureux quand la proximité du fleuve leur permettait de prendre un bain ! On ne devait pas s'imaginer qu'on avait affaire à des garçons bien nés dont les griots chantaient la généalogie !

Tiékoro frappa à la porte, utilisant le beau marteau de cuivre représentant une main fermée. Au bout d'un instant, elle fut ouverte par un mince jeune homme, vêtu d'un caftan blanc immaculé, l'air arrogant et qui fit froidement, son regard démentant le sens de ses paroles :

— *As salam aleykum !*

Tiékoro s'expliqua de son mieux, puis tira des profondeurs de son vêtement la précieuse lettre qu'il avait gardée depuis des mois à même la peau. Le jeune homme s'en saisit avec une mine assez dégoûtée et fit :

— El-Hadj Baba dort. Veuillez l'attendre.

Puis il referma la porte. Tiékoro et Siga s'assirent sur le large banc de terre battue devant la maison.

« L'hôte est un présent de Dieu. » Cette phrase d'El-Hadj Ibrahima de Ségou ne cessait de revenir à l'esprit de Tiékoro alors qu'il attendait là au soleil aux côtés de son frère, dévisagés tous deux par les passants. Il se rappelait aussi comment son père traitait les étrangers, comment Nya les conduisait jusqu'à la case de passage, leur faisait apporter de l'eau chaude pour leur bain avant un plantureux repas. S'ils devaient passer la nuit, on leur offrait une femme afin qu'ils puissent satisfaire leurs désirs. Qu'on était loin de cette courtoisie !

Au bout d'un temps interminable, El-Hadj Baba Abou termina sa sieste et apparut dans la rue. C'était un homme de haute taille, au teint très clair qui trahissait le sang arabe, au visage d'ascète, le crâne rasé de près et le cou entouré d'un haïk de fine soie blanche. Il portait une longue robe telle que Tiékoro et Siga n'en avaient jamais vue. Après un rapide échange de salutations, il fit remarquer :

— Vous êtes deux. Or cette lettre ne parle que d'un étudiant ?...

Tiékoro bafouilla :

— L'étudiant, c'est moi. Lui, c'est mon frère qui m'accompagne.

El-Hadj eut un geste catégorique :

— S'il n'est pas étudiant et surtout s'il n'est pas musulman, je ne peux pas le recevoir. Vous, suivez-moi...

Que faire ? Comme il rouvrait la porte, Tiékoro, subjugué, ne put qu'obéir. Et Siga se retrouva seul dans la rue étroite de cette ville étrangère. Au-dessus de sa tête, il entendit à nouveau les rires des jeunes filles. De quoi se moquaient-elles ? De ses tresses ? Des grisgris qu'il portait attachés à ses bras et autour de son cou ? De cet anneau à son oreille ?

Tout au long du voyage, les Maures qui conduisaient les deux frères, quoique amicaux dans l'ensemble, avaient raillé leur façon de se vêtir, leurs dents limées et surtout la couleur de peau. Si Siga ne se rebellait pas aussi violemment que Tiékoro contre ces plaisanteries, il ne les comprenait pas. N'est-il pas beau d'être noir ? Avec une peau fine et brillante, glissant sur les jointures, bien huilée au beurre de karité ?

Les railleries de ces filles inconnues l'emplirent de fureur et se mêlèrent à son sentiment de solitude et de désespoir. Qu'allait-il devenir à présent, dans cette ville où il ne connaissait personne ?

Qu'était-il venu y faire ? Accompagner Tiékoro. Et pourquoi ? Pourquoi avait-on fait de lui le serviteur, presque l'esclave de son frère ? Comme celui-ci s'était peu soucié de lui, se précipitant sans un mot de protestation à la suite de son hôte ! N'aurait-il pas pu s'écrier : « Impossible ! C'est mon frère... ? » Non, il l'avait laissé aller !

Que dirait-on dans la famille quand on saurait cela ? Oui, mais comment la prévenir ? Siga se vit égaré, mort peut-être à des journées de marche des siens. Puis, il se ressaisit et décida de retrouver les Maures qui les avaient conduits, c'est-à-dire de retourner au caravansérail.

Comme le quartier d'Albaradiou se trouvait à la pointe nord de la ville venant de Kisimo-Banku la distance était longue. Quand Siga l'eut franchie et atteint le caravansérail, la nuit allait tomber. La chaleur torride qui avait régné toute la journée, comme si quelque part un incendie enflammait le sable et les pierres, était tombée. Mais il eut beau parcourir les lieux en tous sens, il ne trouva pas trace des trois Maures. Il eut beau interroger d'autres caravaniers, couchés aux abords de leurs tentes, occupés à l'interminable cérémonie du thé vert, il ne put obtenir aucun renseignement à leur sujet. Personne ne les avait vus. Personne ne savait quelle direction ils avaient prise, ni ce qu'ils avaient fait de leurs chameaux. Volatilisés, ils semblaient s'être volatilisés ! Siga tourna et retourna cette disparition dans sa tête. Ces trois Maures n'étaient-ils pas des esprits obéissant aux directives des ancêtres pour mener à bon port les fils de Dousika ? La manière dont ce dernier les avait trouvés au marché de Ségou n'était-elle pas aussi mystérieuse ? Siga essaya de se remémorer quelque détail qui aurait pu corroborer le caractère surnaturel de ces hommes, mais n'en trouva pas. Ils avaient bu, mangé, ri comme des humains. Mais n'est-ce pas précisément le privilège des esprits que d'abuser les hommes ?

Que faire ? Retourner à Ségou ? Comment ? Siga s'assit dans le sable. Comme il se tenait là, la tête entre les mains, un garçon de son âge s'approcha de lui et l'interrogea :

— Tu parles arabe ?

Siga eut un geste qui signifiait la minceur de ses capacités en ce domaine. L'autre reprit :

— Tu parles dioula[1] ?

— Ça, c'est presque ma langue...

— Où est le garçon qui t'accompagnait ce matin ?

Siga haussa les épaules. Il n'avait aucune envie de parler de ses démêlés avec son frère. Le jeune inconnu s'assit à côté de lui et lui posa familièrement la main sur l'épaule :

— Je vois, je vois. Il t'a laissé tomber et tu te trouves seul ici. Laisse-moi te donner quelques tuyaux...

Siga repoussa sauvagement sa main et interrogea :

— Comment t'appelles-tu d'abord ?

Le garçon sourit mystérieusement :

— Appelle-moi Ismaël... Ecoute, tu n'arriveras à rien ici si tu n'es pas musulman. Tu ne peux imaginer comment sont les gens ici. Si tu ne fais pas ta prière cinq fois par jour et si le vendredi tu n'apparais pas à la mosquée, tu es moins qu'un chien à leurs yeux. Ils te refuseraient même la nourriture si tu en manquais...

Siga grommela :

— Je ne veux pas devenir musulman...

Ismaël rit :

— Qui te parle de devenir musulman ? Il suffit seulement de le paraître. Fais-toi raser ces tresses. Débarrasse-toi de ces colifichets...

Se débarrasser de ces protections dont certaines lui avaient été données dès la naissance, dont d'autres avaient été attachées à son corps après sa circoncision, sans parler de celles que lui avait remises Koumaré avant son départ de Ségou pour le garder dans ce pays étranger ?

Ismaël rit :

— Alors cache-les. Fais comme tout le monde. Si tu savais ce que ces grands lettrés cachent sous leurs caftans ! Fais-toi appeler Ahmed. Evite de boire en public et le tour est joué...

Siga le regarda avec méfiance :

— Et à quoi cela me servira-t-il ?

— Je peux dès demain matin, si tu suis mes conseils, te faire avoir un emploi. Je suis un ânier. Je vais te présenter à l'ara-koy[2]... C'est un bon métier. Au bout de deux mois, tu auras de quoi retourner chez toi. Ou aller ailleurs si le cœur t'en dit...

Siga secoua fermement la tête. Il n'avait aucune envie d'être un

1. Le dioula, le bambara, le malinké sont des langues mandé.
2. Chef des âniers en songhaï.

ânier, de s'occuper de bêtes obtuses et malpropres. Il se leva et fit mine de s'éloigner quand la voix moqueuse d'Ismaël l'arrêta :

— Tu ne sais pas seulement où tu vas dormir cette nuit. Sais-tu que les hakim[3] ramassent tous ceux qui passent la nuit à la belle étoile, surtout quand ils ont l'accoutrement que tu as ?...

El-Hadj Baba Abou appartenait à la famille du célèbre jurisconsulte Ahmed Baba, dont la réputation s'était étendue à travers le Maghreb jusqu'à Bougie et Alger. Il était lui-même un érudit qui avait rédigé un traité sur l'astrologie et un livre sur les différentes castes soudaniennes. Pour toutes ces raisons, on avait à plusieurs reprises tenté de l'entraîner dans des intrigues politiques. Mais il s'y refusait et vivait largement, il est vrai, du fruit de son école coranique de cent vingt élèves qu'il préparait à l'accès aux trois grandes universités de la ville. Durant ses études à Marrakech, il avait épousé en premières noces une Marocaine, puis de retour à Tombouctou, une Songhaï d'origine servile pour bien montrer que, comme son ancêtre Ahmed Baba, il condamnait cette « calamité de l'époque » qu'était l'esclavage. C'était un homme méprisant, impatient, que ses principes élevés et son souci constant de Dieu ne rendaient pas pour autant plus indulgent aux faiblesses des humains. Il confia Tiékoro à son secrétaire Ahmed Ali avec ces paroles peu charitables :

— Fais-lui prendre un bain, car il pue.

En réalité, Tiékoro ne sentait que le beurre de karité dont il s'enduisait abondamment le corps comme tous les habitants de Ségou.

El-Hadj Baba Abou n'était guère satisfait de voir débarquer ce garçon si rustre et si ignorant. En même temps, il ne pouvait désobliger son ami El-Hadj Ibrahima qui insistait sur l'importance qu'il y a à recruter des élèves issus de familles fétichistes afin qu'à leur tour, ils convertissent leurs familles. Sur ce point, il était en contradiction avec lui, car l'islam de ces convertis demeurait si impur, tellement mêlé de pratiques magiques qu'il offensait Dieu.

Attendant dans un coin de la cour, Tiékoro pensait à Siga. Que devenait-il ? Seul, sans parents, sans amis. Sans or ni cauris. Cependant, il était trop préoccupé par sa propre situation dans cette demeure où chaque objet, chaque visage lui signifiaient subtilement qu'il n'avait pas à s'apitoyer sur un autre que lui-même. A un moment, une demi-douzaine de jeunes gens firent irruption dans la

3. Gendarmes en songhaï.

cour, vêtus d'identiques caftans brun sombre et une demi-douzaine de paires d'yeux intrigués se posèrent sur Tiékoro. Avec une secrète ironie, Ahmed Ali fit les présentations :

— Votre nouveau condisciple, Tiékoro Traoré...

L'un des jeunes gens arqua les sourcils :

— Tiékoro ?

Ahmed Ali sourit :

— Votre condisciple vient de Ségou...

Heureusement, les domestiques apportaient de l'eau et un grand plat de couscous de mil avec de la viande de mouton. Tout le monde s'assit en rond et, pendant un moment, ce ne fut que le va-et-vient des mains à la nourriture. Malgré la faim qui le tenaillait, Tiékoro osait à peine se restaurer. Que lui reprochait-on ? Son origine ethnique ? Etait-ce là le visage de l'islam ? Ne dit-il pas que tous les hommes sont égaux entre eux, comme les dents du peigne ?... Sitôt le repas terminé, ses compagnons s'engagèrent dans une conversation pédante concernant un manuscrit d'Ahmed Baba datant de 1589, c'est-à-dire antérieur d'un an à la conquête de l'Empire songhaï par les Marocains. Tiékoro était convaincu que cet étalage de science ne visait qu'à l'impressionner et eut la confirmation de cette intuition quand un des jeunes gens se tourna vers lui :

— Que penses-tu de ce texte ? N'es-tu pas d'avis qu'il n'a pas de rapport avec les questions politiques dont il est contemporain ?

Tiékoro eut le courage de se lever en disant avec simplicité :

— Permettez-moi d'aller me coucher. Hier encore, je dormais à la belle étoile...

La chambre qu'on lui avait attribuée était petite, mais très haute de plafond, décorée d'un épais tapis de laine. Le lit se composait de quatre piquets fichés en terre sur lesquels était tendue une peau de bœuf, recouverte d'une grande couverture un peu rêche, en poil de chameau. Tiékoro trouva cela très confortable. Malgré son chagrin, malgré son humiliation, il s'endormit aussitôt.

Il est à parier que s'il avait entendu les plaisanteries fusant sitôt son dos tourné, il n'aurait pas connu ce sommeil tranquille. Les pensionnaires d'El-Hadj Baba Abou venaient des familles princières de Gao, et des grandes familles de Tombouctou. Depuis des générations, leurs pères, conseillers et compagnons des Askia, se rasaient le crâne et s'inclinaient devant Allah. Leurs bibliothèques abritaient des centaines de manuscrits en arabe que des lettrés de leur parenté avaient composés sur les sujets les plus divers : jurisprudence, exégèse coranique, source de la loi. En Tiékoro, ils ne méprisaient pas seulement le « fétichisme » ou le « polythéisme » comme ils disaient, mais une culture qui, non écrite, leur paraissait moins prestigieuse que la leur, et l'odeur de la terre que leurs pères n'avaient jamais cultivée. Un seul prit sa défense : Moulaye Abdallah dont le père occupait la fonction de cadi, c'est-à-dire de juge. C'était un garçon profondément croyant, un peu mystique que l'arrogance de ses compagnons désolait. Il décida de prendre Tiékoro sous sa protection, de l'aider dans ses études afin de lui éviter le découragement. N'était-ce pas le moyen de rejoindre Allah en Sa Maison Sacrée ? Toute la nuit, la pensée de cette tache l'exalta. Aussi le matin quand Tiékoro eut fini ses ablutions et sa première prière, il le trouva debout à l'attendre dans la cour. Moulaye Abdallah sourit gracieusement :

— Notre maître te demande. Ensuite, je n'ai pas de cours ce matin, je te ferai visiter la ville, si tu le veux bien...

Tiékoro accepta avec empressement et entra à l'intérieur de la maison. Il fut stupéfié par son aménagement. A Ségou, les cases étaient vides à l'exception de nattes, de tabourets et de canaris[4] pour l'eau fraîche. Là, le sol était entièrement recouvert de tapis. Mais ce qui frappa Tiékoro, ce furent les tentures accrochées contre les murs. L'une d'entre elles était alternativement brochée de soie et d'or avec dans un losange un délicat motif floral. Une autre présentait un fond uni de soie bleu turquoise sur lequel se détachaient des étoiles fleuronnées. El-Hadj Baba Abou lui-même était assis sur un divan bas recouvert d'une épaisse couverture blanche comme son caftan, comme ses babouches. Il tenait un livre dans ses mains fines, couleur d'ivoire, un peu plus claires que son visage à la barbe soyeuse, partagée au menton. Il fit signe à Tiékoro de prendre place en face de lui :

— Il y a des choses dont nous n'avons pas parlé hier. Il est évident que ton niveau de connaissance et de la langue arabe et de la théologie ne te permettra pas d'être admis d'emblée à l'université. Aussi suivras-tu les cours de mon école coranique et un de tes condisciples, Moulaye Abdallah, a accepté de t'aider à titre privé. D'autre part, comment comptes-tu t'acquitter de ta scolarité ?

Tiékoro bafouilla :

— J'ai cinquante mithkal[5] d'or...

El-Hadj Baba parut sidéré. Il articula :

— Où as-tu cet or ?

Tiékoro fouilla une fois de plus dans les profondeurs de son vêtement et en tira une petite outre de peau de chèvre, expliquant :

— Mon père m'a donné cela avant mon départ. Il craignait, car

4. Jarres de terre contenant l'eau à boire.
5. Monnaie arabe équivalant au dinar ou au ducat.

on raconte que ces choses-là arrivent, que des Maures nous emmènent en esclavage en Barbarie, mon frère et moi. Dans ce cas, nous aurions pu négocier notre liberté...

Pour la première fois, un sourire éclaira le visage austère du maître. Il se saisit vivement de l'outre. A ce moment, une jeune fille, ou plutôt une adolescente, entra dans la pièce. Le teint encore plus clair que celui d'El-Hadj Baba, de longs cheveux noirs coiffés en deux tresses et à moitié dissimulés sous un foulard rouge, une profusion de colliers d'argent vieilli autour du cou, des boucles d'oreilles carrées, un petit anneau dans la narine gauche, elle sembla à Tiékoro une apparition surnaturelle. El-Hadj Baba parut mécontent de cette intrusion et surtout des regards de franche admiration que Tiékoro lui lançait. Il la renvoya brutalement, puis conscient d'être discourtois, il maugréa, comme elle se tenait sur le seuil de la porte :

— Ma fille Ayisha... Oumar un nouvel élève...

Oumar ? Tiékoro ne protesta pas. Comme l'entretien était terminé, il se leva. Décidément radouci, El-Hadj Baba lui enjoignit :

— Fais-toi conduire chez mon tailleur et aussi chez mon cordonnier. Tu es vêtu comme un païen.

A quinze ans et demi, Tiékoro n'était pas loin de l'enfance. Une bonne nuit de sommeil, un nouvel ami, la perspective de vêtements neufs, il n'en fallait pas plus pour le mettre en joie. Une fois dans la rue, Moulaye Abdallah prit son bras et commença de l'entretenir avec cette légère affectation qui semblait propre au lieu :

— Je vais te parler de cette ville où tu vas passer des années. Les habitants de Tombouctou sont les plus chauvins qui soient. Ils détestent tout le monde. Les Touaregs d'abord, les abandonnés de Dieu comme ils les appellent, les Marocains, les Bambaras et les Peuls, surtout les Peuls. Sais-tu que l'ancêtre du clan Aq-it, Mohammed Aq-it, quitta le Macina parce qu'il craignait que ses enfants ne se mélangent aux Peuls et qu'il n'ait une descendance souillée de leur sang ?

Cette conversation enchantait Tiékoro. Un jour, lui aussi, il parlerait ainsi avec cette assurance et cette élégante désinvolture.

— Tu connais l'histoire de la ville n'est-ce pas ? Un campement de Touaregs laissé à la garde d'une femme « Tomboutou », c'est-à-dire « la mère au gros nombril » qui devient peu à peu un point d'arrêt des caravanes et qui grandit, grandit dans sa ceinture de nattes en feuilles de palmiers du désert. Kankan Moussa de retour de pèlerinage à La Mecque la conquiert. Les Touaregs la reprennent. Sonni Ali Ber du Songhaï la prend à leur barbe. Et puis, les Marocains débarquent. Tu vois, cette ville, c'est comme une femme pour laquelle des mâles se sont battus, mais qui n'appartient à personne. Regarde comme elle est belle !

Tiékoro obéissait. Mais force lui était de constater que Ségou l'emportait en beauté et surtout en animation. Ils arrivèrent devant la grande mosquée de Djinguereber, et ce fut le premier édifice qui l'impressionna. Construite en briques de banco, grisâtre comme la terre du désert, elle était composée d'une infinité de galeries qui donnaient d'abord une impression de fouillis, de désordre, mais en réalité s'agençaient rigoureusement. Toutes ces galeries étaient soutenues par des piliers et donnaient sur une cour carrée où quelques vieillards égrenaient leurs chapelets. Tiékoro admira beaucoup les pyramides tronquées des tours-minarets décorées de motifs triangulaires. Que de travail il avait fallu pour édifier cet ensemble à la gloire de Dieu ! Tiékoro ne se lassait pas d'en faire le tour, puis de pénétrer sous les hautes voûtes jusqu'à la niche ou à l'estrade de bois d'où le marabout lisait des versets du Coran. Moulaye Abdallah dut l'entraîner.

Tombouctou n'était pas ceinturée de murs. Aussi le regard s'étendait librement jusqu'aux quartiers de paillotes, sorte de faubourgs où habitaient les esclaves et la population flottante. Quel contraste entre ces misérables demeures et celle des Armas, les maîtres de la ville à présent, et les résidences des commerçants ! Ils entrèrent dans un marché où l'on vendait de tout : bandes de coton, peaux tannées rouges et jaunes, mortiers avec pilons, coussins, tapis, nattes et partout des bottes en fin cuir rouge décorées de broderies jaunes. Oui, la capitale bambara débordait de turbulence, de gaieté comme un enfant qui croit que ses plus belles années sont à venir. Mais Tombouctou possédait toute la séduction d'une femme qui a beaucoup vécu et pas honnêtement.

Chez le tailleur d'El-Hadj Baba Abou, neuf ouvriers faisaient courir l'aiguille sur les étoffes bleues et blanches des caftans cependant que des vieillards leur nasillaient des versets du Coran. Tiékoro fut fasciné par la finesse des broderies qu'ils exécutaient et qui étaient inconnues à Ségou. Cet art de vivre qu'il ne faisait que découvrir était d'un raffinement en partie emprunté à des peuples lointains que le sien ne connaissait pas. Maroc, Egypte, Espagne.

Une fois commandés un pantalon et deux caftans, ils reprirent leur flânerie en direction du port. C'est alors qu'un cortège d'ânes, lourdement chargés, leur coupa la route. Il était conduit par quatre garçons qui leur frappaient vigoureusement le train avec des gourdins et semblaient, en même temps, bien s'amuser. Tiékoro rencontra le regard de l'un d'entre eux et dans un silence de tout son être, tel qu'il semblait pouvoir compter chaque battement de son cœur, il reconnut

Siga. Siga s'était rasé le crâne. Mais comme il avait gardé son anneau à l'oreille gauche, cela lui donnait une expression toute différente, un air un peu soudard. Sa blouse de coton bleu, largement échancrée, découvrait son cou lisse et droit comme le fût d'un jeune arbre. Pour la première fois peut-être, Tiékoro remarqua combien il ressemblait à leur père et il lui sembla que Dousika, rajeuni de vingt ans, le fixait de ses yeux, en posant silencieusement la question : « Qu'as-tu fait de ton frère ? »

Siga demeurait immobile, sans prononcer une parole, comme s'il attendait un signe, un geste. Mais Moulaye Abdallah avait repris Tiékoro par le bras. Pouvait-il se dégager, courir vers un individu en si humiliante posture, décliner leur parenté ? Pouvait-il s'exposer à des railleries, méritées cette fois ? A ce moment, un des âniers hurla, sans sévérité, avec bonne humeur au contraire :

— Ahmed, qu'est-ce qui te prend ? Tu as vu un djinn ?

Siga se détourna et le rejoignit en courant, agitant son gourdin au-dessus de sa tête comme s'il adressait un adieu à son frère. Oumar ? Ahmed ? Tiékoro en eut les larmes aux yeux. Des sanglots se nouèrent dans sa gorge, cependant que Moulaye Abdallah l'entraînait :

— Quand tu es entré ce matin chez notre maître, as-tu vu la belle Ayisha ? Je parie qu'elle n'est venue que pour te regarder sous le nez. Méfie-toi d'elle. Elle nous a tous rendus amoureux l'un après l'autre pour, en fin de compte, se moquer de nous.

# 6

Le chagrin de Nya depuis le départ de son fils aîné faisait peine à voir. Pour le suivre par l'esprit et prévenir les dangers qu'il pourrait rencontrer dans cette terre inconnue et impie, Nya entretenait dans la concession d'innombrables féticheurs. Certains ne faisaient que sacrifier de la volaille pour apaiser les boli de la famille, en particulier le boli individuel de Tiékoro qu'elle abritait dans le vestibule de sa case, au milieu d'épis de maïs et de calebasses de lait. D'autres, du matin au soir, lançaient en l'air des cauris et des noix de kola dont ils observaient la position, une fois retombés sur le sol.

En eux-mêmes, les gens la blâmaient. Après tout, elle était mère de neuf enfants dont cinq fils. Pourquoi perdre la tête parce qu'un d'entre eux était au loin ? Qu'aurait-elle fait si la mort le lui avait arraché ? Si, comme un fruit vert qui tombe avant le fruit mûr, il était parti avant elle ? Ne lui restait-il pas une case pleine de rires, de têtes rondes et d'affectueuses bagarres ?

Nya avait parfaitement conscience de ce que son entourage pensait d'elle. Elle savait que sa conduite pouvait paraître déraisonnable. C'est que l'on ignorait la place de Tiékoro dans sa vie. Il n'était pas simplement un premier-né. Il était le signe, le rappel de l'amour qui l'avait liée à Dousika. Elle l'avait conçu la nuit même de ses noces.

Sa famille résidait à Farako, de l'autre côté du Joliba. Quand les Diarra avaient usurpé le trône, il n'avait plus été sain pour les Coulibali de demeurer dans les murs de Ségou. Alors son grand-père et ses frères, réunissant leurs femmes, leurs enfants, leurs esclaves et leurs captifs, étaient allés s'installer sur d'autres terres du clan laissées en jachère depuis des années et qui, à présent, se peuplaient de tiékala[1]. C'est là que Bouba Kalé, le diély du père de Dousika, s'était présenté chez son père. Ce dernier avait hésité, étant donné les liens particuliers qui unissaient les Diarra et les Traoré. Puis, pensant à tant de coudées de terre, tant d'or et tant d'esclaves, il s'était laissé fléchir. Selon la tradition, elle n'avait jamais vu Dousika avant leur mariage et même avant le moment où on l'avait conduite dans sa case. C'était la nuit. Sa mère l'avait rassurée : les féticheurs avaient été formels, ce serait un bon mariage, un mariage fécond. Néanmoins, elle avait peur. Peur de cet inconnu qui soudain aurait droit de vie et de mort sur elle, qui la posséderait comme ses champs de mil. Dousika était entré. Elle avait entendu son pas hésitant dans le vestibule. Puis, il était apparu près d'elle, s'éclairant d'une branche enflammée. Seul son visage se détachait de l'ombre. Il souriait d'un sourire embarrassé, timide, qui soulignait la douceur de sa physionomie. Instinctivement, elle avait remercié les dieux :

— Ah, il est beau et il n'est pas fanfaron...

Il était assis à côté d'elle, qui détournait son regard. Ils n'avaient rien trouvé à se dire pendant quelques instants et, brusquement, la branche achevant de se consumer en lui mordant les doigts, il avait eu un petit cri de douleur. Ensuite, elle avait vainement essayé de se rappeler les recommandations des sœurs de sa mère : pas de cris, de plaintes, de gémissements intempestifs. Le plaisir, comme la douleur, se souffre en silence. Les avait-elle respectées ?

Au matin, les griottes, chargées de veiller à la bonne consommation du mariage et à la virginité de l'épouse, avaient exhibé le pagne de coton rougi de sang neuf. Neuf mois plus tard, jour pour jour, Tiékoro était né. Aussi, à chaque fois qu'il se trouvait devant elle, c'était cette nuit-là qu'elle revivait. Ce torrent d'émotions, de sensations inconnues et incontrôlables, ce vertige, cette paix, cette douleur. Oui, elle avait conçu neuf fois, enfanté neuf fois. Pourtant seule comptait cette première expérience !

Oubliant que c'était Tiékoro lui-même qui avait demandé ce départ, elle en rendait Dousika responsable et cela ajoutait à son ressentiment. Non seulement il la bafouait en affichant son amour pour une concubine, mais encore il la séparait de son fils favori. Et elle se réjouissait de le voir vieilli, sombre, taciturne, comme frappé à mort par sa brouille avec le Mansa. Par moments, son amour pour lui

1. Plante dont la présence atteste que la terre peut être à nouveau ensemencée.

reprenait le dessus. Mais elle le surprenait à regarder Sira comme il l'avait regardée autrefois, et tout recommençait.

Pourtant le chagrin qu'éprouvait Nya du départ de Tiékoro n'égalait pas celui de Naba. Naba avait grandi à l'ombre de son aîné. Il avait appris à marcher en s'agrippant à ses jambes, à se battre en cognant par jeu sur sa poitrine, à danser en le regardant évoluer le soir au milieu d'un cercle d'admiratrices. Son absence le laissait comme orphelin et il éprouvait constamment ce sentiment d'injustice que cause la mort d'un être cher. Pour combler ce vide, il s'était raccroché à Tiéfolo, fils aîné de Diémogo, le cadet de son père.

Malgré son jeune âge, Tiéfolo était un des karamoko[2] les plus connus de Ségou et de la région. On avait entendu parler de lui jusqu'à Banankoro au nord et à Sidabugu au sud. A dix ans, il avait disparu dans la brousse. Ses parents le croyaient mort, sa mère le pleurait déjà quand il avait réapparu, la dépouille d'un lion sur les épaules. Alors le grand Kéménani, grand maître chasseur gow[3], l'avait pris sous sa protection. Non seulement il lui avait communiqué le secret des plantes toxiques qui paralysent le gibier et empêchent sa fuite, mais encore il avait partagé avec lui son boli personnel, qu'il nourrissait avec des cœurs d'antilopes. Du même coup, il lui avait révélé les prières, les incantations et les sacrifices qui permettent toujours à l'homme de sortir victorieux de ses rencontres avec l'animal. Tout d'abord Naba avait éprouvé une certaine répugnance pour la chasse, car Tiékoro lui avait communiqué son horreur du sang. Puis il s'était pris au jeu. Pourtant à présent encore, à chaque fois que la bête ployait le genou avant de s'affaisser, en jetant à son bourreau un regard de totale incompréhension, il frissonnait. Alors il se précipitait vers elle et soufflait passionnément à son oreille les phrases rituelles destinées à se faire pardonner.

Il trouva Tiéfolo occupé à se préparer un poison. Il faisait cuire sur un feu de braises très doux un mélange d'ouabaïne[4], de têtes de serpents, de queues de scorpions, de sang menstruel et d'une substance qu'il tirait de la sève du palmier rônier. Naba prit bien garde de ne pas le déranger à ce moment, car les incantations qu'il murmurait ajoutaient à la force mortelle du produit. Comme tous les chasseurs, Tiéfolo allait le torse nu abondamment couvert de gris-gris et portait pour tout vêtement un cache-sexe fait d'un assemblage de peaux d'animaux qu'il avait tués. De la crinière du lion qu'il avait su vaincre à dix ans, il s'était fait une sorte de ceinture dont il nouait les

2. Maître chasseur.
3. Ethnie de chasseurs, maîtres de la brousse inculte.
4. Poison violent.

extrémités sur ses hanches. Quand il eut fini ses préparatifs, il invita Naba à venir vers lui, tout en commençant d'enduire délicatement ses flèches :

— Des lions ont dévoré une partie du troupeau des Peuls près de Masala, il faudra que nous allions leur donner une leçon, car les Peuls n'ont rien pu contre eux...

Naba crut avoir mal compris, puis la lumière se fit jour en lui et il interrogea d'un ton incrédule :

— Tu veux dire que tu m'emmèneras avec toi ?

Pour toute réponse, Tiéfolo eut un sourire. Naba l'avait souvent accompagné dans des chasses à l'antilope, au phacochère, au buffle sauvage. Mais la chasse au lion, la chasse au prince de la savane pelée dont sa robe a la couleur et ses yeux l'éclat, est une chasse réservée aux maître gow et à leurs élèves, les karamoko. Pas de mâles au cœur mou sur leurs traces ! Il faut de l'endurance pour suivre le lion parfois pendant des jours entiers, de la subtilité pour déjouer ses ruses et quelle bravoure pour ne pas fuir en débandade quand il pousse ses rugissements qui résonnent jusqu'au fond des entrailles ! Alors la terre tremble et des nuages de poussière s'élèvent ! Les villageois apeurés se barricadent de leur mieux dans leurs cases. Le lion crie : « Le seigneur a faim. Garez-vous ! »

Naba ne put contenir son impatience. Il balbutia :

— Quand partons-nous ?

— Pas tout de suite, petit frère. Il faut d'abord se préparer... Tu vas m'accompagner chez le maître chasseur Kéménani...

Tiéfolo était beau. Tiéfolo était brave. Marcher à son côté dans les rues de Ségou était goûter aux plaisirs des vainqueurs. Les tondyons, de retour du sac de quelque ville, chargés de butin, n'étaient pas traités autrement. Les femmes sortaient sur le pas des portes. Les hommes le hélaient et les diély frappant leurs tamani déclamaient ses louanges, rappelant surtout la fameuse chasse au lion à l'arc de son enfance :

*Le lion jaune au reflet fauve*
*Le lion qui délaissant les biens des hommes*
*Se repaît de ce qui vit en liberté*
*Corps à corps, Tiéfolo de Ségou*
*Au plus fort de sa chasse, c'était encore un enfant*
*Tiéfolo Traoré...*

Naba s'enivrait de ces vapeurs d'adulation. Pour l'instant, elle s'adressait à un autre. Bientôt pourtant, elle s'adresserait à lui. Lui aussi reviendrait victorieux de la brousse, un lion en travers des épaules. Alors on l'appellerait karamoko. Il jetterait son lion dans la cour principale du palais du Mansa, ce Mansa qui avait humilié son père, pour rappeler à son souvenir la descendance de Dousika. Il rêvait du jour où, accompagné de Tiéfolo, il se présenterait aux grands maîtres de la confrérie des chasseurs avec dix noix de kola rouges, deux coqs, une poule et du dolo afin de les offrir aux génies de la chasse Sanéné et Kontoro. Oui, un jour, Ségou parlerait de lui.

Dans les cours de la concession de Kéménani, descendant en ligne directe de l'ancêtre gow, prénommé Kourouyoré, se pressaient tous les maîtres chasseurs venus des différents coins du royaume. Car les lions multipliaient leurs attaques et s'amusaient même à déchiqueter des bergers. Les esclaves leur servaient des calebasses de bouillie de mil pendant qu'ils attendaient l'issue des sacrifices. Kéménani avait passé la nuit à s'entretenir avec les grands forgerons-féticheurs, en particulier avec Koumaré qui avait dit que la chasse ne serait pas bonne. Les génies de la brousse étaient irrités et risquaient de manifester leur colère en frappant quelqu'un. Aussi tout le monde attendait. Tiéfolo haussa les épaules. Qu'est-ce que cela signifiait, que la chasse ne serait pas bonne ?

Dépité, il s'assit dans un coin avec Naba et quelques autres jeunes chasseurs parmi lesquels on comptait cependant des karamoko, car ils avaient déjà abattu du gibier à poil, fort mécontents de l'attente qu'on leur imposait. L'un d'entre eux, Masakoulou, était le fils aîné de Samaké. Il fit avec exaspération :

— Koumaré, toujours Koumaré. Celui qui n'entend qu'une voix n'entend qu'une parole. Pourquoi ne pas faire parler un autre féticheur ?

Tiéfolo soupira :

— C'est bien mon avis. Le malheur, c'est que personne ne nous demande jamais ce que nous pensons.

Tiéfolo exprimait là un sentiment auquel les jeunes donnaient rarement voix, habitués qu'ils étaient à une obéissance absolue. Mais un vent de révolte soufflait sur eux qui les surprenait eux-mêmes. Masakoulou continua :

— Il y a Fané qui est lui aussi un des maîtres du Komo...

Il y eut un silence, puis les jeunes gens se regardèrent comme si cette dernière phrase avait suivi le même cheminement dans leurs esprits. Ce fut Tiéfolo qui murmura :

— Peux-tu nous conduire à lui ?

Le milieu du jour est le moment où la brousse vit intensément. On croit que le soleil l'ayant déjà beaucoup échauffée, elle commence de s'assoupir. Au contraire. Chaque brin d'herbe, chaque insecte qu'il cache, chaque arbuste, chaque animal s'interpelle et l'air, qui semble immobile, vibre en réalité d'une multitude de cris. Voilà pourquoi pour l'homme, c'est l'heure des hallucinations, des mirages, l'heure la plus dure.

La troupe des jeunes gens, Tiéfolo et Masakoulou en tête, marchait depuis le matin. Sans s'arrêter, ils avaient traversé Dugukuna, un village de guerriers et quelques villages de captifs car Tiéfolo, qui s'était spontanément institué chef de cette expédition, estimait qu'il fallait gagner Sorotomo pour la nuit afin que le jour suivant, en quelques heures, on atteigne la région de Masala. Ils suivaient le cours du fleuve, avançant presque dans son lit. Là, la végétation était assez dense. Outre d'énormes graminées, des fromagers, des cailcédrats et, bien sûr, des balanzas et des karités. Personne en vue. Pas une femme accroupie au bord de l'eau. Pas un pêcheur somono dans sa barque. Pas une case bozo faite d'une mosaïque de nattes. La chaleur comme un linge brûlant collé aux lèvres. Brusquement Masakoulou s'arrêta :

— J'ai faim. Si on mangeait ?

Et sans attendre de réponse, il s'assit et tira des provisions de son sac en peau de chèvre. Tous les autres l'imitèrent, Naba le premier.

Tiéfolo en conçut de l'humeur et fit avec irritation :

— Continuons jusqu'à Konodimini. Là, nous pourrons nous procurer de la nourriture, car il vaut mieux garder nos provisions pour demain, la journée sera rude.

Masakoulou mordit dans un poisson séché :

— Tiéfolo, ce n'est pas parce que dans le temps tu as tué un lion malade que tu dois nous commander tous. Avoue-le maintenant, il était malade, ce lion ? Il traînait la patte ?

Tout le monde s'esclaffa, même Naba. Ce n'était qu'une plaisanterie comme en font entre eux les garçons du même groupe d'âge. Pourtant Tiéfolo crut percevoir une lueur mauvaise dans le regard de Masakoulou qui témoignait d'un réel désir de le blesser. Ce qui l'irritait encore, c'est que Masakoulou semblait prendre Naba sous sa protection, en lui témoignant d'une familiarité qui ne pouvait que griser ce tout jeune homme. Quel jeu jouait-il ? Tiéfolo s'en voulait de n'avoir pas tenu compte de la haine qui existait entre les Samaké et la famille Traoré. Un moment, cette pensée lui avait bien traversé l'esprit, puis il l'avait écartée. Les fils doivent-ils absolument épouser les querelles des pères ? Il s'efforça de se calmer, s'éloigna et, dénouant son cache-sexe, se dirigeait vers l'eau quand il entendit à nouveau la voix moqueuse de Masakoulou :

— J'en ai vu de plus grosse...

Les rires fusèrent. C'en était trop. Tiéfolo revint sur ses pas.

D'un bond, il fut sur Masakoulou. D'une main, il le prit à la gorge. De l'autre, il lui martela le visage.

La mêlée fut terrible. D'abord les garçons se bornèrent à faire cercle autour de Tiéfolo et Masakoulou, en les excitant de la voix, comme il est d'usage. Puis voyant le tour que prenait le combat, le caractère vicieux des coups que chacun se portait, ils se décidèrent à intervenir. Ils les séparèrent à grand-peine, Masakoulou, le visage en sang, hurlait :

— Mon père me l'a bien dit : là où il y a un Traoré, pas de paix, pas d'entente. Toujours, toujours le besoin de dominer.

Les autres garçons n'étaient pas loin d'être de cet avis. Pourquoi Tiéfolo avait-il réagi si violemment à une plaisanterie innocente ? Sans doute croyait-il que son pénis égalait celui de l'éléphant ou celui du buffle du fleuve Bagoé ? Pourtant l'essentiel était à présent de faire la paix entre les deux adversaires afin que l'expédition ne s'en ressente pas. Entre eux, les garçons chuchotaient :

— Forçons-les à faire le pacte du dyo[5]...

— Ils n'accepteront jamais...

Tant bien que mal, la troupe reprit sa route. A présent, elle s'écartait du fleuve. Le sol se recouvrait d'une croûte fendillée par endroits d'où s'élevait une sorte de vapeur brûlante aux chevilles. On croyait apercevoir les cases de paille et les abris des Peuls nomades. Ce n'était qu'effet de chaleur. De grands oiseaux noirs volaient bas et fonçaient soudain sur des proies invisibles. Trois serpents verts filèrent sous les pas du garçon qui venait en tête, car Tiéfolo traînait à l'arrière pour bien montrer qu'il se désintéressait de tout. Brusquement un troupeau de bœufs surgit flanqué de bergers en tablier de cuir sous leurs chapeaux en entonnoir. Ces derniers semblaient terrifiés. Oui, ils avaient entendu parler de lions, mais aussi d'hommes qui incendiaient les villages, violaient et tuaient les femmes et emmenaient les hommes.

— Où cela ?

Les bergers peuls n'en savaient rien. Les jeunes chasseurs se regardèrent avec désarroi. Une même pensée flottait dans les esprits que personne n'osait formuler. Fallait-il continuer ? Fallait-il retourner à Ségou ? En ces heures d'indécision, toute communauté a besoin d'un chef. Tiéfolo se tenait en retrait, mâchonnant quelques tiges sèches, apparemment plongé dans la contemplation du pelage des bêtes. Comme angoissés, tous les regards se tournaient vers lui ; il les

5. Pacte du sang.

soutint avec une sorte d'arrogance, puis, sans mot dire, contournant le groupe, il en reprit la tête. Ils arrivèrent enfin à Sorotomo.

Quelles harmonies inimitables que celles des pilons dans les mortiers, des voix des jeunes filles s'exhortant au travail et des rires des enfants guettant le lever de la lune avant de s'endormir ! Dans la grisaille de la nuit naissante, Sorotomo apparut comme une terre d'accueil avec ses cases, troupeau tranquille, pressées au flanc du balanza central. Justement, les hommes tenaient conseil. Le chef accueillit les jeunes chasseurs courtoisement, mais c'était visiblement un homme effrayé. Oui, il avait entendu parler de ces lions qui avaient dévoré des troupeaux. Pourtant, ce n'était certainement pas à ce sujet qu'il s'apprêtait à envoyer une délégation au Mansa. Des hommes attaquaient les villages, mettaient le feu aux cases, tuaient les femmes et les enfants, emmenaient les mâles. Des hommes ? A quel peuple appartenaient-ils ? D'où venaient-ils ? Savaient-ils à qui ils avaient affaire ? Ségou avait réduit tous ses ennemis et contrôlait la région. Elle écrasait les velléités de révolte des Peuls du Macina. Elle terrifiait les Bambaras du Kaarta. Qui pouvaient bien être ces hommes ? Les villageois n'en savaient rien. Les morts n'avaient pu le révéler, ni les captifs. Pourtant, des calebasses de to servies avec une sauce aux feuilles de baobab et du sibala[6] apaisèrent la faim et pour un temps l'inquiétude. Dans la case de passage, offerte par le chef, tout le monde s'endormit. Sauf Tiéfolo.

Quand il repassait les événements des derniers jours dans sa tête, il avait l'impression qu'un autre, glissé à l'intérieur de sa peau, avait pensé, agi, parlé pour lui. De sa vie, il n'avait jamais désobéi à un aîné. Or qu'avait-il fait sinon mettre en doute la parole de Kéménani, un grand maître chasseur, et de Koumaré, un grand maître du Komo ? Son audace le terrifiait. Quel esprit l'avait possédé et dans quel but ? Et il avait entraîné un cadet dans l'aventure ! Il n'y avait qu'une chose à faire : retourner à Ségou Il se leva, enjamba précautionneusement les corps de ses camarades jusqu'à la natte de Masakoulou, endormi près de la porte :

— Masakoulou, réveille-toi...

Les deux garçons sortirent. Seuls bruits à présent, le halètement des esprits, jouissant enfin librement de ce monde qu'ils ne se consolent pas d'avoir quitté, le frottement soyeux des ailes des chauves-souris. Tiéfolo s'efforça de faire taire ses terreurs et souffla :

— Ecoute, il faut retourner à Ségou. Nous devons persuader les autres...

---

6. Sorte de condiment.

Masakoulou recula d'un pas. Dans la nuit, il paraissait immense, le visage déformé comme s'il portait un masque, habité par un esprit inconnu. Il dit froidement et sa voix elle-même était autre, sèche, craquante comme des brindilles au feu :

— Tu sais mon nom ? Tu sais ce que Samaké veut dire ? Homme-éléphant, enfant de l'éléphant, fils de l'éléphant et tu viens me parler de retraite ? Ah, c'est vrai, tu es le fils d'un charognard.

L'injure était grave, tellement grave, Tiéfolo le comprit, que si Masakoulou l'avait prononcée, c'est qu'il n'était pas lui-même non plus. Un autre s'était glissé à l'intérieur de sa peau pour penser, agir, parler à sa place. Tiéfolo s'interrogea. L'un d'eux avait-il commis l'acte sexuel avant le départ ? Ou avait-il irrité les ancêtres protecteurs des chasseurs par un acte plus abominable encore ? Non, c'était un esprit qui se jouait d'eux. Mais pourquoi ? Tiéfolo tenta de se rappeler quelque formule rituelle destinée à conjurer le sort. Dans son trouble, il n'en trouva aucune.

Le malheur est comme l'enfant dans le ventre de sa mère. Rien ne peut arrêter sa naissance. Il gagne secrètement en force et en vigueur. Le réseau de ses veines et de ses artères se dessine. Puis il apparaît au jour dans un déluge de sang, d'eaux usées et de souillures.

# 7

A Ségou, on ne s'aperçut pas tout de suite de la disparition des jeunes chasseurs. Puis le lendemain, une à une, chaque famille constata qu'ils n'avaient point dormi dans leurs cases. Ce fut un orage de stupeur et de désolation crevant sur la ville. Des cadets désobéir à des aînés ! Des humains braver les avertissements des esprits ! De mémoire de Segoukaw, on n'avait vu cela. Cela égalait l'audace de Tiékoro Traoré, tournant délibérément le dos aux dieux de ses ancêtres pour embrasser l'islam.

Sur les places publiques, sur les marchés, dans les concessions, et même dans le palais du Mansa, les gens s'interrogeaient. Fallait-il à présent redouter la jeunesse ? Chaque père regardait son fils dans les yeux. Chaque mère, sa fille. Ces êtres souples et graciles, accoutumés à ployer le genou, à baisser les yeux, à acquiescer, à se taire, devaient-ils soudain apporter la contradiction et le danger ? Consultés, les féticheurs des familles affirmèrent que ce temps-là approchait.

Au petit jour, Fané sortit de sa concession dans le quartier des forgerons-féticheurs. Avant le lever du soleil, il ne fait pas bon marcher dans Ségou. Les murs de banco se souviennent des peurs de la nuit. Ils sont très sombres, presque boueux et dégagent une humidité malsaine. Pas de créatures vivantes dans les rues. Les esprits rejoignent la région d'en bas. Les humains attendent l'apparition du soleil. Pourtant, Fané aimait cette heure où l'on peut modeler les esprits. Il entra dans la concession de Samaké, s'accroupit derrière sa case et, plantant une tige de mil en terre, l'appela silencieusement.

Samaké apparut aussitôt, les traits défaits, car toute la nuit, il s'était torturé pour son fils Masakoulou. Il murmura d'un ton de colère :

— Fané, je te paye tant d'or et de cauris et tu laisses pareil malheur m'arriver...

Fané haussa les épaules. Comme les hommes ont peu de confiance !

— Rien n'arrivera à ton fils, il reviendra sain et sauf comme tous les autres. Sauf le fils de Dousika. C'est ce que je suis venu t'apprendre.

Samaké souffla :

— Tu en es sûr ?

Fané dédaigna de lui répondre sur ce point et poursuivit :

— Avant-hier, ces jeunes sont venus me consulter, mais ils ne s'en souviendront plus. J'ai planté l'oubli dans leurs esprits. Ils ne se souviendront de rien. Toi, à présent, prends la tête d'une expédition pour aller les chercher. Tu les trouveras dans la région de Kangaba. Les pas de la gazelle te conduiront.

Samaké s'en alla en hâte, rassuré et cependant encore inquiet. Il entra dans la concession de Dousika. Malgré l'heure matinale, elle était pleine de sympathisants. Les parents éloignés, les relations, les voisins avaient tenu à entourer une famille si éprouvée. Après la déchéance de Dousika, la conversion de Tiékoro, la disparition de Naba et Tiéfolo ! En même temps, malgré l'émotion que tous ces malheurs causaient, on commençait de se demander s'ils n'étaient pas mérités. Car il n'y a pas de victime innocente. Certains chuchotaient que tout cela venait de Sira. Dousika avait eu tort d'introduire une Peule dans sa maison.

A l'entrée de Samaké, il se fit un grand silence. Pourtant, courtoisie oblige, Dousika s'avanca pour saluer son ennemi. Samaké prit Dousika aux épaules :

— Frère, tu vois, le malheur nous rapproche. Je vais diriger une expédition pour chercher nos enfants. Est-ce que tu te joins à nous ?

Diémogo, frère cadet de Dousika et père de Tiéfolo, s'interposa :

— Ne cours pas de risques, c'est moi qui partirai...

Comme il n'avait pas les responsabilités de fa de son aîné, en charge de la bonne marche de la concession tout entière, tous les membres de la famille prièrent Dousika d'accepter son offre.

Déjà une quarantaine de cavaliers était réunie devant le palais du Mansa. On comptait parmi eux le prince Bin, propre fils du Mansa. Une fois n'est pas coutume, des tondyons s'étaient aussi mêlés à cette expédition pacifique, et ce déploiement de chevaux, de cavaliers, de chasseurs, de féticheurs ravissait les enfants, inconscients du tragique des circonstances. Ils se faufilaient entre les pattes des bêtes, piétinant le crottin frais, pour caresser les robes noires ou brunes. Samaké prit la tête du cortège qui, au galop, gagna la porte Nord.

Une fois le groupe disparu, une fois les nuages de poussière retombés, Dousika éprouva un total sentiment d'impuissance. Si encore il avait pu enfourcher une monture et aller arracher son enfant à la brousse ! Mais non ! Trop de responsabilités l'amarraient à la concession. Que ferait-on de ses trois épouses, de sa concubine, de sa vingtaine d'enfants s'il venait à disparaître ?

Nya, si forte, Nya au centre de sa vie.

De l'avoir vue brisée, en larmes, il lui semblait que la charpente même de sa vie s'effondrait. A quoi cela servait-il de ne négliger aucun sacrifice si les ancêtres y étaient insensibles ? Si les dieux s'emparaient des fils légitimes, les uns après les autres ? Dousika eut peur de ces sentiments de révolte en lui et reprit le chemin de sa concession. Soudain, au détour d'une rue, il reconnut Sira, tenant Malobali par la main, car précoce, l'enfant avait fait ses premiers pas. Il l'arrêta :

— Où vas-tu ?

— Au marché. On me dit que des commerçants haoussas ont apporté des colliers d'ambre...

Atterré, il la fixa :

— En un pareil moment, tu penses à des colliers d'ambre ?

Sans répondre, elle prit le petit garçon qui à présent s'agrippait aux jambes de son père et se détourna. Il la retint. De sa vie, il n'avait jamais brutalisé une femme. Même pas une taloche dans un moment de colère. Mais là, c'était trop. Toute la famille était dans l'affliction, pleurant la disparition de Naba et elle n'avait en tête que sa parure. Comme elle le fixait avec une sorte d'insolence, il perdit patience et la gifla à la volée. Sans broncher, elle resta là, le sang rougissant lentement ses lèvres que sous le choc elle avait mordues. Honteux, il s'éloigna.

Or précisément Sira quittait la concession pour préserver son personnage de captive non domptée, indifférente, presque hostile qui se détachait d'elle comme un haillon. Car, ce qui affectait son entourage l'affectait en retour. Surtout la douleur de Nya. Est-ce qu'il suffit d'être transplanté même par force pour oublier son lieu d'origine ? Les hommes poussent-ils racines plus aisément que les plantes ? Sira s'essuya les lèvres d'un coin de pagne. Puis, soulevant Malobali de terre, elle le fixa sur son dos d'un mouvement de reins et reprit sa marche, empruntant un chemin longeant le fleuve. Par-delà ces eaux faussement paisibles, un peu bleutées, par-delà la savane, c'était le Macina. Son pays. Pourtant ce mot était vidé de sens. Le pays c'était maintenant Ségou.

Il ne manquait pas de Peuls dans l'enceinte de la ville, en particulier ceux qui avaient la garde du bétail royal. Mais Sira les avait toujours méprisés comme des êtres qui se complaisent en sujétion. En réalité, qu'avaient-ils à présent de différent d'elle ?

Parfois, Sira pensait à s'enfuir. Après tout, sa famille ne la rejetterait pas. Mais que faire de Malobali ? L'emmener avec elle ? Comment serait-il traité, issu en partie d'une ethnie redoutée et méprisée ? Ne ferait-il pas figure de paria ? D'autre part si on l'accueillait et en faisait un Peul, ne retournerait-il pas de lui-même vers son père, vers Ségou, vers ces bâtisseurs bambaras, fascinants et barbares ? Alors, le laisser derrière elle ? Elle savait qu'aussitôt Nya lui offrirait son propre sein, mais le cœur lui manquait. Malobali était si beau qu'on ne pouvait le voir sans prononcer les paroles rituelles qui écartent envie et jalousie. A présent, il avançait devant elle, trébuchant, tombant, se relevant avec détermination sans pleurer, comme s'il s'exerçait à conquérir l'univers. Mesurant son amour pour lui, Sira comprenait d'autant mieux le chagrin de Nya. Perdre deux enfants coup sur coup !

Allons ! Ni Tiékoro ni Naba n'étaient perdus. Le premier reviendrait paré du prestige que donnait la nouvelle religion. Le second serait retrouvé et pour punir son inqualifiable indiscipline, il serait pour un temps mis à l'écart de toute confrérie de chasseurs. Puis, tout rentrerait dans l'ordre.

Cependant, ventre à terre, Samaké et ses compagnons se dirigeaient vers Masala. Les villageois éberlués avaient à peine le temps de sortir de leurs cases pour regarder passer les cavaliers. Les guerriers se demandaient si la guerre avait recommencé et n'étaient pas loin de s'en réjouir. Les captifs, au contraire, tremblaient. Allait-on les vendre à nouveau pour se procurer des armes ? Alors entre quelles mains tomberaient-ils ? Ils avaient fini par s'accoutumer aux villages où on les avait groupés.

A Masala résidait Demba, un autre fils du Mansa. Il reçut les arrivants avec une courtoisie princière et se plaignit du comportement des jeunes chasseurs à son endroit. En effet, ils ne s'étaient pas présentés devant lui, comme ils auraient dû le faire, mais, contournant le village par un chemin circulaire, ils s'étaient entretenus avec les « Peuls publics[1] », gardiens de ses immenses troupeaux. Sans doute craignaient-ils que Demba, bien au fait de la société ségovienne, ne s'étonne de l'absence des grands maîtres chasseurs Gow et surtout de Kéménani ? Ne les presse de questions ? Ne découvre leur escapade ? Et ne les retienne de force ?

Demba fit changer les montures des cavaliers, leur offrant des bêtes fraîches et nerveuses et l'expédition continua sa route vers la région de Kiranga. Des paysans avaient incendié la brousse et de grandes plaques noirâtres se dessinaient sur le sol. Des buffles se vautraient dans la vase d'une mare, levant vers les voyageurs un regard agressif sous le lourd casque frontal des cornes. Des bergers s'efforçaient de rassembler leurs troupeaux qu'effrayaient les chevaux. Enfin, les cavaliers arrivèrent à un carrefour. Quelle voie prendre ? Samaké se rappelant les paroles de Fané mit pied à terre et commença d'inspecter le sol. Dans le contrefort d'un talus, il découvrit de petits trous circulaires remplis d'eau comme s'il avait plu la veille, alors qu'on se trouvait en pleine saison sèche. « Les pas de la gazelle. »

Pendant plusieurs heures, les traces furent visibles et les hommes crurent qu'ils n'en finiraient pas de galoper, galoper à travers la brousse. Ils se rendaient compte qu'ils couvraient une distance considérable, descendant toujours plus au sud, atteignant presque les limites de l'empire. Brusquement ils furent sur la rive d'un fleuve. Etait-ce le Bani[2] ? Sur les pierres de la rive, des grues couronnées faisaient les cent pas d'un air à la fois altier et irrité. Devant les oiseaux divins générateurs du langage, tous mirent pied à terre cependant que les griots récitaient :

*Salut grue couronnée.*
*Puissante grue couronnée.*
*Oiseau de la parole.*
*Oiseau au bel aspect.*
*La voix est ta part dans la création.*

Brusquement un troupeau de gazelles surgit d'un buisson, vint sous les pas des chevaux comme pour les narguer, puis prestement s'engagea dans une piste. Cette fois encore, les hommes sautant à nouveau sur leurs chevaux les suivirent. Cette fois encore, la poursuite dura des heures. Bientôt le soleil commença de décliner et les cavaliers, Samaké compris, en dépit des assurances de Fané, se

1. On appelle ainsi les Peuls qui, au sein d'autres ethnies, ont la garde de leurs troupeaux.
2. Affluent du Joliba.

demandaient si les dieux ne leur jouaient pas un tour à leur manière. Enfin, ils aperçurent les toits de paille des cases d'un village.

Quel silence dans ce village !

Les pas des chevaux résonnaient sur le sable sec comme des tam-tams de guerre. Il devait s'agir d'un village de captifs, vu l'étendue des champs de mil et de coton soigneusement entretenus qui s'étendaient alentour. Mais où étaient passés les habitants ? Grognant et renâclant, un troupeau de porcs sauvages traversa le sentier.

C'est dans la dernière case qu'ils trouvèrent les jeunes chasseurs, apparemment plongés dans un profond sommeil. Ils étaient tous là, amaigris, émaciés. Il ne manquait que Naba. Toute sa vie, Diémogo devait se reprocher ce mouvement de joie égoïste quand il avait reconnu son fils. Comme tous ses compagnons, Tiéfolo était méconnaissable, pareil à un patient qui relève d'une longue maladie, un pus jaunâtre aux coins des yeux. Mais il était vivant. Au bout d'un moment, grâce à l'action des guérisseurs, les jeunes gens ouvrirent les yeux et furent en état d'entendre les questions. Pourtant, ils ne purent y répondre. On aurait dit qu'une sorte d'amnésie les frappait. Que s'était-il passé depuis leur départ de Ségou près d'une semaine plus tôt ? Quels chemins avaient-ils suivis ? Quelles paroles avaient-ils prononcées ? Qu'était devenu Naba ?

En eux-mêmes, les cavaliers acceptaient l'arrêt du destin. Les jeunes chasseurs avaient commis une faute. Les dieux avaient choisi une victime expiatoire. On ne pouvait plus rien. C'est par pure forme qu'ils décidèrent de battre la brousse à la recherche du disparu. Comme la nuit était tombée, ils enflammèrent des branches sèches, ce qui effraya les chevaux qui se mirent à hennir et à galoper dans tous les sens. Certains auraient bien préféré attendre l'aube, car la nuit n'appartient qu'aux esprits. Il n'est pas bon que les hommes dérangent leurs conciliabules par des cris, des appels, des poursuites, des piétinements de chevaux. Mais Samaké et Diémogo s'entêtaient.

Rien ne peut dépeindre l'état d'esprit de Tiéfolo quand il reprit entièrement conscience et s'aperçut de la disparition de Naba. D'abord il demeura abasourdi. Puis la conviction de sa culpabilité le submergea. Il se leva et prétendit s'élancer sur un cheval. On le retint. Alors, il voulut se précipiter la tête la première sur un cailcédrat. Mais ses forces le trahirent et on dut le soutenir. Un des guérisseurs se hâta de préparer une potion qui lui donnerait le sommeil. Vers le milieu de la nuit, Samaké, Diémogo et les autres cavaliers revinrent. Bredouilles... Ils décidèrent de prendre un peu de repos et de poursuivre les recherches dès le lever du soleil.

A la vérité, il n'était pas rare qu'au cours d'une chasse, des catastrophes se produisent, car ce « métier du sang » exige ses victimes. Il arrivait que les karamoko les plus réputés soient vaincus par l'âme des bêtes, et tués en les affrontant. En pareil cas, la tradition avait tout prévu : depuis les rites de la toilette mortuaire jusqu'aux libations et aux paroles des chants funéraires. Mais la disparition de Naba avait quelque chose d'unique et de surnaturel. Les forgerons-féticheurs, qui avaient suivi la partie, voyaient sur leurs plateaux divinatoires l'expression d'un destin irrévocable qu'ils ne comprenaient pas. Un Traoré aurait-il tué un singe noir, un cynocéphale ou une grue couronnée, brisant ainsi son interdit totémique ? Impossible ! Alors pourquoi les dieux étaient-ils tellement irrités ?

Peu avant le jour, les habitants du village réapparurent. Il s'agissait bien de captifs royaux reconnaissables à leurs crânes rasés et aux trois entailles de chaque côté de la tempe. Ils avaient pris refuge dans la brousse, car ils avaient entendu parler de groupes de Markas [3] opérant des razzias dans la région, en direction du commerce de traite. Devait-on voir là une indication du sort que connaissait Naba ? Sans perdre de temps, Samaké et Diémogo dépêchèrent des hommes de leur escorte vers les cités commerçantes de Nyamina, Sinsanin, Busen, Nyaro... afin d'inspecter les marchés. En un mot, rien ne fut laissé au hasard.

C'est étrange ! En ce moment où Samaké, qui par envie et mesquinerie avait été le principal artisan de la perte de Dousika, voyait s'accomplir sa vengeance, il ne la savourait pas. Au contraire, elle l'épouvantait. Comme tant de criminels devant leur forfait, il n'était pas loin de s'écrier :

— Ah non, je n'avais pas voulu cela !...

Il se prenait à se poser une question apparemment sacrilège. Les dieux et les ancêtres sont-ils sadiques ? Les dieux et les ancêtres sont-ils cruels ? Réalisant au-delà de toute attente les vœux formulés dans des moments de colère ou de jalousie, ne prennent-ils pas plaisir à mortifier en même temps victimes et bourreaux ? A intervertir les rôles ? A les confondre ? A susciter dans les deux camps chagrin, malaise, angoisse, désespoir ? Aussi, personne ne comprenait son affliction et son acharnement à rechercher Naba. N'était-il pas l'ennemi de Dousika ? Tout en se restaurant avec du to préparé par les femmes du village, les cavaliers chuchotaient entre eux :

— Est-ce qu'il ne faudrait pas à présent rentrer à Ségou ? Dousika est un homme très riche. Il paiera des tondyons pour aller rechercher son fils, des féticheurs pour lui dire où il peut se trouver. Nous, nous ne pouvons plus rien. Samaké nous fatigue inutilement.

---

3. Nom donné aussi à l'ethnie Sarakolé.

Finalement le prince Bin, à qui malgré sa grande jeunesse la qualité de fils du Mansa donnait de l'autorité, se fit l'interprète de tous et l'on reprit le chemin de Ségou.

Et pourtant, Naba n'était pas loin. A peine à quelques heures de marche.

Une dizaine de « chiens fous dans la brousse[4] » l'avaient capturé alors qu'il s'était éloigné de ses compagnons. Ces « chiens fous » n'étaient nullement des Markas, mais des tondyons bambaras de Dakala que la relative paix qui régnait dans la région condamnait à ce rôle de prédateur. Généralement, ils préféraient s'attaquer aux enfants, aisément effrayés, faciles à dissimuler dans un grand sac, puis à transporter jusqu'aux marchés d'esclaves où ils étaient échangés contre une petite fortune. Naba était déjà trop fort puisqu'il avait près de seize ans.

Mais il était là, désarmé, car il avait déposé assez loin de lui son arc et son carquois. Il atteignait l'âge où les prises étaient fort appréciées des commerçants de traite. Il était visiblement soigné, bien nourri. La tentation avait été trop forte. A présent les chiens fous gagnaient à cheval le village d'un intermédiaire marka. Il fallait se mettre hors d'atteinte de la justice du Mansa qui punissait de tels rapts contre ses sujets de la peine de mort. Ils avaient endormi Naba, lui avaient solidement ligoté les membres avec des cordelettes de da et l'ayant enveloppé d'une couverture, l'avait jeté en travers de leurs montures.

Quand Naba reprit conscience, il se trouva donc dans une case dont la porte était obturée par des troncs d'arbre. A la couleur de l'air qui filtrait, il réalisa qu'il allait bientôt faire jour. A côté de lui, endormis à même la terre, trois enfants de six ou huit ans, ligotés de la même manière que lui.

Jusqu'à une époque récente, la concession de Dousika avait été pour lui et les autres enfants un univers douillet, sourd à tous les bruits du monde : guerre, captivité, commerce de traite. Parfois un adulte y faisait allusion devant eux mais ils prêtaient bien davantage l'oreille aux aventures de Souroukou, Badeni, Diarra[5]... le soir, autour de feu. La première brèche dans ce mur de bonheur avait été causée par la conversation à l'islam de Tiékoro et le départ du grand frère bien-aimé. A présent, brusquement, Naba découvrait la peur, l'horreur, le mal aveugle. Il avait souvent vu des captifs dans les cours

4. Expression bambara pour désigner les voleurs d'enfants.
5. L'hyène, le chameau, le lion, en bambara.

de la concession paternelle ou chez le Mansa, mais il ne leur avait jamais prêté attention. Il ne s'était jamais apitoyé sur eux, puisqu'ils appartenaient à un peuple de vaincus qui n'était pas le sien. Allait-il connaître le même sort ? Dépouillé de son identité, livré à un maître, cultivant ses terres, méprisé de tous ? Il tenta de s'asseoir. Ses liens l'en empêchèrent. Alors il se mit à pleurer comme l'enfant qu'il était encore.

La porte s'ouvrit et un jeune garçon entra, portant une grosse calebasse de bouillie. Dès qu'il apparut, Naba se tourna tant bien que mal vers lui et lui jeta :

— Ecoute, aide-moi à me tirer de là. Mon père est un homme très riche. Si tu me ramènes à lui, il te donnera en échange tout ce que tu voudras...

Le garçon s'assit par terre. C'était un gringalet d'aspect maladif, le torse couturé de cicatrices de coups.

— Ton père posséderait-il tout l'or du Bambuk[6] que je ne pourrais rien faire pour toi... Moi-même, j'ai été capturé quand je n'étais pas plus haut que les gosses que tu vois là. On m'appelle Allahina.

— Tu es musulman ?

— Mon maître est musulman. Il est très riche. Il vend des esclaves sur plusieurs marchés et il approvisionne directement les envoyés des hommes blancs. Je l'ai entendu dire qu'à cause de ta beauté, il te vendrait à ces derniers.

Naba crut défaillir. Avec une sorte de douceur, Allahina lui tendit une cuillère de bouillie et l'introduisit de force entre ses lèvres.

— Mange surtout, mange. Si tu essaies de te laisser mourir de faim, ils te battront jusqu'au sang.

Autour d'eux, les enfants se réveillaient et réclamaient leur mère dans diverses langues. Dans leurs villages, on leur avait parlé de ces ravisseurs d'enfants qui emportaient leurs petites victimes loin, très loin. Aussi commençaient-ils de se demander s'ils les reverraient jamais.

Allahina se leva pour les servir avec la même douceur. Naba murmura :

— Qu'est-ce qu'on va faire de ces gosses ?

Allahina le regarda et fit avec cynisme :

— Ce sont les meilleures prises. Ils oublient vite leur lieu d'origine, ils s'attachent à la famille de leur maître, ils ne se révoltent jamais.

6. Région aurifère.

En entendant ces paroles, les larmes de Naba se firent plus amères encore. Toute l'iniquité d'un système auquel il n'avait jamais songé le submergeait. Pourquoi séparait-on des enfants de leur mère, des êtres humains de leur foyer, de leur peuple ? Qu'obtenait-on en échange ? Des biens matériels ? Cela payait-il le prix des âmes ? A ce moment, quatre hommes, écartant les troncs d'arbre, entrèrent dans la case. Si deux d'entre eux étaient des Bambaras, les deux autres étaient des étrangers s'exprimant imparfaitement dans cette langue. Ce fut ces derniers qui s'approchèrent de Naba. S'accroupissant près de lui, ils l'examinèrent comme on le fait d'un animal, cheval ou génisse que l'on achète au marché. L'un d'eux alla jusqu'à lui soupeser le sexe en riant, échangeant avec son compagnon des paroles incompréhensibles. Puis il s'adressa à Naba :

— Les hommes blancs aiment ça. Gros foro[7]... Ils jouent avec, eux-mêmes.

Les quatre hommes éclatèrent de rire. Puis les deux étrangers mirent rudement Naba sur pied, lui enfilèrent une sorte de cagoule sur la tête. Ils sortirent. L'air, encore frais, sentait la fumée de feu de bois. Naba entendit des voix de femmes s'affairant aux premières tâches, des rires et des pleurs d'enfants, le braiement d'un âne. Des sons anodins, familiers comme si sa vie à lui ne venait pas d'être bouleversée, comme si il ne faisait pas naufrage, là, au milieu de tous. Pas une main secourable ne lui était tendue. Personne ne protestait. Des Bambaras l'avaient vendu, c'est-à-dire des hommes qui croyaient aux mêmes dieux que lui, qui portaient peut-être le même diamou[8], qui avaient peut-être le même interdit totémique que lui : singe noir, cynocéphale, grue couronnée, panthère. Personne ne lui avait demandé :

— Qui est-tu ? Es-tu un Coulibali de Ségou ? Es-tu un Coulibali Massasi[9] ? Es-tu un Diarra, un Traoré, un Dembélé, un Samaké, un Kouyaté, un Ouané, un Ouaraté ? Nous t'avons surpris à la chasse. Alors es-tu un Gow, descendant de Kourouyoré, l'ancêtre venu du ciel qui eut commerce avec une femme génie et engendra Moti ? Qui est-tu ? Quel ventre de femme t'a porté et quel sexe d'homme t'y avait planté ?

Rien de tout cela. On avait évalué son pesant de chair, compté ses dents, mesuré son pénis, tâté ses biceps. Il n'avait plus rang d'homme.

---

7. Sexe d'homme en bambara.
8. Nom patronymique.
9. Il y a 2 familles de Coulibali. Ceux de Ségou et ceux du Kaarta. Ces derniers sont les Massasis.

Cependant pour vendre Naba, les deux Markas avaient décidé de se rendre plus au sud à Kankan au pays des Malinkés. C'est qu'ils voulaient mettre la plus grande distance entre eux-mêmes et Ségou, et surtout que Kankan était devenu un des principaux lieux d'échanges. Les commerçants dioulas descendaient jusqu'à la côte avec des esclaves et revenaient chargés de fusils, de poudre de guerre, de cotonnades, d'eau-de-vie en ancre qu'ils obtenaient des représentants des compagnies françaises ou anglaises à privilèges. Contre un esclave de bonne allure, on pouvait se procurer vingt-cinq à trente fusils avec en prime une ou deux longues pipes à fumer de Hollande. Naba était une des ces prises que l'on négocie longuement, une vraie « pièce d'Inde[10] ». Les deux Markas supputaient déjà les yards de chites de Pondichéry[11] qu'ils pourraient vendre en pays songhaï. Les élégantes de Tombouctou et de Gao en raffolaient... C'est qu'au moment où Naba se faisait capturer à une centaine de kilomètres des siens, le commerce de la traite négrière battait son plein. Depuis des siècles, les commerçants européens avaient bâti des forts sur les côtes, côtes des Graines, côte d'Ivoire, côte de l'Or, côte des Esclaves... depuis l'île d'Arguin jusqu'aux confins du golfe du Bénin. D'abord, ils s'étaient intéressés principalement à l'or, à l'ivoire, à la cire. Puis avec la découverte du Nouveau Monde et l'expansion des plantations de canne à sucre, le trafic d'esclaves, la « chasse à l'homme » étaient devenus les seules opérations rentables. La compétition était âpre entre Français et Anglais qui se portaient les coups les plus bas. Mais s'ils se haïssaient mutuellement, ils s'accordaient pour se méfier des trafiquants africains qu'ils jugeaient « matois, artificieux, instruits des faux poids, des fausses mesures et de toutes fourberies propres à les abuser ».

10. On appelait ainsi un esclave mâle d'environ dix-huit ans.
11. Toiles de coton imprimées venues des Indes, peintes de couleurs chatoyantes.

# 8

— Ahmed, quelqu'un veut te voir…

Siga, qui ne parvenait pas à s'habituer à ce nouveau nom, ne bougea pas tout d'abord. Puis réalisant qu'on s'adressait à lui, il se leva d'un bond, se lava les mains à la bassine d'eau près de la porte et sortit dans la cour de la très modeste gargote où il prenait ses repas.

Un jeune homme l'attendait. Tiékoro.

Depuis le lendemain de leur arrivée à Tombouctou, les deux frères ne s'étaient pas revus. Conduisant son cortège d'ânes par les rues de la ville jusqu'au port de Kabara, Siga ne se lassait pas de chercher son frère, espérant l'apercevoir parmi les groupes d'étudiants en caftans blancs, coiffés d'une calotte de même couleur, qui déambulaient d'un air à la fois fanfaron et dévot, discutant à voix haute d'un hadith[1]. A force de le guetter en vain, une rancune s'était d'abord amassée en lui, amère comme la haine. Il imaginait ce qu'il ferait s'il le voyait au détour d'une rue. Peut-être qu'il lui cracherait au visage en l'appelant bâtard. Parfois il se surprenait à prendre le chemin de la maison d'El-Hadj Baba Abou pour, une fois dans la cour, l'injurier à loisir. Probablement tout le monde lui donnerait raison, car le sang n'est pas de l'eau. Puis il se rappelait le regard glacial du maître de Tiékoro et il sentait que pour ce musulman à peau claire, un Bambara fétichiste et à peau noire n'existait pas. Il mettrait ses serviteurs à ses trousses afin de le chasser comme une

1. On désigne sous le nom de hadiths les paroles, les actes ou les approbations muettes qui ont été rapportés comme venant du Prophète.

hyène puante. Ah, l'arrogance de ces Arabes et de leurs métis, leur mépris des Noirs, Siga avait eu tout le temps de les mesurer !

Peu à peu cependant, sa rancune et sa haine s'étaient apaisées, car il était bon bougre. Il avait même fini par excuser Tiékoro. L'autre n'avait songé qu'à lui-même et à son avenir. Pouvait-on l'en blâmer ? Ces études à l'université signifiaient tant pour lui. Quel sens aurait cette équipée jusqu'à Tombouctou si, en fin de compte, il ne pouvait accomplir son rêve ?

Les pensées de Tiékoro avaient suivi un cheminement inverse. Il s'était d'abord inventé mille excuses pour sa conduite. Puis elles étaient devenues inopérantes, remplacées par un sentiment de remords et de culpabilité tel qu'il s'éveillait la nuit et pleurait. Pourtant les résolutions qu'il formait à ces moments-là ne résistaient pas au lever du jour et il ne se précipitait pas au port de Kabara où il était sûr de trouver Siga comme il en avait décidé dans l'ombre. Aussi chaque jour davantage était-il convaincu de sa lâcheté.

Mis en présence de Siga, il ne put trouver une parole d'excuse et se borna à souffler en baissant les yeux :

— Siga, j'ai reçu des nouvelles de notre famille. Il est arrivé un grand malheur. Naba, Naba a disparu...

Siga répéta sans comprendre :

— Disparu ? Comment cela, disparu ?

— Il s'était rendu à la chasse. On pense que des Markas l'ont capturé pour le vendre...

La nouvelle était si effroyable que toute parole mourut sur les lèvres de Siga. Instantanément un flot de larmes coula sur ses joues. Naba !

A vrai dire, il n'avait eu aucune intimité avec ce jeune frère, accaparé par Tiékoro, mais il pensait à la douleur de la famille. De Nya surtout. Puis il pensait au destin horrible de son frère. Durant leur voyage jusqu'à Tombouctou, ils avaient rencontré de longues files d'esclaves, le cou resserré entre deux pièces de bois attachées et contenues ensemble par des liens de corde, frappés à grands coups de gourdin par ceux qui les conduisaient vers les marchés de la région. Il perdrait son nom, son identité. Il deviendrait une bête à travailler dans les champs. Il balbutia :

— Mais que pouvons-nous faire ?

Tiékoro eut un geste de désespoir :

— Que veux-tu faire ? Rien...

Puis il sembla se repentir de ces paroles et corrigea vivement :

— Prier Dieu...

Le silence tomba entre les deux frères. Au bout d'un moment, Tiékoro bégaya :

— Tu ne manques de rien ?

Sans mot dire, Siga tourna les talons. Alors Tiékoro le retint par le bras et murmura :

— Pardonne-moi...

C'était beaucoup, compte tenu de son arrogance, et Siga crut avoir mal entendu. Il pirouetta sur lui-même et l'autre resta là, les yeux baissés, gauche et honteux dans son beau caftan de soie. Siga eut pitié de lui et fit de manière à le réconforter :

— Ne t'en fais pas pour moi, tout va bien. Encore une chance que tu m'aies retrouvé, car c'est mon dernier jour de travail ici. Un marchand me prend avec lui comme assistant...

Tiékoro eut une exclamation horrifiée :

— Tu vas faire du commerce[2] ?

Siga se moqua :

— Tu préférerais que je demeure un ânier ? Et puis, toi, tu te fais bien marabout...

Tiékoro ne dit rien, puis il reprit :

— Si je veux te joindre, où est-ce que je te trouverai ?

Siga haussa les épaules :

— Tu te débrouilleras.

Puis il tourna le dos et entra dans la gargote d'où ses compagnons suivaient la scène avec curiosité.

Siga était pareil à présent aux misérables qu'il fréquentait. Musculeux. Mal soigné. Plutôt sale. Il portait une courte vareuse faite de bandes de coton teint en bleu et un pantalon bouffant s'arrêtant au-dessus de ses chevilles. Ses pieds, rendus larges et rugueux, étaient nus dans la poussière. C'est vrai que les deux frères n'avaient plus rien de commun ! Même le drame familial qui les avait provisoirement rapprochés ne pouvait combler cette distance. Lentement, Tiékoro se dirigea vers le fleuve. Il se sentait responsable de la disparition de Naba. Car s'il ne l'avait pas quitté pour faire ses études, son cadet se serait-il attaché à Tiéfolo ? Serait-il devenu un chasseur ? Et se serait-il embarqué dans cette partie sans issue ? Que faire à présent ? Retourner à Ségou et sécher les pleurs de leur mère ? Cela lui rendrait-il le disparu ?

Le port de Kabara, qui desservait Tombouctou depuis que l'Issa-Ber avait quelque peu dévié son cours, débordait d'animation. Il était couvert de marchandises emballées, près d'être transportées à bord des embarcations. Mil, riz, maïs, pastèques, mais aussi tabac et gomme arabique dont on cueillait de grandes quantités aux alentours

---

2. Les nobles bambaras méprisent le commerce et estiment que seul le travail de la terre est digne d'eux.

de Goundam et du lac Faguibine. Des commerçants venus de Fittouga apportaient dans leurs pirogues des pots en terre, des poissons secs et de l'ivoire. L'une de leurs embarcations était chargée d'esclaves, une dizaine d'hommes, hagards, émaciés, attachés les uns aux autres par des liens de cordes faites de racines d'arbres. Quelques semaines auparavant, Tiékoro n'aurait pas prêté attention à un spectacle si courant. Pour l'heure, tout avait changé. Il s'approcha des deux hommes qui, à coups de gourdin, faisaient descendre ces malheureux :

— Qu'est-ce que vous allez en faire ?

L'un des hommes grommela en mauvais arabe que c'étaient des captifs mossis destinés à un Maure. Tiékoro enfla la voix :

— Est-ce que tu ne sais pas que ce sont des hommes comme toi ?

Puis il réalisa tout le ridicule de son attitude. Que pouvait-il contre un système si ancien ? Depuis le XVI^e siècle, des esclaves noirs travaillaient dans les sucreries marocaines, sans parler des esclaves de la couronne éparpillés dans tout l'empire. Il reprit le chemin de Tombouctou.

Quand il arriva dans la cour de l'université attenante à la mosquée, de nombreux étudiants se pressaient déjà sous les arcades, attendant l'ouverture de la bibliothèque. Certes l'invasion marocaine avait causé des pertes considérables dans le nombre des manuscrits. Ainsi l'œuvre considérable d'Ahmed Baba manquait presque entièrement, mais de nombreux lettrés avaient fait don des trésors de leurs familles. Très vite, Tiékoro avait fait des progrès qui avaient forcé l'admiration de ses maîtres. Lui qui avait été presque un objet de risée était devenu un des plus brillants étudiants en linguistique arabe et en théologie. Il donnait déjà des cours dans une des cent quatre-vingts écoles coraniques que comptait Tombouctou. Nul ne pouvait interpréter mieux que lui les propos du Prophète et les actes de sa vie. Et pourtant Tiékoro n'était pas heureux. Il n'était pas heureux, parce qu'il aimait désespérément comme on aime à cet âge et n'était pas sûr d'être payé de retour.

L'objet de cet amour ?

Ayisha, la cinquième fille de la première épouse de son hôte El-Hadj Baba Abou. Parfois les beaux yeux obliques d'Ayisha lui assuraient qu'elle n'ignorait rien de ses sentiments. Parfois ils exprimaient la plus dédaigneuse froideur. Elle affectait de ne jamais s'adresser directement à lui, mais de prendre pour intermédiaire son jeune frère Abi Zayd, un turbulent garçon de neuf ans :

— Ayisha voudrait un collier d'ambre.

— Ayisha voudrait un bracelet d'argent.

— Ayisha voudrait des takoula au miel…

Toutes choses que Tiékoro s'empressait de procurer en sachant parfaitement que s'engager dans un pareil commerce avec la fille d'El-Hadj Baba Abou était un crime susceptible de lui attirer la colère de ce dernier.

De plus, comme depuis l'âge de douze ans Tiékoro culbutait les jeunes esclaves de son père, cette obligation de pureté, de chasteté auquel l'astreignait la religion qu'il s'était choisie le torturait. Il ne pouvait s'empêcher de dévisager chaque femme comme un paradis dont il s'était banni tandis que les soubresauts de son sexe sous son caftan le terrifiaient. Parfois un voile passait devant ses yeux, tant le désir d'un corps chaud et consentant le tenaillait. Il s'éveillait les cuisses couvertes de sperme dont il se lavait en suppliant Dieu de lui pardonner. En outre, son ami, son confident et mentor Moulaye Abdallah, ses études de droit musulman terminées, était reparti pour Gao prendre la fonction de cadi de son père, et Tiékoro vivait dans une solitude extrême.

Pour se distraire, ses cours terminés, Tiékoro avait coutume de se rendre dans un estaminet tenu par des Maures. On y buvait du thé vert. On grignotait de petites galettes au gingembre. On y jouait un jeu venu du pays des Blancs qui consistait à pousser des rondelles de bois sur une plaque de même matière. Il y avait dans cette atmosphère paresseuse et bon enfant quelque chose qui rappelait à Tiékoro la concession de son père.

Il sortait du cabinet d'aisances, petite case au toit de paille au fond de la cour sablonneuse, quand il vit une jeune fille entièrement nue à l'exception d'un cache-sexe de fibre végétale. Le soleil déclinant jouait sur sa peau noire. La vue d'une vierge nue, ou les seins nus, était chose banale dans les rues de Ségou. Mais l'islam qui pesait sur les mœurs à Tombouctou avait mis fin à cette coutume dénoncée depuis l'époque de l'Askia Mohammed. Désormais, les femmes et même les jeunes filles se couvraient le corps de vêtements faits d'étoffes venues d'Europe. A la vue de ces seins, de ces fesses, Tiékoro éprouva comme un vertige. Passant sans saluer devant la fille, occupée à éventer un feu de fientes de chameau car le bois était rare, il entra dans le cabaret et s'approcha d'Al-Hassan, le propriétaire :

— Qui est cette fille ?

L'autre répondit avec indifférence :

— Une esclave. Des Markas la proposaient à des Marocains pour les harems. Mais elle n'est pas assez jolie... Je l'ai eue pour presque rien.

Tiékoro ressortit dans la cour. Elle était déserte. La fille avait fini d'allumer son feu et se tenait debout les bras ballants, ses jambes longues et nerveuses légèrement écartées de sorte qu'on voyait l'intérieur de ses cuisses. Tiékoro se rua sur elle, l'entraîna dans le cabinet d'aisances. Il ne comprenait pas lui-même ce qui le possédait. On aurait dit qu'une bête sauvage tapie dans son ventre tentait de se libérer en déchirant ses chairs. Il entra en elle. Elle gémit faiblement comme un enfant, mais ne se défendit pas. Il la prit à plusieurs reprises, se vengeant de ces longs mois de solitude, de cette abstinence et, aussi, de la disparition de son cadet...

Enfin, il s'écarta d'elle, respira l'odeur épouvantable d'excréments et d'urine du lieu et souhaita mourir. Il sortit dans la cour. La fille le suivit. Il aurait aimé qu'elle se rebelle, qu'elle crie. Or, elle ne disait rien et restait là derrière son dos. Il eut la force de murmurer en arabe :

— Comment t'appelles-tu ?

— Nadié...

Il frémit et se retourna, la fixant dans les yeux pour la première fois :

— Tu t'appelles Nadié ? Tu es donc bambara ?

Elle inclina la tête :

— Du Bélédougou[3], fama[4]...

Une Bambara ! Comment ne l'avait-il pas reconnue au tatouage particulier de sa lèvre inférieure, à ses scarifications à la hauteur des tempes ? Ainsi, il avait violé une fille de son peuple qu'il aurait dû défendre. Il avait ajouté à son humiliation. Il ne valait pas mieux que ces marchands d'esclaves qu'il fustigeait la veille. Nadié posa la main sur son épaule. Il se leva d'un bond comme s'il avait été touché par un animal immonde, ou peut-être parce qu'il sentait renaître son désir, et gagna la rue en courant. C'est à la même allure qu'il atteignit la maison d'El-Hadj Baba Abou. Les vieillards couchés sur des nattes devant leur porte, les enfants, les vendeurs de noix de kola se demandaient quel était cet homme poursuivi par les djinns.

Dans la cour, il se heurta à son hôte accompagnant un homme corpulent, vêtu avec munificence, la tête enturbannée et le teint d'un Maure. Il les salua hâtivement et allait entrer dans sa chambre quand Abi Azyd apparut en bondissant et expliqua sans attendre qu'on le questionne :

— Abbas Ibrahim est un lettré de Marrakech qui enseigne à l'université et a écrit plusieurs ouvrages de métaphysique. C'est un

3. Petit royaume bambara, toujours indépendant de Ségou.
4. Seigneur en bambara.

grand honneur qu'il fréquente notre famille et demande à épouser ma sœur.

Tiékoro fut inondé d'une sueur froide, car les quatre filles aînées d'El-Hadj Baba Abou étaient déjà mariées. Il balbutia :

— Quelle sœur ?

Abi Azyd sauta d'un pied sur l'autre et fit narquois :

— Ma sœur Ayisha.

Ah, le châtiment de Dieu ne se faisait pas attendre ! Il était coupable de fornication. Alors il s'était rendu indigne de celle qu'il aimait et aussitôt elle lui était enlevée. En même temps, il ne pouvait se résigner à accepter si docilement cet arrêt. A Ségou, les règles du mariage étaient à la fois simples et complexes. C'était une affaire entre familles de rang égal, un va-et-vient de cadeaux, noix de kola, cauris, transmis par des nyamakala, jusqu'au paiement de la dot en or et en bétail et à la cérémonie finale. S'il était resté au pays, c'est Dousika qui, un jour, l'aurait fait appeler pour lui signifier qu'il était temps de prendre femme et lui aurait conseillé une compagne. Or à Tombouctou, Tiékoro ignorait tout des procédures du mariage. Etranger, il se rendait bien compte que malgré sa naissance, il n'était pas un parti possible aux yeux d'El-Hadj Baba Abou. Pourtant, il aurait eu le courage de l'affronter s'il avait eu quelque connaissance des sentiments d'Ayisha à son endroit. Mais comment les découvrir ? Comment s'approcher d'elle ? Comment lui parler sans surveillance ?

A ce moment, un domestique entra, portant l'eau bouillante du bain. Il fit observer :

— Ton caftan est couvert de boue, Oumar...

En un instant, Tiékoro revécut l'horrible scène. La case d'aisances avec sa planche de bois percée d'un trou circulaire posée sur une jarre de terre. Aux alentours la boue causée par l'eau des ablutions et lui, vautré dans cette fange. En même temps, le désir le prenait de retrouver cette fille et de plonger à nouveau dans l'eau de son ventre. Dieu avait-il décidé de le rendre fou ? Pourquoi ce divorce entre les élans de son cœur et les désirs de sa chair ?

*Le feu d'Allah, le feu qui brûle,*
*qui s'élève au-dessus des cours des damnés !*
*En vérité, c'est comme une voûte au-dessus d'eux,*
*qui repose sur de hautes colonnes !*

Tout d'un coup, Tiékoro eut une illumination. Moulaye Abdallah ! Il allait faire appel à son ami et lui demander de venir à Tombouctou. Lui seul pourrait le conseiller et, bien au fait des mœurs de l'endroit, sonder les possibilités d'action. Sans plus tarder, il se mit à lui écrire.

A Tombouctou, trois groupes constituaient la société des notables, des gens distingués : les Armas qui détenaient le pouvoir militaire et politique, les jurisconsultes et enfin les commerçants. Ces derniers étaient les principaux gardiens de l'ordre social, car leurs caravanes, leurs embarcations et leurs magasins étaient les premières cibles en cas de troubles. Abdallah appartenait à la prestigieuse famille arma des Mubarak al-Dari. Mais son humeur calme s'accommodait mal du métier des armes. Un jour, il avait renoncé aux attributs de sa classe, port du sabre, habits blancs assortis de châles rouges, jaunes, verts ou noirs suivant le grade, pour s'adonner au commerce et bien lui en avait pris, car il comptait à présent parmi les plus grosses fortunes de la ville. Sa maison, sise près de la porte de Kabara, construite en briques rondes, abritait une foule de serviteurs et d'esclaves. Avec des marchands de Fès, de Marrakech, d'Alger, de Tripoli et de Tunis, il commerçait principalement en sel qu'il expédiait en barres, mais aussi en tissus, en séné et en sésame. Quelque dix ans plus tôt, il avait perdu dans la grande épidémie de peste ses deux épouses et ses cinq enfants. Depuis, il ne voulait plus prendre femme, se contentant d'une servante pour assouvir ses désirs charnels, s'il lui en prenait.

C'était, on le conçoit aisément, un homme sombre, taciturne, qui pouvait passer des jours entiers sans prononcer une parole. Et pourtant, il s'était pris d'affection pour Siga. Il avait apprécié le sérieux avec lequel celui-ci convoyait ses marchandises jusqu'au port, la modestie de son comportement et il s'était convaincu que ce jeune Bambara était plus honnête que tous les garçons de son âge engagés dans la même activité. Aussi lui avait-il offert d'entrer à son service où il serait nourri, logé, convenablement vêtu avec la possibilité de s'instruire de tous les mystères des transactions commerciales. Siga qui était las de sa vie rude d'ânier avait accepté avec empressement. En effet, depuis deux ans maintenant, il dormait parmi une douzaine de corps malodorants dans une case exiguë du quartier d'Albaradiou, se levant avant le jour, portant sur ses épaules ou sa tête des poids considérables, méprisé de tous. Quand il pensait à Ségou et à ses parents, il était parfois pris d'une violente rancœur. Enfin, s'il avait pris fantaisie à Tiékoro de se convertir et de devenir étudiant, pourquoi lui avait-on donné mission de l'accompagner ? Etait-il donc l'esclave de son frère ? Aussi, quand il envisageait de retourner chez lui, se voyait-il conquérant, orgueilleux, suivi d'une caravane de douze chameaux, chargés d'objets inconnus à Ségou. Les gens sortiraient dans les rues :

— Hé ! Est-ce que ce n'est pas le fils-de-celle-qui-s'est-jetée-dans-le-puits ?

Les diély, flairant l'or, s'attacheraient à ses pas et Dousika regretterait de l'avoir méconnu. La voix d'Abdallah le tira de ses rêves de gloire.

— J'ai déposé des vêtements dans ta chambre. Ils m'appartenaient, mais je t'en fais cadeau. Tu es tellement grand et fort qu'ils t'iront. Ensuite, va chez le pacha porter des chites de Pondichéry à ses femmes. Je les avais commandées pour elles.

Tandis que Siga découvrait le charme qu'il y avait à circuler comme un garçon exerçant un métier honorable, suivi par les rues de deux esclaves, Tiékoro continuait de son côté de se ronger. Puisque El-Hadj Baba Abou envisageait de donner sa fille à un homme de Marrakech, c'est qu'il n'avait rien contre les étrangers. Il est vrai qu'il s'agissait d'un Marocain, et Tiékoro n'ignorait rien des relations particulières entre ces derniers et la population de la région. De toute façon, son amour et son désir pour Ayisha étaient tels qu'il se sentait de taille à faire front au père, mais d'abord fallait-il savoir si la belle le soutiendrait. Attendre Moulaye Abdallah pour lui servir d'intermédiaire ? Sa lettre expédiée par voie d'eau mettrait au moins quatre semaines à atteindre Gao...

L'école coranique où enseignait Tiékoro ne dispensait qu'un savoir élémentaire : un peu de calligraphie, la connaissance de la fatiha et des premières sourates du bas du Coran. Comme chaque élève lui payait sept cauris par semaine et qu'il en avait une vingtaine, il était à l'abri du besoin. Il libéra les enfants et, au lieu de retourner à l'université, décida de rentrer chez son hôte.

Au fil du temps, les sentiments que Tiékoro éprouvait pour Tombouctou s'étaient modifiés. Au début, il avait eu espoir de pénétrer cette ville prestigieuse, d'y nouer des relations, des amitiés. Puis il avait compris que c'était impossible. La morgue et l'arrogance des lettrés qui l'entouraient l'interdisaient. Il fallait être « né », compter des ulémas dans ses ancêtres. Alors, il s'était mis à détester Tombouctou, souhaitant que les Touaregs la détruisent comme ils l'avaient fait tant de fois auparavant, qu'il n'en reste plus qu'un tas de cendres dans une ceinture d'ossements blancs. Il se prenait à guetter les signes avant-coureurs de son déclin, mur lézardé, émietté, bouché par des nattes, des paquets de paille. Quel bonheur le jour où il reverrait les hautes murailles de Ségou et les berges du Joliba, couvertes de femmes poitrine nue, lavant, puisant de l'eau dans des calebasses !

Il marchait rapidement, croisant sans les voir des Mauresques drapées de bleu indigo, des Touaregs serrant farouchement leur sabre, des Armas et tout un menu peuple de porteurs d'eau revenant des puits du nord-ouest et d'esclaves charroyant des barres de sel liées ensemble par des cordes. Ce spectacle qui l'intriguait autrefois le laissait indifférent.

Comment se renseigner sur les sentiments d'Ayisha à son endroit ? Lui adresser une lettre par l'intermédiaire d'Abi Zayd ? Et si elle tombait entre les mains d'El-Hadj Baba Abou ?

C'est alors que, poussant la porte d'entrée, il se trouva face à Ayisha, debout dans la cour et attendant l'esclave qui devait la chaperonner.

Il était fort rare qu'ils se trouvent seuls l'un près de l'autre. Ayisha était toujours accompagnée d'une esclave, d'une jeune sœur, d'une amie, d'une parente. D'autre part, la vaste demeure d'El-Hadj Baba Abou se divisait en deux parties, l'une réservée à son école, à ses hôtes permanents ou de passage, l'autre constituant sa résidence privée. Mais cette résidence privée se subdivisait elle-même en pièces de réception meublées à la marocaine, en cabinet de travail, en bibliothèque avec de riches manuscrits rangés sur des étagères et en appartements des enfants et des femmes, ce qui fait qu'on ne voyait jamais ces derniers. En deux ans, Tiékoro n'avait pas rencontré plus de trois fois les femmes de son hôte, la Marocaine et l'ancienne esclave songhaï. Ayisha se tenait au milieu de la cour. Allant sur ses seize ans, c'était assurément une adorable petite personne. Le sang marocain de sa mère et le sang métis de son père en faisaient une parfaite « mwallidun[5] » au teint pâle et brillant, aux longs cheveux bouclés, tressés et parsemés de fils d'or qui descendaient jusqu'à la taille. Une légère moue relevait ses lèvres dont on ne savait si elle était amicale ou moqueuse. Tiékoro lui souffla :

— Au nom d'Allah, Ayisha, il faut que je te parle…

Elle sembla hésiter, tourna la tête vers l'esclave qui s'avançait en hâte et murmura :

— A l'heure de la sieste, j'enverrai Zoubeïda, mon esclave favorite, te chercher dans ta chambre.

Tiékoro, entendant ces paroles, crut tout d'abord qu'il rêvait. Ce n'était qu'en rêve qu'Ayisha lui avait accordé un regard bienveillant et, plus inespéré encore, un sourire. Dans la réalité du jour, elle n'était qu'indifférence. Il demeura immobile, le corps parcouru tour à tour d'ondes brûlantes et glacées cependant qu'elle disparaissait à l'intérieur de la maison avec Zoubeïda. Puis une peur panique l'envahit. N'était-ce pas un guet-apens ? Il se rappela les mises en

5. Mûlatresse.

garde de son ami Moulaye Abdallah : « C'est une coquette. Elle nous a tous rendus amoureux pour en fin de compte se moquer de nous... »

Allons, pourquoi se moquerait-elle de lui ? Non, elle partageait son amour. Son désir. Il s'imagina la tenant dans ses bras et l'émotion fut si forte qu'il manqua s'évanouir. Ayisha. Trois syllabes ineffables ! Jamais le temps ne lui parut plus long !

Enfin, on frappa légèrement à la porte de sa chambre. C'était Zoubeïda qui tenait un caftan :

— Tiens, porte cela. On te prendra pour un commerçant haoussa venu offrir des parfums...

Tiékoro la suivit à l'intérieur de la maison. Au rez-de-chaussée demeuraient les deux épouses d'El-Hadj Baba Abou avec leurs plus jeunes enfants. Par un escalier en colimaçon on gagnait le premier étage où habitaient les aînés, filles d'un côté, garçons de l'autre dans de grandes pièces aux plafonds faits de poutres de palmier doum assemblées et badigeonnées de blanc. Partout couraient des fillettes et des garçonnets, se livrant avec emportement aux jeux les plus bruyants. Ayisha était seule dans sa chambre. Le sol de terre badigeonnée de blanc était littéralement jonché d'habits de voile ou de soie. Pantalons bouffants, larges ceintures, châles, courtes blouses brodées que la main impatiente de leur maîtresse avait jetés pêle-mêle. Des coupes de terre étaient pleines de bagues de cornaline, de colliers d'ambre, de bracelets d'argent ciselé et de sautoirs d'or filigrané terminés par des pendentifs en forme d'étoile à quatre branches. Une minuscule paire de babouches décorées de fils d'or semblaient attendre qu'Ayisha décide de reprendre sa marche.

Tiékoro regardait cela avec ravissement.

Il n'était jamais entré dans la chambre d'une femme. L'aurait-il fait à Ségou qu'il n'aurait vu qu'un ameublement rudimentaire. Par terre, une natte, dans un coin, des calebasses. Peut-être un tabouret. En outre les esclaves avec lesquelles il avait satisfait ses désirs allaient poitrine nue, les fesses moulées par un pagne étroitement serré. Or il découvrait que cette nudité sans mystère était moins troublante que ce corps couvert d'étoffes, si proche qu'il en respirait le parfum. Il cherchait à deviner ses formes. Les seins aigus... Le ventre...

Ayisha interrompit sèchement cette inspection :

— Qu'est-ce que tu me veux ? Depuis des mois, tu me poursuis de tes regards. Que veux-tu ?

Ce début n'était pas celui qu'il attendait. Tiékoro, pris de court, bégaya :

— Il n'est pas bon de vivre en pays étranger. Personne ne connaît ni votre famille ni votre rang. Ainsi, chez moi, je suis un noble. Mon père qui a occupé d'importantes fonctions à la cour est un des hommes les plus riches…

Ayisha l'interrompit :

— Un fétichiste ?

Tiékoro avait prévu cette objection et fit calmement :

— Il pratique la religion de ses pères. Ceux-ci croient que le monde a été créé par deux principes complémentaires, Pemba et Faro, issus tous deux de l'esprit…

— Stupidités ! Blasphèmes !

Tiékoro sentait la colère monter en lui. Pourtant il se contint :

— J'ai rompu, quant à moi, avec cette idolâtrie. N'est-ce pas ce qui compte ?

Ayisha le fixa de son beau regard marron clair, dans lequel il ne savait pas lire, et reprit :

— Il paraît que chez vous, vous mangez dans des calebasses et non dans des coupes de terre, que vous dormez sur des nattes et non sur des lits faits de peaux de bœuf, que vos filles vont toutes nues.

Tiékoro chercha une réponse. Mais le plus dur était à venir. Ayisha se mit à tortiller une de ses tresses autour de ses doigts :

— On dit que vous sacrifiez des hommes à vos dieux…

Une sorte d'incendie brûla le corps de Tiékoro qui protesta :

— Autrefois, autrefois ! Et seulement dans les cas graves intéressant le royaume !

Ayisha eut un sourire qui découvrit ses dents petites et très blanches. Puis elle se renversa en arrière parmi les coussins de son lit. Au mouvement qu'elle fit, sa blouse se releva découvrant la peau soyeuse et blanche de son ventre. C'était plus que Tiékoro ne pouvait supporter. Dans le surgissement de son désir, il y avait la volonté de se venger de l'humiliant interrogatoire qu'il venait de subir et de lui donner la démonstration de la virilité bambara. Ah comme il allait la faire jouir ! Aurait-elle la force de cacher son plaisir ? D'un bond, il fut contre elle, glissant la main jusqu'à ses seins, l'enserrant de ses genoux. Comme il approchait son visage du sien, brutalement, elle lui cracha dessus et siffla :

— Bas les pattes, sale nègre !

Tiékoro se redressa. Ayisha le fixait de ses yeux verdis de colère avec une expression haineuse qui enlevait toute joliesse à ses traits :

— Bas les pattes ! Tu es noir, tu pues… Et tu croyais vraiment que je t'épouserais ? Bas les pattes, je te dis ! Zoubeïda !

Siga s'était couché tôt, car il était las. Toute la journée, sous le soleil, il avait surveillé le déchargement d'une caravane portant des noix de kola depuis le royaume ashanti, en passant par Bondoukou et Boan. Les noix arrivaient dans de vastes paniers de vannerie qu'il fallait numéroter avant d'en répertorier soigneusement le contenu. Puis il fallait payer les marchands transporteurs toujours prêts à vous voler de quelques cauris. Comme Siga était jeune et nouveau venu chez Abdallah, tout le monde avait l'intention de profiter de lui. Ah, ce n'était pas une sinécure, ces nouvelles fonctions chez le commerçant ! Siga était plongé dans cette somnolence heureuse qui précède le plein sommeil, quand les sens sont à moitié engourdis. Il lui semblait qu'il était retourné à Ségou, qu'il était auprès de Nya. Nya, le seul être qui l'ait chéri. Comment supportait-elle la disparition de Naba ? Ainsi trois des garçons qu'elle avait élevés, trois de ses enfants étaient au loin. Mais il reviendrait. Il reviendrait vers elle et poserait à ses pieds l'or qu'il aurait amassé. Il lui dirait :

*Mère chérie*
*Mère qui donne librement tout ce qu'elle possède*
*Mère qui n'abandonne jamais le foyer*
*Mère, je te salue*
*L'enfant qui pleure appelle sa mère*
*Mère chérie, me voilà !*

A ce moment on frappa vigoureusement à la porte. Siga eut un mouvement d'humeur. Qui venait le déranger ? Etait-ce son ami, l'ânier Ismaël ? Ne l'avait-il pas vu à l'heure du déjeuner ? Il se leva, alla repousser le fort battant de bois de cailcédrat et, dans la pénombre, reconnut Tiékoro. Il dit avec stupeur :

— Encore toi ! Décidément tu pousses entre les grains de sable…

Tiékoro fit d'une voix rauque :

— Laisse-moi entrer. Tu plaisanteras plus tard !

Siga avait le cœur sensible. Il avait trop souffert enfant pour ne pas reconnaître la douleur quand il la voyait. Il sentit tout de suite que quelque chose de terrible s'était produit dans la vie de son frère, plus terrible encore à ses yeux que la disparition de Naba et il s'empressa :

— Qu'est-ce qu'il y a ? Qu'est-ce qui t'arrive ?

Pour toute réponse, Tiékoro éclata en sanglots. Voir pleurer l'arrogant Tiékoro, le voir se saisir la tête à deux mains comme un enfant ou une femme était inimaginable ! Siga s'agenouilla près de lui et souffla :

— Allez parle…

Au bout d'un moment, Tiékoro parvint à se contrôler. En phrases brèves, entrecoupées, il conta sa mésaventure. Le rendez-vous avec Ayisha n'était en réalité qu'un guet-apens. La servante

Zoubeïda avait alerté la mère d'Ayisha qui se reposait au premier étage. Celle-ci avait rempli la maison de ses clameurs de femme hystérique. Dès le retour d'El-Hadj Baba Abou, qui partageait le repas d'un de ses amis dans le quartier des Chefs non loin de la résidence du pacha, elle l'avait informé des faits et il avait fait jeter Tiékoro à la rue. A présent, Tiékoro en était certain, les choses ne s'arrêteraient pas là. El-Hadj Baba Abou le ferait radier de l'université. Et alors que deviendrait-il ?

Siga s'efforça d'être rassurant :

— Pourquoi agirait-il ainsi ? Il suffit que tu ne sois plus chez lui à rôder autour de sa fille. S'il ne veut pas que tu l'épouses...

Tiékoro secoua passionnément la tête :

— Non, tu ne connais pas l'arrogance de ces « mwallidun ». Ils nous haïssent et nous méprisent. Mais pourquoi ? Pourquoi ? Nous sommes aussi riches qu'eux. Et aussi bien nés.

C'est que Tiékoro ne se pensait pas comme « noir » ou comme « nègre ». Pour lui, ces mots ne signifiaient rien. Il était un Bambara, sujet d'un Etat puissant que tous les peuples de la région redoutaient. Qu'on puisse lui faire grief de la couleur de sa peau lui semblait incompréhensible. Certes, il avait aimé celle de la peau d'Ayisha parce qu'il en avait peu vu de pareille, mais cela n'allait pas plus loin. Il savait d'ailleurs que bien des gens à Ségou ne manqueraient pas de murmurer en la traitant d'albinos[6] et qu'il devrait les persuader du contraire. Mais enfin, pourquoi ce désir de le perdre à tout prix ? Si elle ne partageait pas ses sentiments, pourquoi ne pas le lui signifier, sans plus ? Il se mit à marcher de long en large dans la pièce, échafaudant mille projets :

— Si j'allais me jeter aux pieds d'El-Hadj Baba Abou ? Non, il ne me recevrait pas. Si j'allais supplier l'imām de la mosquée-université ? Ce serait dangereux, car imagine qu'El-Hadj ne lui dise rien de toute cette affaire... Que faire ?

Brusquement il s'immobilisa :

— As-tu de quoi écrire ?

— Ecrire ?

Siga en aurait été bien empêché puisqu'il ne savait pas tracer une lettre ! Tiékoro s'exclama :

— Il faut que j'adresse une missive à mon ami Moulaye Abdallah. Comme son père avant lui, il est cadi à Tombouctou, c'est dire qu'il ne manque pas d'alliances parmi les ulémas. Lui seul peut me tirer de cette terrible affaire...

6. L'albinos est craint.

Malgré la bonté de son cœur, Siga n'était pas sans éprouver quelque satisfaction à voir un frère, qui l'avait tellement traité de haut, empêtré dans pareille mésaventure. En même temps, le sang n'étant pas de l'eau, il était prêt à l'héberger et à l'aider aussi longtemps qu'il le faudrait. Il déroula une natte qu'il gardait dans un coin à l'intention des filles qui passaient la nuit avec lui :

— Tu es ici chez toi. Est-ce que j'ai besoin de te le dire ?

Tiékoro se coucha. Que pouvait-il faire d'autre ? Mais il ne put trouver le sommeil. Les paroles d'un de ses maîtres à l'université lui revenaient en mémoire. Il y a trois degrés dans la foi. Un premier qui convient à la masse, qui est canalisée par les prescriptions de la loi. Un degré qui convient aux hommes qui ont triomphé de leurs défauts et sont engagés dans la voie qui mène à la vérité. Enfin un dernier degré qui est l'apanage d'une élite. Ceux qui y parviennent adorent Dieu en vérité et dans la lumière sans couleur. La Vérité divine fleurit dans les champs de l'Amour et de la Charité. Or c'est à ce degré qu'il voulait atteindre. Pourtant son corps, son corps obtus, avide, méprisable, le lui permettrait-il ?

# 9

Allongée sur une natte sur le balcon de sa maison, à Gorée, la signare Anne Pépin s'ennuyait. Elle s'ennuyait depuis dix ans, depuis le retour en France de son amant le chevalier de Boufflers qui avait été gouverneur de l'île. Il avait amassé suffisamment d'argent pour pouvoir épouser sa belle amie, la comtesse de Sabran, et cette ingratitude ôtait encore à Anne le sommeil. Elle ne pouvait oublier que, pendant quelques mois, elle avait tenu le haut du pavé, donné des fêtes, des bals masqués, des spectacles de théâtre comme à la cour du roi de France. A présent tout était fini. Elle se retrouvait abandonnée sur ce bloc de basalte, fiché au large de la presqu'île du cap Vert, seul établissement français avec le comptoir de Saint-Louis sur le continent africain à l'embouchure du fleuve Sénégal.

Tout allait de mal en pis depuis quelques années. On ne comprenait rien à ce qui se passait en France. Il y avait eu en 1789 la Révolution et puis on avait proclamé la République. Dès lors, les ordres contradictoires se succédaient. Abolition de la traite et du commerce des esclaves. Rétablissement de la traite. Ajoutez à cela les attaques des Anglais, rivaux commerciaux des Français.

Dieu merci, cela ne ralentissait pas les affaires. Sous prétexte de ravitaillement en eau ou de réparations urgentes, les bateaux de toutes nationalités venaient en rade et continuaient d'échanger leur marchandises contre des esclaves.

Anne Pépin avait trente-cinq ans, mais en avouait vingt-cinq, comme si elle voulait arrêter sa vie à la date du départ du chevalier de Boufflers. Elle avait été et était encore d'une grande beauté. Un officier, poète à ses heures, qui l'avait courtisée en vain disait qu'elle mariait la subtile distinction de l'Europe à l'impétueuse sensualité de l'Afrique, car si elle était fille de Jean Pépin, chirurgien attaché au fort de Gorée, sa mère était une négresse ouoloff dont il s'était épris. Elle avait le teint assez foncé, mais de longs cheveux soyeux d'un brun à reflets fauves qui, dénoués, atteignaient la base de son dos. Le plus extraordinaire cependant, c'était son regard dont on ne savait s'il était bleu ou gris ou vert puisque, selon l'heure et la couleur du jour, il ne cessait de varier. Anne était vêtue comme les autres métisses de Gorée, les signares, nées des amours d'Africaines et d'officiers du fort ou du personnel des diverses compagnies commerciales qui avaient tenté de faire fortune avec les tissus, l'alcool, les armes, les barres de fer et surtout les esclaves, mais qui n'y étaient guère parvenues à cause des malversations des employés. Elle portait une ample jupe bouffante de tissu de soie à carreaux bleus et mauves, filetés de blanc, une blouse de dentelle ajourée, un immense châle jaune soufre, teinte dominante de son mouchoir de tête noué d'une manière provocante afin de laisser libres les boucles de sa nuque.

Anne Pépin n'était pas la seule à s'ennuyer à Gorée. Car il ne s'y passait rien. La vie était rythmée par les allées et venues des navires venus se ravitailler en esclaves. Une ou deux fois par mois, les hommes trompaient l'ennui en organisant des chasses au gros gibier dans les forêts de Rufisque, sur le continent, en jouant aux cartes ou en buvant de l'eau-de-vie. Mais les femmes ! Si elles n'étaient pas dévotes et ne passaient pas le temps en prières, que faire ? Il y avait les amants, bien sûr. Mais faire l'amour n'a jamais rempli les jours ! Anne soupira, se leva et contourna le balcon pour héler un esclave qui lui apporterait une boisson bien fraîche.

Ce fut Jean-Baptiste qui leva la tête vers elle à contrecœur.

Un an auparavant, le frère d'Anne, Nicolas Pépin, avait ramené Jean-Baptiste d'un séjour chez son ami, le gouverneur du fort de Saint-Louis, péniche immobile, ancrée dans le fleuve Sénégal. Le gouverneur l'avait acheté fort cher, à cause de sa belle mine, pour en faire un valet de pied. Hélas ! Jean-Baptiste s'était révélé atteint d'une sorte de langueur dont il ne sortait que pour tenter de se suicider. Nicolas, qui avait vu agir son père Jean Pépin, s'était passionné pour ce mal. Il avait ramené le garçon à l'hôpital de Gorée et, tant bien que mal, il l'avait remis sur pied. Il avait même écrit un petit opuscule, *Des manies suicidaires des nègres de la Petite côte,* qui lui avait valu quelque crédit. Une fois Jean-Baptiste partiellement guéri, il s'en était désintéressé et l'avait donné à sa sœur qui menait plus grand train que lui, car la concession d'Anne Pépin abritait soixante-huit esclaves. Si Jean-Baptiste levait la tête à contrecœur, c'est qu'il haïssait cette appellation qu'on lui avait donnée après un simulacre de baptême à la chapelle du fort, son véritable nom étant Naba. D'autre part, on le tirait de son occupation favorite, le jardinage. Il s'en alla sans se presser annoncer à deux esclaves qui caquetaient dans le patio, encombré de bougainvillées, que la maîtresse les demandait. L'une d'entre elles, relevant sa large robe froncée, agrémentée de dentelles, s'éloigna en courant.

La population africaine de Gorée se divisait en deux groupes. D'une part, le petit peuple des esclaves domestiques attachés au service des officiers du fort ou des signares et des auxiliaires affectés aux divers travaux dans l'île. D'autre part, le bétail humain croupissant dans les diverses esclaveries. Il n'y avait aucun rapport entre les deux groupes, le premier, baptisé et portant des prénoms chrétiens, ne courant pas le risque d'être vendu. Le second attendant de partir pour les Amériques, masse informe et souffreteuse. Or les esclaves domestiques ne pouvaient oublier la présence des esclaves de traite, dont la condition les révoltait, les émouvait, bref ne les laissait jamais indifférents.

Ils se communiquaient les dates de départ des négriers et le chiffre de leur cargaison. Ils se précipitaient le long du chemin pavé menant à la plage du Castel pour tenter de les voir prendre la mer en direction des Amériques. En même temps, ils s'efforçaient de ne rien trahir, de continuer à servir, à garder les yeux baissés, en disant docilement : « Oui, maître ! Oui, maîtresse ! »

Naba prit la calebasse qu'il était venu chercher dans le patio et retourna vers le jardin.

Le jardin d'Anne Pépin était immense. La terre, comme celle du reste de l'île, y était sèche et sableuse. Heureusement entre le jardin et la mer existait un puits d'eau légèrement saumâtre et Naba avait inventé à lui tout seul un véritable système d'irrigation. Aussi sous sa main poussaient toutes les étranges plantes bonnes à regarder et à manger qu'avaient introduites les navigateurs. Melons, aubergines, citrons, oranges, choux. Naba parlait à ses plantes. Aussitôt que la première tige plissée, surmontée de deux ou trois timides bourgeons vert tendre, sortait de terre, il l'arrosait, retrouvait des mots que sa mère lui adressait quand il était tout petit tandis que toute sa vie à Ségou repassait devant ses yeux. Nya le serrait contre elle.

*Allons mon bébé*
*Allons mon bébé*
*Qui t'a fait peur ?*
*L'hyène t'a fait peur*

*Vite, vite, emportons-le à Koulikoro*
*A Koulikoro, il y a deux cases*
*la troisième est une cuisine...*

Puis elle l'élevait par trois fois vers l'orient et le couchant. Nya ! Quand il pensait à sa mère, Naba avait les larmes aux yeux. Quel souci sa désobéissance lui avait causé ! Avait-elle pu supporter sa disparition ? Il se rappelait son visage après les cérémonies de circoncision quand il était sorti du bois sacré. Elle chantait fièrement avec les autres femmes :

*Une chose nouvelle est arrivée !*
*Que tous jettent les choses anciennes,*
*Qu'ils prennent ce qui est neuf.*

Parfois aussi, il pensait à Tiékoro, le grand frère bien-aimé. Etait-il devenu ce dont il rêvait ? Un lettré ? Etait-il toujours à Tombouctou ? Ou alors était-il revenu à Ségou ? Marié ? Père de fils ?

Naba posa délicatement ses tomates dans une large calebasse. Quel fruit extraordinaire que la tomate ! C'est par elle que le dieu Faro féconde les femmes. Elle porte en elle en germe l'embryon, car ses grains sont multiples de sept, chiffre de la gémellité qui est le fondement de l'humain. A Ségou, Nya cultivait à côté de sa case un petit champ de tomates, le champ de Faro, dont elle écrasait les fruits pour les offrir au dieu dans la case aux autels. Aussi chaque fois qu'il récoltait ses tomates, Naba se retrouvait-il tout à côté de sa mère, dans son odeur, dans sa chaleur.

Il se releva et porta la calebasse dans la cuisine où les esclaves avaient recommencé de caqueter. A présent, il devait se rendre au jardin public, créé des années auparavant par Dancourt, un des directeurs de compagnie, car Anne Pépin lui permettait de louer ses services contre une mince rétribution : juste de quoi s'acheter quelques feuilles de tabac et un peu d'eau-de-vie.

Au fil des années, Gorée s'était considérablement développée. Quand les Français l'avaient conquise aux Hollandais qui eux-mêmes l'avaient enlevée aux Portugais, elle ne comptait que deux forts, simples retoutes de pierre de quarante-quatre mètres sur quarante-quatre, armées de sept ou huit canons et entourées d'un rempart crénelé de pierre et de terre. Ils abritaient une centaine de soldats, une vingtaine de commis et d'ouvriers spécialisés et un catéchiste « consolateur des malades » présidant les prières. Puis les Français en avaient fait le siège de la Compagnie du Sénégal qui avait succédé à la Compagnie des Indes Occidentales et donné la priorité à la traite des esclaves qui, si elle n'enrichissait pas les compagnies elles-mêmes, enrichissait les individus car ils truquaient les comptes, établissaient de fausses déclarations d'entrée et de sortie des marchandises, utilisaient de faux poids. Peu à peu, Gorée avait attiré une population venue du continent. Le règlement interdisant dans les comptoirs français la présence des épouses du personnel marié, ce dernier avait noué commerce avec des Africaines et toute une population métisse était née qui elle aussi s'était enrichie du commerce et faisait travailler nombre d'esclaves de case. De belles maisons de pierre à étage s'étaient élevées. D'autres étaient couvertes par des toits de paille ou par des terrasses en planches. Un vaste hôpital avait été édifié ainsi qu'une église où, le dimanche, les signares faisaient assaut d'élégance.

Pour aller de la maison de sa maîtresse au jardin public, Naba devait passer devant l'esclaverie centrale, édifiée par les Hollandais. C'était une forte bâtisse de pierre conçue de manière à décourager toute tentative d'évasion, entourée d'un mur épais de plusieurs pouces et donnant sur la mer par une porte basse et grillagée. C'est ce chemin qui menait aux vaisseaux négriers, venus emplir leurs cales d'un chargement d'hommes. Ce lieu fascinait Naba. Tant de désespoir en un espace si resserré !

L'entrée en était interdite à tout visiteur. Mais à Gorée, Naba passait pour fou. Aussi les gardiens, affranchis armés de fusils ou de « chats à neuf queues », le laissaient-ils circuler librement parmi les esclaves. Il était devenu une silhouette familière avec son grand sac plein de fruits qu'il distribuait aux femmes, aux enfants, tous ceux qui étaient par trop accablés de désespoir. Il gravit prestement l'escalier de pierre de l'esclaverie centrale. Pendant quelques jours, elle avait été vide. Mais la nuit précédente, un navire avait déchargé. Un des gardiens se promenait de long en large sous la véranda, tout faraud parce qu'il possédait un fusil et fumait une pipe de Hollande. En apercevant Naba, il grommella :

— Encore toi !

Puis il s'essuya le front avec un mouchoir flambant neuf de Pondichéry, symbole certain de son statut social, puisqu'il s'agissait d'un article acheté aux commerçants européens.

Sans lui prêter aucune attention, Naba entra à l'intérieur du sinistre bâtiment.

— Ma chère amie, je ne plaisante pas. Il faut vous persuader que la traite sera définitivement abolie !

Anne haussa les épaules :

— Officiellement, par décret. Mais sur le terrain, ce sera autre chose. Car on aura toujours besoin d'esclaves.

Anne et son frère Nicolas avaient certes hérité de leur père une honorable pension. Cependant, comme tous les habitants de Gorée, ils tiraient leur fortune du commerce des esclaves joint à celui des peaux et de la cire qu'ils se procuraient sur le continent.

Isidore Duchâtel insista :

— Croyez-moi, il faut songer à quelque autre source de revenu. Ecoutez-moi. On parle à Paris de mettre en valeur le cap Vert et d'y planter du coton égyptien, de l'indigo et aussi de la pommes de terre, des oliviers...

Anne éclata de rire et fit avec dérision :

— Tout cela se terminera comme en Guyane. Un fiasco !

Isidore secoua fermement la tête :

— Pas du tout ! La Guyane était à l'autre bout du monde. Le cap Vert est à deux pas de nous.

Il s'approcha de la fenêtre et désigna le jardin avec ses arbres fruitiers et ses parterres de fleurs multicolores :

— Anne, rappelez-vous que cette île où tant de choses poussent aujourd'hui était inhabitée et chauve comme un œuf. Au cap Vert, la France envisage d'envoyer des ingénieurs et de créer un Jardin d'essai où on expérimentera toutes les plantes possibles, venues de tous les coins du monde. C'est un projet grandiose.

Anne Pépin s'obstina à hausser les épaules. Gorée sans esclaves, allons donc ! Gorée sans commerce. Aussi invraisemblable que le ciel sans étoiles ni soleil ! Elle regarda Isidore avec impatience. C'était son dernier amant en date, un des rares hommes qui lui aient procuré quelque amusement depuis le départ du chevalier. Mais elle le soupçonnait d'être infidèle et de la tromper avec des négresses, esclaves domestiques qui prenaient soin de son ménage. Elle ne l'avait pas vu depuis plusieurs jours. Pourquoi ? Or au lieu de s'expliquer, voilà qu'il lui tenait des contes à dormir debout. Irritée, elle interrogea :

— C'est là tout ce que vous avez à me dire ?

Isidore qui, visiblement, ce jour-là, n'avait pas la tête à la galanterie fit brusquement :

— Vendez-moi Jean-Baptiste...

Offusquée, elle répéta :

— Jean-Baptiste ? Mon jardinier ?

Isidore Duchâtel était un des officiers supérieurs mais il habitait une maison qui avait appartenu à un ancien directeur de la Compagnie du Sénégal, François Le Juge. C'est qu'il se déplaisait au fort. A la différence de la majorité des autres officiers, c'était un homme intelligent, très ambitieux, assez spirituel de surcroît, à qui cette vie de garnison pesait. Malgré l'interdiction formelle du gouvernement, il trompait son inactivité en faisant lui aussi du commerce, mettant la main sur des marchandises qui rentraient dans l'île et les revendant avec profit. De même, il s'arrangeait pour procurer les plus belles pièces d'Inde à des négriers de sa connaissance. Ce projet de s'installer dans la presqu'île du cap Vert et de s'y tailler une plantation sur le modèle de celle des Antilles le faisait rêver. Il paraissait qu'on faisait fortune là-bas avec la canne à sucre, le café et le tabac ! Aussi les talents de jardinier de Naba avaient-ils attiré son attention. Aidé d'un tel esclave, à quoi ne parviendrait-on pas ! En outre, mieux qu'un maître blanc, il saurait convertir ses congénères à des expérimentations agricoles. Isidore se voyait déjà parcourant ses champs quand Anne Pépin le ramena sur terre déclarant :

— Je ne vous vendrai jamais Jean-Baptiste. Il est baptisé. Est-ce que vous l'oubliez ?

Sur ce, Isidore proposa avec un peu d'humeur :

— Alors, épousez-moi et nos biens seront en commun...

Il parlait, bien sûr, d'un de ces prétendus mariages que les Français contractaient avec les signares, mais qui n'avaient aucune valeur légale. Ils ne les empêchaient pas de rentrer seuls en France, une fois leur temps de service terminé. Généralement, ils envoyaient les enfants, surtout si c'étaient des garçons, faire des études chez eux. Parfois ils laissaient un peu de fortune et quelques biens à leurs mères.

Anne Pépin ne répondit pas à cette proposition. Elle boudait. Isidore décida de se retirer. Il se pencha pour baiser la main qu'on lui tendait négligemment et prit son chapeau de paille des mains d'une esclave.

La plus belle résidence à Gorée était, sans conteste, celle de Caty Louet décédée l'année précédente et qui avait eu trois enfants du gouverneur de Galam, M. Aussenac. Mais celle d'Anne était peut-être plus originale. Sa façade plate ornée d'un fronton triangulaire comme un temple portait néanmoins un balcon de bois abrité d'une véranda basse, ce qui lui donnait l'aspect d'une loggia. Par les soins de Jean-Baptiste, tout cela débordait de fleurs dont le parfum s'étendait jusque dans la rue. La demeure comptait une bonne douzaine de pièces aux planchers de marqueterie selon une mode qui venait d'Italie et que des esclaves ébénistes imitaient parfaitement. De même elle avait de fort beaux meubles, des commodes ventrues, des tables, des chaises aux pieds travaillés comme des sculptures. Certains étaient reproduits localement avec tant d'habileté que, là encore, on ne les distinguait pas des originaux venus de France. Il ne s'agissait, il est vrai, que des pièces d'apparat. Dans les chambres, on ne trouvait guère que des nattes, un fouillis de vêtements, robes bouffantes, écharpes de gaze et de tulle, mouchoirs de tête faits d'une étoffe à carreaux qui venait des Indes et des calebasses débordant de bijoux d'or et d'argent, de perles, de colliers de verroterie.

Anne Pépin était rêveuse. Les propos d'Isidore ne l'avaient pas laissée indifférente. Les terres de la presqu'île du cap Vert appartenaient aux Lébous[1]. Le chevalier de Boufflers lui aussi avait souhaité y voir apparaître des prés, des fleurs de mille espèces, puis il y avait renoncé. Depuis quelques années, en outre, les Lébous s'étaient révoltés contre le Damel[2] du Cayor[3] à qui ils payaient tribut et avaient de plus pratiquement fortifié leurs établissements. Comment négocier avec eux la cession de terres ? Sans leur accord, toute tentative de colonisation était vouée à l'échec. Pourtant en dépit de toutes ces difficultés, le projet était séduisant.

Anne se leva lourdement, car l'excès d'oisiveté et de nourriture la faisait grossir. Etait-il vrai que Gorée n'avait pas d'avenir ? Que le commerce des esclaves cesserait un jour ? Par quoi le remplacerait-on ? Certes il y avait la gomme arabique, produite par un petit arbuste épineux, une sorte d'acacia. Mais ce commerce était entièrement contrôlé par les Maures, et n'avait jamais pu concurrencer la traite.

Anne descendit l'escalier de pierre qui menait au large patio, lui-même communiquant avec le jardin ouvert sur la mer. Des fillettes aux seins nus pilaient le mil. D'autres lavaient le linge, puis le trempaient dans une eau bleutée pour le rendre plus blanc. Une esclave plaçait du pain de farine de blé dans un four en terre cependant qu'une nuée d'enfants se disputaient les reliefs d'un repas. Tout ce monde s'efforça au calme à la vue de la maîtresse qu'on savait irritable et querelleuse. Pourtant, contrairement à son habitude, Anne ne fit aucune observation. Elle alla jusqu'au jardin regarder les plantes que Naba faisait sortir de terre. Jusqu'alors elle n'y avait pas prêté grande attention. Soudain elle réalisait qu'elle pouvait avoir là un moyen d'augmenter sa fortune.

Il y avait des melons, des pastèques à chair rouge et cotonneuse, des carottes, des choux pansus. Des rangées d'orangers dont les branches ployaient sous les fruits. Et surtout des tomates pour lesquelles Naba avait une prédilection.

La terre de Gorée était semblable à celle de la presqu'île du cap Vert. Ce qui y poussait donnerait aussi du rendement sur le

1. Ethnie habitant le Cap Vert.
2. Roi.
3. Royaume situé dans l'actuel Sénégal.

continent. Qui sait si Isidore ne voyait pas clair ? Si l'avenir n'était pas dans la production de fruits et de plantes commerciales comme celle des Antilles ? Mais précisément, qui les mettrait en valeur ? Voilà, on aurait toujours besoin d'esclaves !

En tout cas, Anne décida que s'il fallait acquérir des terres dans la presqu'île, elle ne manquerait pas de le faire. La famille de sa mère qu'elle ne fréquentait plus habitait la région de Rufisque. On pourrait toujours, si besoin était, renouer des liens.

— Elle ressemble à une fleur !

Ce fut la pensée qui vint à l'esprit de Naba, puis il réalisa l'absurdité de sa proposition. Malgré toute son habileté et les croisements hardis qu'il avait expérimentés, il n'avait jamais obtenu de fleurs noires. Comme si la couleur ne convenait pas. Comme si la nature n'en voulait pas.

Pourtant, c'est à une fleur qu'elle faisait penser. Fragile. Ployée. Comme on n'enchaînait pas les femmes, elle se tenait avec une grâce infinie sur le sol souillé. L'intérieur de l'esclaverie était immonde. Dès l'entrée, on était assailli par l'odeur. Odeur de souffrance, d'agonie et de mort. Bien des hommes et des femmes parvenaient à s'ôter la vie en refusant l'infecte nourriture qu'on leur offrait et leurs cadavres demeuraient là, mêlés aux vivants, jusqu'à ce qu'un garde s'en aperçoive. Alors on fouettait tout le monde pour n'avoir point dénoncé les coupables. La grande salle voûtée et dallée de pierres, recouvertes de bottes de paille, ne prenait le jour que par d'étroites fenêtres aux solides barreaux de fer. Les hommes étaient enchaînés aux cloisons par la cheville et ceux que l'on soupçonnait d'être de fortes têtes avaient, en outre, les bras liés derrière le dos. On ne les détachait qu'au moment des repas, bouillie de mil liquide et gluante servie deux fois par jour et si mal préparée qu'elle provoquait souvent nausées et diarrhées. Alors vomis et excréments se mêlaient à la paille pourrie dans laquelle pullulaient déjà les insectes. Quand un négrier était en rade, on faisait lever hommes et femmes en hâte. A grands renforts de seaux d'eau froide, on les débarrassait de leur vermine. Puis on rasait la tête des hommes, on enduisait leur corps d'huile afin de mettre leurs muscles en valeur et on les conduisait dans la salle voisine qui faisait fonction de marché aux esclaves. Descendus des navires, les trafiquants de chair humaine faisaient leur choix. Naba se fraya un chemin parmi ces corps présentant toutes les postures du désespoir et s'arrêta auprès d'une femme qui venait de mettre au monde un enfant, car en l'embarquant on ne s'était pas aperçu qu'elle était grosse. Il regarda le minuscule petit paquet de chair promis à un si horrible destin, tendit un fruit à la mère, puis arriva jusqu'à la nouvelle venue. Il s'agenouilla devant elle et souffla :

— Tu parles dioula ?

Elle eut un geste des épaules qui signifiait son incompréhension. D'où venait-elle ? Du Sine, du Saloum[4], du Cayor comme la majorité des esclaves entreposés à Gorée ? Ou alors de ces pays du Sud, Allada, Ouidah... ? Naba s'assit sur ses talons, en face de la jeune fille. Les larmes coulaient sur ses joues noires, dessinant de petits rubans brillants. Elle n'avait pas plus de quinze ans, à en juger par la gracilité de ses formes, par ses seins à peine renflés, comme les bourgeons d'une plante rare et délicate. Une plante ! Un sentiment puissant de tendresse inonda le cœur de Naba. Il sortit du sac de peau de bœuf qu'il portait à l'épaule une des premières oranges de son jardin. Il l'éplucha, porta un quartier à sa bouche et fit signe à la jeune fille d'en faire autant. Elle refusa d'un mouvement de tête. Il n'en fut pas découragé pour autant et dit, se frappant la poitrine à plusieurs reprises :

— Naba !

Pendant un instant, elle resta immobile, absente, puis ses lèvres s'arrondissant, elle souffla :

— Ayodélé[5]...

Des larmes vinrent aux yeux de Naba. Ainsi, en dépit de leur condition misérable, par-delà tout ce qui les séparait, ils avaient établi un pont. Ils s'étaient nommés, ils avaient pris leur place dans la longue lignée des humains. Il fouilla à nouveau dans son sac et en tira un morceau de pain de blé, du sucre en tablettes et des restes de viande de poulet. Il les lui tendit. Cette fois encore, elle refusa d'y toucher. Naba se rappela les premiers jours de sa captivité quand lui aussi refusait de s'alimenter. Ah, il fallait qu'elle vive ! Même si la vie n'égalait qu'humiliation et détention. Comment faire pour l'en persuader puisqu'ils ne parlaient pas la même langue ? Alors il se rappela la chanson que Nya lui chantait et qu'il chantait lui-même à ses plantes pour les inonder d'affection.

*Allons mon bébé*
*Qui t'a fait peur ?*
*L'hyène t'a fait peur*
*Vite, vite, emportons-le à Koulikoro*
*A Koulikoro...*

4. Royaumes situés dans l'actuel Sénégal.
5. Prénom yoruba qui signifie « la joie est entrée dans ma maison ».

Elle le fixa, écarquillant les yeux, suivant avec stupeur le dessin de sa bouche. Il savait que dans l'univers où elle avait été plongée, il n'y avait pas eu de place pour la miséricorde, le partage, les sentiments humains. Alors, il l'attira contre lui.

Naba en avait connu des femmes ! Quand il était chasseur avec Tiéfolo, il en avait pris des esclaves ! Puis, il y avait eu sa capture, sa captivité, sa maladie et il avait perdu goût à tout. Sauf à ses plantes. Brusquement des sentiments, des sensations oubliés se réveillaient en lui. C'est la main d'un ancêtre qui les avait réunis dans cette esclaverie. Pour tenir la mort en échec.

Un gardien, muni d'un chat à neuf queues s'approcha de lui et lui dit sans trop de sévérité :

— Va-t'en à présent, Jean-Baptiste ! Si le commandant te voit, tu nous feras tous punir. Tu sais bien que personne ne doit rôder par ici.

Au lieu d'obéir, Naba interrogea :

— Est-ce qu'elle est à quelqu'un ?

L'autre haussa les épaules :

— Pas que je sache. Mais comme elle est très jeune, je pense qu'on la réserve pour le Brésil ou Cuba...

Naba frémit et imagina le calvaire. Une fois choisie par un marchand et reconnue pour bonne, on la marquerait sur la poitrine au fer rouge. Puis une nuit, pour éviter une éventuelle révolte, le négrier prendrait la mer.

Hommes parqués à fond de cale. Fouettés pour danser sur le pont. Femmes violées par les marins. Malades et mourants jetés par-dessus bord. Gémissements de douleur. Cris de révolte et d'angoisse. Puis un jour, une terre d'exil et de deuil se dessinerait à l'horizon. Naba prit la petite main fripée aux ongles gris comme les coquillages d'huître de la baie du Joliba. S'ils s'étaient connus au royaume de Ségou, son père aurait dépêché au sien de la poudre d'or, des cauris, du bétail. On aurait partagé la noix de kola. Les griots auraient chanté moqueusement : « On dit qu'il ne faut pas battre la femme. Pourtant pour que le fer au feu soit droit, il faut le battre ! Il faut le battre ! »

Mais les dieux et les ancêtres en avaient décidé autrement.

Au lieu d'une concession aux murs fraîchement badigeonnés de kaolin pour symboliser le renouveau, l'atmosphère empuantie d'une prison. Au lieu des battements amples du dounoumba[6], les grondements de révolte des esclaves. Au lieu de l'impatience heureuse de

6. Tam-tam d'allégresse.

l'union, l'attente du départ pour un effroyable inconnu. Tant pis, ils feraient de cet enfer leur paradis.

En d'autres temps, la signare Anne Pépin ne se serait pas trop inquiétée de la disparition de Jean-Baptiste que tout le monde tenait pour un doux fantasque. Il finirait bien par revenir ! Mais les paroles d'Isidore avaient attiré son attention sur son exceptionnelle valeur. Ces champs d'orangers, de citronniers, de bananiers derrière sa maison, préfiguraient-ils une fortune ? Pour achever de s'en convaincre, elle avait interrogé son frère Nicolas. De retour d'un séjour à Paris, il lui avait tenu, lui aussi, les propos les plus stupéfiants. Eh oui, à Paris depuis la Révolution de 1789 et l'avènement de la République, on avait le souci des Noirs. On en venait littéralement aux mains pour eux. Il y avait, d'un côté, les planteurs des Antilles et surtout d'une île appelée Saint-Domingue qui s'opposaient à l'abolition de l'esclavage. De l'autre, la Société des amis des Noirs qui la réclamait. Avec, à ses côtés, certains hommes politiques invoquant les droits de l'homme. Ajoutons à cela les pressions de l'Angleterre qui du jour au lendemain devenait une nation de négrophiles ! Oui, il fallait regarder les choses en face et chercher une autre manière de se faire de l'argent qu'en vendant des nègres. La colonisation agricole était bien à l'ordre du jour.

Anne n'était pas la seule à s'inquiéter. Toutes ces rumeurs agitaient le petit monde des signares. Certes le commerce était du monopole des compagnies qui s'étaient succédé à Gorée. Mais cela n'avait jamais empêché personne de trafiquer de tout et même de vendre des marchandises qui n'auraient jamais dû quitter les entrepôts royaux. Si on ne pouvait plus vendre des nègres, que ferait-on ? Les signares se préparaient au combat. Elles en avaient l'habitude. Il leur avait fallu lutter pour revendiquer les biens qui avaient appartenu à leurs pères. Elles avaient encore en mémoire les démêlés de la signare et des enfants d'un ancien gouverneur, M. Delacombe, jetés à la rue, dispersés après le départ de ce dernier en France. Fallait-il tout abandonner et se tourner vers le continent ? Les seuls liens qu'elles entretenaient étaient avec des familles métisses de la région de Joal.

Du coup, Anne dépêcha un esclave au petit village au sud de l'île où avec les autres esclaves domestiques Jean-Baptiste avait sa case. On ne l'avait pas vu de huit jours. Où pouvait-il bien être ? Il y avait constamment à quai un navire qui avait pour mission de garder la baie. Le soir venu, des gardes faisaient la ronde, suivis d'auxiliaires auxquels on avait appris à manier le fusil. Il n'aurait pu s'enfuir. Et puis, pourquoi l'aurait-il fait ? N'était-il pas pratiquement libre ? Bien traité ?

Certains suggérèrent qu'il avait peut-être été repris par son mal et s'était jeté dans la mer où les requins faisaient bombance. Anne finit par se rallier à cette hypothèse.

Détail piquant, la disparition de Jean-Baptiste précipita la rupture d'Anne Pépin et d'Isidore Duchâtel.

Ce dernier avait pris connaissance de l'ouvrage du naturaliste Michel Adanson, qui avait herborisé au village de Hann, dans la presqu'île du cap Vert, et étudié les possibilités agricoles de la région. Avec un de ses amis du nom de Baudin, il était décidé à obtenir une concession qu'il planterait en arbres fruitiers des Antilles et en légumes d'Europe. Jean-Baptiste étant une des pièces maîtresses de ce projet, il conçut de sa disparition un dépit qu'il reporta sur Anne. Peu après, il quitta Gorée et rentra à Bordeaux dont il était originaire. Laissé à lui-même, Baudin ne se découragea pas cependant et entra en contact avec le chef d'un groupe de Lébous.

# 10

Peut-être faut-il s'aguerrir dès l'enfance contre le naufrage des ambitions. Peut-être faut-il se répéter que la vie ne sera jamais telle qu'on l'a rêvée. Qu'on ne possédera jamais la femme aimée, la notoriété désirée ou les richesses souhaitées. Tiékoro ne cessait de se dire cela devant ce qu'il pensait être les décombres de sa jeune vie. La vengeance d'El-Hadj Baba Abou n'avait pas tardé : il était rayé de l'université. L'imam l'avait convoqué pour lui signifier son exclusion. Ce qui lancinait Tiékoro encore plus, c'était le mépris qu'on lui avait manifesté. Mépris, il le sentait, qui le dépassait, qui, à travers lui, s'adressait à son peuple, à sa culture, et, tant bien que mal s'était dissimulé jusque-là. On ne punissait pas seulement un geste déraisonnable, mais un Bambara qui avait prétendu s'introduire dans un univers aristocratique et fermé. Depuis des semaines, il attendait le résultat des efforts du père de Moulaye Abdallah qui tentait de le faire admettre dans une des universités de Djenné pour terminer ses études.

Alors les jours se passaient lentement dans la modeste chambre de Siga. Ah, Siga ! Tiékoro découvrait l'extrême bonté du cœur de son frère qu'il avait toujours inconsciemment méprisé et si laidement abandonné. Pas un mot de reproche. Pas une raillerie. Siga partageait tout. La bouillie de mil le matin. Le plat de couscous le midi. La natte le soir. Tiékoro s'efforçait de ne penser qu'à Dieu. D'accepter ces humiliations. D'étouffer en lui ce sauvage désir de se rebeller contre le sort. Qu'avait-il fait pour être si cruellement puni ? Pour quoi et pour qui expiait-il ?

A force de réfléchir, il avait fini par trouver une explication aux tours du destin. Nadié. Il avait violé une fille de son peuple. Car il s'agissait bien d'un viol. Si cela s'était passé à Ségou, il aurait été sévèrement puni par le tribunal familial et contraint de verser une réparation aux parents de sa victime. Or là, quelle avait été sa conduite ? Il s'était enfui.

Chaque jour davantage, la pensée de la jeune esclave le hantait. Il finit par se rendre dans l'estaminet des Maures qu'il n'avait plus fréquenté depuis des mois. L'endroit n'avait pas changé. Des nattes étendues sur un sol très propre. L'odeur du thé vert et du feu de fiente de chameau séchée. Des hommes, la mine passionnée, jouant aux dames. Al-Hassan regarda Tiékoro avec un air narquois, comme s'il devinait l'objet de sa visite, mais ce dernier trouva tout de même le courage de s'enquérir :

— Al-Hassan, tu avais une esclave bambara ?...

L'autre ôta sa pipe de Hollande de sa bouche :

— De qui parles-tu ? De Nadié ? La pauvre fille est malade...

Tiékoro se troubla :

— Malade ? Tu t'en es donc débarrassé ?

Al-Hassan fit gravement :

— Ce n'est pas ainsi qu'Allah nous demande de traiter ceux qui nous servent. Ma femme l'a prise auprès d'elle et la soigne...

Ah, trêve de faux-semblants ! Avec un peu d'admiration devant sa propre humilité, Tiékoro se confia :

— Ecoute, j'ai de graves torts vis-à-vis de cette fille. Je dois les réparer...

Comme beaucoup de Maures, Al-Hassan cachait sa prospérité matérielle sous les dehors de la misère. Sa concession ne payait pas de mine : murs lézardés, brèches béantes bourrées de paille, cour principale encombrée d'ustensiles divers, de tas de linge sale, de détritus et d'enfants teigneux. Tiékoro se fraya le passage jusqu'à une vaste salle fort mal tenue, au sol à demi couvert de nattes effrangées, et bientôt une grosse Mauresque, au teint très blanc sous ses voiles bleus, fit son apparition. Tiékoro entra dans le vif du sujet. Il recherchait une jeune esclave bambara qui avait servi dans le cabaret d'Al-Hassan. Il était lui-même bambara... La Mauresque l'interrompit, le fixant d'un regard pénétrant :

— Es-tu le père de son enfant ?

Tiékoro manqua défaillir ?

— Que dis-tu ?

La Mauresque continua de le fixer avec la même sévérité, empreinte de mépris :

— La pauvre créature est grosse de près de trois mois. Malgré mes efforts, elle n'a jamais voulu me parler de son amant. Elle me supplie seulement d'adopter son enfant pour qu'il ne soit pas esclave lui aussi.

Pendant un instant, Tiékoro resta muet tandis que mille pensées tourbillonnaient dans son esprit. A vrai dire, il n'aurait su dire clairement pourquoi il avait cherché Nadié, ni ce qu'il entendait faire une fois qu'il l'aurait retrouvée. Dans ses moments de lucidité, il s'avouait qu'il n'avait d'abord envie que de coucher de nouveau avec elle. Puis, son pharisaïsme reprenait le dessus et il se persuadait qu'il voulait réparer le tort qu'il lui avait causé. Et voilà qu'à nouveau le destin se moquait cruellement de lui. Dans la boue du cabinet d'aisances, dans l'affreuse odeur d'excrément, il avait donné vie à un être humain envers lequel il avait des devoirs. Un être humain qui aurait le droit de se tourner vers lui, comme il s'était tourné vers Dousika. Qui aurait droit de le juger. De le mépriser. De le haïr.

Il releva la tête vers la Mauresque qui mâchonnait une noix de kola et balbutia :

— Est-ce que je peux la voir ?

La femme éleva la voix et une petite fille entra dans la pièce, jetant des regards curieux à l'inconnu. Puis elle disparut et, après un temps qui sembla interminable, Nadié entra. La dernière fois qu'il s'était trouvé devant elle, Tiékoro n'avait vu que ses formes, aveuglé qu'il était par sa nudité et son désir. A présent, elle était enveloppée d'un voile indigo comme sa maîtresse et il s'apercevait qu'elle était très jeune, pas très jolie avec des dents légèrement proéminentes, ce qui pourtant ne la déparait pas, donnant l'illusion d'un sourire, et très timide. Ses yeux s'emplirent de larmes et il souffla :

— Pardonne-moi...

Elle fit sur un ton d'absolue soumission :

— Tu es revenu, fama, c'est ce qui compte...

Là-dessus, la Mauresque dit brutalement :

— Eh bien, qu'est-ce que tu comptes faire à présent ?

Tiékoro fit simplement :

— L'emmener avec moi...

En même temps, il pensait qu'il n'avait plus de logis, aucune ressource, aucun avenir et il souhaitait mourir. Deux ans auparavant, il avait quitté Ségou pour acquérir des lauriers. Qu'allait-il ramener ? Une femme de rang et de famille inconnus, dégradée par les circonstances de la vie. Quand il songeait à toutes les garanties et tout le cérémonial qui entouraient le mariage chez lui, il savait que Dousika ne lui pardonnerait jamais d'épouser Nadié. Alors, la garder auprès de lui comme concubine ?

A présent qu'elle était rassurée sur l'honnêteté de son interlocuteur, la Mauresque lui offrait du thé vert et bavardait intarissablement. Qu'étudiait-il à l'université ? N'était-il pas originaire de Ségou ? Etait-il donc musulman ? Elle-même était originaire de Fès et trouvait les habitants de Tombouctou bien orgueilleux. Qu'en pensait-il ?

Tiékoro ne songeait pas à répondre à cet insignifiant verbiage. Il revoyait le fil de sa vie et il ne comprenait pas pourquoi tout se liguait contre lui. Il était trop croyant pour accepter l'idée d'une vengeance des ancêtres, irrités par sa conversion. Pourtant cette crainte était là, tapie dans son esprit. L'aurait-il pu qu'il aurait consulté un féticheur capable d'entendre et d'interpréter les volontés des invisibles. Mais il n'en connaissait point à Tombouctou. Nadié revint, un léger baluchon sur la tête. Sans un mot, elle suivit Tiékoro au-dehors.

Ils cheminèrent sans parler, lui la précédant à vive allure, elle posant les pieds dans ses empreintes, comme si de tout temps ce chemin avait été tracé pour elle. Ils arrivèrent à la porte de Kabara à la demeure du commerçant Abdallah.

Si Siga fut surpris par l'irruption de Nadié dans la vie de son frère, il n'en montra rien, se contentant de se retirer et d'emporter ses quelques effets chez un ami. Le couple demeura donc seul parmi la foule de parents, d'hôtes de passage, de domestiques, de parasites qui occupaient les lieux. Personne ne prêtait attention à lui. Personne ne le questionnait et, pendant quelques semaines, Tiékoro se donna l'illusion de la paix et du bonheur. Il n'était pas surprenant qu'on eût destiné Nadié au harem de quelque prince arabe. Son corps était d'une exceptionnelle beauté. Tiékoro songeait, en l'enfourchant, à une jument que son père avait reçue du Mansa après le sac de Guémou et qu'il gardait dans un enclos derrière les cases de la concession. Noire, nerveuse, racée et cependant docile. Il la possédait à toute heure, écartant d'un haussement d'épaules ses faibles protestations.

— Il est grand jour [1], kokè...

Au fond de lui, il n'était pas dupe. Il savait que ces excès de la chair étaient une manière de se venger de sa déchéance. Non, il ne serait jamais docteur en théologie et en linguistique arabe, entouré de l'adulation d'une petite cour d'étudiants, s'entretenant par lettres avec ses pairs de Marrakech, de Tunis ou d'Egypte et rédigeant de savants commentaires des hadiths. Pourtant, le paradis avait-il plus

1. La tradition interdit de faire l'amour en plein jour. Le châtiment est un enfant albinos, force mauvaise.

de saveur ? Les dieux, qui croyaient le moquer, lui faisaient en réalité le plus beau présent, un corps de femme !

Chose étrange, il ne se souciait nullement de découvrir qui était en réalité Nadié. Quelle était sa famille ? Quelle était sa vie avant le jour fatal où elle lui était apparue près du cabinet d'aisances ? C'est qu'il avait peur de découvrir qu'elle ne lui était nullement inférieure. Il avait besoin de la mépriser afin de mieux se mépriser. Il voulait faire d'elle le symbole même du naufrage de ses espérances. Aussi, l'intimité qui s'était installée entre elle et Siga l'irritait. Certes, de telles relations étaient naturelles, l'épouse jouissant de la plus grande liberté avec ses beaux-frères, plaisantant, riant, bavardant avec eux. Mais voilà, Nadié n'était pas son épouse et Siga, en la traitant comme telle, entendait subtilement lui dicter la conduite à tenir. Tiékoro avait trop d'orgueil pour le supporter. Un jour, il n'y tint plus et après le repas du soir, comme Nadié préparait dans la cour une infusion de feuilles amères de quinquéliba, il apostropha son frère :

— Eh bien, qu'as-tu à me dire ?

Siga se cura soigneusement les dents avant de répliquer :

— Moi ? Souroukou sait bien distinguer un village habité d'un village en ruine[2]...

L'insolence de la réponse exaspéra Tiékoro :

— Est-ce parce que je dépends pour le moment de toi que tu te mêles de ma vie ?

Siga le fixa dans les yeux et cette fois encore, son extraordinaire ressemblance avec Dousika confondit Tiékoro, lui donnant l'impression d'affronter leur père, puis il fit :

— Elle vient de Gouméné. Ce sont les tondyons de Ségou qui ont détruit son village, dispersé et vendu les siens après s'être réparti le butin...

Là-dessus, il sortit dans la cour.

Tiékoro demeura immobile. Il n'ignorait rien de l'histoire guerrière de Ségou, en lutte contre les Bambaras du Kaarta, en lutte contre les Soninkés, en lutte contre les Peuls... Devait-il en être tenu pour responsable ? Devait-il réparer ses crimes ?

A ce moment, Nadié entra. Son ventre commençait de pointer sous le pagne et, pour la première fois peut-être, Tiékoro pensa avec netteté à l'enfant qui allait naître. Un enfant est toujours une joie et pourtant, il ne sentait dans son cœur aucune anticipation heureuse. Plus encore que sa mère, celui-là allait être le signe éclatant de son échec. Un premier-né s'honore par le sang des bœufs, les acclama-

---

2. Proverbe qui signifie « chacun sait ce qu'il fait ».

tions des griots, les danses des femmes. Au lieu de cela, cet enfant aurait pour abri la concession d'un étranger dans une ville étrangère. Pas de visages attentifs penchés sur lui pour prédire sa force et sa vigueur futures. Ah, quel crime que donner la vie sans amour ! Tiékoro fut pris d'une pitié qui ressembla à la tendresse et interrogea Nadié :

— Que désires-tu ? Allez accoucher chez moi ? Auprès des miens ? Auprès de ma mère ?

Elle baissa la tête et murmura :

— Je ferai comme tu voudras… Pourtant…

Elle s'interrompit et il fit avec un peu d'impatience :

— Pourtant quoi ? Parle !

Elle dit si bas que sa parole devint inaudible :

— Pourtant je préfère rester auprès de toi…

Elle s'enhardit et le regarda en face, ce qui était rare :

— Tu sais, chez nous à Gouméné, ma mère m'avait appris beaucoup de choses. Je peux faire le filé le plus blanc et le plus fin…

Tiékoro bondit :

— Filer ! Mais c'est un travail d'esclave !

Elle eut un sourire ténu :

— Ne suis-je pas devenue une esclave ?

Sans lui laisser le temps de trouver une objection, elle poursuivit :

— A Tombouctou, presque tout le filé vient de Djenné, ce qui en augmente le prix. Si je m'entends avec des tisserands, je peux en échange de mon travail obtenir beaucoup de cauris. Cela soulagera Siga qui n'a pas trop de facilités lui-même.

Cette fois encore, Tiékoro eut honte. Bien des fois, la pensée de travailler lui était venue. Mais que faire ? Hormis l'enseignement dans une école coranique ou une fonction administrative, toute tâche lui semblait dégradante.

Il était un noble ! S'il était resté à Ségou, le seul travail digne de sa condition aurait été celui de la terre et comme il aurait possédé des esclaves, il aurait coulé ses jours dans l'oisiveté.

A sa manière, Nadié lui donnait une leçon de courage. Il ne dit rien. Prenant, à l'évidence, son silence pour un acquiescement, elle reprit :

— Je sais aussi teindre l'étoffe. Quand j'étais petite, je regardais les esclaves de ma mère préparer l'indigo. Elles en pilaient les feuilles, puis y ajoutaient des cendres de bois de baobab sauvage. Ensuite elles creusaient des trous dans la terre qu'elles emplissaient d'eau…

A ce moment, il se fit un grand bruit dans la cour. Un homme mettait pied à terre et demandait que l'on prenne soin de sa monture. Tiékoro reconnut le timbre de cette voix. Moulaye Abdallah ! Enfin !

Il se rua hors de la pièce. Moulaye Abdallah, tenant son cheval par la bride, était enveloppé d'une cape blanchie par la poussière du désert. Il semblait épuisé, mais heureux :

— Allah est avec nous, cellé [3] ! Mon père est parvenu à fléchir un de ses amis, Baba Iaro, marabout qui vient de Kobassa dans le Pondori et qui est très influent dans la région de Djenné. Tu es admis à l'université de cette ville...

Tiékoro tomba à genoux au milieu de la cour. Son cœur de pécheur avait douté de la grande bonté du Créateur et à présent celle-ci l'inondait ! Il n'écoutait pas les recommandations de Moulaye Abdallah :

— Sois prudent quand tu seras là-bas, car Djenné est encore plus dangereuse que Tombouctou. Rappelle-toi ce qu'a écrit Es Saadi : « Les gens de Djenné sont par nature enclins à jalouser tout le monde. Si quelqu'un obtient quelque faveur ou quelque avantage, les autres s'unissent contre lui dans un même sentiment de haine... »

Il n'était que prières :

— Seigneur, guéris mon âme troublée ! Rends ma fidélité semblable à celle de cet être que j'appelle dédaigneusement chien. Donne-moi comme à lui la force de maîtriser ma vie lorsqu'il *s'agira* d'accomplir ta volonté et de te suivre...

Lorsque les eaux inondent le podo, des bancs de poissons se répandent dans les terres et se jettent avec voracité sur les herbes jeunes et tendres, dévastant notamment les rizières. Ils cherchent aussi dans le lacis des tiges du bourgou [4] un refuge contre les caïmans et les grands poissons carnassiers. Ce sont les pêcheurs bozos, premiers habitants de la région, qui ont appelé podo le delta central du Joliba dont Djenné occupe la pointe méridionale. C'est tantôt une immense steppe avec des chaumes de bourgou qu'envahissent les Peuls et leurs troupeaux, tantôt un vaste terrain submergé où pointent çà et là des bancs de sable.

Quand Tiékoro et Nadié arrivèrent à Djenné, les eaux recouvraient le podo. C'était l'hivernage et ils frissonnaient autant d'humidité que d'appréhension. Tiékoro avait beau se répéter que d'importantes colonies de Bambaras habitant Djenné, ils ne seraient pas isolés, il éprouvait une crainte vague et imprécise. Pour venir de

3. Ami-frère en songhaï.
4. Plante aquatique.

Tombouctou, ils avaient pris une pirogue à Kabara et remonté le cours du fleuve. Certes, ils auraient pu trouver place dans une de ces larges embarcations qui sillonnaient le fleuve et transportaient bien deux cents personnes. Mais elles n'étaient pas sûres, chavirant souvent dans un lieu à la réputation sinistre, le Mimsikayna-yendi. Aussi Siga avait-il dépensé une fortune, plus de deux mille cauris, pour leur faire fabriquer une « pirogue cousue » à l'étanchéité parfaite. Ce voyage avait duré des semaines.

Le piroguier et son gringalet d'assistant avaient dressé à l'arrière une sorte de tente faite de peau de bœuf sous laquelle Tiékoro et Nadié mangeaient, dormaient, faisaient l'amour. Autour d'eux, les eaux lumineuses du fleuve avec leur peuple d'aigrettes et d'échassiers mélancoliques. Au loin, les rives se rapprochant jusqu'à ne plus former qu'un étroit couloir au débouché du lac Débo, aussi riche en poissons qu'en caïmans et en grands serpents noirs, rayés de blanc. Tiékoro aurait souhaité que ce voyage dure toujours. Le matin, il ne se lassait pas de l'envol des oiseaux vers les champs de la rive. Le soir, il guettait le lever de la lune, d'abord écarlate, s'entourant peu à peu d'un voile bleuté. Quand la nuit était claire, il s'asseyait à l'avant avec le piroguier et pêchait au harpon. Par temps sombre, avec son compagnon, il allumait un feu et regardait se presser carpes, capitaines, et poissons hyènes à la chair amère se nourrissant d'ordures. Parfois un poisson cheval fendait le courant de sa crinière dorsale.

On s'arrêtait dans les villages pour troquer ces fruits de l'eau contre des fruits de la terre, Tiékoro se répétant que c'était là le mode de vie idéal. Soudain, toutes ses ambitions lui semblaient absurdes. Le temps lui-même s'était aboli. Qu'allait-il chercher à Djenné ? Pourquoi, comme un pêcheur bozo, ne se bâtissait-il pas une case de paille au bord de l'eau ? Nadié ouvrirait le poisson pêché, le viderait, le mettrait à sécher à même la terre. Elle lui donnerait des enfants.

Ils passèrent deux nuits à Komoguel, sorte d'îlot au confluent du Bani et du Joliba. Il fallait rectifier le calfatage de la pirogue, qui prenait l'eau, avec de l'étoupe enduite de farine de fruit de baobab et de beurre de karité. Puis ils reprirent leur route. A présent, les rives du fleuve étaient couvertes de campements peuls, reconnaissables à leurs cases demi-sphériques de paille, serrées autour de celle du dyoro[5]. Moulaye Abdallah avait informé Tiékoro de la menace que les Peuls faisaient peser dans la région de Djenné. Un obscur marabout du nom d'Amadou Hamadi Boubou, originaire du Fit-

5. Chef de campement.

touga, commençait à faire sérieusement parler de lui et irritait fort le nouvel ardo du Macina. S'il n'avait pas encore pris les armes, il parlait néanmoins de déclencher le jihad et de défaire tous les fétichistes. Cette idée d'un jihad n'était pas pour déplaire entièrement à Tiékoro. Pourtant il se demandait si ces desseins religieux avoués n'en cachaient pas d'autres plus méprisables : appétit de pouvoir temporel, soif de richesses matérielles, rivalités de toute sorte. Car s'il avait découvert l'arrogance et l'intransigeance de l'islam, il n'en avait pas encore appris tous les bienfaits.

Tiékoro évitait de songer à Ayisha. Il sentait que son amour et son désir qui, à travers elle, visaient un mode de vie qui l'avait fasciné, étaient loin d'être morts. Qu'il suffirait de peu pour qu'ils ressurgissent et l'embrasent comme une étincelle la brousse en saison sèche. Il savait que s'il pensait à celle qu'il n'avait pas su conquérir, la tentation de désespérer de la vie s'emparerait de lui. Et devant Allah, quel crime est plus grand que le désespoir ? Son seul refuge demeurait le corps de Nadié.

Plus qu'à Tombouctou, dans l'espace resserré de la pirogue, il apprenait à la connaître. Douce sans être passive. Active, au contraire, et efficace sans jamais chercher à attirer le regard sur elle. Elle était parvenue à aménager une sorte de coin cuisine où elle préparait du dègué et faisait frire les poissons du fleuve dans le beurre de vache. Quand on accostait, elle se mêlait aux femmes et lavait vigoureusement le linge. Puis, cherchant un coin retiré, une anse abritée de solo, elle se baignait. A la stupeur choquée des autres femmes, Tiékoro la suivait, s'amusant à faire ruisseler l'eau le long de ses omoplates, savonnant par jeu ses cheveux à présent coiffés « à six tresses[6] ». Un jour, il ne put y tenir et la posséda au sortir de l'eau. Ils s'éloignaient, quand le maître de la terre, alerté, leur demanda réparation de ce forfait. Comme ils ne pouvaient rien lui donner, ils durent regagner en hâte la pirogue, poursuivi par ses imprécations. Après cet incident, Nadié demeura plusieurs jours songeuse. Tiékoro en riait aux éclats. Au fond de lui, il ne cessait de s'interroger : que faire de cette femme devenue aussi nécessaire à son corps que le sang qui l'irriguait ? Moulaye Abdallah, pétri des préjugés de sa classe, avait été formel :

— Cellé, tu ne peux l'épouser. Fais-en ta concubine et ta servante…

Etait-ce justice ? Tiékoro ne cessait de se le demander.

Quand ils arrivèrent à Djenné, la ville se dressait comme une île

6. Coiffure de la femme mariée, par opposition à la vierge.

au-dessus du podo. Au pied de ses murailles se pressaient des bouquets de cailcédrats et, ainsi, elle semblait entourée d'une double ceinture d'eau et de feuilles. Si Tombouctou entrait en décadence, Djenné était encore à l'apogée de sa gloire. Elle était plus gaie, plus vivante que Tombouctou, la « reine du désert » et Tiékoro retrouva dans ses rues l'animation de Ségou. Il allait droit à la grande mosquée, dont on lui avait tant parlé, quand il se souvint de l'état de Nadié qui commençait à se fatiguer, et décida de se rendre plutôt chez Baba Iaro, l'ami du père de Moulaye Abdallah. Il arrêta un passant et, après les salutations d'usage, l'interrogea en arabe :

— Connais-tu la maison du moqaddem[7] Baba Iaro ?

L'homme s'exclama :

— Est-ce que tu n'es pas un Bambara, toi ?

De se voir reconnu, interpellé dans sa langue réchauffa le cœur de Tiékoro. Pourtant les nouvelles que lui donna son interlocuteur étaient plutôt inquiétantes. A Djenné, on haïssait les Bambaras, même si le Mansa de Ségou possédait une résidence dans le podo méridional. Tout cela, c'était l'effet de l'islam qui se répandait comme un feu de forêt. La région tout entière était en train de passer sous contrôle des Peuls ! Ces gueux que l'on avait connus abrités par des cases de feuillage et suivant les mouvements de leur bétail s'étaient à présent transformés en guerriers d'Allah ! Tiékoro écoutait tout cela avec incrédulité. Il aurait pressé l'inconnu de questions, mais comme depuis la veille Nadié souffrait d'une petite fièvre, il était plus urgent de trouver un abri.

Baba Iaro habitait non loin de la grande mosquée dont Tiékoro put apercevoir les tours-minarets, une maison typiquement djenéenne. C'était un style apporté quelques siècles auparavant par les Marocains quand, comme Tombouctou, ils avaient occupé et vassalisé Djenné. De formes parallélépipédique, elle était haute d'un étage avec une façade plate, décorée autour de l'unique porte d'entrée d'appliques en forme de trapèze et percée de trois fenêtres munies de grillage. L'huis était agrémenté de ferrures. Au moment de toucher l'anneau formant heurtoir, Tiékoro se souvint de l'accueil qu'il avait reçu deux ans plus tôt chez El-Hadj Baba Abou et faillit battre en retraite. Ah, seuls les habitants de Ségou savaient recevoir, accueillir, traiter l'hôte comme un frère ! Mais où irait-il avec cette femme lasse, bientôt en gésine ? Sa main étreignit le heurtoir.

7. Religieux chargé de donner aux néophytes l'éducation de base.

Siga se retrouva donc seul à Tombouctou.

Il éprouvait pour cette ville des sentiments entièrement différents de ceux de son frère. Tout de suite, il avait pris place dans la population flottante d'esclaves, d'étrangers, de pauvres et mis à profit les réseaux de solidarité qui existent parmi les individus en difficulté. Aussi, s'il n'y était pas heureux, il n'y souffrait jamais de la solitude. Il comptait une douzaine d'amis parmi les âniers de Kabara, autant de camarades parmi les employés des grands commerçants. Quant aux femmes, il n'était pas difficile, se contentant soit des filles-à-tout-le-monde dans les troquets, soit des Mauresques et des femmes touaregs qui lui ouvraient leurs cuisses chaudes en l'absence de leurs jaloux de maris. Mais Nadié lui avait donné le goût d'une constante présence féminine. Ah ! Trouver la chambre balayée, le repas préparé ! N'avoir plus à attendre le bon plaisir des servantes d'Abdallah ! A payer leurs services ! A souffrir leurs accès d'impertinence ou d'indolence !

Il se jeta dans le travail. Depuis peu, Abdallah l'avait fait responsable de son commerce de sel. Deux fois par mois, il se rendait à Teghaza ou à Taoudenni avec une caravane qu'il chargeait de barres de sel, veillant à ce qu'elles soient solidement liées ensemble afin qu'elles n'arrivent pas à destination cassées ou abîmées. Alors il régnait sur tout un peuple d'esclaves qui les transportaient et les marquaient de dessins en noir, rayures, losanges afin que nul n'ignore à qui elles appartenaient. Puis il les ramenait à Tombouctou et les vendait à des commerçants venus du Maroc ou même du Levant et du Maghreb central. C'était là un labeur harassant qu'il aimait néanmoins. Surveillant les esclaves, discutant avec les marchands, il avait une impression sinon de puissance, du moins d'utilité. Il était part d'un grand système, d'un grand courant d'échanges et de communications qui s'étendait à travers l'univers. Pourtant, malgré ces contacts quotidiens, il demeurait farouchement à l'écart de toute influence musulmane. S'il comptait des agents des Kounta[8] parmi ses relations d'affaire, cela n'allait pas plus loin qu'une plaisanterie, un bol de thé vert pris ensemble. Fétichiste il était, fétichiste il entendait demeurer et tant pis pour ceux qui l'appelaient Ahmed !

Un soir qu'il revenait de Taoudenni, Abdallah le fit quérir par une servante :

— Assieds-toi, assieds-toi ! Tu travailles beaucoup, Ahmed !

Siga eut un sourire qui pouvait tout signifier et prit une petite coupe de terre pleine de thé des mains d'une esclave. Après un silence, Abdallah reprit :

8. Grande famille d'origine arabe de religieux et de commerçants qui donna naissance à la confrérie religieuse des Kounti.

— Tu n'ignores pas que j'ai de la famille à Fès avec laquelle je suis en relation d'affaires. Or j'ai de bonnes raisons de croire que ce monde me vole. On me doit des sommes considérables. On ne répond pas à mes lettres. J'ai décidé de t'envoyer sur place voir ce qui se passe...

— Moi !...

Abdallah inclina la tête :

— Oui, toi ! Je t'observe, Ahmed et je nourris de grands desseins à ton endroit. Tu sais qu'Allah m'a pris mes enfants. Que sa volonté soit faite. En outre, en agissant ainsi, il me laissait libre de choisir les enfants de mon esprit. Va à Fès, récupère mes créances et quand ce sera fait, attends mes instructions...

Quel garçon de dix-huit ans ne serait pas rempli d'une heureuse exaltation à la perspective d'un voyage ? Qui ne s'est pas imaginé entrant en conquérant dans une cité inconnue, pour s'emparer de ses richesses et posséder ses femmes ? Siga n'échappait pas à la règle. En même temps, il avait peur. Certes, il était mieux armé pour entreprendre pareille équipée que deux ans plus tôt quand il avait quitté Ségou. Il s'était frotté aux hommes. Il parlait deux langues, la sienne et aussi l'arabe. Pourtant n'était-il pas encore bien peu expérimenté ? En même temps, il n'envisageait pas un instant de repousser l'offre de son patron. C'était un nouveau défi qui était lancé au fils de l'esclave, au fils-de-celle-qui-s'était-jetée-dans-le-puits. Il releva la tête et interrogea :

— Comment me rendrai-je jusque-là ?

Abdallah avala une gorgée de thé :

— J'ai tout préparé. Bientôt, on fera la debiha [9] et tu seras sous la protection des hommes de mon ami Moulaye Ismaël. Tu iras à Taoudenni, puis à Teghaza, de là, tu arriveras au Touat [10]. La région est alors fertile en orge et riche en points d'eau. Tu y verras des gazelles, des autruches. Quelle expérience pour un jeune homme de ton âge !

Barley or Rye

9. Cérémonie de protection.

10. Région du Sud marocain, plaque tournante entre la Méditerranée et le Sahel.

# 11

Le *Lusitania* avec à son bord quelque trois cents esclaves cinglait vers Pernambouc. Sa route n'était pas régulière. Mais misère des temps ! N'ayant pu faire le plein à São João de Ajuda[1], il avait dû remonter jusqu'à Gorée, ce qui augmentait encore les coûts. Avec tous ces trafiquants anglais, danois, français et hollandais croisant autour des côtes d'Afrique, faisant leur cour aux rois africains à coups de barriques d'eau-de-vie, de poudre de guerre et de fusils, la concurrence devenait terrible. Anglais et Danois proposaient des prix tels qu'un commerçant sans grands moyens ne pouvait rivaliser avec eux. Au prix où désormais était le nègre, on ne pourrait bientôt plus en acheter et le *Lusitania,* qui aurait pu contenir six cents hommes et femmes, avait sa cale à moitié vide...

Somme toute, le capitaine Fereira n'était pas mécontent de son chargement. Pas un esclave âgé de plus de vingt ans et même plusieurs enfants. Bientôt ce serait l'heure de faire monter tout ce monde sur le pont pour le lavage général à l'eau de mer. A la différence de ces salauds de Français et d'Anglais, Fereira comme les autres Portugais n'enchaînait pas ses esclaves et veillait à la propreté des nattes sur lesquels ils dormaient. Car à quoi servait de voir mourir pendant la traversée des hommes et des femmes qu'on avait payés si cher ?

Depuis vingt ans que Fereira bourlinguait sur les mers, il connaissait tous les forts depuis Arguim : Saint-Louis, James Island,

1. Fort de la région de Ouidah dans l'actuel Bénin.

Cacheu, Assinie, Dixcove, Elmina, Anomabu... Après tant d'années, il avait fini par s'endurcir à son triste métier. Il avait même fini par ne plus entendre ce terrible gémissement fait de douleur et de révolte que les esclaves poussaient quand le navire s'éloignait pour toujours des côtes de l'Afrique. Fereira bourra sa pipe et regarda autour de lui. On apercevait encore l'arête tranchante de la jungle d'un vert si foncé qu'elle en semblait noire. Le soleil venait de se lever et pourtant, il était déjà terrible comme l'œil d'un cyclope enragé d'alcool et de luxure. Fereira ouvrit son livre de prières, car il était dévot. Quand il était à terre, ce qui était rare, il communiait tous les dimanches et il n'embarquait jamais d'esclaves sans faire monter à bord un missionnaire qui les baptisait.

Comme il terminait ses prières, il vit sortir un couple de l'écoutille avant. Il reconnut l'homme tout de suite : c'était l'énergumène qui était monté subrepticement à bord. A vrai dire, le qualificatif d'énergumène ne lui convenait pas. Il s'agissait d'un jeune homme de seize ou dix-sept ans environ, admirablement découplé avec un beau visage sensible. On disait que c'était un Bambara. Or Fereira n'était familier que des Congolais, des Gabindas, des Angolais dont il s'approvisionnait au fort de São Tomé[2] et depuis peu, des Minas, des Ardras qu'il embarquait à Sã João de Ajuda. Comment l'homme était-il monté à bord ? La porte basse dite « porte de la mort » qui menait de l'esclaverie centrale de Gorée aux négriers était gardée nuit et jour par des soldats et des marins en armes. N'y accédaient que des esclaves étampés au fer pour marquer leur appartenance et soigneusement entravés. L'homme avait donc bénéficié de complicités. Cependant le véritable problème n'était pas là. Comment un homme pouvait-il s'offrir à devenir un objet de traite ? S'offrir à affronter l'horrible traversée ? Etait-il fou ?

Quand les marins l'avaient découvert et traduit devant leur capitaine, la première idée avait été de le jeter par-dessus bord. C'était sûrement une forte tête, venue fomenter une de ces mutineries d'esclaves dont tout navigant avait la terreur. Mais l'homme, avec une extraordinaire dignité, leur avait montré une croix. Etait-il donc baptisé ? Alors, on ne pouvait mettre à mort un enfant de Dieu, et, pris au piège, Fereira avait bien dû supporter sa présence. Il avait d'abord tenté de l'empêcher de s'approcher de la partie des ponts inférieurs que l'on réservait aux femmes, car il ne voulait pas de promiscuité à bord. Cela avait été impossible ! Avec la même autorité

2. Ile à la hauteur de la Guinée équatoriale, sert d'escale entre le Brésil et l'Angola lors de la traite.

tranquille, l'homme venait protéger une jeune Nago[3] que Fereira avait eu la chance de se procurer à l'entrepôt de Gorée. Fereira en ricanait. Une fois qu'ils seraient rendus à Pernambouc, ils connaîtraient leur malheur ! Les planteurs n'avaient pas de ces délicatesses. L'un d'entre eux achèterait l'homme et l'expédierait dans l'enfer des plantations de canne ou de café. Quant à la fille, étant donné son joli minois et son jeune âge, elle ne tarderait pas à devenir « maîtresse de maison » et à mettre au monde des bâtards métis. Fereira lui-même en avait deux ou trois d'une négresse mina.

Cependant le couple regardait la mer. Tant que la mer existe, l'homme ne peut être entièrement malheureux. Abandonné. Mer, immense bleu appliqué sur le corps de la terre ! Tes eaux sont amères. Pourtant doux sont les fruits de ton ventre. Tu es si puissante que l'homme avide d'or, de cauris, de café, de coton ou d'ivoire n'est pas parvenu à te dompter. Il te parcourt au galop de ses chevaux de fer. Mais quand tu t'irrites, roulant tes ondes, alors il redevient un enfant apeuré.

3. Synonyme de yoruba, ethnie de l'actuel Nigeria.

*Deuxième partie*

# LE VENT DISPERSE LES GRAINS DE MIL

# 1

Quand Malobali eut environ dix ans, alors qu'il venait de rosser et de jeter par terre un de ses camarades de jeux, l'enfant, en se relevant, l'injuria :

— Sale Peul !

Malobali entra en courant dans la case de Nya :

— Ba[1], Diémogo m'a appelé Peul. Pourquoi ?

Nya le regarda gravement et fit :

— Tu es sale, tu es en sueur. Va prendre ton bain et reviens.

Malobali s'en va vers la case de bains des enfants et vociféra après une esclave pour qu'elle lui apporte des calebasses d'eau très chaude. C'était un petit garçon violent et querelleur à qui sa trop grande beauté avait complètement gâté le caractère. Il était habitué à être complimenté, à se voir singulariser dans tous les groupes d'enfants. Sa mère l'adulait. Tout ployait devant lui. Il se baigna, s'oignit le corps de beurre de karité, enfila le pantalon bouffant qu'il portait depuis sa circoncision et revint dans la case de Nya. Celle-ci avait allumé sa lampe au beurre et des ombres se jouaient contre les cloisons. Elle lui fit signe de s'asseoir sur la natte. Mais il préféra se blottir contre elle. Elle dit doucement :

— Tu n'es pas Peul, mais ta mère l'était.

Malobali répéta sidéré :

— Ma mère ? Est-ce que tu n'es pas ma mère ?

1. Mère en bambara.

Nya le serra plus fort contre elle. Elle avait toujours redouté ce jour, mais savait qu'il faudrait l'affronter :

— Je suis ta mère puisque je suis la femme de ton père et puisque je t'aime. Pourtant ce n'est pas moi qui t'ai porté dans mon ventre…

Et doucement elle lui parla de Sira. De sa captivité. De son concubinage avec Dousika.

— Un soir elle est entrée dans ma case. Elle te tenait par la main et portait au dos la petite fille qu'elle a eue après toi. Elle m'a dit : « Je pars, mais je te confie mon fils. »

Malobali bondit

— Pourquoi ne m'a-t-elle pas emmené avec elle là où elle allait ?

Nya lui baisa le front :

— Parce que les garçons appartiennent à leur père. Tu es du clan des Traoré…

Malobali fondit en larmes :

— Pourquoi est-elle partie ? Pourquoi ?

Nya eut un soupir. L'enfant allait-il la comprendre ? Elle tenta de trouver des mots simples :

— Vois-tu, pendant longtemps, les Peuls ont vécu à côté de nous sans que nous leur prêtions attention. Parfois même, nous les méprisions parce qu'ils ne bâtissaient pas et ne cultivaient pas. Ils allaient çà et là avec leurs troupeaux. Puis un jour, tout a changé. Ils se sont groupés et se sont mis à nous déclarer la guerre. Tout cela à cause de l'islam. Tu vois, l'islam est un couteau qui divise. Il m'a pris mon premier-né…

Mais Malobali, qui se souciait peu des ravages de l'islam, l'interrompit :

— Tu as des nouvelles de ma mère ?

Nya inclina la tête :

— Oui, il y a quelques années, elle m'a fait savoir qu'elle s'était remariée et vivait à Tenenkou.

Malobali se mit à hurler :

— Je la hais, je la hais !

Prestement, Nya mit sa main sur ses lèvres. Ah, que les ancêtres n'entendent pas l'enfant clamer qu'il hait sa mère ! Puis elle le couvrit de baisers :

— Elle a beaucoup souffert de te quitter, j'en suis témoin. Mais il a fallu qu'elle rejoigne les siens. Depuis son départ, ton père n'est plus le même homme : il n'a plus goût à rien. Trop de coups, trop de coups. D'abord sa brouille avec le Mansa, puis la conversion de Tiékoro, la disparition de Naba… C'est trop !

Nya retint des larmes provoquées par un coupable apitoiement sur elle-même et s'efforça de ne songer qu'au chagrin de l'enfant.

C'était pourtant vrai que la vie dans la concession de Dousika n'était plus ce qu'elle était.

L'année précédente, le Mansa Monzon était mort, pris d'incoercibles diarrhées. Et sa mort avait porté un dernier coup à Dousika. Ce n'était plus qu'un vieillard, s'interrogeant interminablement sur les raisons de la cabale qui l'avait écarté de la cour. Si seulement il avait pu faire sa paix avec Monzon avant que la mort ne le prenne ! Non, ce fut seulement le son funèbre du grand tabala[2] qui lui avait annoncé, comme à tous les autres habitants du royaume, qu'il était devenu orphelin. Ensuite, parmi la foule, il s'était rendu dans le premier vestibule du palais, où était exposé le corps, pour lui rendre un dernier hommage. Et quand il avait vu la dépouille de Monzon, frottée de karkadé[3] et de beurre de karité, étendue sur un suaire, une queue de bœuf fraîchement abattu dans la main droite, il avait cru contempler son propre cadavre.

Nya étreignit Malobali :

— Quand tu seras grand, rien ne t'empêchera d'aller la voir, ta mère ! Elle t'aimait tant, je me demande parfois comment elle parvient à vivre sans toi...

Malobali, bien sûr, n'en crut rien. Essuyant ses yeux de ses poings fermés, il se leva et sortit. Malgré son jeune âge, il sentait que désormais plus rien ne serait semblable autour de lui. La nuit se peuplerait de peurs, d'angoisses, d'interrogations de toutes sortes. Sa mère ! La femme qui l'avait porté neuf mois dans son ventre lui avait tourné le dos ! Entre ses deux enfants, elle avait choisi celui qu'elle devait emmener avec elle, celui qu'elle devait laisser. Quelle abominable décision ! Et après cela, elle avait pu se laisser courtiser par un autre homme, lui donner son corps, lui donner des fils et des filles ? Mère cruelle, marâtre ! Aucune injure ne la fustigerait assez !

Malobali passa devant la case où il dormait avec une bonne douzaine de frères, demi-frères et cousins et aperçut Diémogo, qui, à sa vue, battit prestement en retraite. En réalité, Diémogo ne savait rien de précis concernant Sira et n'avait fait que répéter un mot qu'il entendait accoler à celui de Malobali dans les conversations des adultes. Sans s'arrêter, Malobali continua jusqu'à la case de Dousika, décidé, malgré son jeune âge, à l'interroger.

Mais il était dit que le père et le fils ne s'expliqueraient pas ce

2. Tambour royal annonçant la mort ou la guerre, ou autres grands événements.

3. Ou oseille de Guinée.

soir-là, car l'état de Dousika, qui se plaignait de douleurs depuis quelques jours, avait brusquement empiré. Ses femmes, Nya exceptée, s'affairaient autour de lui, celle-ci lui portant des fumigations de « feuilles d'hippopotame » pour apaiser ses courbatures, celle-là des infusions de nété pour faire baisser sa température, celle-là encore de la décoction d'écorce de nyama pour arrêter ses diarrhées. La case sentait la sénilité et cette odeur qui précède celle de la mort.

Diémogo, cadet de Dousika, qui, depuis deux ou trois ans à présent, faisait fonction de fa dans la concession était au chevet de son aîné. Celui-ci chevrotait :

— Je vais mourir. Crois-moi, cela ne me fait pas peur. Mais je voudrais revoir mes fils. Du moins ceux qui me restent, puisque je ne reverrai jamais Naba dans ce monde. Surtout Siga. Bien sûr, j'ai obéi aux ancêtres en l'envoyant à Tombouctou avec Tiékoro, mais je me demande si cela n'a pas été trop dur, si, en fin de compte, cela n'a pas été injuste…

Diémogo se demanda si l'approche de la fin ne faisait pas délirer son frère. Mettre en doute la sagesse d'une décision dictée par les ancêtres ! Il garda ces pensées pour lui, se bornant à murmurer :

— Koro [4], où veux-tu que nous les trouvions ? Nous savons que Tiékoro est à Djenné, c'est tout. Quant à Siga, la dernière fois que nous avons entendu parler de lui, c'était par des caravaniers qui l'avaient croisé dans le Touat…

Dousika ferma les yeux :

— Je dois les voir. Sinon mon esprit ne trouvera jamais la paix. Il ne cessera jamais de se plaindre et de rôder parmi vous.

Diémogo soupira :

— Je ferai tout, alors.

Malobali regardait tout cela de ses yeux d'enfant. L'état de son père ne l'affligeait pas. Comme la maladie et la déchéance physique aux êtres très jeunes, il lui répugnait plutôt. Les visages en pleurs des femmes, les gestes de deux ou trois féticheurs-guérisseurs accroupis dans l'ombre, les plaintes de son père, la face luisante et l'haleine fétide, composaient un tableau qu'il n'était pas près d'oublier. Est-ce que la mort était cachée dans les coins sombres de la pièce, attendant l'heure ? Sans savoir pourquoi Malobali se l'imaginait sous les traits d'une très vieille femme complètement chauve, les yeux couverts de taies, à la fois pathétique et féroce, qu'il voyait parfois dans la concession voisine. Un jour, elle avait laissé tomber ses pagnes et il avait entrevu ses fesses ridées et souillées d'excréments.

4. Grand frère en bambara.

Brusquement Nyéli, la deuxième femme de Dousika, qui le détestait comme elle avait détesté sa mère avant lui, l'aperçut. Avec des cris hystériques, elle le chassa.

Or, il se passait des choses extrêmement graves au royaume de Ségou.

Da Monzon avait succédé à son père dans le tumulte des tabala et des dounoumba. Tourné vers l'est, il s'était assis sur la peau de bœuf qui lui avait appartenu pour recevoir tous les attributs de la souveraineté, les arcs, les flèches, la lance, le couteau du bourreau, puis les sages l'avaient coiffé du bonnet auquel pendaient de lourds anneaux d'or tandis que le chef des griots hurlait :

— Tu n'as plus de famille, Da Monzon ! Tous les enfants de Ségou sont tes enfants ! Tiens toujours ta main tendue, non pour recevoir. Mais pour donner !

Jour de liesse extraordinaire !

Hélas ! à peine intronisé, Da Monzon avait dérouté. Pour l'ensemble des Segoukaw, les Peuls étaient des étrangers que leurs Mansa soumettaient, razziant leurs troupeaux quand cela leur chantait. Or voilà que Da Monzon se mettait à faire une différence entre Peuls islamisés et Peuls fétichistes, nouant des alliances avec les seconds contre les premiers. Etait-ce sage ? C'est comme un étranger qui se mêle d'une querelle de famille. Après, toutes les parties se réconcilient. Sur son dos !

L'ardo du Macina Gourori Diallo lui ayant fait savoir que le marabout Amadou Hamadi Boubou l'importunait, il lui avait envoyé des tondyons pour l'aider à le mettre à la raison.

Or les tondyons s'étaient fait battre à Noukouma. Battus, les tondyons ! Et par qui ? Par cet Amadou Hamadi Boubou ? Qui était-il ? Personne à Ségou n'était capable de le dire avec certitude. C'était un Peul, voilà tout.

Da Monzon sentait bien que la puissance de Ségou commençait à s'effriter. Il avait convoqué Alfa Seydou Konaté, célèbre marabout de Sansanding qui lui avait déclaré :

— Un Peul s'est levé qui fera échec à la puissance de Ségou. D'autre part, en ce qui te concerne, ce n'est pas ton fils Tiékoura qui te succédera, mais un de tes frères. Lequel ? Je ne peux encore te le dire. Quant au mal dont tu souffres, tu n'en guériras jamais.

Après ces terribles paroles, le silence s'était fait. Tous les esclaves avaient été chassés pour cette entrevue secrète avec le grand devin et il n'y avait dans la salle du palais que le roi, le marabout et le chef des griots Tiétigui Banintiéni. Devant la visible détresse du

Mansa, Tiétigui Banintiéni lui avait adressé un petit sourire railleur comme pour l'inviter à minimiser ces prédictions. Oubliait-il qu'il existait à Ségou des féticheurs capables de dénouer toutes les cabales du destin ? Mais Da Monzon ne fut pas rassuré. Il se mit à parcourir la pièce au rythme heurté de ses pensées, s'arrêtant tout net, repartant, revenant en arrière. Si les Peuls, à présent islamisés jusqu'au fanatisme, devenaient si dangereux, ne fallait-il pas faire la paix de toute urgence avec les frères ennemis du Kaarta afin qu'il n'existe qu'un seul front de lutte ? Mais alors quel prétexte trouver ?

Alfa Seydou Konaté s'était levé :

— Maître, si tu me le permets, j'aimerais me retirer. De Sansanding à Ségou, la route est longue...

Da Monzon lui ayant signifié son assentiment, Alfa Seydou Konaté se retira avec la morgue des musulmans qui prétendent ne se prosterner que devant Dieu.

Depuis son accession au trône, Da Monzon avait apporté nombre de modifications à l'ameublement du palais. Il avait fait construire une sorte de salon particulier avec des fauteuils d'Europe et des canapés très bas couverts de couvertures marocaines. En outre, il avait fait l'acquisition de hauts chandeliers d'un métal brillant dans lesquels étaient fichées des bougies. Ainsi la nuit n'existait plus et le souverain avait reçu un nouveau titre qui s'ajoutait à ceux qu'il possédait déjà : maître de la bataille, long serpent protecteur de Ségou, source de vitalité. C'était celui de « maître des soleils de la nuit ».

Da Monzon allait et venait dans la lumière artificielle des bougies, son visage ruisselant de sueur. Brusquement, il se rassit et retrouva son air royal :

— Tiétigui, si nous demandions une femme à Ntin Koro, le Mansa du Kaarta ?

Le griot regarda le Mansa, ahuri, incapable de suivre les calculs de son esprit et fit :

— Une femme ?

L'autre eut un geste d'impatience et, sans daigner s'expliquer davantage, ordonna :

— Renseigne-toi ! Vois si parmi les filles de Ntin Koro, il en est une qui soit d'âge à marier et reviens m'en informer...

Da Monzon n'avait pas les qualités de stratège de son père. C'était un homme vain, capable de faire mettre à mort quelqu'un qu'on disait plus beau que lui, et dépensant des fortunes pour un joli minois. Pourtant, aux heures d'urgence, il savait se ressaisir. Puisque les Peuls menaçaient le monde « fétichiste », et bien, le monde fétichiste devait enterrer ses querelles et faire front contre eux ! Au fond de lui-même, Da Monzon ne comprenait pas qu'on puisse faire la guerre au nom de la religion. Est-ce que chaque peuple n'est pas libre d'honorer qui lui plaît ? Ségou, qui contrôlait tant de cités étrangères, n'avait jamais cherché à leur imposer ni ses dieux ni ses ancêtres. Au contraire, elle s'emparait des leurs pour grossir son panthéon et mieux les subjuguer.

Les dieux sont multiples. Il n'y a pas de dieu unique. Quelle était cette prétention d'Allah à régner seul, en excluant les autres ?

La vieille rivalité entre les familles régnantes, Coulibali du Kaarta d'une part, Diarra de Ségou d'autre part, devait donc être oubliée. Il enverrait une délégation auprès du Massasi et, par le biais d'une épouse, scellerait la nouvelle alliance. Puis leurs armées s'uniraient et on verrait bien si elles ne pourraient pas renvoyer ces éleveurs à leur bétail ! Alors, Da Monzon se sentit relativement apaisé. Regardant autour de lui, il se vit seul dans la grande pièce décorée de tentures à la marocaine et frappa violemment dans ses mains. Le peuple des esclaves et des griots qui attendait dans l'autre pièce s'avança et mesura d'un regard l'humeur sombre du Mansa. Aussitôt les griots rivalisèrent d'attention :

— Que veux-tu que nous te chantions, maître des soleils de la nuit ?

Da Monzon hésita :

— Que savez-vous de ce Peul qui commence à m'ennuyer comme un taon sur la queue d'une vache ?

Le jeune griot Kéla frappa son tamani :

« Un vacher de Fittouga, converti à l'islam, rencontra une vachère dans la boue du podo non loin de Djenné. Ils se marièrent et bientôt le ventre de la vachère enfla comme une courge. Au bout de six mois, il sortit un fils, chétif comme tous ceux de cette race, Amadou Hammadi Boubou. Le jour de sa circoncision, il se mit à pleurer :

" Ah, mon père ! Ecarte ce couteau ! Pourquoi me faire cette blessure ? Ah mon père, écarte ce couteau ! "

« La mère eut honte de son fils. Elle lui dit : " Va-t'en, je ne veux plus te voir. " Alors Amadou Hammadi Boubou s'en alla à Rounde Sirou et, frottant son front dans la poussière, cria : " Venez, je suis l'envoyé d'Allah ! Bissimillahi, Allah miséricorde ! "

« Les Marocains de Djenné en eurent les oreilles échauffées : " Quel est ce vacher qui se dit envoyé d'Allah ? " Ils le renvoyèrent à la boue du marigot de Dia auprès de ses bêtes... »

Da Monzon écoutait ce chant satirique destiné à l'amuser et ne parvenait pas à en sourire. Vacher ou non, Amadou Hammadi Boubou avait déjà battu une de ses colonnes. Si on pouvait considérer cela comme un incident mineur, au dire d'Alfa Seydou Konaté, d'autres rencontres ne tarderaient pas qui seraient fatales. Brusquement Da Monzon se demandait s'il ne valait pas mieux provoquer ces rencontres et s'appuyant sur l'effet de surprise, les transformer en victoires. Pourtant, pour s'assurer du succès, il fallait être fort. Très fort.

« " Quel est ce vacher qui se dit envoyé d'Allah ? " Et ils le renvoyèrent à la boue du marigot de Dia. Alors les enfants s'attroupèrent autour de lui : " Puisque tu es envoyé d'Allah, tu n'as pas besoin de ta couverture " Et ils la lui arrachèrent… »

Impatienté, Da Monzon fit signe à Kéla de se taire. Aussitôt un chanteur prit la relève, s'accompagnant d'une guitare, bientôt soutenu par un bala et ce furent les seuls bruits dans la pièce.

Da Monzon revivait les conquêtes de son père, la manière dont il avait fait reculer les limites de l'empire. Serait-il celui qui présiderait à son effondrement ? Serait-ce là le souvenir que les griots garderaient de lui ? Non, dès le lendemain, il ferait convoquer les chefs des villes et des cantons de Ségou et il leur proposerait la réconciliation avec le Kaarta. Ayant pris cette décision, il s'apprêtait à se retirer auprès de sa dernière favorite quand le griot Tiétigui Banintiéni réapparut :

— Maître des eaux et des énergies, je viens d'apprendre que Dousika Traoré est au plus mal. Ses frères ont confié des messages à des caravaniers pour prévenir ses fils qui sont au loin…

Da Monzon eut un léger haussement d'épaules. Quelle vie ne se termine par la mort ?

Mais Tiétigui s'approcha de lui :

— Rappelle-toi pourquoi ton père l'a banni de la cour. N'est-ce pas parce qu'il était en relation avec les Coulibali du Kaarta ? Si tu veux te rapprocher de ces derniers, ne serait-ce pas de bonne politique que prétendre le réhabiliter avant sa mort ? Il va laisser derrière lui une vingtaine d'enfants. Envoie des présents à ses femmes, surtout à sa bara muso. Visite-le même avant qu'il ne soit trop tard… De tels gestes impressionneront favorablement les Massasi et les prépareront à tes requêtes… Car à présent, je crois que je devine ton dessein…

Les deux hommes se regardèrent. Un roi n'a pas de conseiller plus intime, d'ami, d'âme damnée comparable au chef des ses griots. Il n'entreprend rien sans le mettre dans sa confidence et peut compter sur sa dévotion. Tiétigui, du temps que Da Monzon était prince, exécutait déjà ses sales besognes, intriguant, flattant à son profit. C'est en partie grâce à lui que Da Monzon avait eu l'avantage sur ses douze frères en âge de régner à la mort de Monzon et en particulier sur son aîné. Une fois de plus, il admira la finesse d'esprit de Tiétigui. Naissances, mariages, décès, voilà les événements de la vie qui doivent être utilisés par ceux qui veulent dominer le monde ! Il hocha la tête :

— Dépêche-lui mon guérisseur personnel et demande-lui de bien s'affairer. Moi, je le visiterai demain.

Cependant, l'âme de Dousika avait, sans qu'on s'en aperçoive, quitté son corps. Légère, invisible aux yeux des humains, l'âme, avant d'être récupérée par les forgerons-féticheurs et assignée de nouveau à résidence dans le corps d'un nouveau-né, savoure de brefs instants de liberté. Alors, elle flotte au-dessus des fleuves, s'élève au-dessus des collines, aspire sans frissonner l'épaisse vapeur qui monte des marigots, et se pose dans les coins les plus secrets des concessions. Elle ne connaît pas les distances, l'âme. Pour elle, le large damier des champs cultivés n'est qu'un point dans la démesure de l'espace. Elle se dirige suivant les astres.

L'âme de Dousika survola donc le podo. Les bas-fonds étaient couverts de larges fleurs mauves du nénuphar, car les premières pluies étaient tombées et les troupeaux des Peuls s'enfonçaient jusqu'aux genoux dans la terre grasse. Puis, tournant le dos à Djenné, elle traversa le marigot de Moura jusqu'à Tenenkou, capitale du Macina.

Il ne faudrait pas croire que tous les Peuls étaient partisans de la révolution religieuse conduite par Amadou Hammadi Boubou. Certes, ils n'étaient pas mécontents de donner une leçon à ces agriculteurs guerriers qui trop longtemps avaient razzié leur bétail. Mais de là à se raser la tête, à renoncer aux boissons fermentées et à se prosterner par terre cinq fois par jour ! En outre, des mots inconnus auparavant se mettaient à circuler :

« La foi est comme un fer chaud, clamait Amadou Hammadi Boubou. En se refroidissant, elle diminue de volume et devient difficile à façonner. Il faut donc la chauffer dans le Haut Fourneau de l'Amour et de la Charité. Il faut tremper nos âmes dans l'élément vitalisant de l'Amour et veiller à garder ouvertes à la Charité les portes de notre âme. Ainsi nos pensées s'orienteront-elles vers la méditation. »

Qu'est-ce que tout cela signifiait ?

Le mari de Sira était de ceux qui comprenaient le sens de ces paroles. Amadou Tassirou avait été l'élève de cheikh Ahmed Tidjani, fondateur d'une secte musulmane, la Tidjaniya, et bien qu'il ne portât pas lui-même le titre prestigieux de cheikh, se contentant de celui de modibo[5] c'était un saint. Dans sa maison, il possédait une bibliothèque, riche de plusieurs ouvrages de théologie, de scolastique, de droit dont le célèbre Djawahira el-Maani[6]. Il avait épousé Sira parce qu'aucun homme de son rang n'en voulait plus, après son long concubinage avec un Bambara. A son retour à Tenenkou, elle s'était mise à vivre avec sa mère et nourrissait sa fille du fruit du gossi[7] ou du koddé[8], qu'elle vendait au marché. Ainsi, Amadou Tassirou croyait s'être procuré une servante, éperdue de reconnaissance. Or après quelques mois de mariage, il avait dû se rendre à l'évidence et admettre qu'il avait fait un mauvais calcul. Sira était arrogante, sans aucune des modesties qui conviennent à son sexe, avec un air de le juger, de le railler qui le mettait hors de lui. Pour l'humilier, il avait pris une deuxième épouse, à peine pubère. Celle-ci était morte en couches. Alors, il avait compris que Dieu l'avait affligé de Sira dans un dessein particulier. Lequel ?

Il l'attira contre lui. Elle se raidit et fit avec impatience :

— Qu'est-ce qui t'arrive ?

Elle murmura :

— L'enfant a bougé dans mon ventre...

Il fut bien forcé de la laisser aller. Sinon elle le regarderait à nouveau d'un air railleur. Un dévot qui n'oublie ni lazim[9], ni wazifat, ni zohour, ni asr, ni maghreb, ni icha[10], prendre sa femme enceinte au-delà du temps prescrit !

En réalité, Sira mentait et ne voulait que mortifier Amadou Tassirou. Chaque jour, sa pensée retournait à Ségou. Sa fille, ses deux fils et l'enfant dans son sein ne la consolaient pas de Malobali. A quoi ressemblait-il à présent ? A un jeune palmier du désert, les cheveux tressés en cadenettes, la cornée de l'œil d'un blanc étincelant, les pommettes un peu hautes, le teint clair. Nya lui avait-elle parlé d'elle ? Alors il devait la haïr. Pourtant si elle ne lui avait rien dit, cette ignorance n'était-elle pas plus douloureuse que la haine ? Il allait, courait, mangeait, dormait, sans savoir qu'à des jours de distance, la pensée de sa mère ne le quittait pas. Pour l'heure, Sira ne se souciait pas seulement de Malobali. Une angoisse qu'elle ne s'expliquait pas l'avait envahie et elle revoyait sa vie avec Dousika. Quel temps elle avait mis à se séparer de lui ! A chaque saison

5. Lettré musulman.
6. « La Perle des significations » de cheikh Ahmed Tidjani.
7. Gossi : bouillie de mil.
8. Koddé : farine de mil plus lait caillé.
9. Prières propres à la Tidjaniya, récitées 2 fois par jour.
10. Les cinq prières de la journée d'un musulman.

d'hivernage, elle prenait cette décision pour la remettre à la saison sèche. Ce n'étaient pas les bruits de haches et de lances entre Bambaras et Peuls qui l'avaient finalement convaincue. Ce n'était pas non plus une attirance pour l'islam auquel les Bambaras se refusaient farouchement. Non, c'était le désir de se mortifier. L'esclave ne doit pas aimer son maître sinon elle perd le respect d'elle-même. Il fallait partir. Retrouver les siens devenus curieusement étrangers. Tenenkou s'était modifiée. Ce n'était plus un informe campement de cases en paille, édifiées rapidement autour d'un clayonnage de branches souples. On comptait des maisons de terre dont certaines avaient l'élégance de celles de Djenné. Un véritable port s'était construit sur le marigot de Dia à Pinga où affluaient les commerçants venus de toutes les cités du fleuve. C'étaient des maçons de Djenné qui avaient édifié la mosquée sans minaret ou ornement architectural autour de laquelle fleurissaient une centaine d'écoles coraniques. Pourtant, Sira ne pouvait oublier Ségou, la liberté heureuse de ses rues, les chants s'échappant des concessions, le va-et-vient des femmes allant puiser l'eau au fleuve, le hennissement des chevaux conduits par des palefreniers à demi nus. Il lui semblait que l'islam donnait à la vie une coloration austère et grisâtre. Une tablette de sumane [11] sous le bras, les enfants se dirigeaient vers les prisons des écoles. Le matin, des taalibé [12] grelottants se répandaient dans les rues psalmodiant :

« Sache que la clé de la connaissance de Dieu est la connaissance de l'âme ainsi que Dieu l'a dit lui-même. Le Prophète a dit : " Celui qui connaît son âme connaît son Seigneur. " »

Et les femmes drapées de vêtements informes semblaient ne plus se soucier de leur beauté, qui écartait les hommes du souci de Dieu.

Sira se tourna et se retourna sur la natte comme si un œil l'observait. Elle se redressa pour scruter l'obscurité. Qui se cachait dans l'ombre ? A côté d'elle, Amadou Tassirou s'était endormi, et elle se rappela les nuits avec Dousika. Parfois les contours de la lucarne blanchissaient avant qu'ils ne s'endorment. Ensuite, évitant les regards pénétrants de Nya et de Niéli, elle regagnait sa case et là, elle se haïssait pour le plaisir donné et le plaisir reçu. C'est un de ces matins-là qu'elle avait décidé de s'en aller.

Sira finit par s'asseoir sur la natte. Elle en était sûre, une présence palpitait près des larges calebasses contenant les vêtements. Mais quand, en hâte, elle alluma la lampe au beurre, elle ne surprit rien, hormis la fuite de quelques rongeurs.

Dousika ?

---

11. Bois tendre (littéralement le parfumé).
12. Petits élèves d'une école coranique confiés à un marabout.

C'était lui : il avait besoin d'elle.

Des marchands revenant de Ségou lui avaient appris que sa santé déclinait, que ses cheveux blanchissaient comme la brousse en saison sèche, que sa taille s'alourdissait. A présent, elle le sentait, il était au plus mal et son âme l'interpellait doucement. Peut-être souhaitait-elle se glisser dans l'enfant qu'elle portait afin de demeurer auprès d'elle ? Sira eut peur et mit les mains sur son ventre comme pour se protéger. A ce moment, le plafond fait d'un latis de bois recouvert de rameaux grinça et elle crut reconnaître la plainte d'une voix familière.

Dousika ! Oui, c'était lui !

Les murs de la case s'écroulèrent. Les eaux recouvrant le podo refluèrent tandis que l'humidité de l'air se changeait en une chaleur sèche et brûlante. Ségou. Dans les cours du palais du Mansa, les esclaves filaient, tissaient, ou lavaient à grande eau les étoffes trempées au préalable dans la boue des mares. Un homme avait traversé cette foule. Leurs regards s'étaient rencontrés. C'étaient les meilleures années de sa vie.

Une esclave ne doit pas aimer son maître sinon elle perd le respect d'elle-même. Sira replaça dans la niche creusée dans le mur la lampe au beurre, puis l'éteignit d'un souffle avant de se recoucher. Amadou Tassirou finit par grommeler :

— Qu'est-ce qu'il y a ?

Puis, se tournant sur le côté, il l'enserra de ses bras. Après tout, il en avait le droit, il était son mari. Pour la créature dépréciée qu'elle était, il n'avait pas hésité à donner une dizaine de têtes de bétail à robe luisante et à cornes effilées. Il traitait M'Pènè, la fille qu'elle avait eue de Dousika comme sa propre enfant, car c'était un homme de Dieu. Que lui reprochait-elle ?

Cependant l'âme de Dousika s'était adossée à la lucarne obstruée d'un bout de poterie. Ne pouvant souffrir le spectacle qu'offrait Sira dans les bras d'Amadou Tassirou, elle imaginait les pires vengeances. Entrer dans le sein de Sira, habiter son enfant, le faire mourir, traquer ensuite tous ceux qu'elle porterait pour les mener un par un à la tombe. Occuper entièrement l'espace de son ventre, en boucher les interstices et la rendre stérile. Ou encore s'emparer de son corps déserté lors du sommeil et concevoir des monstres.

Sous ce regard terrible, Sira se recroquevillait sur la natte, gémissait, s'éveillait à demi pour sombrer à nouveau dans l'inconscience.

# 2

Les griots royaux atteignaient déjà la concession de Dousika, suivis des musiciens, des chanteurs, des danseurs quand Da Monzon, lui-même entouré d'esclaves l'éventant avec des plumes d'autruche, mettait tout juste le pied hors du palais. Comme il se montrait rarement en public, en dehors des expéditions guerrières, toute la ville était sortie pour le voir et l'acclamer. Les gamins s'étaient juchés aux branches des cailcédrats et des arbres à karité cependant que, sans vergogne, les femmes jouaient des coudes pour s'approcher au plus près. Da Monzon était vêtu fort simplement d'un pantalon bouffant blanc et d'un boubou rouge, car il avait adopté cet habit musulman. Il ne portait comme attribut de sa souveraineté que le long bâton gainé de cuir et le sabre à large palette. Mais il n'avait pas résisté au plaisir de chausser des bottes de cuir jaune brodées de rouge, venues de la côte par le biais des trafiquants.

Ceux qui ne l'avaient pas vu depuis son intronisation s'exclamaient qu'il était encore plus beau que son père, avec sur ses tempes les trois balafres royales, à son nez l'anneau de cuivre ouvert que Monzon avait porté comme lui et ses deux grandes tresses croisées sous le menton. C'était sa démarche que l'on appréciait par-dessus tout, son grand pas chaloupé qui mettait en relief la minceur de sa taille. On comprenait que tant de femmes se soient pâmées pour lui et que son harem ne compte pas moins de huit cents créatures à sa dévotion.

Cependant quand le griot Kéla franchit le seuil de la concession, un des frères de Dousika lui souffla que ce dernier n'avait pas attendu le Mansa et venait de passer. Kéla remonta le cortège en courant, signifiant aux joueurs de tam-tams, de bala et de buru de faire sourdine et se jetant dans la poussière aux pieds de Da Monzon, lui dit :

— Pardonne-lui, maître des eaux et des énergies, il s'en est déjà allé...

Da Monzon ne rebroussa pas chemin pour autant.

A présent les lamentations des femmes couvraient les accords de musique et selon une coutume récemment introduite, on tirait des coups de feu dans la concession du défunt avec les fusils de traite qu'il avait possédés. A ce bruit, d'autres femmes sortaient en hurlant des concessions voisines et couraient vers le lieu du deuil. Certaines se roulaient dans la poussière des rues tandis que des nuées de griots surgissaient pareils à des sauterelles s'abattant sur un champ et commençaient de clamer l'arbre généalogique et les hauts faits de Dousika. Da Monzon adressa un signe discret à Kéla et celui-ci commença de chanter à son tour. C'était là une marque d'honneur suprême : être loué par le griot du Mansa en sa présence ! Dans la case de Dousika régnait au contraire un silence contrastant avec le tumulte du dehors. Les femmes de Diémogo lavaient le corps avec de l'eau chaude aromatisée de basilic tandis que la dernière femme de Dousika, Flacoro, dépliait des pièces de coton blanc tissé par les meilleurs artisans et soigneusement gardées à cette intention. Nya et Niéli, quant à elles, avaient disposé sur le sol une natte de grosse paille et par-dessus une natte fine et souple en feuilles d'iphène. Une fois le corps de Dousika déposé là-dessus, toutes les femmes prendraient place autour de la bara muso sur de petits tabourets et recevraient en silence les condoléances. Nya ne savait pas si elle éprouvait du chagrin.

Elle était d'abord soulagée car le Dousika qu'on allait bientôt mettre en terre n'était pas le Dousika qu'elle avait tant chéri. C'était un homme diminué avant l'âge, ressassant interminablement les déboires de sa vie comme si chaque existence n'était pas en fin de compte un long deuil, aigri et mesquin. Le matin, quand elle entrait dans sa case, elle se demandait à quel être elle avait affaire. La mort et le rituel de purification qui l'accompagne lui rendait un compagnon digne de son amour et de son respect.

Diémogo, frère cadet de Dousika, qui faisait fonction de fa, était installé dans le vestibule de la case de son frère. Il entendait s'approcher le cortège du Mansa, mais n'éprouvait aucun plaisir de cette réhabilitation tardive. Il savait que les honneurs des rois ne recouvrent qu'hypocrisie et se demandait quelle machination se tramait autour du corps encore chaud de Dousika. Puis, tout en remerciant les voisins, les amis, les parents qui déjà apportaient la volaille, les moutons destinés au repas rituel de viandes, il songeait avec chagrin que le dernier vœu de son frère n'avait pas été exaucé puisqu'il n'avait revu ni Siga ni Tiékoro. Ah, il faudrait abattre un bœuf, Dousika était un homme d'importance et tous les miséreux de Ségou viendraient se nourrir une dernière fois à ses frais. Il faudrait préparer des calebasses et des calebasses de dolo, des calebasses et des calebasses de to, des calebasses et des calebasses de sauce...

Da Monzon s'encadra dans l'unique porte d'entrée de la concession, traversa la cour principale au milieu des enfants interloqués et admiratifs et s'approcha du vestibule. Diémogo se jeta dans la poussière, murmurant :

— Pardonne-lui, maître des énergies, de ne pas t'avoir attendu...

Le Mansa lui fit signe de se relever cependant que Tiétigui Banintiéni se mettait à tournoyer autour de lui en criant :

*Koro, ton unique bâton d'appui s'est rompu*
*Il faut que tu apprennes à marcher seul*
*Quand tu avais besoin de soutien*
*Tu appelais ton frère*
*Quand tu auras encore besoin de soutien*
*Vers qui iras-tu à présent ?*

Da Monzon n'entra pas à l'intérieur de la case, car la toilette du mort n'était pas terminée. Il fit signe à ses esclaves de remettre à la famille les sacs de cauris qu'ils portaient et présenta ses condoléances à Diémogo et aux frères cadets. Aux alentours, Koumaré et les autres forgerons-féticheurs accroupis dans le sable interrogeaient la volonté des ancêtres. Diémogo serait-il un bon fa ? Saurait-il gérer les vastes biens de la famille, protéger les nombreux enfants et les femmes, éviter les querelles entre esclaves ? A Ségou, il arrivait souvent que les esclaves et leurs enfants, se liguant, fassent la loi dans les foyers. A qui reviendraient les épouses de Dousika ? Les partagerait-on par ordre de primogéniture ? Ou iraient-elles toutes à Diémogo, déjà époux de quatre femmes ? Autant de questions et les féticheurs retenaient leur souffle en fixant les plateaux divinatoires. Koumaré surtout était attentif, car il devait suivre l'âme de Dousika dans son voyage jusqu'à la demeure des ancêtres. Toutes les forces déchaînées par ceux qui l'avaient haï de son vivant le guettaient pour l'égarer dans cette région sombre et torride où l'on ne retrouve jamais la paix afin que lui soit interdite la réincarnation dans le corps d'un enfant mâle.

Koumaré mâcha vigoureusement une noix de kola, puis projeta

sa salive chargée de jus brunâtre et de débris contre les parois de la case de Dousika, puis il s'en alla égorger les bêtes qui, cuites ensemble, serviraient au repas funèbre. Pendant ce temps, un autre prêtre pétrissait la figure en terre du défunt que l'on placerait dans la petite case qui contenait déjà, avec les boli, la représentation des ancêtres de la famille. Tous ces préparatifs rappelaient à Da Monzon ceux qui avaient eu lieu un an plus tôt, lors de la mort de son propre père. Bien sûr, l'échelle des présents n'était pas la même. A la mort de Monzon, il n'avait pas fallu moins de sept pièces du palais pour abriter les cauris et l'or qui affluaient de tous les coins du royaume tandis que les chevaux, le bétail s'entassaient dans les cours. Distribués selon le vœu du défunt aux pauvres et aux voyageurs de passage ces biens avaient comblé des centaines d'individus. Pourtant au-delà de ces différences dues au statut des disparus, c'était la même atmosphère, ce mélange de réjouissances obligées et de chagrins particuliers, d'ostentation nécessaire et de réelle hospitalité et surtout cette terreur de l'inconnu qui venait de se manifester, masquée sous les chants, les danses, les plaisanteries. Da Monzon ne pouvait s'empêcher de penser à sa propre mort, au moment où il glisserait dans la fosse et où ses fils arroseraient la terre au-dessus de lui, en murmurant les paroles rituelles :

« Vois cette eau, ne te fâche pas, pardonne-nous, donne-nous de la pluie en hivernage et une abondante moisson. Donne-nous une longue vie, une postérité nombreuse, des femmes, des richesses... »

Il frissonna, songea à retourner au palais, mais alors il s'aperçut que son griot Tiétigui était en grande conversation avec un homme de belle mine qu'il ne connaissait pas. D'après sa haute taille, ses tatouages et son vêtement, on aurait dit un homme du Kaarta et Da Monzon se dit que Tiétigui n'oubliait jamais les intérêts du royaume.

A l'intérieur de la case, le corps de Dousika enflait et se décomposait rapidement, dégageant une odeur douceâtre. Koumaré et les autres forgerons-féticheurs comprirent que c'était là l'effet des humeurs causées par les soucis et les déboires des dernières années du mort et conseillèrent aux fossoyeurs de l'enterrer au plus vite. Ceux-ci en avisèrent la famille, mais Diémogo s'y opposa, déclarant qu'il fallait donner une chance aux fils du défunt de recevoir le terrible message et de revenir à Ségou. La plupart des gens présents pensaient que ce n'était pas sage, qu'il suffirait que les fils soient de retour pour les cérémonies du quarantième jour et concluaient hâtivement que Diémogo ne serait pas un bon fa. Trop timoré, trop respectueux de la coutume. A présent que Da Monzon était retourné dans son palais, l'atmosphère était moins solennelle et, sous l'effet du dolo, on commençait d'oublier le mort pour potiner, regarder les femmes et plaisanter. On se demandait surtout ce qui se passerait entre Diémogo et Nya. On savait qu'ils se haïssaient. Quand Dousika avait commencé de décliner, Nya s'était imaginé qu'elle prendrait les rênes de la maisonnée au nom de son fils Tiémoko. Diémogo avait promptement réuni le conseil de famille qui l'avait déboutée. Si Nya refusait d'épouser Diémogo, comme la tradition lui en donnait le droit, elle devrait retourner dans sa famille. Qui défendrait alors les intérêts de ses enfants ? Déjà Tiéfolo, fils aîné de Diémogo, semblait jouir d'une prééminence excessive sur tous. On rappelait que c'était au cours d'une chasse où il avait entraîné Naba, le deuxième fils de Dousika, que celui-ci avait disparu. De là à chuchoter que l'affaire était préméditée, il n'y avait qu'un pas que beaucoup de gens s'empressaient de franchir.

Diémogo dut finalement obéir aux recommandations des prêtres-féticheurs et donner aux fossoyeurs l'ordre de dresser l'abri sous lequel Dousika serait brièvement exposé. En même temps, on commença de creuser derrière sa case la fosse où il serait enterré. Les chants et les danses redoublèrent et tout le monde se mit à fixer Tiéfolo, notant qu'en vérité, il se comportait en héritier en titre, en fils premier-né. En réalité, Tiéfolo n'avait jamais pu se pardonner cette chasse fatale et toute son existence depuis ce jour n'était qu'une vaine tentative de l'oublier. Ses manières taciturnes et distantes, que l'on croyait hautaines, cachaient ses remords. Il venait de concevoir une idée, un moyen de se racheter. Il avait causé autrefois la perte d'un fils du clan ? Eh bien, aujourd'hui il en retrouverait un autre ! Aussi, profitant d'un moment où Diémogo se trouvait seul, il s'approcha de lui et souffla :

— Fa, permets-moi de prendre un cheval et de partir pour Djenné. Je me fais fort de ramener Tiékoro avant le quarantième jour…

Diémogo ne sut que dire. C'était assurément une bonne idée, car les esclaves qu'il avait dépêchés ne feraient pas plus de diligence qu'un enfant de la famille. Pourtant, avec tout ce qui se passait dans la région, embuscades des Peuls, captures en direction de la côte, était-ce prudent de laisser un jeune garçon s'aventurer sur les routes ! Il prit la seule décision possible :

— Nous allons consulter Koumaré.

Au même moment, une bouffée d'air lui apporta l'odeur pestilentielle que commençait de dégager Dousika et il comprit que l'inhumation ne saurait tarder davantage. Il envoya quérir Koumaré qui se tenait avec les fossoyeurs, récitant, tourné vers le Sud, les prières rituelles et l'entraîna dans un coin tranquille. Koumaré n'hésita pas. A peine eut-il trempé ses doigts dans le sable qu'il releva la tête :

— Ton fils peut partir, Diémogo.

Diémogo insista :

— Est-ce qu'il ramènera Tiékoro ?

L'autre eut une moue qui rendit son visage plus effrayant encore et fit :

— La nasse du pêcheur ne ramène pas que du capitaine !

Là-dessus, un esclave palefrenier amena un cheval, une superbe bête du Macina au poil noir luisant, sans autre tache qu'à l'un des pieds. La têtière de sa bride était couverte de gris-gris, d'amulettes, de petites cornes d'animaux contenant mille poudres destinées à protéger monture et cavalier. A la selle, on accrocha deux sacs contenant des provisions, des cauris et un énorme carquois plein de flèches. Tiéfolo, après s'être prosterné devant son père, prit son cheval par la bride. Aussitôt tous les enfants de la concession se précipitèrent à sa suite, en piaillant et battant des mains. Pour eux, c'était le couronnement d'une journée extraordinaire qui avait commencé avec la visite du Mansa et s'était poursuivie par cette débauche de mangeaille et de cidre de tamarinier. Les plus sages se bornèrent à le regarder sauter à califourchon sur le dos de la bête. D'autres coururent après lui à travers les rues brûlantes jusqu'au palais du Mansa. Les plus braves enfin poussèrent au-delà des murs de Ségou jusqu'aux berges du Joliba pour le voir prendre place avec sa monture dans une large pirogue. Le cheval, effrayé, hennissait, se cabrait et Tiéfolo le calmait et le flattait de la voix. Bientôt l'embarcation atteignit le milieu du fleuve dont les eaux étaient hautes, traversées de forts courants.

Quand le gros de la troupe des enfants regagna la concession, le cadavre de Dousika, enveloppé des deux nattes, reposait sous un abri devant sa case et chacun d'entre eux dut dominer sa frayeur, se couler dans l'ombre d'un adulte et implorer le pardon du mort. Ceux qui savaient parler tentèrent de répéter avec le chœur :

— Pardon ! Nous t'aimions, nous te respectons, sois heureux et protège-nous...

La voix haute des fossoyeurs, le visage des féticheurs et leur formidable appareil de gris-gris les terrifiaient et ce n'était pas là le moindre charme de ces heures exceptionnelles que soient si étroitement mêlés peur et plaisir, gaieté et douleur, liesse et chagrin.

Puis, chargeant le corps sur leurs épaules, les fossoyeurs se mirent à faire le tour de la concession au pas de course avant de revenir vers la tombe rouge et béante autour de laquelle tous les fils de Dousika s'étaient placés. Diémogo, quant à lui, tenait à la main les sandales de son frère, son canari à eau et un petit poulet blanc qui allaient être enterrés avec lui. Son visage était couvert de larmes, car il avait beaucoup aimé son frère. Mais les gens n'apprécièrent pas cette manifestation de faiblesse. C'est bon pour les femmes de sangloter, de hurler. Or, les épouses de Dousika demeurées dans la case se tenaient dignement sur de petits tabourets, drapées d'étoffes de coton. Pour elles allait commencer la longue réclusion du deuil : elles ne sortiraient qu'en cas d'absolue nécessité jusqu'au jour de la purification rituelle.

# 3

Tiékoro frappa dans ses mains et ses élèves s'égaillèrent, leur tablette de sumane sous le bras. Il n'avait pas beaucoup d'élèves, une quinzaine, venant des maisons voisines de ce quartier pauvre et dont les parents étaient souvent dans l'impossibilité de le régler. Au fond de lui-même, Tiékoro répugnait à se faire payer pour dispenser les indispensables éléments d'une vie spirituelle et religieuse. Il avait une profonde horreur du « marabout-quêteur[1] », mais il ne pouvait laisser la charge de l'entretien de la famille à Nadié… Quand ses élèves ne pouvaient lui apporter les cauris qu'ils lui devaient, alors, il acceptait du mil, du riz, de la volaille…

Etait-ce pour en arriver là qu'il avait fait tant d'études ? A cette cour étroite, sableuse où dans un coin était dressé un auvent sous lequel les élèves s'asseyaient ? A cette maison qui ne contenait que les objets les plus élémentaires ?… Tiékoro avait postulé pour un poste à l'université, cela lui avait été refusé. De même, il n'avait pas semblé qualifié pour être imam, cadi, muezzin. On lui avait seulement laissé la liberté d'ouvrir une école, mais il ne recevait aucun subside de la dina[2] et devait se contenter de rétributions individuelles. N'était-il pas docteur en théologie et linguistique arabes ? A quoi devait-il attribuer la méfiance dont on l'entourait, l'ostracisme dont il était victime ? Il était bambara, voilà tout. A Djenné, Marocains, Peuls, Songhaïs méprisaient et haïssaient les Bambaras. L'opprobre du

1. Nom donné au marabout qui ne vit que des dons des fidèles.
2. La société théocratique musulmane.

« fétichisme », de l'origine « fétichiste » les marquait comme au front d'un dévot le point noir des prosternations. Mais il semblait parfois à Tiékoro que la religion n'était pas seule en cause, que ce mépris et cette haine visaient tout autre chose. Quoi ?

Il rangea son chapelet dans sa poche, se leva, défroissant son boubou incrusté par endroits de brins de paille, puis se dirigea vers sa maison. La corporation des maçons de Djenné, les bari, était célèbre de Gao à Ségou, à travers tout le Tekrour et même jusqu'au Maghreb. On disait que les bari avaient appris leur art de construire d'un certain Malam Idriss, venu du Maroc des années auparavant, et qui avait travaillé à l'édification des palais des Askia, des Mansa et des madougvu[3] des chefs des grandes familles. Avec la terre du podo, parfois mêlée de coquillages d'huître pilés, les bari fabriquaient des briques à la fois légères et résistantes, capables de faire face aux pires intempéries. Hélas ! Tiékoro n'habitait point une maison construite par un de ces maîtres. Dans le quartier de Djoboro, il occupait une maison de deux pièces, meublées de quelques couvertures, de nattes et de tabourets, précédées d'une cour encombrée de volaille, de chèvres et de divers objets nécessaires à la cuisine. Elle était serrée entre des maisons de même allure, le long d'une rue étroite et mal nivelée. Chaque fois que Tiékoro s'en approchait, son cœur se serrait. Alors que ne retournait-il à Ségou ?

C'est que Tiékoro avait l'âme exigeante. Il savait que s'il rentrait à Ségou, il serait, bien malgré lui, auréolé du prestige de ses voyages au loin, de sa connaissance des langues étrangères et même de sa conversion à l'islam, religion magique, et qu'il pourrait ainsi, à peu de frais, se poser en notable. Or, il ne pouvait se masquer l'échec de sa vie et n'entendait pas plus faire illusion aux autres qu'à lui-même. D'une certaine manière, il se complaisait dans sa misère et dans sa solitude. Il franchit le seuil de sa demeure. Aussitôt Ahmed Dousika et Ali Sunkalo accoururent vers leur père en trébuchant sur leurs petites jambes encore mal assurées. Nadié interrompit vivement ses tâches pour se porter au-devant de son maître.

Sans Nadié, que serait devenu Tiékoro ?

A peine arrivée en ville, elle avait appris à fabriquer des dyimita, ces galettes de farine de riz mélangée de miel et de piment dont les habitants de Djenné, les commerçants de Tombouctou et de Gao étaient friands, ainsi que des kolo, petits pains de farine de haricot cuits au beurre, et mille autres friandises. Elle s'était mise à les vendre au marché et en peu de temps était devenue réputée. Plus

3. Résidence des notables, palais.

Tiékoro devenait amer, angoissé et fébrile, plus Nadié devenait sereine. Ses dents très blanches et légèrement proéminentes donnaient à son visage une expression souriante que démentait la gravité de ses yeux, profondément enfoncés dans leurs orbites. Elle qui n'était point coquette avait adopté la coutume des femmes peules de se garnir abondamment les cheveux de perles d'ambre et de cauris. Elle était belle Nadié, d'une beauté qui envahissait par surprise, comme le parfum de certaines fleurs que l'on croit d'abord insignifiant, puis que l'on ne peut plus oublier.

Elle posa sur la natte devant Tiékoro une calebasse de riz et une autre plus petite contenant une sauce de poisson. Il fit la moue :

— N'as-tu rien d'autre à m'offrir ? Tout ce que je voudrais, c'est un peu de dègué…

Elle dit fermement :

— Tu dois te nourrir, koké… Rappelle-toi comme tu as été malade l'hivernage dernier… Tu es encore faible…

Tiékoro haussa les épaules, mais obéit. Par respect, elle allait se retirer comme il mangeait, mais il la pria :

— Reste avec moi… Qu'est-ce que tu as entendu ce matin au marché ?

Elle prit dans ses bras Ali Sunkalo qui prétendait mettre la main dans la nourriture de son père et répondit gravement :

— On dit que la guerre va bientôt faire rage entre Ségou et les Peuls du Macina. Amadou Hammadi Boubou a obtenu la protection d'un autre musulman du nom d'Ousmane dan Fodio qui lui a ordonné de jeter bas tous les fétiches…

Tiékoro feignit l'insouciance :

— Eh bien, nous ne résidons ni à Ségou ni dans le Macina. Qu'est-ce que cela peut bien nous faire ?…

Elle reprit après un bref silence :

— Amadou Hammadi Boubou veut aussi réduire Djenné. Il dit que l'islam y est corrompu et que les mosquées ne sont que des lieux de débauche…

Tiékoro soupira :

— Même si je redoute ce fanatique, je dois dire que sur ce point, il a raison.

Il repoussa les calebasses et se lava les mains dans un récipient d'eau claire :

— C'est étrange que le nom de Dieu divise les hommes ! Dieu qui est amour et puissance ! La création des êtres procède de son amour et non d'une quelconque puissance…

Là Tiékoro s'interrompit car, il s'en apercevait, il se laissait aller à prêcher doctement comme il l'aurait fait sous les arcades d'une université. Il se leva tandis que sans mot dire Nadié remportait les restes du repas. S'il était un point qui chagrinait Tiékoro, c'était l'attitude de sa compagne vis-à-vis de l'islam. Avec un silencieux entêtement, elle s'y refusait. Il ne parvenait pas à l'empêcher d'entourer leurs enfants des protections qu'il avait connues à Ségou. Leurs corps étaient couverts de gris-gris. Quand il entrait chez lui à l'improviste, il surprenait un vieux féticheur bambara tout édenté que, furieux de sa faiblesse, il n'osait pas chasser. Plusieurs fois, il avait détruit des boli qu'elle cachait dans un coin de la cour. Mais comme à chaque fois avec la même obstination, elle les remplaçait, de guerre lasse, il ne protestait plus.

Après toutes ces années de vie commune, Tiékoro n'avait pas résolu le statut de Nadié. Elle demeurait sa concubine. De même, il n'avait fait aucun effort pour tenter de découvrir à quelle famille du Bélédougou elle appartenait et ce qui en était advenu. Il en éprouvait du remords, puis se disait pour s'en absoudre qu'elle semblait heureuse. Heureuse de le servir. Heureuse de lui donner des enfants. Elle avait trouvé sa place à Djenné dans un cercle de femmes bambaras pratiquement imperméables aux mœurs de la société environnante, actives, industrieuses.

Tiékoro entra dans la seconde pièce, étroite et sombre, car elle n'avait aucune ouverture, où dormait sa petite fille Awa Nya, enveloppée d'un tas de chiffons. Tiékoro prit le bébé dans ses bras. Ah, Nadié avait encore ajouté un gri-gri à ceux qu'elle portait déjà autour du cou et des poignets ! Tiékoro fut tenté d'arracher ces objets méprisables. Le Prophète n'a-t-il pas dit : « Celui qui porte une amulette sur son corps est impie. » ?

Puis il se retint, si ces gris-gris pouvaient protéger Awa Nya, il ne devait pas intervenir. Il adorait sa petite fille. Si, en ses fils, il croyait deviner de futurs juges, en sa fille, il pensait ne trouver qu'amour, indulgence, protection. Comme en Nadié. Il posa l'enfant contre lui sur sa natte, et, soudain, il entendit le tambourinement de la pluie sur le toit, car l'hivernage n'en finissait pas. Il glissa doucement dans le sommeil. Aux premières gouttes d'eau, Nadié rentra les enfants qui, quant à eux, auraient préféré courir nus sous la pluie, puis empila sous le rudimentaire auvent de la cuisine le linge, les calebasses et la provision de bouse de vache. Connaissant bien Tiékoro, elle lui avait caché la gravité des bruits qui circulaient en ville. Tous les Bambaras s'apprêtaient à refluer vers Ségou ou vers les villages d'origine de leur famille. Ce n'était pas la première fois que les Bambaras étaient obligés de quitter Djenné. L'Askia Daoud, des siècles auparavant, avait donné consigne de les chasser hors des murs. Mais en dépit des ordres officiels, d'importantes colonies avaient prospéré, en particulier dans le podo méridional, dans le Femay[4] et le Derari. A présent, tout prenait un tour plus inquiétant. Des gens d'Amadou Hammadi Boubou parcouraient la ville. Ils tenaient prêche aux coins des rues : « Si tu me dis que tu te connais, je te répondrai que tu connais la matière de ton corps qui est fait de tes mains, de ta tête et du reste ; mais tu ne connais rien de ton âme. »

Ils parlaient de précipiter les impies et les mauvais musulmans dans le feu éternel, une fois que leur chef aurait investi la ville. En outre, d'après ce qu'elle avait entendu, les musulmans se déchiraient entre eux, selon la confrérie à laquelle ils appartenaient. Quel était ce dieu de division et de désordre ? Nadié ne cessait de se le demander. Tiékoro se croyait protégé par sa conversion à l'islam. Or Nadié était persuadée qu'il n'en était rien et que fétichiste ou pas, un Bambara restait un Bambara aux yeux de ceux qui en avaient à la puissance et à la grandeur de Ségou. Alors quitter la ville ? Mais Nadié avait peur de cette famille inconnue qui reprendrait Tiékoro dans ses rets, qui lui rappellerait qu'elle n'était qu'une concubine au passé peu glorieux et qui exigerait que Tiékoro prenne une épouse de son rang. Elle serra ses fils contre elle.

Tiékoro était un noble, un yèrèwolo, dont l'arbre généalogique se perdait dans la nuit des temps. Une fois de retour chez lui, il retrouverait avec la concession de son père rang, prestige, grandeur. Et elle, que deviendrait-elle sous le regard de la famille et bientôt des épouses légitimes ? Pareille à la bouse de vache ou à la fiente de chameau, bonne à faire le feu, mais puante et méprisée. Jamais. Jamais. Plutôt mourir.

Cependant Tiéfolo était aux portes de Djenné.

Les gens regardant ce jeune homme, monté sur un cheval superbe, reconnaissaient un Bambara à ses balafres, à sa coiffure en petites tresses, à ses bras hérissés de gris-gris et, selon les cas, le haïssaient ou le méprisaient.

Insensible à ces regards, Tiéfolo entra dans la ville. Il fut déçu. Etait-ce cela, Djenné ? Moins populeuse, moins commerçante que Ségou ? Il arriva au galop sur une vaste place au centre de laquelle s'élevait un énorme bâtiment. Etait-ce une mosquée ? Tiéfolo n'en avait jamais vu de pareilles dimensions. Guidant son cheval, il en fit le tour.

Placé sur une sorte d'esplanade, le bâtiment, fait en riche terre

4. Femay et Derari, deux régions entourant la ville de Djenné situées entre le Joliba et le Bani.

du podo, prenait dans l'air chargé de pluie une teinte brune, à reflets bleuâtres. Sa façade principale se composait d'une succession de tours, terminées par des pyramides tronquées en dessous desquelles étaient dessinés des festons triangulaires, tandis que les façades latérales étaient faites de rectangles en relief et en creux, donnant l'impression des arbres d'une forêt.

Un groupe d'hommes se mit à gravir les degrés menant à l'esplanade, puis entassa soigneusement ses sandales dans un angle. Le geste intrigua Tiéfolo. Il décida d'en avoir le cœur net et fouetta son cheval qui, docile, bondit et atterrit à son tour sur l'esplanade. Les hommes se dirigeaient vers une porte, assez haute pour permettre le passage d'un cavalier. Tiéfolo les suivit et se trouva dans une cour intérieure que limitaient des piliers aux fûts élancés. C'est alors que les hommes qu'il avait suivis, se retournant, commencèrent à vociférer contre lui. Un grand vieillard en robe flottante surgit de derrière un pilier, hurlant à son tour. En garçon poli qu'il était, Tiéfolo allait descendre de sa monture et tenter de le calmer. Mais d'autres hommes en robes blanches accoururent, sortant cette fois de l'intérieur du bâtiment. En moins de temps qu'il ne faut pour le dire, Tiéfolo fut jeté à bas de sa bête, injurié, roué de coups. Tout d'abord, comme il s'agissait d'hommes plus âgés que lui, Tiéfolo ne chercha pas à se défendre. Puis, les coups redoublant, il commença de perdre patience. Bientôt, des énergumènes surgirent, armés cette fois de bâtons, tandis que des enragés lui crachaient au visage. Alors Tiéfolo se défendit. Ce n'était pas pour rien qu'il était un jeune chasseur au corps vigoureux et bien entraîné. Il se servit de ses pieds, de ses poings, de ses dents et ne tarda pas à mettre ses assaillants en déroute. Il y eut un moment de flottement dans leurs rangs. Brusquement deux d'entre eux qui s'étaient éclipsés revinrent, tenant chacun un bloc de pierre à la main. Tiéfolo eut un hurlement de protestation. Voulaient-ils donc le tuer ? Trop tard, l'un des projectiles l'avait déjà frappé au front.

Quand Tiéfolo reprit connaissance, il se trouva dans une pièce étroite, basse de plafond, misérablement éclairée par une lucarne. Il était étendu sur un tas de paille qui puait tant que, malgré son état de demi-inconscience, l'odeur l'incommoda et qu'il tenta de se déplacer. Alors mille aiguilles faites de cornes de bœufs lui vrillèrent le crâne tandis que le sang ruisselait sur son visage. Il s'évanouit à nouveau.

Quand il émergea de l'inconscience, à la couleur du ciel qu'il apercevait par la lucarne, il comprit que pas mal de temps s'était écoulé depuis son dernier évanouissement. Le minuscule rectangle était couleur indigo. Moqueuse, une étoile riait en son centre. Tiéfolo tenta de se tâter le crâne pour prendre les dimensions de sa blessure.

Mais il s'aperçut qu'il ne pouvait pas bouger les bras. Ceux-ci étaient liés derrière son dos par une solide cordelette de da. De même ses chevilles étaient entravées. Tiéfolo pleura comme un enfant. En même temps, malgré sa faiblesse et la douleur qui l'envahissait de toutes parts, il ne perdait pas espoir. Il savait que toutes ces épreuves étaient passagères. Koumaré avait été formel : il accomplirait en fin de compte sa mission. Peut-être s'endormit-il ? Peut-être s'évanouit-il à nouveau ?

Le rectangle d'indigo bleuit encore, vira au noir, puis commença de s'éclaircir, passant par toutes les teintes du gris pour se fixer à un bleu clair pointillé de blanc. De sa vie, Tiéfolo n'avait jamais été enfermé, privé de la liberté de ses mouvements. Au contraire, il avait toujours été le maître de la brousse et de ses grands espaces. Pourtant, il ne céda pas au découragement.

Soudain, la porte tourna sur ses gonds de bois et un homme parut, portant une calebasse de dègué et une petite courge évidée. Il s'agenouilla auprès de Tiéfolo et l'examina avec une surprenante expression d'admiration :

— D'où es-tu ? Quel est ton pays ?

Tiéfolo parvint à répondre :

— Je suis bambara, je viens de Ségou.

L'homme rit :

— Je l'avais deviné. Quel gaillard tu fais ! Sais-tu que tu as à moitié étranglé l'imam et fait voler en éclats deux dents du muezzin ? Moi, je suis un Bozo. Voilà pourquoi je comprends ta langue…

Il dénoua les liens de Tiéfolo, l'aida à s'asseoir et introduisit un peu de dègué entre ses lèvres. En même temps, il marmonnait :

— Ils vont te traduire devant le cadi. Je te donne un conseil : si tu ne veux pas finir sous le couteau pointu du bourreau, accepte de te convertir à l'islam…

Tiéfolo repoussa vivement la main de l'homme et cracha :

— Jamais !

L'homme eut un geste apaisant :

— Accepte. Ils te raseront la tête et t'appelleront Ahmed. Qu'est-ce que cela peut te faire ?

Tiéfolo se rejeta en arrière :

— Pourquoi se sont-ils tous jetés sur moi ? Qu'est-ce que j'ai fait ?

— Tu es rentré à cheval dans leur mosquée et il paraît que ta bête s'est oubliée, parsemant le sable de crottin et d'urine…

Il rit. Tiéfolo en aurait peut-être fait autant, s'il n'avait pas souffert le martyre. Comme il avalait avec peine une autre gorgée de dègué, trois hommes armés de fusils de traite entrèrent dans la pièce.

Ils commencèrent par le rouer de coups de pied, lui arrachant malgré lui des hurlements, puis le forcèrent à se mettre debout. Ils portaient de courtes casaques noires, de larges ceintures de cuir étroitement serrées à la taille et des pantalons bouffants, s'arrêtant à mi-mollets. Leurs visages étaient féroces. Tiéfolo les suivit en claudiquant. A chaque pas, il croyait s'évanouir à nouveau tandis que le sang ruisselait de sa tête. Ils passèrent par un labyrinthe de corridors, atteignirent une cour, puis entrèrent dans une salle rectangulaire dont le plafond était soutenu par des piliers de rôniers. Sur des nattes, sept hommes étaient assis, vêtus de blanc et la tête enturbannée. La même haine et la même détermination farouche se lisaient dans leurs yeux. Assis en tailleur dans un angle, un jeune garçon, enturbanné lui aussi, traçait des signes sur un grand rouleau à demi déplié.

Tiéfolo comprit qu'il se trouvait devant un tribunal. Ainsi, le Bozo avait raison. Le bâtiment était une mosquée et ces fanatiques allaient le punir d'y être entré.

— *As salam aleykum. Bissimillahi.*

Tiéfolo devina qu'il s'agissait de salutations musulmanes et, pour bien montrer qu'il ne reniait rien de son identité, salua à son tour en bambara. Les hommes se concertèrent, puis firent signe à un soldat qui se détacha du groupe et eut désormais fonction d'interprète.

— Décline ton identité,

Tiéfolo s'exécuta.

— Que viens-tu faire à Djenné ?

— Je suis venu apprendre à mon frère que notre père s'en est allé et que la famille attend son retour pour les cérémonies du quarantième jour.

— Comment s'appelle ton frère ?

— Tiékoro Traoré. Mais il paraît qu'à présent, vous l'appelez Oumar.

Il y avait beaucoup d'insolence dans cette réponse et les juges manifestèrent entre eux leur mécontentement. L'interrogatoire reprit :

— C'est Da Monzon qui t'a envoyé nous provoquer dans nos lieux de culte. Avoue-le et tu sauveras ta tête...

Tiéfolo retint un rire :

— Lieux de culte ? Je ne savais même pas qu'il s'agissait d'une mosquée. A Ségou, elles ne sont pas si grandes et pour cause...

— Pourquoi es-tu rentré à cheval ? Et pourquoi as-tu laissé ta monture souiller son sol ?

— A la première question, je répondrai que je ne savais pas que c'était interdit. Si on me l'avait appris, je me serais excusé et j'en aurais fait réparation. A la deuxième, est-ce que je suis maître des entrailles de ma monture ?

Pendant un instant, les juges s'entretinrent à nouveau entre eux. Tiéfolo se demandait s'il ne rêvait pas. Oui, son corps était quelque part étendu sur une natte tandis que son esprit rôdait, affrontait les pires expériences ! Ces hommes âgés en robes blanches, un chapelet à la main. Ces soldats. Ces accusations absurdes. A Ségou, le seul lieu où il était interdit d'entrer à cheval était le palais du Mansa et encore, exception était faite pour certains dignitaires.

— Sais-tu que tu mérites la mort ?

Tiéfolo eut un haussement d'épaules et fit calmement :

— La mort n'est-elle pas la porte par laquelle nous passerons tous ?

Il y eut à nouveau un silence. Puis un des juges se leva. C'était un vieillard que le grand âge courbait vers la terre, mais dont les yeux demeuraient pleins d'éclat.

— Je connais un certain Oumar Traoré qui un temps à vécu sous mon toit. Nous allons le faire chercher. Fasse Allah que tu n'aies pas menti !

Les soldats ramenèrent Tiéfolo à la prison. A présent, le soleil brillait de tout son éclat. Tiéfolo, traversant les cours, aperçut au-delà des hauts murs de banco les bouquets des palmiers rôniers. La prison occupait la partie ouest d'une concession dont les bâtiments étaient disposés en quadrilatère autour d'une cour contenant des poteries et de l'eau pour les ablutions rituelles. Dans un angle, des hommes assis assemblaient des bandes de coton en ménageant à une extrémité une sorte de capuchon. Ce spectacle intrigua si fort Tiéfolo qu'il interrogea :

— Qu'est-ce qu'ils font ?

Un des soldats rit :

— Ce sont les fabricants de linceuls. Si tu ne sors pas vivant d'ici, tu t'en iras dans un de ces habits-là...

Tiéfolo frissonna.

Signe encourageant ? Les soldats ne le ramenèrent pas à l'infecte cellule où il avait passé la nuit, mais dans une pièce plus propre, plus aérée, au sol recouvert d'une natte en bon état. Au bout d'un moment, le Bozo réapparut :

— Laisse-moi te mettre un emplâtre de feuilles de tamarin. Tout à l'heure, je te porterai une infusion de sukola. Ça fera tomber ta fièvre...

Tiéfolo se laissait soigner, comprenant que ce Bozo était l'incarnation d'un esprit placé à ses côtés par Koumaré. Rassuré, il n'eut plus de doute sur l'heureuse issue de son aventure. Il retrouverait Tiékoro et accomplirait sa mission. Pendant ce temps, le Bozo bavardait, certaines de ses phrases rendues indéchiffrables par une intonation djenéenne :

— Tu n'aurais pas pu tomber plus mal. Ici, c'est un vrai nœud de pythons. Peul fétichiste contre Peul musulman. Quadriya[5] contre Tidjaniya[6] contre Kounti. Songhaï[7] contre Peul. Marocains contre Peul et tout ce monde contre les Bambaras... Bientôt, cette terre se rougira de sang. De beau sang frais et vermeil comme le tien. Mais moi, je serai déjà parti. Je goûterai à l'hydromel des ancêtres.

Tiéfolo s'endormit.

Au bout de quelques jours, un matin, alors qu'il terminait tout juste sa calebasse de dèguè, les soldats vinrent le quérir. A leur suite, il traversa à nouveau le dédale des cours jusqu'à la salle du tribunal. Cette fois-là, outre les juges, le scribe, les gardes, se tenait dans la pièce un homme jeune avec cette haute taille et cette expression altière propres aux gens de Ségou, habillé de longs vêtements flottants et portant sur son crâne rasé de près une petite calotte brune. Emu, Tiéfolo reconnut Tiékoro qu'il n'avait jamais vu pareillement accoutré. Les deux frères[8] se jetèrent dans les bras l'un de l'autre et les larmes qui s'amassaient silencieusement comme les eaux du podo derrière les barrages de terre et de roseaux coulèrent sur les joues amaigries de Tiéfolo. Voilà, il était venu dans cette ville inconnue et on l'avait traité comme un criminel ! De quelle matière étaient faits ces hommes ? Et pourquoi leur dieu ne leur apprenait-il qu'à haïr ? Qu'à guerroyer ?

Tiékoro dut payer une lourde amende de 2000 cauris et de 300 sawal[5] de grains, plus une demi-barre de sel de Teghaza.

Qu'est-ce qu'une ville ? Ce n'est pas un ensemble de maisons de paille ou de terre, de marchés sur lesquels on vend du riz, du mil, des calebasses, du poisson ou des objets manufacturés, de mosquées où l'on se prosterne, de temples où l'on répand le sang des victimes. C'est un assemblage de souvenirs intimes, différents pour chaque être, ce qui fait qu'aucune ville ne ressemble à une autre et n'a d'identité véritable.

---

5, 6, et 7. Confréries de l'islam en Afrique.
8. Les enfants de plusieurs frères, en Afrique, ne sont pas considérés comme des cousins mais comme des frères.
9. Mesure de capacité.

Pour Tiékoro, Djenné était un lieu où il avait été profondément humilié, isolé. Après Tombouctou, c'était un paradis qu'il n'avait jamais atteint, une pépite d'or qui, dans sa main, s'était changée en caillou. Et pourtant au moment de la quitter, il regrettait l'extrême liberté qu'il y avait connue, l'anonymat dans lequel il avait vécu et qu'il perdrait, une fois franchies les murailles de Ségou, quand tous ses ancêtres reprendraient leur empire. Pour Nadié, c'était un lieu où elle avait été heureuse, possédant sans rivale l'homme qu'elle aimait et l'aidant à vivre. C'était le coin de terre dans lequel ses enfants étaient nés, où, dans le dénuement matériel le plus total, son cœur avait été comblé. Elle savait qu'à présent ne l'attendaient plus qu'humiliation et partage. Pour Tiéfolo enfin, c'était le lieu d'une cruelle plongée dans l'intransigeance et la dureté des hommes. Aussi, tous trois voyaient de manière différente l'alignement des façades, creusées de niches pour les lampes au beurre de karité et agrémentées sur les portes d'énormes clous de fer, importés de Tombouctou. Dans les échoppes avoisinant la mosquée, des artisans du cuir fignolaient des sandales faites de deux liens passant autour d'une semelle, des bottes, des fourreaux de sabre ou des selles à dossier profond, bonnes pour le chameau. Malgré la pluie, cette activité ne désarmait pas, hommes et femmes pataugeant dans les flaques d'eau tandis que les enfants pétrissaient des boules de sable mouillé qu'ils se lançaient avec des rires. Oui, pour chacun d'entre eux, ce spectacle avait une résonance particulière. Une semaine auparavant, Nadié plantait son étal au coin de cette place parmi d'autres femmes et interpellait Touaregs enturbannés, marchands marocains ventrus sous leurs lourds caftans, Songhaïs de Tombouctou et de Gao parlant la langue avec un accent plus guttural que ceux de Djenné. Elle avait sa clientèle, et les jours de marché, quand la place se couvrait de femmes accourues de toute la région, avec leurs ballots de coton, de poisson séché, leurs poteries rouge sombre et leurs bassines de jus de fruits, elle ne savait plus où engranger ses cauris. Tiékoro, quant à lui, gravissait les degrés menant à la mosquée pour la grande prière du vendredi, la seule de la semaine qui doive être effectuée en commun. Le front dans la poussière, il se répétait : « Dieu récompense ceux qui marchent dans la voie droite » et s'efforçait de taire les aigreurs de son cœur. En même temps, parmi ces hommes prononçant les mêmes mots, portant les mêmes vêtements que lui, il se sentait bien.

Cependant, une foule immense se pressait aux portes de la ville. Le grand exode des Bambaras avait commencé à dos d'âne, de mulet, de cheval, de chameau, à pied. Les femmes portaient d'énormes charges sur la tête, les enfants trottinaient derrière elles, abrités de la pluie par de petits capuchons de jute. Les hommes protégeaient les bêtes. Tous les Bambaras refluaient vers Ségou, vers le Kaarta, le Bélédougou, le Dodougou, le Fanbougouri... Plus que les Markas, les Bozos, les Somonos, ils avaient à redouter les Peuls. Ils savaient que si ces derniers faisaient taire leurs dissensions, ce serait pour se liguer contre les sujets d'un empire qui les avait trop longtemps vassalisés. Ils le savaient aussi, si les Songhaïs et les Marocains de Djenné, après avoir manifesté tant d'hostilité à Amadou Hammadi Boubou, faisaient la paix avec lui, ce serait sur leur dos. Alors, il fallait reprendre le chemin des villes et des villages d'origine, emporter ce qu'on pouvait, abandonnant les souvenirs, plus précieux peut-être que les richesses.

Tiékoro n'avait jamais mesuré la gravité de la situation. Absorbé par ses soucis personnels, il n'avait pas senti croître la terreur de son peuple. Dans la foule, les bruits les plus effrayants circulaient. Les Peuls d'Amadou Hammadi Boubou avaient placé un barrage à la sortie de Djenné sur la route de Gomitogo. Armés de haches, ces hommes disaient à tous les passants :

— Es-tu contre la foi islamique ? Ou, chose encore plus grave, es-tu un hypocrite ?

Si la réponse ne leur convenait pas, vlan ! ils tranchaient la gorge de leur interlocuteur et les têtes, encore sanguinolentes, formaient un alignement macabre le long de la route. Par ailleurs, des tondyons avaient été écrasés. Des fuyards déguenillés et faméliques avaient été entassés dans des villages et sommés de se convertir. Da Monzon qui avait défait après son père Basi de Samaniana, Fombana, Toto, Douga de Koré, n'était plus qu'un enfant chétif devant Amadou Hammadi Boubou. A l'embarcadère sur le Bani, on prenait les pirogues d'assaut. Brusquement le ciel déversa un pissat grisâtre, et l'eau du ciel se confondit avec celle du fleuve. Les gens couraient de tous côtés, se jetaient dans le Bani, nageaient, coulaient à pic. Les femmes gémissaient :

— C'est vrai ! Allah a défait nos dieux... Ceux-ci sont en déroute...

Pour la première fois, Tiékoro eut l'impression d'avoir trahi les siens. Ne s'était-il pas épris d'une religion au nom de laquelle on les traquait et on les massacrait ? C'était comme un homme qui aurait pris femme dans une famille ennemie de la sienne. Il tendit la main à un vieil homme pour l'aider à prendre place dans la pirogue qu'il avait louée. Le vieil homme marmonnait :

— Jamais, jamais, ils ne me verront le front dans la poussière comme un âne ! Que les « pieds grêles[10] » se le disent !

Sans trop s'expliquer pourquoi, Tiékoro lui dit doucement :

— Fa, moi aussi, je suis musulman...

Avec un grand cri, l'autre enjamba le bord de l'embarcation et se rejeta dans le fleuve. Pendant ce temps, Tiéfolo avait atteint la rive avec son beau cheval qu'heureusement le cadi n'avait pas gardé en réparation de ses outrages. Il sauta par terre et l'offrit à un homme aux cheveux blancs :

— Prends-le, fa. Tu en as plus besoin que moi...

L'autre eut un geste de dénégation :

— Non, c'est à toi de ménager tes forces. S'ils nous attaquent, nous en aurons besoin.

Néanmoins, il consentit à se délester d'une partie de ses bagages et une conversation s'engagea où ils maudissaient tous deux les « noircisseurs de planchettes[11] », leurs roseaux taillés et leurs peaux de mouton, Tiéfolo n'osant pas révéler que son propre frère était converti.

Une fois franchi le Bani et disparus les murs de Djenné, un sentiment de soulagement parcourut la foule et ce grand rassemblement prit des allures de fête. On traversait un paysage plat comme la main où s'élevaient çà et là des acacias et des épineux. Comme c'était la saison des pluies, la brousse était verdoyante. On s'assit sur les talus et l'on se mit à déballer des provisions, les femmes allumant des feux et calant leurs mortiers dans la terre pour piler le mil. Les garçons partirent à la recherche des graines de fini ou des baies du bayri qui rougit les lèvres. Des hommes faisaient circuler des calebasses de dolo et des féticheurs charlatans toujours prêts à profiter d'une occasion vendaient de petits gris-gris destinés à protéger des Peuls. Tiékoro réprimanda durement Nadié qui en achetait trois. Mais Tiéfolo prit sa défense.

Etant donné la réserve qui caractérise les rapports d'un aîné et d'un cadet, Tiéfolo n'avait pas interrogé Tiékoro à propos de Nadié. Il s'était borné à la traiter avec la plus grande courtoisie. N'était-elle pas la mère de trois enfants du clan ? Mais Tiékoro connaissait assez les mœurs des siens pour savoir ce que cette courtoisie cachait. Quelle serait l'attitude de Nya, de Diémogo, maintenant remplaçant de son père à la tête du clan ? Quelle serait l'attitude des coépouses de Nya, toutes filles de grande famille ? Tiékoro regardait Nadié s'affairant

10. Surnoms donnés aux Peuls par les Bambaras.
11. Allusion à la planchette qu'utilise l'enfant à l'école coranique.

autour des enfants. Il remarquait les cernes autour de ses yeux, la nervosité de ses gestes. Elle souffrait, elle avait peur. Si elle vacillait, que deviendrait-il ? Il aurait aimé la prendre dans ses bras, là, au beau milieu de la foule, comme il l'avait fait autrefois en descendant le Joliba, et lui murmurer :

— N'aie pas peur. Je ne t'abandonnerai jamais. Jamais. Jamais non plus je ne permettrai que tu sois ravalée au rang de servante. Tu es ce que j'ai de plus cher au monde maintenant que sont dissipés les ambitions et les rêves.

Pourtant peut-on dire ces choses-là à une femme ?

Brusquement une poignée d'individus apparut, montés sur de misérables bidets, à demi nus et les parties génitales presque à l'air. Qui étaient-ils ? D'un bond, la foule se leva, près de céder de nouveau à la panique. Des hommes qui possédaient des fusils de traite se précipitèrent et mirent en joue les arrivants.

En réalité, ces derniers étaient des tondyons de Diémogo Seri, battus à Noukouma, qui, honteux de regagner Ségou, vivaient de brigandage. La vue de ces redoutables tondyons pareillement réduits acheva de démoraliser la foule. Elle pressa les nouveaux venus de questions. Etait-ce vrai que les « singes rouges [12] » accordaient la vie sauve si on répétait après eux :

— *Allah Akbar !*

Dans ces moments de grand désarroi populaire, il suffit d'un homme et de sa parole pour retourner les esprits. Soumaoro Bagayoko était un grand féticheur qui s'était installé dans le Femay un peu au nord de Djenné et y avait fait fortune. Il rentrait à Ségou avec une caravane de biens, quatre femmes et une trentaine d'enfants. Il grimpa sur un talus et étendit la main pour imposer le silence :

— Ces singes rouges qui vous terrifient tant seront bientôt défaits jusqu'au dernier par d'autres musulmans, venus ceux-là, du Fouta Toro. Il ne restera rien de la capitale qu'ils vont bâtir sur la rive droite du Bani et à qui dans leur arrogance ils vont donner le nom de leur Dieu [13]. Ils redeviendront éleveurs comme devant. Tandis que, croyez-moi, Ségou est éternelle. Son nom traversera les siècles. Après vous, les enfants de vos enfants le répéteront.

Ces paroles rassérénèrent les esprits. Les femmes nourrirent les hommes et les enfants, puis on reprit la route. Une fois dans le Seladougou [14], on ne craindrait plus rien. C'était une région de

---

12. Surnom donné aux Peuls par les Bambaras.
13. Il s'agit de Hamdallay, qui signifie : « Louange à Dieu. »
14. Région proche de Djenné sur la route de Ségou.

peuplement bambara contrôlée par Ségou. Il suffisait d'y arriver avant la nuit. Car la nuit, ce ne sont pas les humains qu'il faut redouter. Ce sont les esprits que déchaîne la méchanceté des hommes et qui font pleuvoir maladies, misère, folie…

# 4

Malobali regarda son frère aîné et s'étonna presque de le haïr si fort. A cause de Tiékoro, tout ce qui constituait la charpente de sa vie s'effondrait. Nya. Nya semblait l'oublier, absorbée qu'elle était par ces trois marmots Ahmed Dousika, Ali Sunkalo et Awa Nya. Elle les berçait, leur chantait des airs qu'il s'était cru réservés, les baignait, les nourrissait. Une nuit, quand, à son habitude, il s'était échappé de la case des garçons pour venir auprès d'elle, il l'avait trouvée serrant Ali Sunkalo dans ses bras et elle l'avait renvoyé, en lui reprochant durement de faire l'enfant.

Quant au reste de la famille ! Le soir, à la veillée, plus de contes mettant en scène Souroukou, Badéni ou Diarra. Non ! Tiékoro, sous le feu de dizaines de paires d'yeux admiratifs, racontait sa vie au loin. On l'interrogeait inlassablement :

— Est-ce que Ségou est plus belle que Tombouctou ?

— Est-ce que Ségou est plus belle que Djenné ?

— Est-ce que les Maures sont des hommes blancs ?

— Est-ce que les Marocains sont des Maures ?

— Est-ce que les gens de Djenné mangent des chiens ?

Et Tiékoro pérorait avec suffisance tandis qu'une salive amère remplissait la bouche de Malobali, s'amassant aux commissures de ses lèvres. Ah, le faire taire ! lui faire rentrer les mots au plus profond de la gorge !

Pis encore cette ostentation avec laquelle il égrenait son chapelet, assis sur une natte devant sa case avant de se jeter, cinq fois par jour, dans la poussière. Une fois par semaine, il se rendait à la mosquée des Somonvs, entraînant avec lui ses deux fils et des dizaines de garçonnets. Est-ce qu'il oubliait que des musulmans faisaient la guerre aux siens ? Pour Malobali, Tiékoro n'était qu'un traître. Il aurait souhaité que les hommes de la famille lui disent son fait. Au lieu de cela, au contraire, tout le monde béait :

— Tu as vu Tiékoro lire dans ses livres ?

— Tu as vu Tiékoro écrire ?

Même les vieillards sortaient des concessions voisines pour écouter son prêchi-prêcha :

— La parole est un fruit dont l'écorce s'appelle bavardage, la chair, éloquence et le noyau, bon sens. Dès l'instant où un être est doué du verbe, quel que soit son degré d'évolution, il compte dans la classe des grands privilégiés.

Le pire, c'est que cet engouement avait atteint le Mansa lui-même. Peu après son arrivée, il avait fait convoquer Tiékoro. Les dieux et les ancêtres seuls savaient ce que cet intrigant lui avait conté. En tout cas, le Mansa lui avait confié l'éducation de deux de ses fils afin que eux aussi connaissent les secrets de l'islam et en avait fait son conseiller aux affaires musulmanes. Tiékoro siégeait donc au Conseil et donnait son avis sur les relations à entretenir ou à nouer avec les Peuls du Fouta Djallon, du Katsina, du Macina. On parlait de l'envoyer en délégation auprès de Ousmane dan Fodio à Sokoto afin de neutraliser les alliances qu'il avait passées avec Amadou Hammadi Boubou. Bref, Tiékoro était devenu un notable. Il avait rendu à la famille son prestige à la cour au point qu'il éclipsait le fa Diémogo qui avait deux fois son âge, mais n'hésitait pas à le consulter sur tout.

Depuis quelques jours, quelque chose se tramait. Il était question de donner à Tiékoro une épouse digne de son rang. Il y avait eu un va-et-vient de griots, une circulation de cadeaux. Malobali avait entendu dire qu'il s'agissait d'une princesse apparentée au Mansa et vivant dans l'enceinte du palais, mais n'en savait pas davantage. Or Malobali adorait Nadié. Cette affection avait commencé par surprise. Un jour que Tiékoro l'avait durement rabroué, lui jetant : « Tu n'es plus un bilakoro, conduis-toi comme un homme ! » il avait rencontré le regard de Nadié qui semblait signifier : « Allons, allons. N'y prends pas garde… »

Puis, comme il s'éloignait, honteux, pour cacher ses larmes, elle l'avait suivi et lui avait offert un dyimita, une de ces incomparables friandises qu'elle avait appris à préparer à Djenné. Peu à peu, il avait pris l'habitude d'aller près de sa case. N'étaient-ils pas tous deux dépossédés ? Elle, de ses enfants et de son compagnon ? Lui de l'affection de Nya ? Malobali n'avait jamais à ce jour songé au statut fait aux femmes. Pour lui, si Dousika n'avait pas épousé sa mère, c'est qu'elle était une étrangère qui, le moment venu, avait choisi de retourner parmi les siens. Mais là, Nadié était une Bambara. Que lui reprochait-on ? De n'être pas de naissance honorable ? Etait-elle responsable des malheurs de sa famille qui l'avaient conduite à être vendue comme esclave ? Devait-on considérer cela comme une souillure indélébile ? Ne suffisait-il pas qu'elle ait donné trois enfants au clan ? Qu'elle soit douce et industrieuse ? Qui mieux qu'elle savait assaisonner un poulet, faire dorer de la viande de mouton et revenir dans son jus un couscous de mil ? Qui tissait plus fin ? A Djenné, elle avait appris de nouvelles techniques de teinture qu'elle avait enseignées à toutes les femmes de la maison. Hélas ! toutes ces qualités se retournaient contre elle, car c'étaient celles d'une esclave et elles ne faisaient que justifier l'attitude adoptée à son endroit. Les premiers temps, Tiékoro l'avait défendue, l'avait protégée contre les menues humiliations que chacun lui infligeait quotidiennement. Puis, il semblait s'en être lassé, comme si lui aussi ne voyait en elle qu'un objet humble et peu adapté à sa condition. Il recevait chaque soir dans sa case les plus belles esclaves de la concession. En outre, le Mansa lui ayant offert nombre de captives, son harem personnel comptait bien une dizaine de concubines.

Tiékoro apostropha Malobali :

— Eh bien, qu'est-ce que tu as à me regarder comme cela ?

L'enfant baissa les yeux et s'éloignait promptement quand la voix de Tiékoro le rappela :

— Viens ici...

Malobali obéit et revint vers la natte étendue devant le vestibule de la case de Tiékoro. Tiékoro portait un caftan couleur soufre, orné de broderies, qu'il avait acheté à des commerçants venus de Fès. L'étoffe en était soyeuse, agrémentée çà et là de fils d'or. Sur son crâne rasé, il avait coquettement posé une calotte de dentelle écrue du même travail que la courte écharpe nouée autour de son cou. Il tenait à la main un énorme chapelet dont les grains étaient faits d'une pierre jaune, striée par endroits de blanc. Il s'était frotté les joues avec du parfum haoussa et cette odeur douceâtre écœura Malobali. Il posa sur son jeune frère son regard étincelant et fit lentement :

— Tu sais ce que j'ai trouvé pour toi ? Tu vas partir pour Djenné à l'école coranique d'un parent de mon ami Moulaye Abdallah. Quand tu auras goûté de sa chicotte à chaque mot omis lors de la récitation d'une sourate, cela t'améliorera le caractère.

Malobali balbutia :

— Djenné ? Mais je ne veux pas partir pour Djenné...

Tiékoro ricana :

— Tu ne veux pas, tu ne veux pas ! Depuis quand une vermine de ton espèce ose parler ainsi ? Tu partiras et bientôt...

Malobali regarda autour de lui avec désespoir. Quelques mois auparavant, il était un enfant parmi les autres. Puis, il avait appris l'origine de sa mère et à présent, il devait affronter la haine de son aîné. Qu'avait-il fait pour mériter cela ?

Il se dirigea vers la case de Nya. S'il ne s'était contrôlé, il se serait roulé par terre en hurlant dans une de ces crises de colère dont il était coutumier. Mais il sentait que ce comportement tournerait à son désavantage, et il s'exhortait au calme. Les autres enfants de la concession le voyant passer ainsi, grave et silencieux, se demandaient qui leur avait changé leur Malobali.

Nya était assise devant sa case. Elle venait de baigner Ali Sunkalo et frottait son petit corps de beurre de karité. Ali Sunkalo était un bambin un peu chétif, sujet à des incontinences d'urine. Aussi sa grand-mère avait-elle entrepris de le soigner et le gardait constamment auprès d'elle, tandis que, de temps à autre, elle consentait à laisser à Nadié Ahmed Dousika et surtout Awa Nya qui, après tout, n'était qu'une fille et encore nourrie au sein. Malobali s'accroupit dans un coin et regarda celle que si longtemps il avait cru être sa mère prodiguer à un autre les mêmes soins qu'à lui. Sa gorge se nouait. Qui était cause de tous ces bouleversements ? Tiékoro, Tiékoro. Il parvint à articuler :

— Ba, est-ce vrai que l'on va m'envoyer à Djenné ?

Nya lui jeta un regard rapide dans lequel il crut lire une expression de culpabilité et fit :

— Rien n'est encore décidé. Fa Diémogo ne voudrait pas que tu partes. Mais Tiékoro pense qu'à partir d'aujourd'hui, les garçons de la famille doivent apprendre à lire et écrire l'arabe. Il dit que l'avenir est dans l'islam...

Malobali protesta farouchement :

— Je ne veux pas devenir musulman...

Nya soupira :

— Moi aussi, je dois avouer que cette religion me fait peur, mais Tiékoro dit...

Tiékoro, Tiékoro ! Toujours lui ! Encore lui ! Malobali ne put en supporter davantage. Prenant ses jambes à son cou, il s'enfuit hors de la concession et courut d'une traite jusqu'au fleuve.

Ségou ! Les hautes murailles de terre. L'eau étincelante et par endroits tumultueuse. Sur les rives, les pirogues des Bozos peinturlurées de rouge et de jaune. Ségou. Cet univers qui était le sien. Les jours de marché, il accompagnait Nya, suivie de ses esclaves aux larges calebasses. Les gens chuchotaient :

— Quel bel enfant !

Ensuite pour conjurer un sort toujours jaloux, ils se hâtaient de murmurer les paroles qui tiennent en respect la maladie et la mort. Chaque après-midi, il courait jusqu'à la place devant le palais du Mansa afin d'écouter les diély. A présent, ceux-ci chantaient la paix retrouvée avec le Kaarta qui venait de donner à Ségou une nouvelle reine. Malobali, bousculant les autres enfants, prenait place au premier rang du cercle des spectateurs. Les bala et les tamani s'interpellaient, puis la voix gracile de la flé [1] répondait à celle, ample et majestueuse, de l'homme. C'est de tout cela que Tiékoro entendait le priver ? Alors, il s'enfuirait à l'autre bout de la Terre. On le chercherait en vain. On s'affolerait. On pleurerait. Mais ce serait trop tard. Il serait déjà loin.

Malobali n'était pas la seule personne à souffrir du comportement de Tiékoro. Nadié était certainement bien plus malheureuse. Les premiers temps, elle s'était dit qu'il s'agissait d'une humeur excusable, due à l'idolâtrie et à l'admiration des siens, à la fortune et aux honneurs retrouvés. Elle croyait connaître Tiékoro, arrogant, égoïste, sensible à la flatterie, violemment sensuel, mais le cœur bon. Elle était convaincue que tant d'années passées ensemble avaient tissé entre eux des liens que rien ni personne ne pouvait rompre. Il suffisait de se taire, d'attendre, d'être là quand il se ressaisirait. Puis peu à peu, le doute, l'angoisse, la terreur avaient entièrement pris possession d'elle. Tiékoro, elle en était sûre, se détachait d'elle à jamais. A vrai dire, elle ne lui reprochait pas d'accepter l'épouse offerte par le Mansa. C'était là un honneur qu'il ne pouvait refuser. Elle avait d'autres raisons de désespérer. Il ne lui parlait plus. Il préférait la cuisine de sa mère à la sienne. Il évitait ses regards. Un soir n'y tenant plus, elle était entrée dans sa case. Assis dans le vestibule, il prenait son repas servi par une esclave du Mandé [2] que lui avait envoyé le Mansa le matin même. La femme était belle, vierge encore puisqu'elle était complètement nue, hormis un collier de perles bleues autour des reins, et des bracelets aux chevilles. Et Nadié s'était rappelé leur première rencontre dans la concession du Maure, leur étreinte. Pourquoi n'avait-elle pas crié, protesté, ameuté le voisinage ? Sans doute parce qu'elle l'aimait déjà…

Quand il l'avait vue entrer, Tiékoro s'était exclamé avec colère :

1. Flûte.
2. Le Mandé ou Mali, empire qui atteignit son apogée au XIVe siècle, à cheval sur les actuels Guinée et Mali.

— Mais qu'est-ce que tu veux ?

Incapable de prononcer une parole, sous le regard étonnamment compatissant de l'esclave, elle s'était enfuie.

Nadié tendit son sein à Awa Nya. L'enfant, repue, le refusa et Nadié considéra cette harmonieuse petite outre de soie noire, doublement méprisée. Si à Djenné, Nadié avait l'impression d'être utile, à Ségou elle était convaincue de sa totale inutilité. Sur le plan matériel, ni Tiékoro ni ses enfants n'avaient besoin d'elle. Il lui aurait pris fantaisie de demeurer tout le jour étendue dans sa case que la nourriture, grains, volaille, gibier, poisson, abonderait. Que les étoffes venues d'Europe ou du Maroc s'entasseraient dans les calebasses, avec les bijoux d'or et d'argent, les perles d'ambre et de corail. Que le fruit du travail des esclaves joint à la faveur du Mansa emplirait des cases dans la concession de sacs de cauris et de poudre d'or tandis que des chevaux henniraient dans les enclos. Quant à l'affection, Tiékoro ne voulait plus d'elle. Ses deux garçons, traités avec l'attention que l'on réserve aux aînés d'un fils premier-né, ne se souciaient apparemment pas d'elle. Ils dormaient avec Nya qui les baignait et les nourrissait. S'ils tombaient, mille mains se tendaient pour les relever. S'ils pleuraient, mille lèvres s'offraient à les embrasser. Distinguaient-ils encore Nadié de toutes celles qu'ils appelaient mère ?

Seule lui restait Awa Nya, car une fille n'appartient jamais qu'à celle qui l'a mise au monde. A ce moment, Nya, inclinant légèrement sa haute stature, s'encadra dans la porte, Ali Sunkalo trottinant derrière elle. Ali Sunkalo se jeta dans les bras de Nadié et dans l'état d'esprit où elle était, cela lui fit l'effet d'un baume. Nya et Nadié ne se haïssaient pas. La première jouait seulement son rôle de mère, soucieuse des intérêts de son fils. Si le conseil de famille l'avait donnée en partage à Diémogo, après la mort de Dousika, ce n'était un secret pour personne que ces deux-là ne vivaient guère comme mari et femme.

Nadié se hâta d'aller chercher un tabouret à l'intention de Nya qui y posa ses lourdes fesses. Après les salutations d'usage, celle-ci se décida à parler, avec lenteur, en choisissant chaque mot :

— Il faut que tu le saches, le mariage de Tiékoro va être célébré bientôt. Comme il s'agit de la propre fille d'une des sœurs du Mansa, la dot a été très importante. Je n'ai pas voulu que la famille royale puisse nous mépriser et prendre Tiékoro comme un indigent.

Nadié n'ignorait rien de ces tractations et de ces préparatifs de noce. Pourtant elle fut prise d'un tremblement de tous ses membres cependant qu'une sueur froide baignait son corps. Elle parvint à balbutier :

— Pourquoi kokè ne m'en parle-t-il pas lui-même ?

Nya répliqua durement :

— Pourquoi le ferait-il ? Quelle obligation a-t-il devant toi ? Est-ce que je ne suis pas déjà bien bonne de t'entretenir ?

Abasourdie, Nadié réalisa qu'elle disait vrai. Elle hocha la tête de droite et de gauche comme pour prendre l'univers à témoin. Mais rien ni personne ne semblait se soucier de ce qu'elle éprouvait. Le soleil était étalé comme un jaune d'œuf au milieu de la calebasse du ciel. Les acacias se hérissaient de fleurs sans parfum. Les enfants nus couraient. Derrière les murs, des femmes pilaient le mil. La vie continuait, une vie dans laquelle elle n'avait plus de place. La voix de Nya la ramena sur terre.

— Voilà ce que je suis venue te proposer. Tu peux, bien sûr, demeurer au service de Tiékoro...

Au mot « service », elle hésita légèrement, puis elle poursuivit avec fermeté :

— Pourtant il y a un woloso[3] que je considère comme mon fils. Il s'agit de Kosa. Je lui ai parlé et il est prêt à t'épouser. Il paiera la dot et vous irez vous installer sur des terres du clan à Fabougou.

Si Nadié avait été moins submergée de douleur, elle aurait deviné la peur que de tels propos s'efforçaient de dissimuler. Non, elle n'était pas aussi dérisoire et méprisée qu'elle le croyait. Au contraire, chacun redoutait qu'elle ne pèse d'un poids trop lourd dans l'existence de Tiékoro et que les épouses légitimes n'aient raison de prendre ombrage de sa présence. C'est pourquoi on voulait l'éloigner, la jeter dans les bras d'un autre homme. Mais elle souffrait trop pour comprendre pareil calcul. Les ruades de son cœur ébranlaient sa poitrine. Ses dents se serraient comme celles d'un mourant et elle ne pouvait articuler une parole. Elle jeta à Nya un tel regard que celle-ci demeura à son tour sans voix.

Nadié trouva la force de se lever, d'équilibrer Awa Nya dans son dos et de marcher jusqu'à la case de Tiékoro. Brusquement, tous les bruits s'étaient éteints et elle avait l'étrange impression de cheminer dans un jour éclatant, silencieux pourtant comme la nuit. Elle entra. Tiékoro achevait de s'habiller, nouant autour de sa taille les cordons de son pantalon bouffant de coton blanc. Il fit rapidement :

— Je suis en retard. Je devrais déjà être au palais...

Nadié s'appuya au mur et murmura :

— Pardonne-moi, kokè, mais je dois te parler.

Il répéta avec exaspération :

---

3. Esclave de case, par opposition au captif de guerre.

— Est-ce que tu n'entends pas que je suis déjà en retard ? C'est jour du Conseil aujourd'hui.

En parlant ainsi, Tiékoro lui-même souffrait. Il savait qu'il avait beau ruser, mentir à son corps et à son cœur, il reviendrait immanquablement à Nadié. Or cette dépendance lui faisait horreur. Ah, si Nadié était parente du Mansa, ou fille de haute lignée ! Non, elle n'était que Nadié, qu'il avait sauvagement possédée dans l'odeur d'excrément et d'urine du cabinet d'aisances, qui avait connu ses misères intimes, ses humiliations et sa pauvreté à Tombouctou et à Djenné. Aussi l'aimer le ramenait-il cruellement à une part de lui-même et de sa vie qu'il ne demandait qu'à oublier. Devant l'expression désespérée de son visage, il se radoucit :

— Bon, viens me trouver à mon retour du palais.

Elle insista :

— Quand tu vas chez le Mansa, tu y passes souvent l'après-midi tout entier et une partie de la nuit…

Il enfila ses babouches et prit un large parapluie venu d'Europe dans un coin de la pièce :

— Mais non, je serai de retour avant la prière de l'icha[4]. Prépare-moi de tes galettes et nous passerons la nuit ensemble.

Il sortit. Demeurée seule, Nadié ramassa fébrilement les vêtements épars sur le sol, roula la natte sur laquelle il avait dormi avec une autre femme, puis se mit à balayer vigoureusement avec une touffe de feuilles d'iphène. Elle espérait ainsi retrouver la maîtrise de son corps qu'elle avait perdue. Au bout d'un moment, elle put sortir de la case, retourner vers la cour des femmes, se mêler aux activités du jour.

Cependant au palais, le Conseil était au complet. Les princes du sang, les chefs de grandes familles étaient assis sur leurs peaux ou sur leurs nattes. Entouré de ses esclaves et de ses griots, Da Monzon fumait sa pipe, allongé sur l'estrade. Tiékoro, debout, attendit que Tiétigui Banintiéni lui ait donné la parole au nom du Mansa, puis s'inclina légèrement :

— Maître des énergies, j'ai appris que Amadou Hammadi Boubou venait d'envoyer des émissaires à Ousmane dan Fodio à Sokoto pour lui demander s'il pouvait déclarer le jihad, la guerre sainte. Ousmane dan Fodio lui en a donné le droit et a béni des étendards à son intention, un par pays à soumettre. Mais il en a omis

4. Prière de l'entrée de la nuit.

deux, ce qui signifie que deux pays échapperont à l'emprise du Macina.

Da Monzon en oublia de tirer sur sa pipe et se redressa :

— Quels sont ces deux pays ?

Tiékoro eut un geste d'ignorance :

— Ousmane ne s'est pas prononcé. Aussi, on peut tout supposer...

Vingt paires d'yeux le fixèrent et Tiékoro reprit dans le silence général :

— Ousmane dan Fodio est un saint, mais ses fils sont cupides. Je conduirai une délégation chargée d'or, d'ivoire et de cauris jusqu'à Sokoto et je me fais fort de persuader ces derniers que Ségou est un des deux pays que le Peul du Macina doit épargner...

A ces mots, ce fut un tollé. Le maître de la guerre soutenu par de nombreux princes du sang vociféra que Ségou n'avait point coutume de prier qu'on l'épargne, mais de se battre, de laisser morts et blessés sur le terrain. Tiékoro écouta tout cela avec mépris, puis se tourna à nouveau vers le Mansa comme s'il ne comptait que sur son intelligence :

— Il ne s'agit pas d'une guerre habituelle dont l'objet est la rapine et le meurtre. Il s'agit d'une guerre sainte. Ce Dieu auquel vous refusez de vous soumettre est aux côtés d'Amadou Hammadi Boubou et l'assiste dans chacun de ces combats. Vous ne pouvez gagner contre lui. Vous ne pouvez que négocier votre survie.

Prononcer de telles paroles devant le Mansa ! Mettre en doute la puissance de Ségou ! D'autres auraient payé cette audace de leur vie. Mais Tiékoro faisait figure de devin, de mage. Aussi, un silence angoissé s'établit dans la salle du Conseil. Au bout d'un moment, Da Monzon reprit :

— Est-ce que tu ne dois pas te marier, Tiékoro ? Vas-tu laisser ta nouvelle épouse pour partir en mission ?

Tiékoro s'inclina :

— Je ferai ce que tu voudras, maître de nos terres et de nos biens.

Cette formule-là aussi était pleine d'insolence, signifiant que les âmes n'appartenaient qu'à Dieu. Pourtant Da Monzon n'en prenait pas ombrage. Les courtisans chuchotaient qu'il s'était engoué de Tiékoro comme d'une femme et qu'au bout du compte, il le regretterait. Ne voilà-t-il pas qu'il lui donnait une de ses parentes en mariage ? Certes les Traoré étaient nobles et riches, mais de là à leur faire tant d'honneur ! Nombreux étaient ceux qui avaient pris Tiékoro en grippe à cause de ses airs supérieurs, de ses vêtements étranges et trop recherchés. Patients, ils attendaient sa chute. Ah, cette fois, il tomberait d'encore plus haut que son père !

Le Conseil se dispersa, mais Tiékoro demeura avec Da Monzon et ses griots favoris. Le Mansa était soucieux. Même s'il soutenait les vues de Tiékoro, négocier la paix lui paraissait à lui aussi très humiliant. Puisqu'il avait fait alliance avec les Coulibali du Kaarta, ne ferait-il pas mieux de lever des armées de tondyons et de se jeter sur les Peuls ? En même temps, une terreur superstitieuse l'avait envahi. Il se rappelait les paroles de Tiékoro, venant après les prédictions d'Alfa Seydou Konaté :

— Il ne s'agit pas d'une guerre habituelle. Dieu assiste Amadou Hammadi Boubou dans chacun de ses combats…

Pour un peu, il se serait converti à l'islam, mais la pensée de la colère de ses sujets le retenait. Il s'adressa à Tiékoro :

— Quand partiras-tu ?

Tiékoro réfléchit :

— Dans quelques semaines, la saison d'hivernage sera terminée. Le Joliba ne débordera plus de son lit. Alors je prendrai la route.

A part lui le chef des griots, qui jalousait la faveur que Da Monzon montrait à Tiékoro, se demandait pourquoi un homme à la veille de se marier manifestait si peu de répugnance à se séparer de sa femme. Qui n'a souhaité demeurer le plus longtemps possible entre les cuisses aimantes d'une vierge ? Il y avait là un mystère qu'il fallait éclaircir. Rien ne vaut une histoire de femme pour perdre un homme, et Tiékoro était un homme à femmes.

Tiétigui Banintiéni flairait Tiékoro, le tournait et le retournait comme un fauve une proie dont il n'est pas familier. Qui était cet homme ? Que voulait-il ? Que cachait sa conversion à l'islam ? Où s'arrêtait la foi ? Où commençait la comédie et le calcul ? Habitué à jauger les hommes puisqu'il vivait de leur crédulité, Tiétigui s'irritait de cette opacité de Tiékoro. Pas entièrement mauvais, mais pas bon assurément. Attirant. Irritant. Pas de la même espèce que ces soudards et ces courtisans qui entouraient Da Monzon et ne songeaient qu'à remplir leur concession d'or et de cauris, et leurs cases de femmes. Bref, une énigme.

# 5

Malgré son chagrin, Nadié s'était endormie. Elle sortit sur le seuil de la case pour tenter de deviner l'heure.

Opaque la nuit. Humide. Des trombes d'eau étaient tombées. La terre avait bu à satiété et à présent, comme un enfant gavé, elle renvoyait de lourdes vapeurs vers le ciel. Les arbres se tenaient cois, épuisés par l'ouragan. Ainsi, Tiékoro n'avait pas tenu sa promesse. Il n'était pas rentré. Dans l'ombre du vestibule, les calebasses pleines de galettes qu'elle avait amoureusement pétries symbolisaient son abandon. Une sorte de rage la prit, de folie meurtrière. Pour un peu, elle serait allée le chercher comme ces mégères qui font des scènes à leur mari. Mais voilà, Tiékoro n'était pas son mari. Elle n'avait aucun droit sur lui.

Derrière elle, Awa Nya gémit dans son sommeil. Elle se retourna, prit l'enfant dans ses bras et la serra sauvagement sur sa poitrine. Celle-là au moins lui appartenait. Personne ne pourrait les séparer. Sans trop savoir ce qu'elle faisait, elle sortit dans la cour et ses pieds nus s'enfoncèrent dans la gadoue d'où elle les extirpa avec un léger bruit de succion. Elle marcha droit devant elle et se retrouva hors de la concession. La rue s'enfonçait dans l'obscurité et l'on entendait le murmure des esprits s'interrogeant :

— Où va-t-elle à pareille heure avec son enfant ?

— Est-ce que ce n'est pas la fille de Diosséni-Kandian ?

Depuis longtemps, on n'avait pas appelé Nadié ainsi. Depuis que les tondyons venus de Ségou avaient mis le feu à son village, dispersé et détruit sa famille. Brusquement elle revécut ce passé. Ah, rien de bon ne pouvait lui venir de Ségou ! Elle aurait dû le comprendre dès l'instant où elle avait croisé le chemin de Tiékoro. Elle tourna au hasard sur sa droite et longea une ruelle où brillaient les prunelles de bêtes peut-être nées de son imagination. Pourtant elle n'avait pas peur. Le monde des invisibles ne recelait rien de plus horrible que celui des vivants et puis, elle y reverrait son père et sa mère éventrés à coups de hache sous ses yeux. Elle arriva devant la porte sud de la ville qui donnait non pas sur le fleuve, mais sur la brousse, les champs nocturnes de mil gorgés d'eau. Tout autour de Ségou s'étendait à présent un immense camp de réfugiés, car l'enceinte de la cité n'avait pu contenir tous les Bambaras refluant du Macina, du Femay, du Sebera, de Saro et de Pondori. C'était un enchevêtrement de cases de paille comme celles des Peuls nomades, de quadrilatères de boue hâtivement édifiés, voire de huttes faites de branches d'arbres accolées. Chose peu courante à Ségou, des bandes de voyous partaient de ces taudis et s'attaquaient aux demeures des habitants fortunés. On en avait exécuté deux la semaine précédente à l'entrée de la ville afin que ce sang impie ne souille pas la terre de la communauté.

Des silhouettes d'hommes se dessinèrent sous les cailcédrats, puis ils battirent en retraite, effrayés par cette femme qui déambulait dans la nuit avec un enfant.

Nadié allait droit devant elle, aiguillonnée par le désir de mettre la plus grande distance entre Ségou et elle. Ségou, asile d'injustice et de perfidie. Ses pieds clapotaient dans la boue. Les herbes mouillées lui griffaient les jambes. Une pluie fine se mit à tomber, puis un grand vent se leva qui la chassa.

A un moment, Nadié se roula en boule au pied d'un arbre. Quand les vapeurs blanches commencèrent de se mêler à l'encre du ciel, elle se leva et reprit sa marche. Peu à peu, des hommes, des femmes apparaissaient dans les champs. Dans un marigot, ils plantaient du riz. Là, ils fauchaient du mil. Là encore, des femmes s'affairaient autour des fours de terre où elles grillaient les amandes des noix de karité. Un peu en retrait, on apercevait les toits des cases, sombres comme des pelages de bêtes. Oui, le goût de la vie pouvait être celui d'un fruit ! Pour elle, hélas ! il n'en avait pas été ainsi.

Elle buta contre un puits. Une ouverture circulaire, entourée de branches à demi sèches entrecroisées. Tout d'abord, elle ne pensa qu'à se désaltérer. Elle marchait depuis des heures et bien que le temps fût frais, sa salive formait une pâte amère autour de sa langue. Mais comme elle se penchait pour remonter l'outre de peau de chèvre suspendue à une longue corde de da, elle vit l'eau miroiter. Une bouffée d'air frais lui monta au visage comme un appel et elle se rappela l'histoire que lui contait Siga quand ils vivaient à Tombouctou.

« Elle s'est jetée dans le puits ! Elle s'est jetée dans le puits ! »

Un corps frêle. Des seins aigus comme ceux d'une fille nubile. Un ventre bombé comme un doux monticule. Mais elle ne laisserait pas d'enfant souffre-douleur puisqu'elle tenait contre elle sa petite fille fragile et vulnérable. Elle détacha Awa Nya de son dos et la fit passer contre sa poitrine entre ses seins, considérant passionnément son visage endormi. Toutes deux se retrouveraient bientôt dans le monde des esprits. Sûrement émue par sa fin, la famille multiplierait les sacrifices à son intention et, bienveillante en retour, elle travaillerait à son bien-être.

Elle se pencha à nouveau au-dessus du puits. En cette saison, l'eau n'était pas loin. On l'apercevait mouvante, grimpant légèrement le long des parois de terre et sa fraîcheur parfumait comme une haleine.

Nadié enjamba la balustrade de branchages. Un instant l'instinct de vie fut le plus fort. Elle se rappela le corps de Tiékoro contre le sien, l'odeur de sa sueur quand ils faisaient l'amour, les rires cristallins de ses enfants, la morsure du soleil. Elle se raccrocha aux branchages. Mais ils vacillèrent sous son poids et doucement cédèrent. Comme elle tombait vers l'eau noire, freinée et soutenue par ses pagnes, un sentiment de résignation l'emplit. Elle l'avait voulu, elle l'avait voulu. Elle serra les bras autour d'Awa Nya.

On organisa une battue pour retrouver Nadié.

Une quarantaine d'hommes montèrent à cheval et partirent dans toutes les directions. Tiékoro, qui s'était précipité la tête la première contre un cailcédrat dans l'intention de mettre fin à ses jours, délirait dans sa case, veillé par sa mère, entourée des plus grands féticheurs. Les femmes de la concession étaient muettes. Toutes se sentaient concernées. Toutes se sentaient responsables. Il aurait peut-être suffi d'un sourire à Nadié quand elle pilait le mil, d'une parole quand elle prenait place dans le cercle à la veillée pour prévenir le drame de cette disparition, d'un geste de solidarité pour la protéger du désespoir. Or aucune n'avait dit mot.

A Ségou, les conversations allaient bon train. Qu'y avait-il donc chez ces Traoré pour qu'ils soient ainsi affectés de morts violentes, de disparitions, de calamités de toutes sortes ? Ceux qui les fréquentaient se demandaient s'il ne fallait pas leur tourner le dos. Ceux qui ne les fréquentaient pas se réjouissaient d'avoir toujours gardé leurs distances. La plupart des gens ne connaissaient pas Nadié et on racontait à son sujet les histoires les plus invraisemblables. Ce serait une Mauresque de Tombouctou, une Marocaine de Djenné qui, pour suivre Tiékoro, avait abandonné son pays natal et sa famille. Dans l'ensemble, on la plaignait, même si l'amour porté à ce paroxysme semblait un sentiment inquiétant. Que deviendrait-on si les femmes n'acceptaient plus les concubinages et les remariages de leurs compagnons ?

La nouvelle parvint au palais du Mansa et la princesse Sounou Saro, que l'on avait promise à Tiékoro, en conçut du déplaisir. Allait-elle épouser un homme que le départ d'une concubine jetait la tête la première contre un arbre ? Elle alla trouver sa mère qui ne pensait pas autrement. Mais comment faire ? La dot avait été payée. Le jour des noces était fixé. Les deux femmes firent venir Tiétigui Banintiéni dont l'esprit ne manquait jamais de ressources. Pendant tout un après-midi, ils tinrent conclave dans une des salles du palais.

Cependant, vers la fin du jour, une partie de la compagnie envoyée à la recherche de Nadié arriva au village de Fabougou.

Le village était en émoi, car on avait tiré du puits le corps d'une jeune femme inconnue et, plus cruel encore, celui d'une fillette de quelques mois. Le devin avait prédit d'effroyables catastrophes. C'était le signe avant-coureur de la destruction de la région par les Peuls d'abord, puis par des hordes d'hommes plus terribles encore.

Oui, les dieux et les ancêtres abandonnaient les Bambaras. Tiéfolo, qui guidait l'expédition, mit pied à terre et s'agenouilla à côté de Nadié. Elle n'avait pas séjourné dans l'eau assez longtemps pour être déformée et son visage était paisible, plein de sa coutumière douceur. Il se rappela comment il avait fait sa connaissance quelques mois auparavant lorsqu'il était venu annoncer à Tiékoro la mort de leur père. Il venait d'être libéré de prison et souffrait de ses coups et de ses blessures. Elle s'était accroupie près de lui, préparant de ses mains habiles un emplâtre de feuilles qu'elle avait posé sur ses plaies. Elle l'avait interrogé :

— Tu as mal ?

Et puis, elle lui avait fait boire une potion tiède et amère, soutenant sa tête d'une main.

— Qu'est-ce que c'est ?

Elle avait souri :

— Dors... Curieux ! Tu crois que les femmes confient leurs secrets ?

A présent, elle était morte. Elle avait osé mettre fin à ses jours. Commettre l'acte le plus abominable. Qu'adviendrait-il de son esprit ? De celui de sa fille ? Il essaya d'imaginer ses dernières heures, l'excès de sa douleur, de sa solitude, de ses peurs. Coupables, ils l'étaient tous. Pas seulement Tiékoro.

Derrière son dos, le chef du village de Fabougou interrogea :

— Tu la connais ? C'est une de vos femmes ?

Il releva la tête :

— Oui, c'est la femme de mon aîné.

Comme elle avait commis le crime des crimes, celui d'attenter à ses jours, personne ne pouvait la toucher impunément. Le grand prêtre-féticheur désigna en hâte deux fossoyeurs. Ils l'enveloppèrent d'une natte et allèrent la mettre en terre loin des champs cultivés du village.

# 6

— Tu as la tête plus dure que la queue d'un âne...

— Ce n'est pas cela. Je veux apprendre à lire. Pourquoi dois-je chanter en même temps les louanges de votre Dieu ? Il n'est pas le mien...

Là-dessus Siga, ramassant sa tablette et son écritoire, fit mine de se lever, mais Sidi Mohammed le retint :

— Une tasse de thé ?

Il se rassit répétant, boudeur :

— Explique-moi. Pourquoi doit-on apprendre à lire dans le Coran ?

Sidi Mohammed leva les yeux au ciel :

— Ne blasphème pas, veux-tu ?

Puis, pour couper court à l'argument, il alla donner l'ordre de préparer du thé. Sidi Mohammed habitait la casbah des Filala à Fès et était bourrelier de son état. Il savait que ses ancêtres étaient venus comme esclaves du temps de Yacoub el-Mansour et il les croyait d'origine mossi [1]. A force de voir passer Siga chaque matin devant son échoppe se dirigeant vers le souk Elkettan, il lui avait adresé la parole et s'était lié d'amitié avec lui. Sans être riche, il vivait à l'aise du fruit de son travail et habitait une agréable maison d'un étage en briques soigneusement travaillées et ornées de mosaïques avec une cour et un portique carrelé. Pour Siga, l'amitié de Sidi Mohammed était

1. Ethnie occupant l'actuelle Haute-Volta.

précieuse. En fait, il divisait sa vie en deux parties, celle qui précédait sa rencontre avec Sidi Mohammed et celle qui la suivait.

Une fois le thé avalé, Siga se leva :

— Il faut que je rentre...

Sidi Mohammed haussa les épaules. Vraiment il ne comprenait pas son ami, son acharnement au travail, le caractère presque monacal de sa vie. Sans protester, sachant que ce serait inutile, il ramassa son burnous de laine et l'accompagna dans la rue jusqu'à la porte Bab el-Mahrouk.

Vers 1812, la ville de Fès pouvait sembler à l'apogée de sa splendeur. Elle se composait de deux cités distinctes, Fès Jdid[2] bâtie par Yacoub ben Abd el-Maqq el-Merini et Fès el-Bali[3] qui se déroulait en suivant la pente de la vallée de l'oued Fès. Dès le début, Siga avait été confondu d'admiration devant cette ville joyau. D'un coup, il avait compris le sens du mot relativité et que Ségou, à ses yeux la plus belle cité du monde, n'était qu'une bourgade. Des monuments de marbre, des palais de pierre, des mausolées, des médersas, des mosquées rivalisant d'ingéniosité et d'harmonie, avec leurs toits de tuiles posés délicatement sur l'enchevêtrement des piliers, des jardins aux vasques faites d'une matière transparente et précieuse. Au cœur d'un parc feuillu, la Qarawiyyin[4] ouvrait ses dix-huit portails recouverts de plaques de bronze ciselé, de dessins et d'inscriptions. Ses coupoles octogonales, ses chapiteaux, les voûtes de ses arcades, les frises de ses portails étaient l'expression raffinée d'un génie dont on pouvait douter qu'il soit celui de l'homme. Avec un profond sentiment d'humilité, Siga regardait les étudiants arabes, berbères, espagnols, juifs convertis, noirs du Soudan se presser à ses portes et comprenait la fascination que peut exercer l'instruction. Un jour, il osa pénétrer dans le patio et, éperdu, considéra la floraison polychrome des murs, or, pourpre, turquoise, saphir, émeraude...

Siga et Sidi Mohammed se séparèrent près de la porte Bab el-Mahrouk, Siga devant se rendre chez son maître qui habitait non loin du palais royal dans Fès Jdid, une somptueuse demeure datant du temps des Mérinides. Moulaye Idris, maître de Siga, parent d'Abdallah de Tombouctou, était certainement un des hommes les plus riches de Fès. Il possédait des ateliers de tissage, tissage de soie, tissage de brochés dont on faisait les ceintures des costumes féminins, ou des tentures, ou des étendards figurant dans l'escorte du sultan. Il employait aussi nombre de brodeurs qui embellissaient les pièces

2. Fès la nouvelle.
3. Fès l'ancienne.
4. L'Université de Fès créée en 860.

d'étoffe destinées aux nappes et aux coussins et tous ces trésors se vendaient dans les souks de la Qaïceria... C'était un croyant d'apparence sévère, ce qui ne l'empêchait pas de tenir fort à l'argent et, année après année, d'épouser de très jeunes femmes. Il traitait Siga avec justice, sans bonté, tandis qu'une sorte de mépris perçait malgré lui dans ses propos.

Siga entra à l'intérieur de la maison, passant sous la porte aux vantaux sculptés et longea le bassin, revêtu d'un carrelage de majolique qui occupait le patio central. Moulaye Idris semblait le guetter et sortit vivement d'une des pièces du rez-de-chaussée pour le héler.

Il s'entretenait avec deux Arabes aux traits tirés, au teint hâlé, aux vêtements couverts de la poudre roussâtre du désert, de toute évidence deux caravaniers. Il proposa avec une bonté assez inhabituelle :

— Assieds-toi, Ahmed, assieds-toi.

Siga obéit, un peu intrigué. Pendant quelques instants, un serviteur fit circuler les coupes de thé vert et des dattes fraîches. Puis Moulaye Idris rompit le silence :

— Nos deux amis ici présents arrivent de chez toi, de Ségou. Ils ont un message à ton intention. Que la volonté d'Allah soit faite, Ahmed, ton père est mort.

Siga ne sut que dire et douta même d'éprouver du chagrin. Ségou était si loin ! Par ailleurs, il n'avait jamais éprouvé grande affection pour Dousika qui ne s'était jamais soucié de lui, le traitant comme un serviteur de Tiékoro. Puis il pensa à l'affliction de Nya, au désordre dans la famille et fut ému. Moulaye Idris poursuivit avec la même bonté :

— Veux-tu rentrer à Ségou ? Je mettrai à ta disposition l'argent et les montures nécessaires.

Siga haussa les épaules et murmura :

— A quoi bon ? Même les cérémonies du quarantième jour ont eu lieu à présent, j'imagine, si l'on tient compte du temps du voyage...

— Mais peut-être ta mère aimerait-elle que tu la consoles ?

Ta mère ? Nya avait été la meilleure des marâtres, mais elle n'était pas une mère. Siga secoua la tête. Peu après, il demanda la permission de monter à sa chambre. Ainsi Dousika était mort ! A présent, Siga éprouvait de l'irritation que l'autre s'en fût allé si tôt, sans attendre qu'il ait donné sa pleine mesure. Jamais il ne saurait ce que valait ce fils, considéré tout au plus comme un bâtard. Et un flot d'amertume emplit son cœur.

A Fès, il avait découvert la férocité des divisions sociales. Certes à Ségou, il y avait des nobles, des artisans et des esclaves. Chacun se mariait à l'intérieur de sa caste. Pourtant lui semblait-il, il n'y avait pas de mépris de l'une à l'autre. Même Tombouctou où l'arrogance des Armas et des ulémas l'avaient frappé ne pouvait se comparer à Fès. Cette ville était un conglomérat de groupes sociaux antagonistes, s'excluant mutuellement du pouvoir. Les chorfa[5] détestaient les bildiyyin[6], qui avec eux méprisaient le peuple, lui-même divisé en factions. Loin derrière venaient les étrangers, les harratin[7] et les esclaves noirs. Siga avait découvert la notion de race, encore imprécise à Tombouctou. Parce qu'il était noir, il était automatiquement méprisé, assimilé aux contingents d'esclaves grâce auxquels un siècle plus tôt le sultan Moulaye Ismaïl avait tenu à merci Arabes, Berbères, Turcs, chrétiens... Jusqu'à sa rencontre avec Sidi Mohammed, il n'avait pas un ami. Il n'avait pas franchi le seuil d'une maison hormis celle de Moulaye Idris. Il n'avait pas échangé un sourire. Partagé un verre. Voilà pourquoi il s'était trouvé pris d'une rage de prouver de quoi était capable un Bambara, un fils de Ségou. Il fallait d'abord apprendre à lire. Et à écrire. Et puis s'initier à toutes ces merveilleuses techniques afin d'en ramener la connaissance au pays. Non seulement chaque jour Siga essayait ses doigts gourds à la calligraphie, mais encore il observait les maçons, les zelligeurs, les sculpteurs sur plâtre, les ébénistes, les lanterniers et leurs chefs-d'œuvre de métal ciselé. Grâce aux relations de Moulaye Idris, il avait passé quelques mois chez un tanneur de la célèbre famille des Oulad Slaoui et s'était initié au complexe processus de fabrication des maroquins. A Ségou, on ne manquait ni de bœufs, ni de vaches, ni de moutons, ni de chèvres... Aussi, tout cela n'était-il pas possible ? On frappa à la porte. C'était la première épouse de Moulaye Idris, Maryam, qui lui avait toujours témoigné une grande bonté, même si elle était parfois hautaine.

— J'ai appris que tu as perdu ton père ? Que la volonté d'Allah soit faite. Ne reste pas là à te morfondre. Viens écouter un joueur de viole...

Siga obéit. A vrai dire, il n'aimait guère la musique qu'on jouait à Fès, mais il était sensible à l'intention de son hôtesse. Il la suivit le long du balcon couvert qui faisait le tour de la maison donnant sur le patio, lui-même entouré d'une spacieuse galerie rehaussée d'arcs et de colonnades. Le joueur de viole se tenait près du bassin central. Les femmes de la maison enveloppées de leurs voiles étaient déjà

5. Les nobles.
6. Les descendants de juifs convertis.
7. Les métis de Noirs et de Berbères.

présentes et l'on faisait circuler de petits plateaux de dattes, des gâteaux au miel et au sucre de canne.

Un petit garçon au teint noir, mais les cheveux fauves et bouclés, se tint debout devant Siga et, riant de toutes ses dents, lui tendit une lettre. Siga la déplia et déchiffra péniblement :

*Es-tu aveugle ? Ne vois-tu pas que je t'aime ?*

Stupéfié, il dévisagea l'enfant qui rit de plus belle et s'enfuit.

Dès l'aube, Siga était à l'œuvre au souk Elkettan où son patron possédait une boutique de cotonnades, celles qu'il faisait tisser grâce aux fils envoyés de Tombouctou par Abdallah. Ce n'était pas une mince affaire : disposer la marchandise en mettant en valeur les plus belles pièces, aguicher le client à la criée, discuter, enlever le morceau. Pas une minute à soi ! Heureusement Sidi Mohammed, dont l'échoppe se trouvait non loin près du carrefour des Semmarin, lui envoyait des tasses de thé et parfois un café très fort à résidu boueux qu'on avalait avec des tranches de citron. Laissant — une fois n'est pas coutume — son magasin sans surveillance, Siga poursuivit l'enfant à travers les ruelles couvertes de claies de roseaux déjà encombrées. L'enfant courait avec l'intention évidente de se faire rattraper, comme par jeu. Il entrait chez les vendeurs de babouches, chez les bijoutiers, chez les oiseleurs ou s'accrochait à pleines mains aux burnous des passants. Brusquement il s'arrêta et Siga le saisit au collet :

— Qu'est-ce que cela veut dire ? Qu'est-ce que cela veut dire ?

L'enfant devint sérieux, fixa Siga de ses yeux mordorés comme ceux des chats, puis fit :

— C'est ma sœur, ma sœur Fatima...

Siga regarda autour de lui avec terreur :

— Ta sœur ? Où est-elle ?

L'enfant débita :

— Ce soir, fais-toi accompagner de ton ami Sidi Mohammed et viens chez nous. On marie ma sœur Yasmin. Dans tout ce monde, on ne remarquera pas que vous êtes des étrangers...

Là-dessus, il jeta une adresse et s'enfuit.

Pendant un moment, Siga resta debout, les bras ballants comme un imbécile à tourner la tête de droite et de gauche. Puis, il courut chez Sidi Mohammed, manquant renverser dans sa hâte deux ou trois porteurs d'eau charroyant sur leur flanc des outres en peau de bouc. Sidi Mohammed mettait la dernière main à un harnachement de chevaux destiné à la famille du sultan, car il était connu comme un des meilleurs artisans de sa spécialité. Siga lui tendit le billet qu'il avait reçu et lui conta en haletant son aventure. L'autre ne sembla pas surpris et fit seulement :

— Eh, bien ce n'est pas trop tôt !

Depuis qu'il était à Fès, Siga n'avait eu commerce qu'avec les prostituées des maisons publiques. Il était trop orgueilleux pour se faire rabrouer par une femme à cause de sa couleur. Deux ou trois prostituées qui habitaient non loin de la porte Bab el-Chari'a le recevaient bien volontiers. Là, il prenait son plaisir sans pratiquement voir la femme qui gémissait et se cabrait sous lui. Soudain, il apprenait que dans cette ville étrangère, presque hostile, une jeune fille l'avait remarqué parmi tant d'hommes riches, instruits, beaux, sûrs d'eux-mêmes, et il aurait souhaité l'en remercier à genoux. Comment était-elle cette inconnue ? Quels yeux ? Quel sourire ? Pendant ce temps, Sidi Mohammed grattait sa tignasse crépue :

— Cette adresse-là ce n'est pas très loin d'ici, dans Zekkak er-Roumane. Ce nom-là, je dirai que c'est celui de la fille d'une marieuse, Zaïda Lahbabiya, fille naturelle, j'entends bien, car les marieuses n'ont pas le droit de se marier.

Toutes ces paroles n'avaient pas de sens pour Siga, peu au fait des mœurs secrètes de Fès. Tout ce qui comptait pour lui, c'est qu'une inconnue l'aimait et avait eu l'audace de le lui dire. Finalement Sidi Mohammed lui rendit son billet en disant :

— Tâche de te faire beau et reviens me trouver ici vers six heures.

Peut-on décrire la journée que passa Siga ? Il flottait sur un nuage. Il échafaudait les projets les plus déraisonnables. Il chantait de vieux airs de Ségou qu'il croyait oubliés. Il aurait voulu prendre l'univers à témoin et hurler : « Une femme m'aime ! Une femme m'aime ! Moi ! Moi ! »

Un instant, une inquiétude l'effleura : et si elle était laide, vieille ou bossue ? Bien vite, il la chassa.

Vers le milieu de l'après-midi, il ferma boutique. C'était la fin de l'hiver. Les pauvres s'enveloppaient de burnous de laine grossière tandis que des élégants paradaient dans des vêtements de drap importés d'Europe, la tête coiffée d'un bonnet rouge sombre, lui-même entouré d'un volumineux turban qui faisait deux fois le tour de leur crâne. Les enfants, quant à eux, étaient emmitouflés dans des pièces de lainage de couleur violente, et si les fillettes étaient tenues à la maison près de leur mère, on rencontrait partout des foules de petits garçons, leurs planchettes sous le bras. Siga décida de se rendre aux étuves. C'était là un détail de vie auquel il avait pris goût. Passer de la salle froide à la salle chaude où des mains habiles vous lavaient, puis à la troisième salle où l'on transpirait dans une agréable promiscuité tandis que le pauvre ne se distinguait plus du riche, dans l'odeur de fumier des chaudières, était tout bonnement grisant ! Parfois des étudiants de la Qarawiyyin se mettait à déclamer :

« O Fès, c'est à toi que l'on cherche à ravir toute beauté. Est-ce ton zéphyr ou bien un souffle qui nous repose ? Est-ce ton eau fraîche et limpide ou de l'argent qui coule ? Ton territoire est une terre que sillonnent les fleuves ainsi que les groupes d'hommes, les souks et les chemins. »

On s'entretenait avec des inconnus, rapprochés par la seule nudité. Cette fois cependant, Siga ne s'attarda pas, car il craignait trop d'être en retard à son rendez-vous. Lui qui ne prêtait aucune attention à ses habits se vêtit cette fois avec la plus grande élégance. Une veste serrée à manches bleu sombre, une chemise de fine toile, un caftan marron et un burnous de laine noire agrémentée de broderies de même couleur. Comme il sortait de sa chambre, Maryam qui donnait des ordres à ses servantes s'exclama :

— Eh bien ! Où vas-tu ?

Devant son embarras, elle eut un sourire. Courant à sa chambre, elle en ressortit bientôt et l'aspergea de parfum.

Le mariage à Fès n'était pas une petite affaire. Si la dot n'avait peut-être pas la même importance qu'à Ségou, c'était tout de même une débauche de présents, ducats, pièces d'étoffes de soie et de lin, lourds brochés, bracelets et colliers d'or et surtout d'argent, filigranés par les meilleurs orfèvres. Quand Sidi Mohammed et Siga arrivèrent chez la mystérieuse Zaïda Lahbabiya, la fête venait à peine de commencer. Le patio et le rez-de-chaussée étaient remplis d'hommes cependant que les femmes se tenaient encore au premier étage. L'air résonnait du bruit des trompes et des violes, de rires et des chants de louange des poètes.

Quelle belle demeure que celle de cette Zaïda ! A coup sûr, sa profession de marieuse, si Sidi Mohammed ne s'était pas trompé, devait rapporter gros ! Un patio d'amples dimensions. Entre le rez-de-chaussée et l'étage, un entresol. Les garde-fous des galeries faits de motifs géométriques disposés en oblique. Des dalles de marbre blanc et des linteaux décorés de rosaces délicatement moulurées. Personne ne s'étonna de l'apparition parmi les invités de Sidi Mohammed et de Siga. Il est vrai que dans cette assemblée d'hommes, riant et bavardant, une chatte n'aurait pas reconnu ses petits. Bientôt, Zaïda Lahbabiya apparut, sa qualité de marieuse lui donnant droit de rencontrer les hommes à visage découvert. C'était une Noire à peine métissée d'Arabe, de haute taille, les yeux étincelants, et somme toute assez effrayante. Elle était violemment fardée et ses cheveux noirs très courts étaient agrémentés de pièces d'argent. Ses larges mains et ses pieds étaient bleuis au henné et de son corps se dégageait un parfum de poivre mêlé de menthe, doux et excitant à la fois. Elle fixa Siga dans les yeux et le cœur de ce dernier se liquéfia. Cette mère redoutable savait-elle la raison de sa présence ? Alors n'allait-elle pas le faire jeter dehors comme un manant ? Ou pire, l'apostropher publiquement ? Que dirait-il pour sa défense ? Mais déjà Zaïda s'éloignait, sans s'arrêter, comme une pirogue lourdement chargée descendant le fleuve. D'une certaine manière, Siga s'en rendit compte, c'était elle la véritable reine de la fête. Ce n'était point sa fille, ni son futur gendre ni les parents de ce dernier. Elle distribuait avec ostentation des ducats à un orchestre qui venait de s'installer dans le patio. Elle frappait dans ses mains et des servantes portaient des plateaux de viande de mouton et de couscous. Elle esquissait des pas de danse. Brusquement une main se posa sur celle de Siga. Il reconnut le garçon qui l'avait abordé le matin, accoutré de ses plus beaux habits, les cheveux soigneusement peignés et partagés par une raie de côté. Le garçon posa son doigt fluet sur ses lèvres et lui fit signe de le suivre.

Pour Siga, l'amour fut pareil aux premières pluies de l'hivernage. La saison sèche s'est étirée interminablement. La terre est craquelée ou poudreuse. L'herbe est rousse. Les arbres desséchés n'en peuvent plus. Et puis des nuages s'accumulent au-dessus des champs. Bientôt ils crèvent. Les enfants nus courent au-dehors pour recevoir les premières gouttes, encore espacées et brûlantes. Et puis tout pousse, le riz, le mil, les courges. Le poisson emplit les nasses. Les bergers abreuvent leurs troupeaux. Comment avait-il pu vivre sans Fatima ?

Siga se réveillait la nuit pour se poser cette question. Elle ne le quittait pas le jour au souk, pendant ses leçons de lecture, à l'étuve, pendant les repas. D'ailleurs il n'avait plus goût à rien. A la nourriture. A la boisson. Au travail. Pour la première fois, Moulaye Idris dut lui faire une observation sur la tenue du magasin et Maryam se plaignit du désordre dans sa chambre. Quant à Sidi Mohammed, il lui déclara qu'il n'apprendrait jamais à lire. Fatima ne ressemblait en rien aux femmes dont Siga avait quelquefois rêvé. Noire comme sa mère et son jeune frère, mais les cheveux soyeux et les yeux gris. Petite, si petite. Avec un corps menu, à peine renflé aux fesses et aux seins. Comment tirer tant de délices d'une si dérisoire étendue de chair ? Et pourtant les créatures corpulentes que Siga avait chevauchées à satiété ne lui avaient jamais procuré tout ce plaisir. Il est vrai qu'il s'agissait cette fois d'un plaisir du cœur. D'un plaisir de l'âme. Siga ne se lassait jamais d'entendre Fatima lui conter :

— J'étais venue acheter des babouches au souk Essebat et je reprenais le chemin de la maison, mon paquet sous le bras. Et puis, je t'ai vu...

— Tu m'as vu et tu m'as aimé. Comme cela ? Pourquoi ?

— Parce que tu avais l'air triste, parce que tu avais l'air seul.

A cet endroit du récit, à chaque fois, Siga couvrait Fatima de baisers.

Il n'y avait qu'une ombre à ce tableau : ces rendez-vous en cachette dans la maison d'une amie complaisante à El-Andalous.

Car Fatima vivait dans la terreur de sa mère.

L'ancêtre de Zaïda Lahbabiya était venue comme esclave au Maroc, au temps du sultan Moulaye Abdallah, l'année même du grand tremblement de terre qui avait ravagé Fès. Au sein de la vieille famille fassie [8] dont elle portait le nom, elle avait servi d'habilleuse, préparant chaque mariée pour son départ vers la maison nuptiale. Puis cette activité était devenue une profession spécifique, complétée par des activités de broderies, en attendant le retour du printemps et des noces. Les privilèges des marieuses s'étaient transmis désormais de mère en fille. En outre, elles organisaient l'exposition du nouveau-né et récitaient, lors des circoncisions, des formules connues d'elles seules. Actuellement, sous le règne de Moulaye Slimane, la « corporation » des marieuses, toutes descendantes d'esclaves noires, comptait sept patronnes dont la plus puissante était Zaïda. Zaïda était riche. Elle possédait tant de bijoux qu'elle les louait à prix fort aux familles qui n'avaient pas de quoi parer leurs épousées. Elle connaissait le sultan et elle était souvent reçue au palais. Quand elle allait par les rues de Fès el-Bali, tout le monde la reconnaissait et la saluait par son nom.

Siga interrogeait Fatima :

— Que crains-tu ? Qu'elle me trouve trop humble pour toi ? Je suis le fils d'un noble de Ségou et ma famille peut lui faire parvenir une caravane chargée d'or, si elle le veut.

Fatima secouait vivement la tête.

— Il ne faut pas qu'elle sache. Jamais. Jamais.

Or Siga avait envie de crier cet amour à la face du monde. Il avait envie d'avoir des enfants. Il avait envie de s'installer dans une jolie maison de la casbah des Filala à deux pas de son ami Sidi Mohammed. Pourquoi cela lui était-il interdit ?

Siga équilibra les pièces de cotonnade tandis qu'une fois de plus sa pensée parcourait le même triangle. Pourquoi Fatima refusait-elle

8. Originaire de Fès.

de le présenter à sa mère ? Etait-ce parce qu'il était noir ? Impossible, elle était aussi noire que lui. Etait-ce parce qu'il était mauvais musulman ? En ce cas, il se sentait prêt à aller se vautrer cinq fois par jour à la mosquée d'Abou el-Hassan. Etait-ce parce qu'elle le croyait un gueux ? En ce cas, il ferait parvenir un message à fa Diémogo afin de prouver le contraire. Brusquement, un parfum frappa ses narines, parfum étrange de poivre mêlé de menthe tandis qu'une voix un peu rauque adoucissant sensuellement les rudes consonances de l'arabe :

— Eh bien, il m'en a fallu du temps pour te retrouver !

Siga se retourna tout d'une pièce, puis faillit littéralement s'évanouir ou prendre les jambes à son cou, car devant lui se tenait, vêtue d'une lourde robe noire, le visage à moitié couvert d'un voile de fantaisie, les cheveux chargés de sequins, Zaïda, Zaïda Lahbabiya en personne, la mère de Fatima. Dans sa terreur, il laissa tomber le coupon de cotonnade qu'il tenait et elle rit d'un beau rire de gorge, qui faisait tressauter sa poitrine :

— Je te fais tant d'effet que cela ?

Siga n'était pas un enfant. Il sentait bien que ce n'était pas la manière dont une mère offensée s'adresse au galant de sa fille. C'était d'une entreprise de séduction qu'il s'agissait. Trop de femmes de mauvaise vie l'avaient dévisagé ainsi, avaient soupesé le poids de son corps et tenté de deviner les dimensions de son pénis. Cela ajouta à son épouvante. Il balbutia :

— Que désires-tu ?

Zaïda rit plus fort :

— Est-ce que tu ne le sais pas ? L'autre jour, au mariage de ma fille, tu as disparu bien vite. Quand je t'ai cherché, pfut, tu étais parti... Ensuite, il m'a fallu remuer ciel et terre pour te retrouver.

Siga répéta avec l'horrible impression d'être stupide :

— Dis-moi ce que tu veux. J'essaierai de te satisfaire...

Zaïda s'approcha au point de le toucher :

— Je suis sûre que tu y parviendras. Tu connais déjà mon adresse. Ce soir, je t'attendrai...

# 7

Combien d'hommes ont fait l'amour en même temps à une mère et sa fille et éprouvé autant de plaisir dans les bras de l'une et de l'autre ?

Bien sûr, il ne s'agissait pas du même plaisir. Quand Siga quittait Fatima, il se sentait plus heureux, plus léger, poli, affiné par cet échange comme une pierre précieuse dans la main d'un bijoutier. Quand il s'extirpait de la couche de Zaïda, il se haïssait et la haïssait, s'irritant rétrospectivement de son avidité et grommelant : « Si elle continue, elle va m'arracher les couilles ! »

Il vivait dans des affres constantes, craignant que la mère n'apprenne ses relations avec la fille et que la fille n'apprenne ses relations avec la mère. Comme il dormait peu et épuisait toute sa semence, il était fatigué, distrait, négligent. A présent, continuellement, Moulaye Idris le tançait. Un jour même, il le fit appeler dans son bureau :

— Ecoute-moi, depuis plusieurs années que tu es ici, je n'avais eu qu'à me féliciter de tes services. Or, depuis quelque temps, tu as changé au-delà de toute expression. Je te donne un dernier avis. Si cela continue, je me verrai dans l'obligation de te renvoyer à Tombouctou auprès d'Abdallah.

Que faire ? Rompre avec Fatima ? Il n'en était pas question. Rompre avec Zaïda ? Il n'en avait pas la force.

C'est que Zaïda, outre ses exceptionnelles qualités au lit, était un personnage fantastique. Elle débordait d'histoires réelles ou imaginaires. A l'en croire, le sultan Moulaye Slimane, amoureux fou d'elle, avait voulu la prendre dans son harem. A l'entendre, un manuscrit sur peau de gazelle de la Qarawiyyin contenait des poèmes à sa louange. Selon ses dires, son portrait figurait dans le palais d'un seigneur de Cordoue en Espagne. Tout irrité qu'il fût, Siga ne se lassait pas de l'entendre parler. Il mourait de rire en retombant entre ses cuisses largement ouvertes et leurs premières étreintes avaient toujours un goût ludique. Que faire ?

Revenant du Mellah[1], où il avait livré du broché à un riche commerçant qui mariait sa fille, il s'assit dans les jardins Lalla Mina. A quelques pas, un bateleur s'accompagnant d'un tambourin chantait une romance. Plus loin, deux gueux faisaient danser des singes accoutrés de chiffons rouges. Spectacle familier auquel Siga ne prêtait plus aucune attention. Soudain, un vieillard prit place à côté de lui, vêtu comme un pauvre d'un mauvais burnous et d'un bonnet sans oreillette. Il lui tendit sa tabatière, que Siga refusa d'un geste, et après s'être mis un petite prise dans les narines, il fit observer :

— Tu as l'air bien malheureux, jeune homme !

Siga eut un soupir. Dans les moments de grande affliction, c'est connu, l'individu se confie au premier venu. Siga n'échappa pas à la règle et vida son sac. Quand il se tut, l'homme hocha la tête :

— Que c'est beau, la jeunesse ! Moi aussi, avant d'être décati comme tu me vois à présent, j'ai connu une situation semblable. Je me trouvais à Marrakech chez mon oncle...

Se reprochant de s'être laissé aller à se confier, Siga décida de couper court à ce récit insipide et se levait déjà quand le vieillard le retint :

— Fuir, c'est tout ce que tu peux faire !

Siga se rassit :

— Fuir. Mais Fatima ?

— Enlève-la. Emmène-la avec toi... Mets le Sahara entre la mère et toi...

La proposition ne manquait pas d'un certain culot ! En même temps, Siga s'apercevait que ce vieillard ne faisait que dire tout haut ce qu'il n'osait pas exprimer. Il murmura :

— Partir ? Mais je n'ai pas terminé mon apprentissage.

L'homme eut un rire :

— Tu me fais penser à quelqu'un que la mort viendrait chercher et qui lui dirait : « Attends, je n'ai pas fini mon apprentissage. » La vie, la vie est un apprentissage sans fin.

Siga se prit la tête entre les mains. Partir ! Retourner à Ségou

1. Quartier juif de Fès.

Pourtant Fatima accepterait-elle de le suivre ? Sinon, faudrait-il réellement l'enlever ? Cela supposait des complicités dans cette ville étrangère. Il se tourna vers le vieillard pour exprimer ses objections. Il avait disparu. Alors il comprit que c'était un ancêtre qui, sous ce déguisement, lui avait indiqué la voie à suivre, et un grand calme l'envahit.

Il se leva. Voilà qu'au moment de quitter Fès, il se rendait compte à quel point il l'aimait. Il ne s'était jamais attaché à Tombouctou, mais Fès lui avait envahi le sang comme une femme. Partout il garderait sa nostalgie. Il passa devant l'antique mosquée du Minaret rouge, traversa les jardins de Bou Jeloud et regagna lentement Fès el-Bali. Des voix d'enfants psalmodiaient les premières sourates et toute la ville s'étendait à ses pieds, devant une chaîne d'altières montagnes. Avait-il mis à profit le temps qu'il y avait passé ? Peut-être avait-il été exclu de sa vie intime parce qu'il ne partageait pas sa religion. Il ne se prosternait pas dans ses mosquées. Il ne fréquentait pas ses médersas. Il ne s'était jamais mêlé aux foules franchissant le seuil de la Qarawiyyin pour écouter les grands commentateurs des hadiths, venus du monde entier, en particulier de l'Andalousie.

Quand il rejoignit Fatima, il la trouva en larmes, sa mère l'avait encore battue. Siga la couvrit de baisers. Puis l'ayant saoulée de plaisir, il décida de tâter le terrain. Accepterait-elle de le suivre ? Mais Fatima, qui n'avait pas quinze ans, n'était qu'une enfant. Elle avait pu faire écrire une lettre à un homme pour lui déclarer son amour, car il y avait dans ce geste un caractère à la fois romantique et pervers qui était bien de son âge. De là à lui demander davantage ! De là à espérer qu'elle pourrait prendre sa vie en main !

Siga décida d'agir seul et dressa rapidement un plan. Depuis des années qu'il travaillait pour Abdallah de Tombouctou, puis pour Moulaye Idris, il n'avait jamais reçu de salaire, étant nourri et logé. Il fallait donc percevoir ces arriérés. Grâce à eux, il fallait charger une caravane de cotonnades, de soieries ornées de fils d'or, de brochés et de tissus brodés. Le monde changeait. A Ségou, même ceux qui n'étaient pas musulmans voudraient acquérir pareilles nouveautés. Les femmes céderaient à cette mode. Il ouvrirait une grande maison de commerce. Outre les tissus, il ferait la soudure avec le sel de Tombouctou et le kola. Mieux encore, il ouvrirait une tannerie.

Que fallait-il pour cela ? Un espace découvert où l'on pourrait creuser des bassins et des fosses. A Ségou, l'espace ne manquait pas. Le Joliba fournirait l'eau en abondance. Le soleil travaillerait au séchage. On pourrait fabriquer ces babouches de cuir souple jaune ou blanc que Fès exportait à travers tous les pays musulmans. Siga se vit employant des dizaines de garankè[2] car lui-même, fils de noble, ne pouvait s'abaisser à travailler le cuir. Ah, il prouverait à tous de quoi était capable le fils-de-celle-qui-s'était-jetée-dans-le-puits !

Au moment où il comptait déjà ses sacs d'or et de cauris, Siga se retrouva près de la médersa des Chaudronniers et de son humble minaret, les pieds dans les détritus que les habitants jetaient partout abondamment. Il pressa l'allure et se rendit dans la boutique de Sidi Mohammed. Celui-ci était en grande conversation avec un client qui lui commandait une selle pour un pur-sang dont il parlait comme d'une femme. Siga cacha son impatience. Enfin, le détestable bavard s'en alla et tout à trac, Siga fit part de sa résolution. Il y eut un long silence, puis Sidi Mohammed se décida :

— Zaïda est une fine mouche, je dirais même que c'est la créature la plus intelligente qui ait nom de femme. Si tu disparais avec sa fille, elle saura que deux plus deux font quatre. Elle ameutera le sultan et on arrêtera tous les voyageurs et toutes les caravanes se dirigeant vers Ségou. En moins de deux jours, tu seras de retour ici, les fers aux pieds.

L'objection ne manquait pas de justesse. Siga fixa Sidi Mohammed avec désespoir.

— As-tu une autre idée ?

Sidi se gratta vigoureusement la tête comme il aimait le faire. Cet homme matois cachait la finesse de son esprit sous des airs de brute. Finalement il laissa tomber :

— Une autre route. Tu dois prendre une autre route...

Siga écarquilla les yeux :

— Une autre route ? Tu en connais d'autres, toi ?

Sidi Mohammed se versa lentement du thé, but à petits coups la moitié de sa coupe, puis fit :

— La mer.

— La mer ? Où vois-tu la mer à Fès ?

Sidi Mohammed soupira, comme découragé par tant de stupidité :

— A Fès, il n'y a pas la mer, mais à quelques kilomètres d'ici, près de Kénitra, et puis j'y ai un oncle... Là, tu trouveras des bateaux pour te conduire dans toutes les parties de la Terre.

Siga rentra à petits pas chez Moulaye Idris.

Quand le soir tombait, assombrissant les murs blanchis à la chaux, les habitants aimaient s'assembler sur les places, jusqu'à ce que le grand appel du muezzin *Allah Akbar* les ramène à l'intérieur

2. Artisan bambara qui travaille le cuir.

des maisons pour la dernière prière. Les marchands d'amandes, de menthe, d'épis de maïs grillés essayaient de tirer profit des heures qui restaient avant la nuit et à chaque porte, des conteurs publics chantaient la fondation de Fès. Siga fit un crochet jusqu'à Bab el-Guissa où, comme chaque jour, un poète déclamait les vers d'Abou Abdallah el-Maghili devant une foule recueillie : « O Fès ! qu'Allah fasse revivre ton sol par l'humidité. Qu'il l'arrose de la pluie du nuage généreux. O paradis de ce monde ! Toi qui surpasses Hims par ton panorama splendide et admirable... »

En l'écoutant, ses joues se couvrirent de larmes. Il allait partir, reprendre la route ! Pourtant, il pleurait aussi sur sa faiblesse, car il savait qu'à minuit, il courrait retrouver le lit de Zaïda.

Siga sortit de la cabane de blanchisseur où il était terré depuis la veille. D'après ses calculs, ses amis, ou plutôt ceux de Sidi Mohammed, ne devaient pas tarder. Avaient-ils réussi leur coup ? Il savait que le principal obstacle au succès de l'entreprise était Fatima elle-même. Elle prendrait peur, elle s'affolerait, elle refuserait de les suivre ! Si Siga avait eu un féticheur à ses côtés, il lui aurait payé n'importe quel prix pour en avoir le cœur net.

Tout avait bien marché jusque-là. Avec une hauteur princière, Moulaye Idris lui avait versé son dû, puis reprenant d'une main ce qu'il avait donné de l'autre, il s'était engagé à lui livrer de la belle marchandise. A vrai dire, il semblait satisfait du départ volontaire d'un garçon qui ne le servait plus à sa convenance. Seule sa femme Maryam s'était étonnée :

— T'es-tu entendu avec Abdallah ?

Siga était parvenu à cacher son dessein à Zaïda, lui prodiguant chaque nuit les caresses les plus violentes et endormant ainsi toute méfiance. Sidi Mohammed et ses amis devaient s'emparer de Fatima alors qu'elle revenait de l'école coranique. Comme la coutume du rapt simulé avant le mariage ne s'était pas entièrement perdue, personne ne songerait à intervenir. Puis le petit groupe sauterait sur des chevaux attachés sous les oliviers du Lemta et sortirait par la porte Bab el-Guissa. Simple comme un jeu d'enfant !

Pourtant Siga avait peur. Il croyait Zaïda capable de tout. De remuer ciel et terre pour le retrouver et le punir de sa perfidie. Tant qu'elle vivrait, il ne serait jamais en repos. Il marcha jusqu'à la rivière, l'oued Fès, qui jointe à une dizaine de sources alimentait Fès en eau courante. Sur l'autre rive s'élevait un verger d'orangers, pour l'heure sans fleurs ni fruits, contre le ciel gris d'un hiver finissant. Puis, il retourna vers la cabane et s'accroupit par terre. Il n'était pas loin de maudire l'amour qui avait jeté tant de désordre dans sa vie rangée. En même temps, il savait que seul ce désordre donnait du sens à l'existence. Ainsi, il allait rentrer à Ségou. Quels changements y trouverait-il ? Le père était mort. Tiékoro était-il rentré de Djenné ? Siga s'apercevait que sa rancune à l'égard de son frère n'avait pas désarmé. L'imbécile possédait une femme qu'il ne méritait pas ! En pensant à Nadié, le cœur de Siga s'emplit de douceur. Il avait commandé à son intention une pièce de broché où des passementiers devaient incorporer des fils d'or et d'argent ainsi que des paillettes de métal. Epouse légitime ou non, il entendait l'honorer !

Il crut entendre un piétinement de chevaux sur la route, et sortit en hâte. Mais ce n'était qu'un groupe d'âniers poussant leurs bêtes lourdement chargées, revenant des abattoirs. Il rentra de nouveau à l'intérieur et las de se ronger les sangs, il déroula sa natte et tenta de dormir. Dans les heures d'émotion, les anciens cauchemars reprenaient possession de l'esprit de Siga. Aussi, à peine avait-il clos les yeux que le cadavre de sa mère, dégoulinant d'eau, vint prendre sa place près du puits.

Le corps frêle. Les seins aigus comme ceux d'une fille nubile. Le ventre bombé comme un doux monticule. Le cercle apitoyé et terrorisé des femmes. Pourtant cette fois, le décor avait changé. Au lieu de la concession de Dousika, on se trouvait dans une étendue détrempée par la pluie où pointaient çà et là des arbustes aux feuilles vernissées. L'ouverture du puits béait dans sa ceinture de branchages et le féticheur, accroupi, suppliait la Terre de ne pas s'irriter, de continuer à donner ses fruits.

— Que cette mort mauvaise, inféconde, ne te détourne pas de nous !

Mêlé aux curieux, Siga s'approcha. Et ce ne fut pas seulement un corps qui lui apparut. Mais deux. Elles étaient deux. Deux femmes jeunes, fragiles et entre elles était étendue une petite fille. Siga joua des coudes pour se placer au premier rang, mais implacablement, comme à dessein, le cercle le repoussait. Il ne parvenait pas à distinguer le visage des femmes, ni celui de l'enfant dont il apercevait seulement les pieds potelés et les ongles nacrés. Quoi de plus absurde que la mort d'un enfant ? Qu'un fruit vert qui tombe avant un fruit mûr ?

— Pourquoi se sont-elles tuées ?

On n'en savait rien. Elles appartenaient à l'espèce dangereuse des femmes qui aiment trop. Qui placent leurs sentiments au-dessus des règles de vie en société.

— Laquelle des deux a emmené son enfant avec elle ?

— Elle a bien fait. Une fille n'appartient jamais qu'à sa mère.

Le murmure des voix féminines s'éteignit. Siga joua plus fort des coudes et parvint à apercevoir l'arrondi d'une joue, la blancheur des dents sous des lèvres retroussées. Nadié. C'était Nadié. Un cri de terreur s'arrêta à la base de sa gorge. Puis, par une reptation lente, il monta, parvint à franchir le barrage de sa luette et fusa. Nadié. C'était Nadié. Comme il se dressait, impuissant et torturé, une main le secoua. Il ouvrit les yeux sur une ombre épaisse. Des rires s'élevèrent :

— Eh bien, en voilà une façon d'accueillir ta femme !

L'ombre se dissipa et émergèrent les visages rigolards de Sidi Mohammed et de quelques hommes en bonnet de laine. Siga gémit :

— Elle est morte, elle est morte !

Les hommes rirent à gorge déployée :

— Mais non, elle n'est pas morte...

Et ils s'écartèrent pour faire place à Fatima informe, enveloppée de couvertures comme un ballot, encore effrayée, mais jubilante.

Il fallut bien des minutes à Siga pour que les ombres se dissipent, pour qu'il se persuade que ce n'était qu'un rêve et reprenne pied dans le réel. Néanmoins, l'impression était si forte qu'elle annulait toute joie et flottait comme un mauvais présage. Sous les regards réprobateurs du groupe et surtout de Fatima, il alla se verser une forte rasade d'eau-de-vie.

Sidi Mohammed et ses compagnons avaient apporté des galettes de blé dur, des olives et des oignons. Tout le monde se restaura.

Bon, la première partie du plan avait réussi. Restait la seconde. Il s'agissait de remonter en barque jusqu'à l'oued Sébou, puis jusqu'à l'Atlantique. La voie était sillonnée de navires depuis le temps où le commandeur des croyants Abou Inan y avait lancé des vaisseaux de guerre. Quant à l'Océan, d'aucuns affirmaient qu'il était noir de mâts, se dirigeant dans toutes les directions, vers l'Espagne, et le long des côtes d'Afrique, jusqu'à disait-on l'embouchure du Joliba.

Quand Siga se retrouva seul avec Fatima, il n'éprouva pas la joie qu'il avait escomptée. Le souvenir de son rêve le bouleversait encore. C'était comme si l'esprit de Nadié, avant de s'enfoncer au pays des invisibles, avait voulu dire un adieu à ceux qui l'avaient aimée. En outre, il s'en rendait compte, Fatima n'était qu'une gamine qu'il faudrait tenir par la main à travers la vie. Pour l'heure, elle regrettait déjà Ali, son petit frère :

— Le pauvre, avec qui va-t-il jouer quand je ne serai plus là ? Et puis, il oubliera de faire ses prières. Comme toi d'ailleurs, Ahmed, tu es un mauvais musulman... Tu grilleras dans le feu éternel.

Celui qui n'a jamais vu la mer reçoit en la découvrant un grand coup au cœur. Sa respiration s'arrête sous ces effluves. Devant ce grand suaire déroulé, il prend aussitôt la dimension de l'infini et de la mort. Siga, qui avait vu le lac Débo en se rendant à Tombouctou, croyait n'être pas surpris. Et pourtant ! Ses yeux interrogeaient l'horizon. Qu'y avait-il au-delà de cette courbe grise ? Sans doute les pays d'autres hommes à peau claire comme les Arabes, à peau blanche comme les Espagnols et qui méprisaient les hommes à peau noire. Siga avait eu le temps de comprendre qu'une peau noire faisait de vous une créature à part. Pourquoi ? Il avait beau tourner et retourner cette question dans sa tête, il n'entrevoyait pas de réponse. Les Bambaras étaient aussi forts, orgueilleux, créatifs qu'un autre peuple. Etait-ce simplement le fait de la religion ? Si c'était cela, par un esprit de défi, il s'accrochait à ses dieux, à ses ancêtres. Contre vents et marées, il resterait un buveur d'alcool, un fétichiste. Fatima et Siga étaient allés de Kénitra à Salé, autrefois port actif échangeant avec l'Espagne des huiles, du cuir, des laines, des céréales, pareille à présent à un grand cimetière de pierres grises. Evitant Rabat sur l'autre rive du fleuve qu'on leur avait dit grouillante de trafiquants d'esclaves, ils étaient descendus à Mohammedia.

Siga avait laissé Fatima à l'auberge, car depuis le matin elle pleurait. Elle réalisait soudain qu'elle n'aurait pas le mariage de ses rêves : un trousseau somptueux, du mobilier, une esclave attachée à son service. Siga avait beau lui répéter qu'il lui offrirait tout cela à Ségou, il commençait de se demander de quel œil elle regarderait leurs concessions de banco, leurs calebasses, leurs nattes et le peu de raffinement de leurs habits. Eh non, ils ne possédaient pas tous les biens matériels des fassi ! Il soupira et se dirigea vers le quai. Dans des entrepôts à toits bas s'entassaient des sacs de blé ou de riz, des paniers de dattes et d'olives. Il y avait aussi des poteries dites « fekkarines » en terre vernissée bleue que des hommes, torse nu, enveloppaient délicatement dans la paille.

Les amis de Sidi Mohammed n'avaient pas menti. L'Océan était couvert de navires dont des marins lavaient les ponts à grande eau. Siga avisa un Noir assis sur un tas de cordages et lui exposa son projet. Pour toute réponse, l'homme se frappa le front :

— Tu es fou. Aucun bateau ne va jusque-là. Tu prétends descendre plus loin que l'embouchure du fleuve Sénégal et de là, entrer à l'intérieur des terres ? Pourquoi n'as-tu pas pris une caravane ?

Siga fit sèchement :

— C'est mon affaire. Connais-tu un navire qui va vers le sud ?

Le marin indiqua un brick d'assez méchante apparence.

Le capitaine Alvar Nuñez était né en Andalousie, avait roulé sa bosse le long des côtes d'Afrique, tâté du trafic négrier, mais depuis que ces satanés Anglais arraisonnaient tous les navires de traite, il s'était reconverti dans un commerce plus légitime. Il regarda avec surprise ce Noir de belle allure, vêtu à la manière des gens de Fès, s'exprimant parfaitement en arabe et l'interrogea :

— Qu'est-ce que tu fais si loin de chez toi ? Raconte...

Mais Siga n'avait aucune envie de parler de lui-même. Il exposa sa requête. Il était prêt à payer le prix qu'il faudrait pour être conduit à l'embouchure du fleuve Sénégal ou du fleuve Gambie. Alvar Nuñez tira son brûlot de la bouche :

— Il y a quelques années, je n'aurais pas donné cher de ta liberté dans ces coins-là. A présent tout est changé. Je ne suis ici qu'à la suite d'une avarie. En réalité, je vais à Bonny[3] chercher de l'huile de palme. Tu as de la poudre d'or, dis-tu ?

Siga descendit d'un bond l'échelle qui menait au quai. Non, les dieux et les ancêtres ne l'abandonnaient pas ! Voilà qu'à peine arrivé à Mohammedia il trouvait un navire et un capitaine qui ne semblait pas un trop mauvais bougre. Pour fêter l'événement, il entra dans une taverne où des hommes de toutes couleurs, Arabes basanés, Espagnols à chair blanche, Noirs, juifs au teint blafard ingurgitaient ces liqueurs qui permettent d'oublier les soucis quotidiens : eau-de-vie, rhum, vin, genièvre... Il y avait aussi quelques femmes fardées, le visage découvert. Siga s'assit à une table et allumait une pipe quand un homme se précipita vers lui :

— Jean-Baptiste ! Ma parole, tout le monde te pleure, te croyant mort...

Désagréablement surpris par ces propos, mais s'efforçant de n'en rien laisser voir, Siga frappa le bois de la main :

— Je ne suis pas Jean-Baptiste, mais je vais tout de même t'offrir à boire !

L'homme prit place. Il semblait confondu et conta son histoire. Avec son maître Isidore Duchâtel, un Français complètement fou qui voulait transformer le cap Vert en un immense Jardin d'essai, il allait chercher des graines de fleurs, des bourgeons d'orangers et de citronniers et des plants de mûrier dans la région de Beni Guareval. Il avait connu à Gorée un esclave bambara du nom de Jean-Baptiste qui ressemblait trait pour trait à Siga. Siga haussa les épaules :

— Jean-Baptiste ! Les musulmans nous affublent de leurs noms

3. Ville située près du delta du Niger dans l'actuel Nigeria.

et les chrétiens aussi. Quel était le nom que son père lui avait donné ? Le sais-tu ?

L'homme eut un geste d'ignorance :

— Tala, je crois, ou Sala...

Siga se pencha vers lui et demanda avec passion :

— Naba, est-ce que ce n'était pas Naba ?

# 8

A travers la morsure du soleil, Naba sentit la pensée de son frère voleter autour de son visage, puis se poser sur son front, douce et caressante comme une aile de papillon. Il tira sur sa pipe de maconha. Après quelques bouffées, son esprit devenait léger, poreux et, se détachant de son corps, allait à la rencontre des faits et des gens.

C'est ainsi qu'il avait rencontré l'âme de son père alors qu'elle se détachait de son corps, et qu'il avait fait un bout de chemin avec elle avant qu'elle ne s'enfonce dans l'invisible. De même, il savait que, pour le moment, la famille était éprouvée. Mais il ne savait pas qui elle pleurait. Tout se jouait autour d'un puits. Une forme frêle. La terre détrempée de l'hivernage.

Il tira à nouveau sur sa pipe pour deviner quel frère pensait à lui.

Ce n'était pas Tiékoro, l'aîné bien-aimé, car son esprit battait la brousse, au plus profond de la douleur, et ne songeait à rien. Ce n'était pas Tiéfolo, car il ne se passait pas de jour sans qu'ils soient ensemble. Alors, ce devait être Siga, le fils de l'esclave, le fils-de-celle-qui-s'était-jetée-dans-le-puits, toujours un peu exclu. Où était-il ? Pas à Ségou. Naba perçut la muraille liquide d'un océan que le souffle de l'air rendait plus haute encore.

Au-dessus de sa tête dans le vert sombre des feuilles, des fruits s'offraient, des oranges. L'avant-veille, il s'était rendu dans son jardin. Les fruits ne se distinguaient pas encore des feuilles. Aujourd'hui, brusquement, un peuplement de soleils. Ah oui, cette terre était grasse et fertile. Elle ne demandait qu'à enfanter comme une femme. Naba se mit debout et regarda autour de lui. Une végétation épaisse cédait la place aux champs de canne à sucre, couverts du voile mauve de la floraison. Très loin, comme dessinée en pointillé par la distance et la chaleur, on apercevait la silhouette des « chapadas », ces montagnes aux sommets aplatis à coups de pilon. Naba leva les bras au-dessus de sa tête et cueillit délicatement une orange, une seule. Le lendemain, il reviendrait prendre possession de la récolte.

Manoel Ignacio da Cunha, propriétaire de cette fazenda[1] dans la province de Pernambouc, non loin de Recife, ville du nord-est du Brésil, n'avait pas acheté Naba, ayant son comptant d'esclaves du sucre, mais Ayodélé la petite Nago qu'il protégeait. Naba avait été pris dans un lot par un Hollandais qui tâtait de l'élevage dans le sertão[2] et ne craignait pas les fortes têtes. Quelques mois plus tard, cependant, il avait mystérieusement apparu dans la fazenda de Manoel, à l'heure du repas, et était allé droit à la Nago qu'on avait entre-temps baptisée Romana. D'un coup, Manoel, superstitieux et conseillé par sa femme, n'avait plus touché Romana que pourtant il adorait et qui était grosse de lui.

Que s'était-il passé dans le sertão ? Naba n'en avait rien dit puisqu'il ne parlait pratiquement pas. Il allait et venait, coiffé d'un large chapeau de paille, vêtu d'un pantalon de coton qui s'arrêtait à hauteur des genoux et d'une vareuse informe, une pipe de maconha à la bouche. Les esclaves disaient qu'il était fou, un peu sorcier, pas méchant, mais capable de déchaîner les forces mauvaises. Comme il possédait une extraordinaire connaissance des plantes, ils le consultaient quand un enfant avait le ventre enflé, une femme un ulcère purulent, un homme une maladie de la verge. Protégé par cette réputation de folie, Naba agissait comme bon lui semblait. Il avait défriché un quadrilatère à l'est du moulin et des champs de canne à sucre, et l'avait transformé en jardin potager et en jardin fruitier. Les tomates, les aubergines, les carottes, les choux, les papayes, les oranges, les citrons, tout poussait. Comme s'il savait que la terre ne lui appartenait pas, à chaque récolte, il déposait sous la véranda, à l'intention de la senhora, deux paniers pleins à ras bord. Le reste, Ayodélé le vendait à Recife où on manquait toujours de vivres frais, suspendu que l'on était à l'arrivée des navires en provenance du Portugal. En outre, depuis que la cour de João IV du Portugal, après les troubles causés par Napoléon, s'était réfugiée à Rio, toute la nourriture filait par là.

Car Naba avait repris Ayodélé, comme si rien ne s'était passé en son absence, comme si elle n'avait pas dormi des mois dans

1. Plantation de café ou de canne à sucre.
2. L'intérieur aride du Brésil.

l'Habitation, comme si l'enfant qu'elle portait n'était pas de Manoel. Les esclaves ne cessaient d'en discuter. Est-ce qu'il ne voyait pas que ce premier-né-là était un mulâtre, bien différent des négrillons que sa propre semence avait plantés ensuite ? Du coup, ils haïssaient Ayodélé qui, après avoir été la putain du maître, se donnait des airs respectables et, qui plus est, se mêlait d'organiser dans la fazenda une confrérie baptisée « Seigneur Bon Jésus des aspirations et de la rédemption des hommes noirs », sur le modèle de celle qui existait à Bahia. Les femmes surtout étaient sans pitié.

Naba emprunta le sentier qui, coupant à travers les champs de canne, menait au parc et à l'Habitation, au sommet du morne[3], où vivaient Manoel, sa femme Rosa, la sœur de sa femme Eugenia, venue vivre avec eux après que la syphilis eut emporté son mari, une bonne quinzaine d'enfants légitimes et illégitimes, blancs et mulâtres, une douzaine d'esclaves domestiques, un padre, curé chassé de son église à cause de sa passion pour les négresses impubères, et un maître d'école venu de Rio pour apprendre la calligraphie aux enfants. Il ne pouvait attendre pour montrer à Ayodélé la première orange de la saison. Il fallait qu'elle partage avec lui ce moment unique où la graine enfouie dans la vulve chaude de la terre, après un silencieux labeur, apparaissait potelée, parfaite, comme un nouveau-né enfin révélé à l'impatience de ses parents.

L'Habitation de Manoel pouvait passer pour somptueuse. C'était un édifice de pierre, couvert de tuiles, avec un étage surmonté d'un galetas. Le rez-de-chaussée était occupé par le salon jaune qu'on appelait ainsi à cause de la couleur de ses rideaux de soie et dont un assez beau tapis d'Aubusson couvrait le sol, deux salons plus petits, l'un vert, l'autre bleu qui contenait un piano qu'Eugenia et Rosa tapotaient parfois et qu'on appelait salon de musique, ou salon chinois, selon l'humeur, parce qu'il abritait un canapé chinois incrusté de nacre, une salle de billard où Manoel entretenait des planteurs de ses amis et une vaste salle à manger, meublée de façon assez fruste de tabourets et d'escabeaux autour d'une grande table ornée de chandeliers. Le vestibule était pavé de carreaux noirs et blancs qui revêtaient aussi les murs jusqu'à mi-hauteur. Un escalier de bois menait aux chambres du premier étage, une échelle fort raide aux pièces du galetas où couchaient les esclaves favorites de Manoel. Pourtant, malgré la qualité des meubles faits de bois de jacaranda, des bronzes et des tapis, tout cela avait un air de saleté dû peut-être à l'exubérance du climat tropical. L'odeur des tinettes cachées sous

3. Colline.

l'escalier et qu'un esclave vidait quand elles débordaient s'insinuait partout, sous le parfum des herbes que les petits esclaves brûlaient toute la journée dans les diverses pièces que traversaient, tels des fantômes, Rosa et Eugenia, en robes noires de coupe monastique, un long voile noir aussi, accroché au peigne de leurs chignons luisants, et les épaules drapées dans des châles de même couleur. Les esclaves affirmaient que Manoel couchait avec l'une et l'autre femme, ce qui expliquait l'expression sombre et tourmentée de leurs visages.

Ayodélé se tenait dans la cuisine, entourée d'une nuée d'enfants parmi lesquels Naba reconnut les siens. Elle préparait des pamonhas[4] dont on respirait déjà le fumet, et releva la tête au bruit des pas. Personne mieux qu'Ayodélé ne savait que Naba n'était pas fou. Personne mieux qu'elle ne savait la bonté, la finesse et la générosité de son cœur. Il était dans sa vie la force tranquille, la digue contre laquelle ruaient ses passions. Elle lui sourit tandis qu'il lui montrait l'orange, comme une pépite venue d'Ouro Prêto[5] et interrogea :

— La récolte sera bonne cette année ?

Il hocha affirmativement la tête. Elle insista :

— Est-ce que cela nous rapportera beaucoup d'argent ?

Il sourit à son tour :

— Pourquoi calcules-tu, Iya[6] ? Ne peux-tu laisser les dieux le faire pour nous ?

Elle ne releva pas le reproche et fit :

— Je demanderai la journée au maître pour descendre à Recife…

Puis elle houspilla les enfants qui, profitant de son inattention, trempaient leurs doigts déjà poisseux de jus de canne dans la pâte.

L'esclavage, cela vous transforme un humain, soit en loque, soit en bête féroce. Ayodélé n'avait pas seize ans quand elle avait été arrachée aux siens, ce qui fait qu'elle n'avait, à présent, guère plus de vingt ans. Pourtant, son cœur était celui d'une vieille, plus vieille que sa mère qui l'avait mise au monde et même plus vieille que sa grand-mère. Son cœur était amer. Il était comme le cahuchu, le bois qui pleure, que les seringueiros[7] transperçaient de leurs pointes dans les forêts. Sans Naba, peut-être serait-elle devenue folle, ou elle aurait fini par mettre fin à ses jours, lasse de porter son enfant dans la haine et le mépris d'elle-même. Sans dire un mot, il lui avait signifié qu'elle n'était qu'une victime et cet amour l'avait gardée en vie. Mais l'amour

4. Gâteaux au maïs.
5. Ville située dans le sud du Brésil dans la région aurifère.
6. « Maman », en yoruba.
7. Ouvrier qui « saigne » les artères à caoutchouc dans la forêt.

d'un homme ne suffit pas. Il y avait tout le reste. Le pays d'abord, haïssable à force de beauté. Des palmiers royaux défiant le ciel d'un bleu opaque. Sur les lacs, des profusions de fleurs aquatiques, nénuphars à la transparence verte, orchidées aux lèvres sanglantes et déchiquetées. Les hommes, ensuite. D'une part les esclaves se vautrant dans leur passivité. De l'autre, les maîtres rongés de syphilis, grattant leurs croûtes et leurs plaies de leurs ongles démesurés.

Depuis quelque temps cependant, Ayodélé entretenait un espoir. Elle avait entendu parler de ces sociétés d'affranchissement que les esclaves à Bahia comme à Recife organisaient dans le but de retourner en Afrique. Aidés de ganhadores[8], de Noirs et de métis affranchis, ils constituaient des caisses dans lesquelles ils versaient l'argent qu'ils arrivaient à épargner. Lorsque l'un d'entre eux avait en caisse une somme représentant la moitié de la valeur exigée par son maître pour lui accorder la liberté, il recevait de l'ensemble des adhérents le prix de son rachat. Ensuite, il s'efforçait d'obtenir pour lui et sa famille des passeports portugais, ce qui n'allait pas sans pots-de-vin et tractations de toutes sortes. Un certain nombre de familles étaient déjà reparties ainsi et s'étaient fixées dans divers ports du golfe du Bénin, en particulier à Ouidah. Reis par reis, Ayodélé avait rassemblé le produit des ventes de fruits et de légumes de Naba et elle avait pris contact avec le ganhador José. Il ne restait plus qu'à conclure l'affaire.

La ville de Recife devait son nom aux rochers qui défendaient l'entrée de son port et même de ses plages. Elle avait passé entre les mains des Français, des Hollandais, et finalement, elle demeurait aux mains des Portugais qui d'ailleurs l'avaient fondée au XVIe siècle. Chacun de ses occupants successifs lui avait laissé un peu de lui-même et en résultat, elle était une juxtaposition d'édifices se réclamant de styles différents.

Ayodélé se dirigea vers le quartier Nago Tedo.

C'était un amas de cases de terre, groupées en concessions sous des toits de paille et on se serait cru sans peine à Ifé, Oyo[9] ou Kétou dans le golfe du Bénin. Là, au flanc de la ville, ne vivaient que des Noirs, Nagos pour la plupart, mais aussi haoussas, bantous, anciens esclaves affranchis, et des métis, exerçant mille métiers, ferblantiers, potiers, porteurs d'eau, porteurs de chaises, charbonniers dont les femmes, accroupies aux carrefours, vendaient des pâtisseries, des

8. « Nègre qui gagne de l'argent. »
9. Villes de l'actuel Nigeria, autrefois puissants royaumes.

fruits et des légumes. Les enfants nus ou en haillons grouillaient dans les rues défoncées et boueuses. L'air sentait, outre l'huile de palme dans laquelle baignait toute la cuisine, le piment et la maniguette.

La case du ganhador José tranchait sur les autres par un pathétique effort de recherche. Elle était faite de terre, elle aussi, mais se composait de trois pièces et d'une véranda. La première pièce était une boutique, car le ganhador José faisait commerce de charbon. La deuxième était un salon contenant un canapé et deux chaises avec des dentelles fixées aux dossiers par des rubans à la mode portugaise. La troisième, une chambre à coucher avec un lit à moustiquaire. José lui-même était un personnage fort particulier, un Nago d'Oyo. A cause de son extrême beauté, les Portugais l'avaient utilisé comme une femme et lui avaient finalement communiqué leur vice. Aussi vivait-il entouré d'une cour de minets frétillant du derrière. En même temps, cela lui avait permis de gagner de l'argent et de vivre en semi-liberté. Quand on le voyait, on hésitait à lui attribuer le sexe masculin tant il était mince, couvert de dentelles, avec, au cou et aux oreilles, des breloques et des pendentifs. Il charbonnait de khol le pourtour de ses beaux yeux angoissés car, conscient de sa dégradation, le ganhador José était triste et avait au cœur la haine des Blancs.

José chassa deux adolescents demi-nus qui lui polissaient les ongles et désigna une chaise à Ayodélé. Comme ils venaient tous deux de la même ville, elle interrogea anxieusement :

— Tu as des nouvelles du pays ?

José eut un soupir :

— J'ai pu monter à bord d'un bateau et discuter avec le capitaine. Tout va très mal chez nous.

Les dents d'Ayodélé se serrèrent de haine :

— Quand tout cela finira-t-il ? Quand les nôtres pourront-ils repousser les Blancs à la mer ?

José secoua la tête :

— Il ne s'agit pas de cela. D'ailleurs, les Anglais ont mis fin à la traite. Bientôt, il n'y aura plus un négrier sur la mer. Non, à présent, un autre danger vient du nord...

— Du nord ?

— Oui, les Peuls ont envahi nos villes. Ils y mettent le feu. Ils tuent nos femmes et nos enfants...

Ayodélé resta bouche bée de saisissement, puis elle s'exclama :

— Les Peuls ? Est-ce que ce ne sont pas nos voisins de toujours ?

— L'islam ! Tu le sais, à présent, ils se sont convertis à l'islam. Eh bien, ils pensent qu'ils ont mission de nous convertir tous par le fer et le feu. Jihad, ils appellent cela jihad.

Pendant un instant, ce fut le silence. Enfin José reprit :

— Bon, parlons de ton affaire. La société d'affranchissement a accepté…

Un tel bonheur envahit Ayodélé qu'elle ne put prononcer une parole, pas même un remerciement. José poursuivit :

— Pourtant, certains ont fait des objections. Ton mari est un Bambara de Ségou. Es-tu sûre qu'il veuille te suivre dans le golfe du Bénin ?…

Ayodélé haussa les épaules :

— Ségou ou Bénin, n'est-ce pas l'Afrique ? N'est-ce pas ce qui compte ? Quitter cette terre d'enfer !

José eut un geste qui pouvait tout signifier.

A cette époque, on comptait environ une dizaine de familles qui étaient parvenues à surmonter les insurmontables obstacles et à prendre place à bord d'un navire appareillant pour un des ports du golfe. José savait que cela lui était à jamais interdit. Comment réagiraient les siens, la communauté, son père, sa mère, ses frères, ses sœurs, s'il revenait parmi eux avec ce vice que les Portugais lui avaient mis dans le sang ? Sûrement qu'on le lapiderait ! Sûrement qu'on disperserait ses membres aux carrefours afin qu'il ne souille pas la terre que foulaient les hommes ! Il n'était plus un Nago. Il n'était plus un humain. Il n'était qu'une loque, une pédale.

Pendant ce temps, Naba était allé livrer la récolte de fruits chez le Hollandais Ian Schipper, fidèle client d'Ayodélé, que les déboires de son pays n'avaient pas conduit à quitter Recife. Ian Schipper habitait rue de Cruz, une bâtisse tout en hauteur avec aux fenêtres des jalousies de bois. Comme à chaque fois, le spectacle du port avec ses jagandas[10], ses navires aux lourdes voiles ravissait Naba. Il demeura longtemps face à la mer d'abord étale, rageant brusquement et roulant sur elle-même pour former une barre de plusieurs mètres de haut. Comme il reprenait sa route, un homme s'approcha de lui. Un Noir de haute taille, le crâne rasé de près et vêtu d'une longue robe blanche flottante. Après avoir regardé de droite et de gauche, il lui tendit un feuillet qui, déplié, révéla une succession de caractères arabes, et souffla :

— Allah t'appelle, mon frère. Viens ce soir prier avec nous à Fundão…

La folie prenait un lourd tribut parmi les Noirs de Pernambouc, esclaves, ganhadores ou affranchis. Aussi, Naba ne prêta aucune

10. Sorte de radeaux.

attention à cet homme singulier et roula le feuillet dans sa vareuse. Pourtant il aima ce tracé cabalistique et se promit de le reproduire.

Quand il arriva chez le ganhador José, où Ayodélé lui avait demandé de venir la chercher, il les trouva en grande conversation, devant un verre de cachaça[11]. José renseignait son interlocutrice sur la récente révolte de Bahia. Le plan en avait été intelligemment conçu. Les esclaves révoltés devaient allumer des incendies en divers points de la ville pour distraire l'attention de la police et de la troupe et les attirer hors des casernes. Ensuite, ils devaient profiter de la confusion pour attaquer les cantonnements, y prendre des armes et massacrer tous les Portugais. Une fois maîtres de la ville, ils comptaient opérer leur jonction avec les esclaves des fazendas de l'intérieur. Seule une dénonciation *in extremis* avait fait échouer ce beau plan.

José baissa la voix :

— On raconte que ce sont des musulmans qui ont fomenté tout cela et qu'ils avaient l'intention de massacrer aussi tous les Africains catholiques…

Ayodélé haussa les épaules :

— Catholiques, est-ce que nous le sommes jamais ? Nous faisons semblant, voilà tout…

Le ganhador José rit. Pourtant ils partageaient tous deux la même inquiétude. Les esclaves « musulmans » projetaient de massacrer les « catholiques » ; n'était-ce pas le signe que les dissensions de la terre africaine étaient transplantées dans le monde de l'esclavage ? Or le seul ennemi, n'était-ce pas le maître, le Portugais, le Blanc ?

Naba dormit très mal cette nuit-là.

A chaque fois qu'il allait sombrer dans l'inconscience, le visage de Nya, sa mère, lui apparaissait, baigné de larmes, puis celui de l'inconnu qui l'avait abordé dans les rues de Recife, couvert de sang, exhibant une plaie au front. Quand il tentait de se lever, des mains invisibles le retenaient au sol, s'enfonçaient durement dans sa chair. Finalement, il s'éveilla avec un goût de cendre dans la bouche et alla dans le jardinet attenant à la senzala[12] fumer une petite pipe de maconha. Pourtant, l'herbe, qui avait la vertu magique de le détendre, était inopérante cette nuit-là. Des dangers s'approchaient, il le sentait, pareils à des formes dont on ne distingue pas nettement les contours.

---

11. Alcool très fort de canne à sucre.
12. Nom donné à la case de l'esclave par opposition à l'Habitation du maître.

Il entendait des sanglots, des bruits de fouet. Il respirait l'odeur d'urubu de la mort.

Comme il demeurait là à fixer la nuit, son deuxième fils Kayodé vint le rejoindre. C'était un garçonnet très doux, qui adorait son père. Il réclama tout de suite une histoire et Naba le cala sur ses genoux. S'il avait laissé Ayodélé donner des prénoms yorubas aux enfants, ce qui offusquait beaucoup les esclaves, il ne leur parlait jamais autrement qu'en bambara et il commença un récit puisé dans l'inépuisable geste de Souroukou.

« Souroukou tomba dans un puits. Elle voulait voir si elle ne s'était pas cassé une dent en tombant. Mais elle avait été tellement abrutie par sa chute qu'elle se trompa et mit sa main dans son anus. " Oh, s'écria-t-elle, il ne me reste plus une seule dent ! " »

L'enfant rit aux éclats, puis interrogea :

— Tu parles combien de langues, baba[1] ?

Naba sourit dans l'ombre :

— On peut dire que j'en parle trois. Deux sont celles de mon cœur, le bambara et le yoruba. La troisième est celle de notre servitude, le portugais.

L'enfant réfléchit et demanda :

— Et moi, combien de langues parlerai-je ?

Naba caressa le petit crâne couvert de cheveux pierreux :

— J'espère que tu ne parleras jamais que les langues de ton cœur...

Puis il berça l'enfant et le ramena vers sa paillasse :

— Dors à présent...

La senzala se composait de deux pièces au sol de terre battue. Comme Ayodélé économisait reis par reis tout le gain de Naba, elle ne contenait que le strict minimum. Un placard fourre-tout que Naba avait fabriqué pour les ustensiles de cuisine, poêles et casseroles noircies par l'usage, une table, avec un balai à son pied. Dans la deuxième pièce, des hamacs achetés aux Indiens et quelques paillasses.

Ayodélé dormait dans un hamac avec son dernier-né, Babatundé. L'autre hamac était occupé par Abiola, le fils aîné, le fils de Manoel. Naba se retirait sur la pointe des pieds quand, à la lueur fumeuse du quinquet, il s'aperçut que ce dernier ne dormait pas non plus. Il s'approcha et fit doucement :

— Eh bien, toute la famille a bu du café, cette nuit !

L'enfant ferma les yeux. C'est qu'il haïssait Naba. Il haïssait ses

---

13. « Papa » en yoruba.

frères noirs qui lui rappelaient que sa mère était une esclave et lui-même à moitié un nègre. Il haïssait ce prénom d'Abiola dont on l'affublait alors qu'il aurait aimé porter son nom de baptême Jorge. Jorge de Cunha. Car il était le fils du maître. Pourquoi ne vivait-il pas dans l'Habitation avec les fils de ce dernier ? Pourquoi le forçait-on à demeurer dans cette cabane de boue séchée sur une armature de tiges souples ? Et voilà qu'il entendait parler de retour en Afrique, vers cette terre barbare où l'humain se vendait comme du bétail quand on ne le dévorait pas à belles dents ! Jamais, jamais ! Il s'opposerait de toutes ses forces à ce plan !

Naba n'insista pas, car il connaissait les sentiments d'Abiola.

Plus d'une fois il avait voulu aborder ce sujet avec Ayodélé, mais il craignait de lui faire mal. Est-ce qu'elle n'avait pas déjà assez souffert de sa liaison avec Manoel ? Et puis, un enfant, c'est comme une plante. Avec beaucoup d'amour, il finit par pousser droit, tout droit vers le soleil.

Naba sortit à nouveau dans la nuit, tachetée à intervalles réguliers par les formes plus sombres des senzalas. Pas un bruit. L'odeur très douce de vesou du moulin, rabattue par le vent et sauvage, celle de la terre, indomptée même entre les pieds des cannes à sucre. Quelle était cette forme noire au faîte de l'arbre à pain ?

Etait-ce la mort ?

Etait-ce l'urubu de la mort ?

# 9

Manoel tourna la tête, fronçant les sourcils pour mieux prendre la mesure de son petit interlocuteur. Mulâtre assez noir, avec de beaux cheveux bouclés et une large bouche un peu mauve qui, plus tard, serait sensuelle et, pour l'instant, n'était que tremblante d'effroi. Il insista :

— Es-tu sûr de ce que tu racontes ?

L'enfant inclina la tête :

— Si vous ne me croyez pas, faites fouiller la maison. Vous trouverez les papiers que je vous dis. C'est un musulman et il connaît ceux de Bahia.

Il aurait été question d'un autre que Manoel aurait écarté ces accusations d'un coup d'épaule. Les esclaves de sa fazenda faisaient la prière le matin, le midi et le soir, accompagnaient les maîtres au rosaire et au Salve Regina, allumaient des cierges, brûlaient des rameaux bénits et répétaient avec ferveur : « Je crois à la sainte Croix ! »

Mais il s'agissait de Naba, de celui qui lui avait pris une femme dont il avait encore le désir. Aussi il murmura :

— Va me chercher le feitor[1]...

L'enfant ne bougea pas et Manoel l'apostropha :

— Eh bien, est-ce que tu ne m'as pas entendu ?

L'enfant tomba à genoux :

— Si j'ai dit la vérité, est-ce que vous me garderez auprès de

1. Le contremaître de la plantation.

vous ? Je suis votre fils, maître, pourquoi est-ce que vous ne me gardez pas auprès de vous ?

Manoel fut surpris, vaguement flatté. Il croyait l'enfant complètement acquis à sa mère et assura :

— Bien sûr, bien sûr, ta place est ici...

L'enfant détala.

Manoel Ignacio da Cunha était représentatif d'une génération de Portugais. Appartenant à une véritable famille d'aventuriers qui avait essaimé en Asie, à Madère et au cap Vert, se trouvant trop à l'étroit sur ce quart de péninsule, il était arrivé à Pernambouc et n'avait d'abord été qu'un simple agriculteur portant sa canne au seigneur du moulin, puis il s'était enrichi. Il envisageait à présent d'aller vivre à Recife et de laisser sa fazenda à la garde d'un homme de confiance. Profondément troublé par les propos d'Abiola, il monta auprès de sa femme Rosa et la trouva au lit, aussi jaune que l'oreiller venu des Indes sur lequel elle reposait. Elle l'écouta avec attention cependant que son cœur sautait de joie dans sa poitrine, toute chargée de médailles bénites, de reliquaires et de scapulaires. Enfin, elle tenait l'occasion de se venger d'Ayodélé :

— Je ne crois pas que ce soit lui. Il n'est qu'un pauvre fou inoffensif. C'est elle, c'est elle. J'ai remarqué en effet qu'elle s'absentait bien cinq fois dans la journée, c'est qu'elle allait à son sabbat...

Manoel reconnut là les élucubrations d'une femme jalouse, mais après ce qui venait de se passer à Bahia, où des musulmans avaient planifié une des révoltes les mieux conçues des dernières années, on ne pouvait être trop prudent. Il redescendit au rez-de-chaussée et se heurta au feitor, son chapeau de paille à la main. Le feitor Joaquim était son âme damnée, son homme de confiance, chargé, en fait, de faire marcher la fazenda. Il écouta son maître avec ahurissement et protesta :

— Il n'est pas musulman. Sorcier, je ne dis pas. Et puis, comment fomenter une révolte puisqu'il ne parle à personne ?

Puis, les deux hommes se regardèrent. Le feitor, lui aussi, avait à se plaindre d'Ayodélé qui, un soir où il lui avait frotté les seins, l'avait giflé. Ils se comprirent sans parler. Joaquim descendit vers les senzalas.

La fouille de la case de Naba révéla bien un feuillet couvert de mots arabes et des feuilles d'arbres portant ces mêmes caractères.

Accompagné de trois robustes esclaves, le feitor alla procéder à l'arrestation de Naba qu'on trouva dans son verger, sa pipe de maconha à la bouche. Il n'opposa aucune résistance et se laissa mettre les fers aux pieds.

Quand cette nouvelle se répandit dans la fazenda, elle causa une grande consternation. Tout le monde s'accorda à innocenter Naba, rappelant comment il avait soigné celui-là, soulagé celui-ci. Mais on accabla Ayodélé. C'était elle ! Est-ce qu'elle n'avait pas tenté de mettre sur pied, en liaison avec des gens de Bahia, la confrérie du « Seigneur Bon Jésus des aspirations et de la rédemption des hommes noirs », dont le but véritable était la libération des esclaves ? Est-ce qu'elle ne fricotait pas avec des sociétés d'affranchissement à Recife ? Des dizaines d'hommes et de femmes vinrent trouver le feitor ou Manoel lui-même pour jurer sur la croix qu'on l'avait vue le nez dans la poussière, égrenant un chapelet musulman de cinquante centimètres et de quatre-vingt-dix-neuf grains de bois, terminé par une grosse boule.

Le feitor et Manoel s'entendirent pour ne prêter aucune attention à ces délations. L'arrestation de Naba posait un grave problème. Ce n'était pas un esclave. Du moins pas un esclave de Manoel, même s'il vivait sur sa fazenda. Devait-on le considérer comme un homme libre ? Non, puisqu'il avait un acquéreur, un Hollandais qui l'avait payé en bonne monnaie et qui se trouvait quelque part dans le sertão. Alors, il était un fugitif ? Dans ce cas, pourquoi pendant tant d'années Manoel avait-il toléré sa présence sur ses terres ? Tout cela étant trop compliqué à démêler, Naba fut enfermé dans le cachot attenant à l'Habitation en attendant d'être expédié à Recife, le matin suivant.

Pendant que tout cela se passait, Ayodélé ne se trouvait pas sur la fazenda. On était dimanche, jour de repos. Aussitôt après la messe à la chapelle, toujours âpre au gain, elle avait chargé un char à bœufs de paniers de légumes et d'oranges et était partie les vendre dans les fazendas voisines. Puis elle s'était arrêtée pour laver les hardes de ses enfants dans l'eau claire du rio Capibaride qui serpentait à travers champs avant de rejoindre le rio Beberibe et de s'en aller irriguer Recife. De retour chez elle, elle trouva la case vide et les enfants en larmes. Une voisine compatissante la mit au courant.

Elle courut comme une folle jusqu'à l'Habitation et se jeta devant Manoel, assis dans un hamac sous la véranda.

Il regarda cette femme, qui l'avait tant nargué, en pleurs à ses pieds et déclara :

— Hé, je n'y peux rien. C'est ton propre fils qui l'a dénoncé. Ensuite nous avons trouvé des preuves.

Ayodélé se roula par terre :

— Maître, prends-moi, puisque c'est ça que tu veux !

La phrase irrita Manoel. Il n'entendait pas en effet que l'on dise qu'il se vengeait, mais qu'il rendait la justice. Il se fit cassant :

— Est-ce que tu veux que je te fasse donner le fouet ?

Elle supplia et comme elle relevait la tête vers lui, il songea combien il était stupide de ne pas profiter de son offre :

— Alors, permets-moi de descendre à Recife pour préparer sa défense.

Il faillit rire. Une esclave, une négresse qui parlait à peine le portugais prétendait se faire entendre des tribunaux royaux ? Il haussa les épaules et dit :

— Va au diable, si tu veux !

Le procès de Naba eut lieu dans une atmosphère houleuse.

Depuis une dizaines d'années, une série de révoltes d'esclaves et d'Africains émancipés se produisaient, tant à Bahia, qu'à Recife et dans les fazendas de l'intérieur. Elles divisaient l'opinion. Pour la majorité des Brésiliens, elles n'étaient que la manifestation des sentiments cruels et pervers des Noirs. Pour d'autres, ce n'était que justes représailles contre des maîtres inhumains. Pour une poignée d'intellectuels et de libéraux enfin, c'étaient les nobles manifestations d'êtres opprimés contre l'usurpation de leur liberté. En fait les arrivées massives de prisonniers, résultant de guerres et de troubles dans le golfe de Bénin, venaient donner une force nouvelle aux sentiments de révolte des esclaves, principalement des musulmans qui, à chaque arrivée de bateaux, parvenaient à être tenus au courant des progrès et des conquêtes de leurs coreligionnaires.

Enfin pour couronner le tout, ne venait-on pas d'apprendre que dans une île des Antilles, à Saint-Domingue, les esclaves avaient pris les armes et mené une véritable guerre de libération contre les Français ? Du coup, toutes les théories sur les Noirs « grands enfants inoffensifs », s'effondraient. Ces naïfs que l'on parquait à l'arrière des chapelles afin que leur odeur n'incommode ni curés ni fidèles, et qui chantaient en chœur :

> *Je me couche avec Dieu, je me lève avec lui*
> *Avec la grâce de Dieu et du Saint-Esprit*
> *Si je viens à mourir, illuminez-moi*
> *Avec les torches de la Sainte-Trinité.*

Ces naïfs, ces « grands enfants » soudain effrayaient leurs maîtres.

Naba apparut dans le prétoire, portant cette chemise de gros coton et ce pantalon de nankin dont on vêtait les prisonniers, et sembla ne rien comprendre à ce qui se passait autour de lui.

Quand on lui présenta le saint livre en lui demandant de jurer là-dessus, il demeura silencieux. A la question : « Es-tu musulman ? » il se borna à rire. Quand on lui donna à choisir entre un chapelet catholique et un chapelet musulman, il demeura immobile. De même entre une image de saint Gonçalves de Amarante et une calligraphie arabe. Par ailleurs, il fut impossible d'établir une quelconque relation avec les musulmans ou Malés[2] de Bahia, ville où Naba n'avait jamais mis les pieds. On alla jusqu'à examiner son sexe et ceux de ses fils pour voir s'ils étaient circoncis. Certes, ils l'étaient ; mais c'était simplement une coutume africaine. En désespoir de cause, les juges orientèrent le procès vers une affaire de magie noire et les témoignages furent accablants. Or, si Naba ne se défendait pas, ce n'était pas parce qu'il ne comprenait pas que sa tête était en jeu. Mais parce qu'il était las. Depuis la chasse fatale qui l'avait séparé des siens, il n'avait plus goût à rien. Les fruits et les plantes, Ayodélé, ses fils eux-mêmes ne lui avaient pas redonné goût à l'existence. Il lui manquait la terre de Ségou, l'odeur du Joliba quand les eaux sont basses et que la berge s'émaille de coquillages d'huîtres, le to de sa mère agrémenté d'une sauce aux feuilles de baobab, l'incendie de la brousse au milieu du jour. Autrefois, à Saint-Louis, il avait voulu se laisser mourir. On l'avait sauvé. A présent, il n'en pouvait plus. Quand il songeait à Ayodélé, il éprouvait un peu de remords. Puis il se disait qu'elle était jeune et belle. Un homme la consolerait. Il n'était tenté de vivre qu'en pensant à ses fils : Olufémi, Kayodé, Babatundé[3], le dernier surtout, né après la mort de Dousika et réincarnation de l'ancêtre. Pourtant de quelle utilité est un père esclave ? Quel modèle peut-il offrir à ses enfants ? Jamais il ne prendrait la main de Babatundé dans la sienne pour le mener à la chasse au lion à l'arc.

*Le lion jaune au reflet fauve*
*Le lion qui délaissant les biens des hommes*
*Se repaît de ce qui vit en liberté...*

Jamais il ne ferait de lui un karamoko. Alors à quoi bon ?

A quoi bon vivre sans liberté ? Sans orgueil de soi-même ? Autant mourir. Pendant le procès, le ganhador José ne resta pas inactif. Il fit agir la société d'affranchissement à laquelle il appartenait, qui adressa une pétition à João IV à Rio pour implorer sa clémence. Malheureusement, quand cette lettre atteignit le roi, on venait de découvrir une autre révolte. Celle d'Antonio et Balthazar, tous deux esclaves de Francisco des Chagas, tous deux Haoussas. La fouille de leurs cases avait révélé quatre cents flèches, de la corde

2. On appelait ainsi les esclaves Haoussas ou de toute autre origine, musulmans pour la plupart.
3. Ce prénom yoruba signifie : « Papa est revenu. »

destinée à faire des arcs, des fusils, et des pistolets. João demanda donc aux tribunaux la plus grande sévérité et donna l'ordre que tout esclave rencontré dans la rue ou hors de chez son maître après 9 heures du soir soit mis en prison et condamné à recevoir cent coups de fouet.

Dans l'ignorance de tous ces événements, jusqu'au dernier moment Ayodélé garda bon espoir. Le souvenir de ses années de vie avec Naba passait et repassait dans sa tête. Depuis le jour où il s'était approché d'elle avec son sac d'oranges dans la maison des esclaves de Gorée, jusqu'à sa disparition vers le sertão et sa réapparition dans la fazenda de Manoel. Alors il n'avait pas regardé la calebasse de son ventre. Il lui avait souri et, dépliant son mouchoir, il lui avait montré deux goyaves d'un rose jaunâtre. Puis pour elle, il avait bâti la maison à la lisière des champs de canne à sucre.

Naba qui avait couvert sa honte.

Naba qui l'avait réconciliée avec elle-même.

Il faisait chaud dans ce prétoire. Les juges parlaient une langue à laquelle elle ne comprenait rien, ce portugais des gens instruits qui ne ressemble nullement au jargon mêlé de mots africains qu'employaient Manoel et le feitor. Elle ne distinguait pas le visage de Naba et c'était comme si elle l'avait déjà perdu, séparés qu'ils étaient par des fauteuils, des bancs, des hommes, des prêtres, des juges.

A un moment, le ganhador José, qui se tenait près d'elle, lui prit le bras et elle sut que le verdict avait été rendu. Ils sortirent dans la rue incendiée de lumière où des arbres trop rares répandaient leur ombre.

Il n'y avait rien à dire.

Où allaient-ils ? Elle s'effondra sur le pont Santo Antonio, un glissement très doux, presque furtif, comme celui d'un animal qui a tenu jusqu'à l'extrême limite de ses forces. Un animal ou un esclave. Parfois, à la fazenda, un homme, une femme s'écroulait ainsi, sans une plainte. Comme on se trouvait non loin de l'hôpital Santa Casa de Misericordia, le ganhador et ses amis la transportèrent jusque-là.

Il n'y avait rien à dire. Il n'y avait rien à faire. Un sorcier, ou un musulman, peu importe, avait été condamné à mort. Pour la plus grande gloire de Dieu.

Un Noir avait été condamné à mort. Pour la plus grande paix des Blancs.

Pendant longtemps, la vie pour Ayodélé ne fut qu'un rectangle bleu de ciel, un goût d'eau de mélisse, de temps en temps la douleur d'une saignée au bras, les cornettes blanches des religieuses, pareilles à de grands oiseaux marins. Puis un jour, elle reconnut les visages de ses enfants. Olufémi. Kayodé. Babatundé. Où était Abiola ? Alors elle se souvint et pleura.

Réapprendre la vie quand il n'y a plus de raisons de vivre. Parler du lendemain quand il n'y a pas d'avenir. Voir le soleil se lever quand il n'y a plus de jour. Un matin, un prêtre vint la voir, père Joaquim, un de ces mystiques qui se plaisent dans la compagnie des déshérités et des hérétiques. Il lui donna le repentir de ses fautes. Bientôt, elle ne se fit appeler que Romana. Bientôt elle communia.

La première fois qu'elle communia, elle eut une vision. Le ciel s'entrouvrait et la Vierge Marie, tenant dans ses bras l'Enfant Jésus, lui lançait une rose. Père Joaquim et les religieuses furent contents.

Enfin, elle fut assez vaillante pour quitter l'hôpital. C'est alors que père Joaquim et les religieuses l'informèrent. Compagne d'un féticeiro[4] qui avait défrayé la chronique, elle était déclarée indésirable au Brésil et condamnée avec ses trois enfants à la déportation en Afrique.

Le navire sur lequel elle prit place, l'*Amizade,* avait jeté l'ancre à la pointe de l'île das Cobres. On y embarquait, outre Romana, des Malés qui, une fois de plus, avaient fait couler le sang à Bahia et des familles noires qui étaient parvenues à acheter affranchissement et passeports. Sur le pont se trouvaient entassés des corps, des malles, des ballots, des bouteilles, des instruments de musique, des cages d'oiseaux, tout l'attirail de la misère. Les enfants, que les religieuses avaient ôtés au ganhador José à cause de l'abomination de son péché et placés pendant la maladie de leur mère à l'orphelinat de Santa Casa, regardaient la côte du Brésil, l'or des plages contrastant avec la frange vert sombre des palmiers. A l'exception de Babatundé, trop jeune, ils avaient le cœur gros. Où était leur père ? Qui avait changé leur mère ? Ils ne la reconnaissaient plus dans cette femme austère, le visage creusé, toute vêtue de noir et qui ne parlait que de Dieu.

4. « Sorcier », mot brésilien.

# 10

Invisible aux yeux des humains ordinaires, l'urubu de la mort se posa sur un arbre de la concession et battit des ailes. Il était épuisé. Il avait survolé des kilomètres d'océan, luttant contre les embruns et les souffles de l'air, puis d'épaisses forêts qu'il devinait grouillantes de mille formes de vie rageuses et violentes. Enfin il avait contemplé sous ses pieds l'étendue fauve du sable et compris que le terme de son voyage approchait. Puis, les murailles de Ségou s'étaient dessinées.

Il avait une mission à accomplir. Naba était mort loin de chez lui. Son corps, reposant en terre étrangère, n'avait pas reçu les rites funéraires. Alors il convenait d'avertir les siens qu'ils risquait d'errer pendant les temps à venir dans cette lande désolée des esprits maudits, incapable de se réincarner dans le corps d'un enfant mâle ou de devenir un ancêtre protecteur, bientôt un dieu. L'urubu lissa son plumage et reprit son souffle. Puis il regarda autour de lui.

C'était le matin. Le soleil tardait à répondre à l'appel des premiers coups de pilon des femmes et somnolait encore à l'autre bout du ciel. Les cases grelottaient serrées les unes contre les autres. Mais déjà la volaille caquetait, les moutons bêlaient et de sous les auvents des cuisines en plein air la fumée s'élevait en tourbillons blanchâtres. Les femmes esclaves commençaient de préparer la bouillie du matin tandis que les hommes se dirigeaient vers les cases d'eau, affûtaient leurs dabas contre des pierres et se préparaient à partir vers les champs. L'urubu considéra avec curiosité cette animation, tellement différente de celle des fazendas où, bien avant le jour, les chars à bœufs, précédés du gémissement déchirant de leurs essieux, montaient vers le moulin à sucre, chargés d'hommes en guenilles. Là-bas, le travail de la terre était dégradation. Ici les hommes ne demandaient à la terre que les produits nécessaires à la vie. Le paysage aussi était différent. Là-bas, somptueux et baroque comme une de ces cathédrales que les Portugais édifiaient pour adorer leurs dieux. Ici, dénudé, l'herbe souvent rase comme le pelage d'un animal, et pourtant harmonieux. L'urubu sautilla sur une branche basse pour se placer en face de la case de Koumaré le forgeron-féticheur attitré de la famille de Dousika. Ce calcul fut judicieux, car Koumaré sortit pour deviner ce que serait le jour et ne manqua pas d'apercevoir l'animal tapi dans le feuillage.

Koumaré savait depuis quelque temps que l'exécution de la volonté des ancêtres concernant l'un des fils de Dousika arrivait à son terme. Un jour qu'il lançait ses cauris sur son plateau divinatoire, ceux-ci l'en avaient averti. Mais il avait eu beau les solliciter, il n'en avait pas appris davantage. La venue de l'oiseau lui signifiait que tout était consommé. Il retourna dans sa case, mâcha ses racines pour se rendre poreux à la parole des invisibles, puis prit dans une calebasse trois tiges de mil sèches. Revenant au pied de l'arbre, il les planta dans le sol, y colla son oreille et attendit les instructions. Celles-ci ne tardèrent pas. Au-dessus de sa tête, l'urubu avait fermé les yeux. Il allait se reposer tout le jour. Koumaré revint vers sa case. D'un geste, il écarta sa première femme qui s'approchait pour lui offrir une calebasse de bouillie et, s'étant enveloppé d'une couverture venue d'Europe, car la saison était fraîche, il sortit de la concession.

Ségou changeait. A quoi cela tenait-il ? A cet afflux de marchands proposant des objets autrefois rares et coûteux, maintenant presque usuels ? Robes musulmanes, caftans, bottes, tissus d'Europe, objets d'ameublement marocains, tentures et tapisseries venues de La Mecque... C'était l'islam qui rongeait Ségou comme un mal dont on ne pouvait arrêter les progrès. Ah, les Peuls n'avaient pas besoin de s'approcher plus près : leur haleine avait déjà tout empuanti ! Plus nécessaire leur jihad ! Partout des mosquées du haut desquelles les muezzins lançaient sans vergogne leur sacrilège appel. Partout des crânes rasés. Sur tous les marchés, les gens se disputaient des talismans et des poudres, toute une pacotille enveloppée de caractères arabes et par là même considérée comme supérieure. Et le Mansa qui ne prenait aucune mesure contre la nouvelle foi !

Koumaré entra dans la concession de feu Dousika, à présent à la charge de Diémogo. Il devait obtenir de ce dernier un coq blanc et un mouton de même couleur et découvrir sous quel arbre le cordon ombilical de Naba avait été enterré. Diémogo s'entretenait avec le chef d'un groupe d'esclaves partant défricher une terre du clan jusqu'alors laissée en jachère et posa un regard inquiet sur le féticheur. Quelle nouvelle calamité l'amenait ?

C'est que la famille était déjà douloureusement éprouvée. Depuis la mort de Nadié, Tiékoro n'était pas sorti de sa case, faible et souffreteux comme un vieillard. Du coup, la princesse Sounou Saro, sa promise, se sentant humiliée, avait fait renvoyer par les griots royaux la dot et les présents qu'elle avait déjà reçus. Du coup son ambassade au sultanat de Sokoto avait été donnée à un autre. Du coup Nya, affectée et par la récente tragédie et par les déboires de son fils, ne se portait pas bien non plus. Les traits creusés, amaigrie, elle semblait indifférente à tout et, sans sa direction, les choses allaient à vau-l'eau. Car il ne fallait pas compter sur les autres femmes qui avaient toujours été soumises à la bara muso de Dousika. Diémogo s'approcha de Koumaré et celui-ci, l'entraînant à l'écart, le mit brièvement au courant :

— Les ancêtres m'ont envoyé un messager. Un des fils de Dousika a besoin de mes services...

Diémogo frémit :

— Tiékoro ?

Koumaré le regarda sévèrement :

— Ne cherche pas à connaître des secrets trop lourds pour toi. Il me faut un coq de couleur blanche, un mouton sans tache et dix noix de kola... Fais porter tout cela à ma concession avant la nuit.

Puis, il s'en alla à la découverte de l'arbre nécessaire à son rituel. Comme il se dirigeait vers le fond de la concession, il passa devant une case où entraient et sortaient des esclaves, l'air affairé. C'était celle de Nya qui venait d'être prise d'une violente douleur dans la région du cœur et s'était affaissée inconsciente. En lui-même, Koumaré admira la force de l'amour maternel, l'intuition qui l'accompagne et qui égale la connaissance que donne le commerce des esprits.

Entourée de femmes, coépouses, esclaves, Nya reposait sur sa natte, les yeux clos. Par intervalles, elle haletait comme une bête. Deux guérisseurs étalaient des emplâtres de feuilles sur son front, lui frottaient les membres de lotion ou encore essayaient d'introduire un peu de liquide entre ses lèvres. Dans un coin, deux devins maniaient leurs cauris et leurs noix de kola. A la vue de Koumaré, maître incontesté, ils se levèrent avec respect et l'un d'eux murmura :

— Aide-nous, Komotigui [1]...

1. « Maître du Komo », c'est-à-dire grand prêtre.

Koumaré fit d'un ton apaisant :

— Sa vie n'est pas en danger...

Puis il s'accroupit auprès de la patiente.

Il savait tout ce que Nya avait souffert depuis son veuvage. Le conseil familial, partageant les épouses de Dousika, l'avait donnée à Diémogo qu'elle n'avait jamais estimé et qu'à tort ou à raison elle considérait comme un ennemi des intérêts de ses fils, de Tiékoro, en particulier. Et pourtant, désormais, elle lui devait soumission et obéissance en tout. Elle ne pouvait lui refuser son corps. Et voilà que, outre tous ces soucis, elle était mystérieusement avertie de la mort de Naba ! Koumaré décida d'intercéder en sa faveur auprès des ancêtres afin d'adoucir tant de souffrances. En attendant, il tira d'une corne de bouc une poudre qu'il plaça dans ses narines. Au moins, elle connaîtrait un sommeil sans rêves.

Puis il ressortit. Dans le fond de la concession, près de l'enclos où piaffaient les chevaux, s'élevait un groupe d'arbres que dominait un baobab, aux branches couvertes d'oiseaux. Koumaré en fit trois fois le tour, murmurant des prières. Non, le cordon ombilical n'était pas là. Alors, une aigrette blanche surgit, rasant le sol, puis s'élevant dans l'air comme une flèche, alla se poser sur un tamarinier solidement adossé au mur de la concession, quelques mètres plus loin. Koumaré salua le messager des dieux et des ancêtres.

Nya dormit tout le jour. Un sommeil profond comme celui de l'enfance. Quand elle rouvrit les yeux, la nuit était tombée. Elle retrouva sa douleur intacte mais silencieuse comme une présence dont on ne se débarrassera jamais.

Son fils Naba était mort, elle le sentait, même si elle ignorait le lieu et les circonstances de cette mort. Elle revit le bébé, l'enfant qu'il avait été, toujours dans le sillage de son aîné. Puis le chasseur. Son cœur tremblait quand Tiéfolo l'entraînait avec lui dans la brousse. Souvent, ils y demeuraient des semaines entières. Puis un jour, des coups de sifflet annonçaient leur retour. On dépeçait les bêtes encore fumantes, antilopes, gazelles, phacochères... dont la tête et les pattes étaient expédiées chez Koumaré qui avait fabriqué les flèches tandis qu'elle recevait la part symbolique, le dos des animaux. Ce temps n'était plus. Ce temps ne serait jamais plus. Quelle douleur pour une mère d'ignorer quelle terre recouvrait le corps de son fils ! Elle se retourna sur le côté et les femmes qui la veillaient s'affairèrent !

— Veux-tu un peu de bouillon de poule ?

— Ba, laisse-moi te masser !

— Ba, te sens-tu mieux ?

Elle acquiesça d'un geste. A ce moment, Diémogo entra dans la pièce et tout le monde se retira. Diémogo et Nya ne s'étaient jamais aimés, le premier pensant qu'elle avait trop d'influence sur Dousika. Si le conseil de famille les avait faits mari et femme, c'était précisément pour résoudre ces tensions, pour les forcer à oublier les individualités et ne songer qu'à la famille, au clan. Jusque-là cependant, ils avaient réduit leurs contacts au minimum, Diémogo ne passant la nuit avec elle qu'afin d'éviter de l'humilier trop gravement.

Or voilà qu'il se sentait à son égard plein d'une pitié qui ressemblait à l'amour. Elle était encore belle, Nya. Belle avec cette arrogance des Coulibali dont le totem est le mpolio[2]. Il posa la main sur son front :

— Comment te sens-tu ?

Elle eut un sourire fugitif :

— Mon heure n'est pas venue, kokè. Demain, je te préparerai encore ta bouillie...

Elle ne l'avait pas habitué à tant de douceur, le recevant toujours comme un ennemi. Pour la première fois peut-être, il regarda son corps avec concupiscence. Ses seins encore fermes. Ses hanches larges. Ses longues cuisses dessinées sous le pagne. Tout cela qui avait été la propriété de son aîné et qui maintenant lui revenait. Car il était le maître à présent. Des terres. Des biens. Des bêtes. Des esclaves. Son cœur qui ignorait généralement l'orgueil s'enfla et une griserie l'envahit qui se confondit avec le désir.

A présent, la nuit était épaisse. Tous les bruits de la concession s'étaient tus, hormis les pleurs d'un enfant, repoussant le sommeil qui signifie la fin des jeux. Très loin, un tam-tam résonnait. Surpris de la vigueur de son membre, Diémogo s'approcha de Nya. C'était comme si un autre s'était coulé à l'intérieur de sa peau, prenant possession de son cœur et de son sexe. Il s'étendit et souffla :

— Laisse-moi dormir auprès de toi. La chaleur d'un homme est encore le meilleur remède.

Elle se tourna vers lui, s'offrant avec un naturel qu'il ne lui avait jamais connu. Avec un peu de timidité, il effleura ses seins, et les trouva brûlants, pleins de son attente. Alors, il entra en elle.

Ainsi, cette nuit-là, grâce à Koumaré, l'âme errante de Naba retrouva le chemin du ventre de sa mère.

---

2. Poisson du Joliba.

*Troisième partie*

# LA MAUVAISE MORT

# 1

Saloperie de temps ! Il pleuvait depuis des semaines, voire des mois. Les arbres ne cessaient d'élever leur cime plus près, toujours plus près d'un ciel bas, noirâtre comme le couvercle de la marmite d'une mauvaise ménagère tandis qu'ils enfonçaient leurs racines toujours plus loin dans le ventre de la terre grasse, molle, boueuse. Le matin ressemblait au midi ou au soir puisque le soleil ne se levait pas. Sans force, il ne répondait pas à l'appel des pilons des femmes et restait vautré derrière d'épais paravents de nuages. Malobali rentra dans une des cases hâtivement construites avec des branchages et interrogea ses compagnons :

— Est-ce qu'il ne faudrait pas tout de même reprendre la route ?

L'un des hommes leva la tête vers lui :

— Paix, Bambara ! Ce n'est pas toi qui diriges l'escorte, que je sache ?...

Après tout, c'était vrai. Avec un soupir, Malobali se rassit, fouilla dans ses vêtements à la recherche d'une noix de kola et n'en trouvant pas, s'enquit :

— Quelqu'un a-t-il un peu de tabac ou une noix de kola !...

Un des hommes lui tendit une tabatière.

Malobali et ses compagnons étaient vêtus de vestes d'étoffe agrémentées de toutes sortes de gris-gris et d'amulettes musulmanes dans leurs triangles de peau, de pantalons de coton portant à hauteur de ceinture des lanières de queues d'animaux et étaient chaussés de hautes bottes de cuir, autrefois rouges, à présent sordides et maculées de taches. Comme ils étaient à l'intérieur, ils avaient ôté leurs coiffes de peau de singe retenue par une courroie incrustée de cauris. C'est qu'ils constituaient un corps de troupe de l'Asantéhéné, chef suprême du royaume ashanti. Malobali aspira le tabac, puis s'étendit sur le sol, se roulant en boule pour tenter de trouver le sommeil. Autour de lui, l'air chargé d'humidité s'épaississait encore des effluves de sueur et de crasse de tous ces corps mal lavés. Pourtant Malobali ne méprisait pas ses compagnons parce qu'ils étaient sales : il était pareil à eux. Il avait presque oublié le temps où il était un enfant choyé dans la case de Nya, le fils d'un noble, d'un puissant. Il n'était plus qu'un mercenaire qui, en échange de vivres, du logement et, occasionnellement, d'une part de butin, louait ses services à l'Asantéhéné. Il n'était certes pas le seul dans ce cas. Les armées du souverain comptaient 60 000 hommes, captifs, tributaires, étrangers de toute origine, n'appartenant pas au peuple ashanti. Ces armées avaient asservi tous les Etats voisins du pays ashanti, Gonja et Dagomba au nord, Gyaman au nord-est, Nzema au sud-est, et avaient même franchi le fleuve Volta pour aller soumettre Akwamu et Anlo. Le seul peuple qui s'opposait encore à l'hégémonie ashanti, les Fantis, puissamment soutenus sur la côte par les Britanniques, venait d'être défait.

Malobali n'arriva pas à trouver le sommeil. Il se releva et s'approcha de son ami Kodjoe, celui-là même qui lui avait tendu sa tabatière :

— Lève-toi, espèce d'animal. Viens faire un tour avec moi. Nous trouverons peut-être une bête à tuer...

Kodjoe ouvrit un œil :

— Est-ce que la pluie a cessé ?

— Penses-tu ! Est-ce que la pluie cesse jamais dans ce pays de malheur ?

La voix d'un homme s'éleva :

— Si tu n'aimes pas ce pays, Bambara, quitte-le. Personne ne te retient. Retourne chez toi !

Ce n'était là qu'une plaisanterie. Sans répondre, Malobali et Kodjoe sortirent. Autour d'eux, la forêt était si dense qu'il y faisait presque noir. Toutes sortes de plantes s'enchevêtraient depuis les fougères géantes et les bambous, campés sur un tapis de mousse et de champignons, jusqu'aux irokos, dont le faîte formait une voûte rarement interrompue. A chaque pas, on butait sur des lianes montant à l'assaut des troncs en arabesques compliquées et des plantes grimpantes dotées de vrilles et de crampons, dangereux comme autant de pièges. Au début, Malobali avait haï cet univers ténébreux à odeur de mort et de pourri. Aujourd'hui, il l'oppressait encore, car il croyait y surprendre à chaque détour la forme maléfique d'un génie en courroux. Lui qui aurait voulu ne croire à rien se surprenait à marmonner les prières qui écartent maladies ou morts subites. Kodjoe se baissa pour ramasser d'énormes escargots à chair violette dont on était très friand dans la région, mais qui répugnaient profondément à Malobali. Kodjoe était un Abron du royaume de Gyaman, tombé un siècle plus tôt sous domination ashanti. Cependant, sa mère était une Goro et elle lui avait aussi appris à parler une langue très proche de celle de Malobali. C'était ce qui les avait tout d'abord rapprochés. Puis ils s'étaient découverts une identité de vues, une sorte de mépris, presque de haine pour le genre humain. Kodjoe s'assit sur une racine, énorme excroissance s'enfonçant quelques pas plus loin dans l'humus, et releva la tête vers Malobali :

— Il faut que je te dise. Si nous atteignons Cape Coast, je ne reviendrai jamais à Kumasi...

Malobali se laissa tomber à côté de lui et s'exclama :

— Tu es fou ?

— Non. J'ai préparé tout un plan là-dedans...

Il se frappa le front de manière éloquente, avant de poursuivre :

— L'avenir est sur la côte. Avec les Anglais, les Blancs. Est-ce que ce n'est pas à cause d'eux que les Fantis ont pu tenir tête si longtemps aux Ashantis ? Ils ont des armes, ils ont des navires qui marchent sur la mer, ils ont de l'argent, ils connaissent de nouvelles plantes... L'Asantéhéné Osei Bonsu tremble devant eux et cherche à gagner leurs bonnes grâces...

Malobali fixa son compagnon avec stupeur :

— Ne me dis pas que tu veux te mettre à servir ces Blancs ?

Kodjoe cueillit une baie sauvage et se mit à la ronger :

— Je veux apprendre leurs secrets... Je veux apprendre à écrire...

Malobali haussa les épaules :

— Alors fais-toi musulman, tu écriras tout aussi bien !

Sentant que le dialogue n'était pas possible, Kodjoe se leva et reprit sa marche. Pendant un moment, Malobali le suivit sans mot dire, plongé dans ses réflexions. Puis il lança :

— De toute façon, ils ne s'occuperont pas de toi, tes Anglais, si tu ne te convertis pas à leur religion...

Kodjoe tourna la tête et fit :

— Eh bien, je me convertirai !...

Or, Malobali ne pouvait entendre ce mot de « conversion » sans songer aussitôt à Tiékoro, le frère haï. C'était Tiékoro qui avait imprimé ce cours à sa vie. C'était Tiékoro qui l'avait chassé de Ségou aussi sûrement que si il lui en avait intimé l'ordre.

Après le suicide de Nadié, Tiékoro avait été lui-même quelque temps entre la vie et la mort. Puis il s'était guéri. Mais voilà qu'au lieu de se remettre à vivre avec humilité, il s'était paré de son épreuve, prenant l'univers à témoin. Ah, comme il avait souffert ! Et pourquoi avait-il souffert ? Parce qu'il était un misérable pécheur. Mais il était résolu désormais à faire pénitence. Entièrement vêtu de blanc, un chapelet à la main ou enroulé autour du poignet, il s'installait sur sa natte qu'il ne quittait que pour se rendre à la mosquée. Très vite, les gens avaient commencé à affluer autour de lui, celui-ci demandant une prière, celui-là un conseil, celui-là encore un simple attouchement de mains. Sa réputation de sainteté avait grandi sans qu'on sût comment, gagné Djenné, Tombouctou, Gao... Elle avait même atteint les oreilles d'Amadou Hammadi Boubou qui avait pris le titre de cheikh et venait de se faire bâtir une ville baptisée Hamdallay. Il l'avait donc invité à venir y séjourner afin de discuter de la meilleure manière de convertir les Bambaras à l'islam.

Un matin, Tiékoro prêchait à une poignée de fidèles, comme il avait pris coutume de le faire : « Dieu est Amour et Puissance. La création des êtres procède de son amour et non d'une quelconque contrainte. Détester ce qui est produit par la Volonté divine agissant par amour, c'est prendre le contrepied du Vouloir divin et contester sa sagesse. »

Le son de cette voix avait éveillé en Malobali une telle colère doublée d'une telle nausée qu'il avait enfourché un cheval et quitté Ségou. D'abord il envisageait seulement de se rendre à Tenenkou auprès de sa mère. Celle-là aussi, il avait un compte à régler avec elle ! Et puis, il avait rencontré des marchands de noix de kola redescendant vers Salaga et il s'était mêlé à eux. De fil en aiguille, il s'était trouvé enrôlé dans l'armée de l'Asantéhéné.

Se convertir ! Renier les dieux de ses pères et à travers eux toute la civilisation, toute la culture qu'ils avaient élaborée, cela paraissait à Malobali un crime qui ne pouvait mériter de pardon. Jamais il ne le commettrait, même sous la torture. Est-ce que Siga n'était pas revenu de Fès avec sa foi ancestrale intacte ? En pensant à Siga, le cœur de Malobali s'adoucissait. Peut-être aurait-il dû consulter cet aîné avant de se lancer dans l'aventure ? Bah, il était trop tard pour avoir des regrets.

Ils atteignirent une petite clairière, plantée d'ignames et de patates douces. C'était le premier signe de vie humaine qu'ils rencontraient depuis quatre jours qu'ils avaient quitté Kumasi. Ils se précipitaient pour fouiller sans scrupules ces tubercules qui ne leur appartenaient pas quand une jeune fille apparut, une corbeille à la main. Toute jeune, les seins petits mais ronds, les jambes interminables. De sa voix fluette, elle intima :

— Laissez cela. Ou alors donnez-nous des cauris...

Malobali se mit à rire :

— Pourquoi dis-tu *nous,* quand je te vois seule par ici ?

La fillette indiqua un sentier de la main :

— Notre village n'est pas loin.

— Alors pourquoi as-tu si peur ?

Pendant que Kodjoe s'asseyait en ricanant sur une racine, Malobali s'approcha de la fille. Jolie. Une peau d'un noir de jais. Le long des joues le dessin délicat des scarifications tribales. Quelque part, le désir remua en Malobali :

— Comment t'appelles-tu ?

Elle hésita, puis se décida :

— Ayaovi...

Puis, tournant les talons, elle s'enfuit. Malobali se jeta à sa poursuite. Tout d'abord Ayaovi n'avait inspiré à Malobali que le désir vague et aisément contrôlé qu'il éprouvait devant toute fille jeune et bien faite. Or cette poursuite l'exacerba. Ayaovi courait et ses fesses nues tressautaient tandis que l'eau inondant ses omoplates donnait à sa peau un relief particulier. Elle disparut derrière un arbre, réapparut entre deux fougères, trébucha sur une liane. Malobali se jeta sur elle dans un lit d'humus. Quand il la tint sous lui, réalisant son extrême jeunesse à la gracilité de ses formes, son premier mouvement fut de la laisser aller, quitte pour une belle peur.

Or, elle se mit à l'insulter, un flot si rapide que son oreille encore mal habituée au twi[1] ne distinguait que des sons informes. Cela l'irrita. Il allait la gifler pour la faire taire quand, relevant sa tête agile comme celle d'un serpent, elle lui cracha en plein visage. C'en était trop. Il ne pouvait que la punir et il n'avait qu'un moyen à sa disposition. Comme il lui écartait rudement les jambes, il songea qu'elle devait être impubère et réalisa l'énormité de sa faute. Mais elle posait sur lui un regard de défi, surprenant chez un être si jeune. Alors, il la pénétra. Elle hurla et Malobali sut que jusqu'à son dernier jour, il entendrait encore ce cri lui vriller les oreilles. Un cri d'enfant terrorisée qui agonise. Un cri d'enfant qui prend les dieux à témoin de la cruauté des adultes.

Sous son membre brusquement inerte, il sentit se répandre un petit lac de sang. Il faillit se lever, la supplier de lui pardonner, mais une force mauvaise dont il ignorait lui-même l'origine l'envahit. Non sans mal, il acheva de la pénétrer. Ensuite il demeura immobile,

1. Twi : langue parlée par les Ashantis.

n'osant pas la regarder. Une main lui tapota l'épaule. C'était celle de Kodjoe qui souffla :

— Tu penses aux amis ?

Il lui laissa la place.

Contrairement à toutes celles qui avaient été menées les années précédentes, en particulier contre les Fantis, l'expédition dont faisait partie Malobali était entièrement pacifique. Il s'agissait d'escorter à Cape Coast un Blanc du nom de Wargee. Ce Wargee était arrivé à la cour de l'Asantéhéné après un incroyable périple qui l'avait mené d'Istanbul à Tripoli, puis à Murzuk, de Kano à Tombouctou, puis de Djenné à la ville marchande de Salaga, avant de l'avoir conduit à Kumasi, capitale du pays ashanti. L'Asantéhéné Osei Bonsu, connu pour sa grande courtoisie à l'égard des étrangers, le faisait conduire à la côte sous bonne garde afin de lui éviter tout désagrément. Là, les Anglais s'occuperaient de l'aider à retourner chez lui. D'où venait ce Wargee ? Pourquoi se trouvait-il en Afrique ? Ni Malobali ni ses compagnons ne s'en souciaient. Ils se bornaient à remplir leur mission et, d'un commun accord, se tenaient à l'écart de cet homme.

Pour Malobali, qui n'avait auparavant jamais vu de Blancs, si l'on excepte les Maures qu'il croisait sur toutes les routes commerciales, Wargee et ses pareils formaient une espèce particulière, indéchiffrable et intrigante comme celle des femmes ou des animaux. Il ne comprenait pas ceux qui les admiraient à cause de leurs réalisations extraordinaires, car il flairait dans tout cela un danger, bien supérieur à celui des Peuls et de tous les musulmans réunis.

Quand Malobali et Kodjoe revinrent vers leur case, il faisait nuit noire. Les autres soldats avaient allumé un feu qui fumait plus qu'il n'éclairait, et qui ne dégageait aucune chaleur, car le bois était humide. L'un d'eux interrogea :

— Eh bien, qu'est-ce que vous avez rapporté ?

Kodjoe vida son sac : quelques escargots repliés dans leur épaisse coquille noirâtre, quelques patates douces. Il y eut un rire :

— Voilà un bon repas en perspective !...

Kodjoe s'assit et fit mystérieusement :

— Peut-être bien aussi que nous avons trouvé meilleur gibier...

Du coup, ceux qui somnolaient se réveillèrent, ceux qui étaient vautrés au fond de la case se rapprochèrent tandis que Kodjoe commençait de décrire par le détail les charmes d'Ayaovi. Cela fit enrager Malobali que la honte de son acte oppressait encore. Aussi jeta-t-il brutalement :

— Tais-toi, Kodjoe. Il y a des choses dont on ne doit pas se vanter !

Puis il sortit à nouveau. Derrière son dos, il entendit les commentaires :

— Le Bambara est fou !...

Depuis qu'il avait quitté Ségou, la vie de Malobali avait été un tissu d'actes répréhensibles. Ce n'était point parce qu'il tuait ou emmenait en captivité les ennemis de l'Asantéhéné. Non, la guerre était la guerre et il était payé pour cela. Mais parce que, trop souvent, ses armes se retournaient contre des innocents. Avec Kodjoe et quelques autres, il entrait dans les villages ashantis eux-mêmes, où les paysans paisibles arrachaient de leurs pieds des croûtes boueuses pendant que les femmes pilaient le plantain du fou-fou[2]. Ils violaient, volaient, incendiaient pour le plaisir d'égaler les dieux, remplaçant le bonheur et le calme de l'instant précédent par le désespoir. Un jour, ils avaient assassiné un vieillard simplement parce qu'ils lui trouvaient la figure trop laide sous la morve de sa peur. Tout d'un coup, son attitude passée le dégoûtait.

Alors que faire ? Retourner à Ségou ?

La pluie, qui s'était un moment arrêtée, avait recommencé à tomber en larges gouttes brûlantes et rafraîchissantes à la fois. Malobali revit le visage d'Ayaovi. Quel âge pouvait-elle avoir ? Pas plus de dix ou onze ans. D'habitude, une fois le viol consommé, Malobali ne songeait plus à ses victimes. Pourquoi cette honte, ce remords ? Il se mit à marcher au hasard sous la pluie et dans l'obscurité se heurta à un homme. Il reconnut le safohéné, capitaine de l'escorte. Celui-ci s'exclama :

— Ah, c'est le Bambara ! Préviens les hommes que nous reprendrons la route à l'aube...

Malobali persifla :

— Eh bien, ce n'est pas trop tôt ! Encore un peu et nous pousserions racines ici comme des plantes...

La réflexion ne plut pas au capitaine, que le comportement de Malobali avait déjà fort souvent irrité. Il fit volte-face et dit sèchement :

— Sache que c'est moi qui donne des ordres ici. Le Blanc que nous avons mission d'accompagner est un vieillard. Il éprouve beaucoup de difficultés à avancer dans la forêt...

Il est vrai que ce n'était pas une petite affaire ! Les soldats devaient couper à grands coups de hache les herbes, les lianes et les-

2. Sorte de pâte préparée dans un mortier.

racines géantes qui entravaient la marche. Parfois aussi, ils enfonçaient jusqu'aux genoux dans le sol spongieux, et seules les cordes qui les reliaient les uns aux autres les empêchaient de s'embourber entièrement. Sans parler des reptiles et des insectes, aussi avides que des sangsues, qui s'accrochaient au visage, au cou et aux épaules. En d'autres temps, Malobali n'aurait guère prêté attention à cette rebuffade. Pourtant ce soir-là, elle lui fit l'effet d'une véritable humiliation. Il rentra dans la case.

A présent, les hommes faisaient rôtir les tubercules de patates dans la cendre et, ayant enfilé en brochette la chair épaisse des escargots, ils la grillaient sur la braise. Les gourdes de vin de palme circulaient.

Malobali alla s'asseoir dans un coin, le dos à la cloison humide. Combien de temps encore supporterait-il cette existence grossière et bornée ? mangerait-il cette nourriture fruste ? écouterait-il ces plaisanteries vulgaires ?

Comme Kodjoe s'approchait de lui, il souffla :

— Hé l'ami, raconte-moi ton beau plan...

Kodjoe eut un rire :

— Je savais bien que mon histoire t'intéresserait ! Ecoute, il y a plusieurs possibilités. Dans le fort de Cape Coast, il y a une garnison, des hommes bien entraînés qui ne demandent qu'à attaquer les Ashantis. Nous pouvons leur offrir nos services...

— C'est-à-dire trahir ?

Kodjoe balaya ce mot de la main :

— Dans la ville et autour de la ville, il y a des prêtres, missionnaires qu'on les appelle, qui ont des champs où ils emploient des gens à qui ils apprennent aussi à lire et à écrire. On m'a même dit qu'ils envoient des gens étudier chez eux en Angleterre. Si tu veux, on peut tenter de ce côté-là...

Comme Malobali ne semblait pas très enthousiaste, Kodjoe poursuivit :

— Ou bien on peut faire du commerce...

Ce fut au tour de Malobali de railler :

— Et de quoi ? Les Anglais ne veulent plus d'esclaves...

Kodjoe haussa les épaules :

— Mais il reste les Français, les Portugais, les Hollandais... Il s'agit de ruser, c'est tout... Ou alors, on peut commercer avec de l'huile de palme. Les Blancs s'en servent pour faire leur savon... Ou des peaux. Ou des défenses d'éléphant...

Malobali écoutait tout cela avec stupeur, se demandant comment Kodjoe, qu'il avait cru aussi frivole et jouisseur que lui, avait pu élaborer tout cela. Du coup, il éprouvait pour lui une sorte de respect dont il était bien peu coutumier. Par contraste, il se sentait obtus et son mépris de lui-même augmentait. Il se tourna contre la cloison de boue et de branchages dont les interstices grouillaient d'insectes et il tenta de trouver le sommeil. Or, il ne trouva qu'Ayaovi. Quelle action stupide et gratuite ! Au moment de la pénétrer, son membre s'y était presque refusé et il avait dû le cingler comme un cheval paresseux en pensant à ses insultes. Il imagina son retour au village paternel, ses pleurs, sa confession haletante. D'après ses descriptions, les siens comprendraient qu'il s'agissait des hommes de l'Asantéhéné et, terrifiés, se garderaient bien d'intervenir. Alors ce crime-là aussi demeurerait impuni. Ah oui, changer de vie ! S'installer sur la côte ! S'installer sur la côte, pourquoi pas ?

Malobali se rencoigna contre la cloison. Sur les feuilles du toit, les gouttes de pluie piétinaient doucement.

# 2

En juin 1822, la ville de Cape Coast était considérée par certains comme la plus belle de cette partie du littoral africain appelé côte de l'Or. Ses rues larges et bien entretenues étaient bordées de somptueuses maisons de pierre appartenant aux commerçants anglais installés là depuis des décennies tandis que la population locale occupait une sorte de banlieue qui ne manquait pas totalement de charme, avec ses cases de boue séchée sous les palmiers et les cocotiers. Cependant la construction la plus impressionnante était sans aucun doute le fort. Il avait changé dix fois de propriétaire, passant entre les mains des Suédois, puis des Danois, puis des Hollandais avant d'être fermement tenu par les Anglais. Ceinturé par un mur épais, il avait la forme d'un triangle dont deux côtés faisaient face à la mer et surveillait les alentours à travers les yeux noirs et fixes de ses soixante-dix-sept canons que l'air marin rongeait, mais qui savaient encore faire feu. Jusqu'à une date récente, les Anglais y entreposaient les esclaves en partance pour les Amériques et n'en sortaient guère que pour commercer avec la population côtière, en particulier les Fantis, lors de l'arrivée des navires. Peu à peu, ils avaient gagné en importance et s'étaient institués les défenseurs des Fantis contre leurs ennemis de l'intérieur, les Ashantis. Cela n'avait pas empêché ces derniers de vassaliser la région et d'y installer un résident. Depuis qu'ils avaient aboli la Traite, les Anglais rongeaient leur frein à l'intérieur du fort, attendant que la Couronne décide des relations qu'elle entendait entretenir avec les nouveaux maîtres ashantis. Pourquoi n'attaquait-on pas ces barbares ? Pourquoi n'occupait-on pas toute la région pour commercer librement ?

C'était bien l'avis du nouveau gouverneur du fort, MacCarthy, et quand on lui signala l'arrivée d'une petite troupe de guerriers ashantis, il songea presque à faire tirer le canon. Ce qui le retint, c'est qu'on indiquait la présence dans leurs rangs d'un Blanc âgé et vêtu d'un uniforme de la Compagnie royale d'Afrique. Méfiant, il donna l'ordre à ses gardes de ne laisser pénétrer que ce vieillard, un interprète et le safohéné. Malobali et Kodjoe cherchèrent, quant à eux, une taverne où se restaurer. Sortant de l'humidité de la forêt, l'air de la mer paraissait sec par contraste, déposant sur les lèvres une pellicule qui avivait la soif et, curieusement, emplissait les yeux de l'eau salée des larmes. La taverne était une construction de brique qui parut fort élégante à Malobali entre ses bosquets de cocotiers, et qui surtout offrait la plus belle quantité d'alcools : du gin, du rhum, du schnaps, des vins français.

Le tenancier était un mulâtre, espèce qui commençait à proliférer sur toute la côte depuis que les Européens y étaient nombreux. Les premiers temps, les Danois, les Suédois ou les Anglais contractaient des sortes de mariages avec les femmes africaines et envoyaient leurs enfants, les fils surtout, étudier dans leurs pays. Puis, la coutume devenant trop courante, ils se bornaient dans le meilleur des cas à verser des pensions aux mères. Le tenancier remplit les calebasses à ras bord et s'enquit :

— Mais qui est ce Blanc que vous accompagniez ?

Malobali haussa les épaules, laissant Kodjoe expliquer :

— Il paraît qu'il est né dans un pays qu'on appelle Kisliar et qu'il a été vendu comme esclave...

— Tiens, tiens, on vend donc les Blancs comme esclaves ?

Kodjoe rejoignit Malobali à la table où il avait pris place. La taverne s'ouvrait sur une plage de sable blanc, jonchée çà et là de troncs de cocotier pourris, des débris de barques de pêche. Au loin, un navire européen avait jeté l'ancre et une flottille d'embarcations appartenant aux commerçants de la place l'entourait. On apercevait, entassés, les ballots de drap rayé rouge, vert, blanc, bleu, les enfilades de bracelets de laiton ou de corail, les fûts d'alcool, toutes ces choses en apparence futiles pour lesquelles les hommes se battaient. Kodjoe fit signe au tenancier de s'approcher pour remplir à nouveau les calebasses et, comme l'homme se courbait vers eux, il interrogea :

— Toi qui es une moitié de Blanc, tu connais les affaires des Blancs ?

L'autre rit :

— Ça dépend...

— Parlons de travail par exemple. Nous en avons assez de l'armée...

L'autre regarda la mer en fronçant les sourcils :

— Tout le monde afflue sur la côte et veut travailler pour les Blancs. Cela devient difficile. Il y a bien la mission. Vous me paraissez un peu grands pour être des catéchistes. Mais vous pouvez toujours essayer.

Malobali s'efforçait de faire taire ses répugnances quand l'homme lui fit observer :

— Tu n'es pas un Ashanti, toi. Tu m'as tout l'air d'un Peul...

Or Malobali détestait qu'on lui rappelle cette moitié de Peul en lui qui le rattachait à une mère qui l'avait abandonné, croyait-il. Il se renfrogna tandis que Kodjoe lui soufflait pour l'apaiser :

— Eh bien, ainsi tu trouveras peut-être plus facilement du travail !

En effet, les intrigues des Anglais et des Fantis étaient telles que le simple nom d'Ashanti était haï de la rivière Ankobra à la Volta ! D'autant plus que l'Asantéhéné n'y allait pas de main morte avec les pays soumis : lourdes taxations, tracasseries, humiliations de toutes sortes.

Kodjoe et Malobali décidèrent d'aller jeter un coup d'œil sur place.

Sous l'impulsion des méthodistes, un vent de zèle missionnaire soufflait sur Cape Coast. Le prosélytisme, autrefois circonscrit à l'intérieur du fort et à la douzaine d'enfants mulâtres que le personnel y produisait bon an mal an, s'attaquait à présent à la population locale. Une énorme église de pierre grise s'élevait au centre de la ville cependant que la mission, plus discrète, se cachait à moitié sur la route d'Elmina. A vrai dire, elle ne payait pas de mine ! Ce n'était qu'une baraque rectangulaire à toit de paille, précédée d'un jardinet où poussaient, pathétiques, des légumes et des fleurs. Sous un auvent, une poignée de garçons mesurait et coupait des billes de bois tandis qu'un chœur de voix grêles psalmodiait un chant incompréhensible et qu'une armée de porcs noirs fouillaient du groin dans la terre.

Intrigué sans doute par la présence de deux guerriers ashantis à sa porte, le missionnaire sortit sous la véranda. Stupéfaction, c'était un mulâtre ! Vêtu d'une épaisse robe de drap noir, avec au cou une sorte de chapelet terminé par une énorme croix de bois. Mais mulâtre !

Malobali et Kodjoe échangèrent un regard. Non, ils n'avaient rien à faire avec cette moitié de Noir. La cause était entendue : ils tournèrent les talons.

Quelle ivresse il y a à se promener dans une ville sous l'uniforme d'une armée conquérante ! Les marchands protégeaient leurs biens ; les hommes, leurs femmes qui, elles, ne pensaient qu'à se donner. Les enfants se précipitaient hors des concessions avec des cris suraigus et des battements de mains. Pourtant tout cela qui, autrefois, avait enchanté Malobali le laissait maintenant indifférent. Regardant autour de lui, il n'était nullement impressionné par Cape Coast, méprisant presque cette ville sans passé ni traditions. C'était le bon vouloir des Blancs qui l'avait fait naître, les Portugais appréciant ce mouillage qu'ils appelaient Cabo Corso, les autres Européens se battant à leur suite pour y planter leur fort. Alors Cape Coast s'étalait sans mur d'enceinte, ouverte, offerte comme ces filles que les Blancs prenaient, engrossaient et abandonnaient, sans mystère avec ses angles droits et ses bâtiments commerciaux. A la vérité, était-ce une ville ? Non, ce n'était qu'un entrepôt, à tout jamais marqué du sceau infamant du trafic en hommes. Comme le capitaine avait dispersé la compagnie, Malobali et Kodjoe se rendirent chez le résident de l'Asantéhéné, Owusu Adom, chargé d'exécuter les décisions du pouvoir ashanti. Owusu Adom était de sang royal, puisqu'il était le neveu de l'Asantéhéné, et, à ce titre, vivait entouré d'une large cour. Il possédait son tabouret, symbole sacré de son autorité, et dans le logement de fortune qu'il occupait s'affairaient des porteurs d'éventails, des porteurs de sceptres, des porteurs de queues d'éléphant, des porteurs de hamacs, des porteurs d'épées, des linguistes, des eunuques, des cuisiniers, des musiciens qui s'efforçaient de recréer l'atmosphère du palais royal où il avait grandi. Son capitaine, Amacom, indiqua aux deux hommes un baraquement où s'entassait déjà le reste de la troupe. Tout le monde était joyeux, car Amacom avait fait servir des calebasses de vin de palme et des bassines de foufou, avec une soupe à l'huile rouge. Malobali, tout en se lavant les mains, se moqua :

— Et voilà la fin de nos beaux projets !

Kodjoe leva les yeux au ciel :

— Est-ce que tu crois que je me décourage aussi vite ? Il doit bien y avoir des missionnaires qui sont deux moitiés de Blanc. S'il n'y en a pas, nous essaierons autre chose.

Cependant c'était jour d'audience à la cour de l'Asantéhéné à Kumasi.

L'Asantéhéné Osei Bonsu qui avait succédé à son frère aîné Osei Kwamé, que le Conseil avait déposé à cause de ses sympathies pour l'islam, était un homme de petite taille, mais très robuste, avec de magnifiques yeux étincelant d'intelligence. Il était assis sur son trône avec, à côté de lui, posé également sur un trône, le tabouret d'or, symbole du royaume ashanti, décoré de trois cloches et de trois clochettes d'or et de laiton. Osei Bonsu était vêtu d'un kenté, somptueux pagne tissé qui lui laissait une épaule nue, les pieds chaussés de larges sandales, car à aucun moment ils ne devaient toucher la terre. Ses bras et ses chevilles étaient encerclés d'énormes bracelets d'or finement travaillés et représentant les animaux les plus divers. Des colliers, des pectoraux, également en or, et une profusion d'amulettes musulmanes dans leurs étuis de cuir paraient son cou lisse et droit comme un tronc d'arbre. Il était flanqué des grands prêtres tandis que deux serviteurs agitaient autour de lui de larges éventails de plumes d'autruche. Osei Bonsu écoutait avec la plus profonde attention les paroles du chef des linguistes qui lui transmettait les propos d'un chef de village de la région de Bekwai respectueusement prosterné dans la poussière au pied de l'estrade.

C'est qu'une grave offense avait été commise.

Une fillette impubère avait été violée alors qu'elle se rendait au champ de ses parents dans la forêt. En d'autres circonstances, peut-être les parents de la petite victime se seraient-ils tus, car le coupable était un soldat de la très puissante armée de l'Asantéhéné. Mais cette fillette, Ayaovi, était leur unique enfant, née après la mort de six frères et de trois sœurs, la seule que les dieux leur aient permis de garder en vie. Ils exigeaient que justice soit faite. Quand le chef des linguistes se tut, les grands prêtres donnèrent leur verdict sans attendre. Ce crime était une offense à la terre elle-même. S'il n'était pas puni, celle-ci n'aurait pas de répit. Les chasseurs ne pourraient plus capturer de proies, les récoltes ne s'épanouiraient plus. Ce serait le chaos.

Qui était le coupable ?

Le kontihéné, commandant en chef des troupes, s'avança. D'après la description qu'en faisait l'enfant, il s'agissait d'un soldat qui ne ressemblait pas à un Ashanti, mais à un de ces mercenaires venus du nord, Peuls, Haoussas. Il se trouvait dans la région de Bekwai environ une semaine auparavant. A la lumière de ces faits, le kontihéné en vint vite aux conclusions. Il ne pouvait s'agir que de Malobali, le Bambara qui faisait partie de l'escorte de Wargee. Alors, il fallait le ramener à Kumasi pour être châtié.

Du temps d'Osei Tutu, fondateur du royaume, un tel crime aurait été puni de mort. Mais Osei Bonsu avait introduit une certaine mollesse dans les mœurs et avait une devise : « Ne jamais se servir de l'épée quand la voie de la négociation demeure ouverte. » Il donna l'ordre qu'asile soit donné à la famille plaignante dans une aile du château et, pour exprimer sa sympathie, demanda à son trésorier de lui remettre un dommafa[1] de poudre d'or. Les prêtres et les anciens louèrent hautement la bienveillance royale.

Le royaume ashanti, dont Kumasi était la capitale, était appelé également le royaume de l'or. A la saison des pluies, l'eau détrempant la terre faisait apparaître des pépites que les agents de l'Asantéhéné n'avaient plus qu'à ramasser à la pelle. Le royaume abritait aussi des mines inépuisables, Obuasé, Konongo et Tarkwa, ce qui valait à son souverain le surnom de « Celui qui s'assoit sur l'or ». Et cependant, malgré cette extraordinaire prospérité, symbolisée par la profusion d'ornements qui couvraient sa personne, Osei Bonsu était triste et soucieux. Les Anglais, les Anglais !

Après avoir acheté des esclaves par bateaux entiers, voilà qu'ils supprimaient la Traite ! Pourquoi ? Que voulaient-ils à présent ? Qu'allait-il faire de ses captifs de guerre ? Allait-il les laisser croître au milieu de son peuple pour l'étouffer comme une mauvaise herbe dans un champ ? Allait-il les tuer comme des bêtes malfaisantes ? Par ailleurs, il avait beau multiplier les gestes de bonne volonté à leur égard, ils persistaient à favoriser toutes les rébellions dirigées contre lui. Pourquoi voulaient-ils la destruction de son royaume ?

Comme à chaque fois qu'il se sentait de cette humeur, Osei Bonsu décida d'interroger les dieux et les ancêtres. Etait-on coupable de quelque négligence ? Non, chaque jour, on arrosait de sang les tabourets royaux. Lors du récent festival de l'Odwira, la viande des poulets et des moutons, cuite sans sel ni piment, avait été offerte avec la chair de l'igname, éclatante et tendre comme celle d'une jeune femme. Puis les portes, les fenêtres et les arcades du palais avaient été enduites d'un mélange de jaune d'œuf et d'huile de palme... Osei Bonsu envoya quérir le musulman Mohammed al-Gharba. Car s'il ne se sentait nullement tenté de se convertir à l'islam comme son frère aîné, il n'en avait pas moins la plus haute estime pour la science des musulmans et leur accordait une place considérable tant autour de lui que dans le royaume.

Certains faisaient partie de son conseil privé. D'autres avaient fonction d'ambassadeurs dans les pays musulmans du Nord. D'autres rédigeaient sa correspondance avec de lointains souverains et commerçants. Quant à Kumasi, un de ses quartiers était occupé par des musulmans et portait le nom d'Asanté Nkramo.

On ne savait trop de quelle région venait Mohammed al-Gharba. De Fès, selon certains. L'opinion générale voulait qu'il ait évolué

1. Mesure ashanti pour peser l'or.

dans l'entourage du sultan Ousmane dan Fodio. Ce n'était pas un vulgaire devin ou un gribouilleur d'amulettes. S'il déchiffrait le présent et l'avenir et faisait bénéficier Osei Bonsu de cette clairvoyance, c'était au nom d'Allah et pour le convaincre de Sa puissance.

Osei Bonsu se tourna vivement à son entrée :

— Je viens d'apprendre que les Anglais ont envoyé un autre gouverneur au fort de Cape Coast. Ils ne m'en ont pas informé et celui-ci ne m'a pas envoyé les présents d'usage...

Mohammed eut un soupir :

— Fils du Soleil, tu es trop bon. Cette race anglaise est fausse et perverse. Tout ce qu'elle veut, c'est le pouvoir, l'accès à ton or, le monopole de ton commerce. Il n'est pas possible de discuter avec elle. Attaque, attaque et détruis avant qu'il ne soit trop tard...

Osei Bonsu frémit :

— Trop tard ?

Mohammed dit doucement, tentant de diminuer la gravité de ses paroles :

— C'est écrit, maître. Les Anglais déferont la puissance ashanti et mettront la main sur le tabouret d'or...

Des propos si audacieux méritaient la mort. Osei Bonsu savait cependant qu'il ne s'agissait pas là d'impertinence et qu'il devait se fier à son conseiller. Il murmura :

— Entre en prière, Mohammed, et demande à ton dieu de se tenir à nos côtés. Si tu parviens à le fléchir, à le gagner à notre cause...

Là, il s'arrêta. Car, en effet, que pouvait-on offrir à un homme qui ne vivait qu'en esprit ? Un sentiment d'impuissance et de découragement envahit le souverain. Puisque c'était écrit, à quoi bon lutter ? Advienne que pourra...

Cependant, tout le monde ne partageait pas cette triste humeur. La petite Ayaovi était heureuse. Depuis trois jours que avec ses parents, elle était arrivée de Bekwai, elle vivait dans un enchantement constant. Quelle belle ville que Kumasi ! Son père lui avait montré l'emplacement de l'arbre kumnini, arbre qui tue le python, planté des siècles plus tôt par le fondateur du royaume. C'était du temps d'Osei Tutu. Kumasi, qui ne s'appelait pas encore ainsi, n'était qu'une bourgade. Mais l'arbre kumnini y avait déployé sa ramure et indiqué à tous les Ashantis qu'elle devait être leur capitale. Quant au palais, c'était à lui seul une véritable ville avec ses bâtiments, ses arcades, ses cours plantées d'arbres s'élevant jusqu'au ciel.

Devant tant de beauté, la petite Ayaovi en oubliait presque son chagrin. Sa honte. Cette cruelle blessure à son ventre. Après tout, elle n'avait que onze ans. Sautillant d'un pied sur l'autre, elle se mit à chanter une complainte de jeux qu'elle affectionnait avec ses compagnes, là-bas, au village. Puis elle se tut. De pareils enfantillages ne convenaient plus à sa position. Bientôt elle aurait un mari. Et quel mari ! Ayaovi revit le visage de Malobali. Brutal, sans doute, et déformé par le désir. Mais beau, si beau. Non, ce n'était pas simplement un de ces soudards qui traversaient la région, fusil à l'épaule, sabre d'abattage sur la hanche et gourdin au poing. Il ne ressemblait en rien à son compagnon. A preuve, elle avait déjà oublié ses traits à celui-là ! Malobali seul comptait. Ah, que les hommes envoyés à sa poursuite fasse diligence et le ramènent au plus vite !

Parfois Ayaovi était un peu inquiète. N'avait-elle pas menti sous serment en n'accusant qu'un seul homme ? Elle se rappela les paroles du prêtre, égorgeant la bête :

*Terre,*
*Etre suprême*
*Je m'appuie sur toi*
*Terre*
*Ne permets pas que le mal triomphe.*

Oui, elle avait menti. Bah, elle secoua ces pensées. Après tout, elle n'avait que onze ans ! Elle se faufila à travers la cour pleine de soldats jusqu'à une des portes et regarda sur la grande place les tulipiers et leurs fleurs écarlates, les palmiers royaux et, à peine moins arrogants, les kapokiers qui couvraient le sol de fibres grisâtres. Sur les talons d'Ayaovi, sa mère était sortie. Depuis la tragédie, elle ne connaissait pas de repos, se reprochant d'avoir mal gardé son enfant. N'est-ce pas elle que ces soudards auraient dû violer ? Elle qui n'ignorait rien du corps d'un homme, et non sa fragile fillette, à peine sortie de l'enfance ?

Son mari la rabrouait. Pourquoi pleurait-elle ? Ce n'était pas la première fois que des hommes abusaient de fillettes impubères. Alors, le coupable était tenu d'offrir un mouton. On le sacrifiait à la Terre que le prêtre aspergeait de sang, afin d'obtenir son pardon. Puis à la puberté de la fille, on accomplissait les rites et le mariage était célébré. Voilà tout ! Bientôt, Ayaovi aurait un mari, et quel mari ! Un guerrier des armées royales ! Sûrement l'Asantéhéné lui ferait don de quelque terre qu'on planterait de palmiers à huile. Et le chœur des filles accompagnant les mariés chanterait :

*Que Dieu te donne des garçons et des filles !*
*Qu'il te donne l'âge mur !*

Ah ! Les ancêtres savent toujours ce qu'ils font. De tout mal sort un bien.

# 3

— Sauve-toi, Bambara, sauve-toi. Ils viennent t'attraper !

Ce cri déchira le demi-sommeil de Malobali. Il se redressa à demi. La voix répéta :

— Sauve-toi, Bambara, sauve-toi !

Le corps encore lourd, l'esprit à moitié hors du corps, Malobali rampa vers ses vêtements qu'il avait jetés dans un coin de la pièce. Contre lui, la femme se réveilla et protesta :

— Mais où vas-tu ?

Il la fit taire d'une bourrade et, ayant enfilé son pantalon, il se rua vers la sortie. C'était l'aube. Le ciel était gris entre les palmes des cocotiers. On entendait, monotone, le ressac de la mer. Un brouhaha de voix s'élevait dans une des cours, signifiant à Malobali qu'il n'avait pas rêvé. Un kapokier s'adossait au mur de la concession. Malobali, s'accrochant aux branches basses, se jucha sur cette enceinte et de là, avec souplesse, sauta dans la rue. Puis il se mit à courir.

Un homme qui court pour sa vie n'a aucune notion de ce qui l'entoure. Il n'est qu'un assemblage de muscles qui se déploient, un souffle qui se mesure, un cœur au galop. Malobali courait et rien ne comptait autour de lui. Il courait, et à l'alignement rectiligne des cases succéda un paysage de cocotiers droits ou brisés à mi-hauteur par le vent et reposant sur le sable. Il courait et les rues firent place à un chemin mal entretenu où deux ou trois hommes pouvaient aller de front. Il courait et le soleil apparut pour planter ses échardes dans son crâne et ses omoplates.

Enfin, à bout de forces, il roula dans le sable. Depuis combien de temps courait-il ? Et pourquoi courait-il ? Il n'aurait su le dire. A quelques mètres de lui, il apercevait la mer, encore vert pâle, bientôt étincelante et qui semblait le narguer. Il essuya la sueur qui ruisselait sur son front et lui picotait les yeux comme des larmes. Au bout d'un moment, il essaya de mettre de l'ordre dans ses pensées. Pourquoi viendrait-on l'arrêter ? Qu'avait-il fait ?

Il s'était saoulé, mais pas plus que d'habitude. Il n'avait pas fait de tapage. Quant à la femme qui l'avait reçu dans sa couche, c'était une femme à tout le monde qui avait aimé la couleur de son or. Alors ?

Les Fantis, rompant la trêve, avaient-ils déclaré la guerre aux Ashantis avec la bénédiction de leurs protecteurs, les Anglais ? Dans ce cas, pourquoi se sauverait-il ? Il convenait au contraire de rejoindre le reste des troupes et de prendre les armes. Malobali était d'un caractère trop aventureux et déterminé pour se satisfaire de la fuite. Il reprit le chemin de Cape Coast. Pourtant, prudemment, il se défit de ses habits de soldat, gardant seulement son pantalon bouffant et un poignard contre son corps. Deux routes partaient de Cape Coast, l'une menant au fort d'Elmina à l'ouest, le plus ancien, autrefois possession portugaise, puis possession hollandaise, à l'est au fort de Mouri à moitié abandonné ; l'autre rejoignant la rivière Pra et menant au pays ashanti. Malobali décida d'aborder la ville par la route venant d'Elmina, peu fréquentée, vu les relations entre les occupants des deux forts. Il arrivait à l'entrée de la ville quand il vit un petit groupe d'hommes en sortir. Il reconnut des guerriers ashantis et allait se précipiter vers eux, les héler, se faire reconnaître, quand la prudence, cette fois encore, le retint. Coupant à travers une étendue broussailleuse, il alla se poster plus loin à un carrefour.

Une douzaine de soldats entouraient Kodjoe, les mains liées derrière le dos, les jambes entravées comme un malfaiteur ou un condamné qu'on mène au bourreau. Le sang qui coulait d'une plaie à sa tête avait séché sur ses joues et formait une croûte répugnante, rougeâtre contre sa peau noire. Il semblait ahuri, hébété.

Malobali ne le fut pas moins. Pourquoi arrêtait-on Kodjoe ? Qu'avait-il fait ? Puis il comprit. Le viol. La gamine de la clairière. Ce ne pouvait être que cela.

Dominant leur frayeur, ses parents avaient dû faire appel à la justice de l'Asantéhéné qui jamais ne sommeillait. Le premier mouvement de Malobali fut de se porter au secours de son ami. Mais que pouvait-il faire, demi-nu, contre ces hommes en armes ? Il resta accroupi au milieu des herbes. Puis le sentiment de son impuissance se mêlant à celui de sa honte le submergea et il vomit longuement. Une colonie de fourmis voraces émergeait de la terre.

Que faire à présent ?

Il n'était plus en sécurité en ville. S'il se présentait chez le résident, il ne manquerait pas de connaître le sort de Kodjoe. Un sentiment de fatalisme l'envahit. Eh bien, n'était-ce pas cela qu'il avait souhaité ? Un changement de sa vie ? Les dieux moqueurs le remettaient nu comme un enfant. Quand Sira avait accouché de lui là-bas à Ségou, il n'était pas plus vulnérable.

Vers midi, la faim commença à lui dévorer les entrailles. Au cours de sa vie aventureuse, il avait appris à poser des pièges aux oiseaux, à allumer du feu entre deux pierres, à fabriquer du sel avec la cendre. Il aiguisait des branches de bois quand une voix le fit sursauter :

— Que les dieux m'enlèvent la vue si ce n'est pas le Bambara qui est là !

Malobali sauta sur ses pieds. Il avait devant lui un vieillard édenté, les jambes couvertes d'ulcères, mais qui en dépit de cela paraissait parfaitement robuste. Il portait pour tout vêtement un cache-sexe de coton qui dissimulait mal une énorme hernie. Malobali fit respectueusement :

— Papa[1], comment me connais-tu ?

L'autre rit à gorge déployée, découvrant une luette violacée :

— Toute la ville ne parle que de toi. Et tu me demandes comment je te connais ? Tu sais ce qui est arrivé à ton camarade ?

Malobali eut un soupir :

— Je l'ai vu passer...

Le vieillard rit de plus belle :

— Le pis, c'est que ce n'est pas lui que le kontihéné envoyait chercher, la fillette n'ayant parlé que de toi.

— Que de moi ?

— Hé oui ! Quelle impression tu as dû lui faire et quelle tête elle fera en voyant arriver Kodjoe, mais il s'est dénoncé lui-même...

Malobali rit à son tour. Pourtant, en se rappelant Ayaovi, son corps gracile, son odeur de feuilles vertes, il eut quelque regret. Puis il se ressaisit :

— Papa, qu'est-ce que je dois faire à présent ? Tu pourrais avoir engendré mon père. Conseille-moi.

Le vieillard s'accroupit, tira une noix de kola de son cache-sexe et l'ouvrit. Puis, regardant la chair veinée de rouge, il fit :

— Fuir ! C'est tout ce que tu peux faire. Fuir. La mer est couverte de bateaux...

---

1. On appelle « papa », par respect, un homme beaucoup plus âgé que soi. Et « maman », une femme.

La mer est couverte de bateaux ? Mais dans quelles directions allaient-ils ? Vers des terres de servitude et de deuil : la Jamaïque, la Guadeloupe... Et puis, né à la lisière du désert, la mer avait toujours inspiré à Malobali une répulsion doublée de terreur. Ce sol trompeur qui cédait sous les pieds et vous précipitait vers de secrets abîmes. Relevant la tête pour presser le vieillard de questions, il s'aperçut que celui-ci avait disparu. Alors, il comprit que c'était un ancêtre venu lui indiquer la voie à suivre et une grande paix l'envahit.

Evitant la ville, il se dirigea vers la plage. C'était toujours le même va-et-vient fiévreux en direction des bateaux des Européens ancrés en large. Malobali, qui pourtant n'avait pas l'âme sensible, s'attendrit en pensant à tous ceux qui, enchaînés, désespérés, avaient piétiné cette côte. Il savait que l'Asantéhéné s'opposait aux Anglais qui avaient déclaré la Traite illégale, et cette décision qui pourtant aurait dû les rendre sympathiques lui semblait suspecte. Que cachait-elle ?

Un instant, Malobali se demanda s'il n'allait pas reprendre le chemin de Ségou. Ségou ! Comme sa ville natale lui manquait ! Quand nagerait-il dans les eaux du Joliba ? Mais le souvenir de Tiékoro, le souvenir de sa voix, orgueilleuse dans son humilité même, revint l'inonder de nausée :

« Il est nécessaire que je vous parle encore de la charité, car je suis peiné de voir qu'aucun de vous n'a suffisamment cette vraie bonté du cœur. Et cependant quelle grâce ! »

Ah non, il ne pourrait le supporter ! Marchant résolument vers l'extrémité de la plage, il vit un jeune garçon à la mine avenante qui surveillait le déchargement d'une pirogue et l'aborda :

— Dis-moi, pour qui travailles-tu ?

Le garçon sourit fort gracieusement :

— Je surveille la livraison des marchandises de M. Howard-Mills.

— Un Anglais ?...

— Non, non, un mulâtre !

Malobali s'exclama :

— Un mulâtre ! Désormais, ces bêtes-là prennent pied partout...

Le jeune homme eut un geste résigné :

— Que veux-tu ? Les Blancs les favorisent puisque ce sont leurs enfants. M. Howard-Mills est très riche. Tu n'es pas de cette côte, toi ?

Malobali lui prit le bras :

— Ne t'occupe pas d'où je viens. Aide-moi plutôt à sortir d'ici...

Autour d'eux, des files de porteurs convoyaient vers Cape Coast les ballots des marchandises les plus diverses. Le jeune homme mit une pirogue à flot, fit signe à Malobali d'y prendre place, puis se mit à pagayer vigoureusement vers le large, vers les navires, pareils aux tabourets symboliques de nouveaux dieux. La mer s'étendait, tapis royal sous leurs pieds. En tournant la tête, on apercevait le dessin sombre des arbres de la côte et la masse du fort. Les Blancs étaient venus, ils avaient mendié un peu de terre pour bâtir ces forts et depuis, à cause d'eux, plus rien n'était pareil. Ils avaient apporté des produits inconnus pour lesquels on s'était battu, peuple contre peuple, frère contre frère. A présent, leur ambition n'avait plus de bornes. Jusqu'où irait-elle ?

On arrivait au flanc d'un navire, un trois-mâts de belle apparence. Au moment de s'engager sur l'échelle qui menait à bord, Malobali eut un mouvement de recul. Savait-il seulement vers quoi il se dirigeait ? Puis il se ressaisit. N'était-ce pas l'ancêtre lui-même qui l'avait conseillé ?

Quand le résident de l'Asantéhéné Owusu Adom apprit la disparition de Malobali, il vit dans cela la main des Anglais. Eux seuls avaient pu lui donner refuge, protéger sa fuite en lui donnant accès à l'un de leurs navires sur la mer.

Owusu Adom était d'autant plus furieux que depuis qu'il habitait Cape Coast, il n'avait jamais été reçu à l'intérieur du fort. Ni par l'ancien ni par le nouveau gouverneur anglais. Cette insulte ne s'adressait pas seulement à lui. Mais, à travers lui, à la royale personne, à l'Asantéhéné lui-même. Aussi, décida-t-il de quitter Cape Coast et de retourner sans tarder à Kumasi.

Dès le matin, il prit la route. En tête du cortège venaient des esclaves armés de sabres avec pour mission de couper lianes, racines et branches encombrantes. Ensuite venaient deux hommes portant chacun par une extrémité l'épée d'or symbolique de sa charge, les prêtres, les conseillers et le personnel à tous usages. Owusu Adom lui-même était porté par un groupe d'hommes choisis pour leur endurance à la marche dans un solide hamac autour duquel se tenaient les musiciens qui soufflaient dans des trompes, ou dans des cors, frappaient sur des tam-tams et agitaient des clochettes de telle sorte que les oiseaux fuyaient leurs nids et que, dans l'herbe, les serpents apeurés s'enfuyaient, cherchant leurs cachettes.

Peu à peu, ce cortège se grossit de commerçants, venant de conclure des affaires sur la côte. Les conversations allaient bon train. Les Anglais et les Hollandais n'achetaient plus d'esclaves. Du moins ouvertement, car il y avait toujours au large quelque négrier sournois. Mais, Dieu merci, il y avait les Français. Mauvais payeurs et chicaniers ceux-là, mais plus avides que tous les autres ! Leurs navires se pressaient à Elmina et Winneba. Que deviendrait-on si on supprimait le commerce des esclaves ? Ce n'était ni le commerce de l'huile de palme ni celui du bois des forêts qui pouvaient le remplacer. Tout le monde y gagnait, à l'esclavage, et pas seulement les souverains. Les petits chefs pouvaient vendre tous ceux qui étaient condamnés par les tribunaux. Quant aux gens ordinaires, ils pouvaient vendre leurs débiteurs !

On parlait aussi de Kodjoe et de Malobali. Ce n'était pas le viol d'une fillette qui choquait. Mais la manière dont l'affaire avait été conduite. A-t-on jamais vu deux lascars se partager une fille de cette façon ? Il en faudrait des moutons pour apaiser la Terre ! D'une certaine manière, il était heureux que l'un des deux compères se soit enfui. Sinon, quel dilemme pour les juges ! A qui marier la fille ? Les uns soutenaient que ce devait être au premier qui l'avait pénétrée. Les autres soutenaient que c'était au second, le premier n'ayant fait que lui frayer la voie.

Tout le monde se tut, cependant, et le silence se fit car on entrait dans la forêt. Les acajous, les irokos, les mahoganis dont la voûte se confondait avec celle du ciel formaient un cadre oppressant. La forêt est l'habitacle des dieux et des ancêtres. C'est là qu'ils se manifestent le plus fréquemment. N'était-ce pas à l'orée d'une forêt que les dieux, à l'appel du grand prêtre Okomfo Anokyé, avaient fait descendre le tabouret d'or sur les genoux d'Osei Tutu, le désignant à la vénération de tous ? N'était-ce pas dans une forêt qu'étaient tenus les tabourets des rois ? N'était-ce pas dans une forêt que les grands prêtres se réunissaient pour toute consultation importante ? La forêt est comme le ventre d'une femme d'où sort la vie, d'où sort l'espoir.

Quand il fit trop sombre pour avancer, des esclaves coupèrent des branches basses et bâtirent rapidement des cases. D'autres allumèrent des feux et les musiciens donnèrent un véritable concert jusqu'au moment où un linguiste se lança au milieu du cercle improvisé pour raconter l'histoire qui plaisait le plus à l'oreille de tout Ashanti, celle de la fondation du royaume et des aventures d'Osei Tutu.

« C'est du ciel qu'est descendu le peuple ashanti, du ventre de la lune, la lune-femme qui veut que le pouvoir se transmette par les femmes. Aussi le roi Obiri Yéboa était-il soucieux, sa sœur la princesse Manou, mariée depuis cinq ans, n'ayant jamais enfanté. Qui donc allait lui succéder sur le trône ? Un jour, la reine mère convoqua Manou devant elle : “ Je ne crois pas que tu sois stérile. C'est du moins ce qu'affirme le grand prêtre. Aussi, tu vas le suivre et faire tout ce qu'il t'ordonne...”

« Manou obéit et, neuf mois plus tard — battez tambours sacrés de la naissance ! sonnez trompettes d'ivoire ! — un fils lui naquit. Les grands prêtres penchés sur le bébé surent vite de quel ancêtre il était la réincarnation et lui donnèrent le nom d'Osei suivi de Tutu, car Tutu était le dieu de l'abondance qui venait de combler Manou...

« Et Osei Tutu grandit, grandit... »

Quelque part au-dessus de la voûte des arbres, la lune se leva. Elle transperça l'épaisseur du feuillage de ses rayons comme si elle aussi tenait à entendre l'histoire familière. N'était-elle pas concernée ? En effet Osei Tutu était son fils, même si dans le cours des temps, le soleil avait usurpé sa place dans le monde et commencé de régner en souverain, revendiquant la paternité de toutes les créatures :

« Quand Osei Tutu eut dix ans, le roi son père l'envoya chez son oncle au royaume de Denkyira. L'échange de jeunes princes est un gage de paix. Comment un roi n'hésiterait-il pas à déclarer une guerre quand il sait que l'ennemi a en otage son héritier ? »

Les hommes assemblés, la lune, Owusu Adom, tous écoutaient le récit du linguiste. Et la confiance renaissait. Le peuple ashanti était immortel. Jamais les Anglais, ce peuple de l'eau, à peau froide et pâle, couleur de maléfices, ne sauraient les détruire. Pendant ce temps les prêtres à l'affût des bruits de la forêt interprétaient les signes de l'invisible. Ils sentaient que de grands événements se préparaient, qu'au lieu même où ils se trouvaient s'écrirait une histoire redoutable et singulière qui effacerait celle d'Osei Tutu.

# 4

Malobali sentait le regard du plus âgé des deux Blancs errer sur son visage, s'y attarder, insistant, tenace comme une mouche sur une charogne, le ventre ouvert à un carrefour. Il ne pouvait entendre ce qu'il disait. Ni même suivre le dessin de ses lèvres. Pourtant il connaissait ses paroles :

— Il ne m'inspire pas confiance. Il est trop âgé d'abord. A cet âge-là, les conversions ne sont jamais que superficielles et intéressées.

L'autre homme répondait avec sa douceur et son inflexibilité coutumières :

— Vous vous trompez, père Etienne. Il est travailleur, d'une rare intelligence. Ses progrès en français et en menuiserie sont extraordinaires. Quant à sa piété, j'en réponds...

Et Malobali se demandait lequel il haïssait davantage. Le premier, qui le perçait si bien à jour ? Le second, qui croyait si bien le connaître ? Il baissa les yeux sur la planche qu'il rabotait. Père Etienne éleva la voix, détachant chaque syllabe afin de mieux se faire comprendre :

— Samuel, viens ici !

Malobali obéit et se tint debout comme on lui avait appris à le faire, les yeux baissés, les mains sur la couture du pantalon. Les deux prêtres étaient assis sur la véranda de l'humble case à toit de paille. L'un d'eux était chauve, assez gros. L'autre au contraire était maigre, presque décharné. Tous deux avaient le visage cramoisi et s'éventaient constamment. Ce qui terrifiait Malobali, c'était leurs yeux, clairs, transparents au fond desquels flambait un feu insoutenable comme celui d'une forge. A chaque fois qu'ils les posaient en quelque endroit de son corps, Malobali ressentait comme une brûlure et s'étonnait de voir sa chair demeurer intacte.

— Père Ulrich me dit que tu vas recevoir le corps de Notre Seigneur Jésus-Christ. Es-tu prêt à cet honneur incomparable ?

Malobali parvint à poser sur son visage le masque de la plus profonde componction et fit :

— Oui, mon père.

— Nous te donnerons ce sacrement à Ouidah où nous partons demain, car, là, il y a un grand nombre de chrétiens. La famille du Seigneur s'agrandit.

Malobali feignit un sourire de ravissement. Puis, ne pouvant plus se contrôler, il releva le front et rencontra le regard du prêtre, chargé d'une haine égale à celle qu'il éprouvait lui-même et qui lui signifiait : « Tu es une belle brute, orgueilleuse et cruelle. Tu as du sang sur les mains. Mais cela ne fait rien, jouons le jeu que tu as choisi de jouer... Nous verrons bien le premier qui s'en lassera. »

Le père Ulrich fit avec son onction habituelle :

— C'est bien, Samuel. Laisse-nous à présent... Est-ce que tu n'as pas encore du linge à laver ?

La rage au cœur, Malobali tourna les talons. Voilà ce qu'il était devenu : une femme pour ce Blanc sans femme. Ce Blanc sans couilles. Sous l'auvent qui abritait la cuisine, il prit la bassine pleine de linge sale et se dirigea vers la lagune. Parfois quand il pensait à son état, Malobali se demandait s'il n'aurait pas mieux valu pour lui être emmené en esclavage vers les Amériques. Là-bas, au moins, on pratiquait un travail d'homme, celui de la terre. Il passa devant l'église faite de troncs et couverte de branchages, où lors des services se réunissaient trois ou quatre personnes qui en échange de quelques vêtements de coton avaient accepté de recevoir le baptême, avant de s'engager dans le chemin rongé d'herbe qui, tournant le dos au village, serpentait vers la lagune. La mission s'élevait en dehors du village sur un bout de terre que le roi Dè Houèzō avait concédé aux missionnaires. Elle abritait deux prêtres, le père Ulrich et le père Porte, pour l'heure parti vers Sakété dans le futile espoir d'effectuer des conversions. Le père Etienne, le plus âgé des deux, arrivait de la Martinique où il avait passé de longues années.

Par instants, quand la haine ne l'aveuglait pas, Malobali éprouvait une sorte d'admiration pour ces hommes qui quittaient leur terre et leurs semblables, poussés par on ne sait quel idéal, et qui vivaient là, indifférents à la solitude, aux dangers, objets du caprice d'un roi qui, à tout moment, pouvait les rejeter à la mer. Leurs seuls contacts étaient ceux qu'ils entretenaient avec les négriers français qui jetaient l'ancre au-delà de la barre. Parfois quelque voyageur français, lui aussi en mal de sensations fortes, venait observer et décrire la vie sur cette côte.

Pourtant, la plupart du temps, dans le cœur de Malobali, il n'y avait guère de place pour l'admiration, mais pour le désespoir et la rage impuissante. Ah, comme la terre s'était bien vengée de lui, du viol d'Ayaovi et de sa fuite ! Ah, comme le jeune homme au visage avenant auquel il s'était confié à Cape Coast s'était joué de lui ! Combien avait-il perçu pour sa trahison ? Il l'avait conduit jusqu'à un navire où il s'était longuement entretenu avec le capitaine, et à peine avait-on repris la mer que Malobali avait été assommé, ligoté, jeté parmi les ballots de marchandises, laissé là, mourant d'inanition. Après plusieurs jours, le navire s'était arrêté à nouveau.

A travers le brouillard de sa fièvre et de sa faim, Malobali avait aperçu, rompant la crête des forêts de la côte, un village et la silhouette massive d'un fort. Une embarcation avait été mise à l'eau dans laquelle avaient pris place le capitaine et deux hommes, pagayant à vive allure vers le fort. Malobali avait compris le sort qu'on lui destinait ! Grossir la cohorte d'esclaves qui bientôt sortiraient de ces flancs de pierre.

Comment était-il parvenu à rompre à demi ses liens, à se jeter à l'eau, à échapper à la cruelle tyrannie de ses geôliers ? Sans doute un ancêtre avait-il eu pitié de lui… Il s'était retrouvé sur le sable, nu, transi, faible, terrifié, sous le regard d'un Blanc. Le Blanc s'était penché sur lui, puis l'avait pris dans ses bras comme un enfant et l'avait mené jusqu'à sa case. Là, il l'avait soigné jour et nuit, refusant de le rendre à tous ceux qui le réclamaient. Oui, le Blanc lui avait sauvé la vie.

Et pourtant il le haïssait. Comme il n'avait jamais haï personne. Même pas Tiékoro. Il le haïssait, car aussitôt, sans qu'il comprenne ni comment ni pourquoi, l'autre avait établi entre eux un rapport de dépendance. Il était le maître. Malobali n'était que l'élève. D'un filet d'eau versé sur son front, il avait changé son nom en Samuel. Il lui interdisait « son vil jargon » et lui apprenait le français, seule langue noble à ses yeux. Il traquait dans son esprit les croyances qui, jusqu'alors, avaient fait sa vie. Il ne le laissait pas un instant en liberté. Oui, la prison qu'il lui avait bâtie était la plus robuste et la plus subtile, puisqu'on n'en voyait pas les murs !

Souvent Malobali avait rêvé de le tuer. Une fois même il s'était approché du lit sur lequel Ulrich était étendu, livide et suant sous la moustiquaire. Plonger une lame dans sa gorge et voir couler son sang à gros bouillons. Cela seul le laverait. Cela seul referait de lui un homme. Mais Ulrich avait ouvert les yeux. Ses yeux bleus.

Alors, fuir ?

Mais dans quelle direction ? Il n'aurait pas fait dix pas que les Gouns et les Nagos qui peuplaient ce village de Porto Novo l'auraient rattrapé et ligoté pour trafiquer de sa chair. Ceux-là aussi, il les haïssait, race avide et cruelle qui vendait ses propres enfants depuis le roi Dè Adjohan ! Combien de captifs s'entassaient dans le fort, amenés de l'intérieur du pays et traités comme des bêtes ! Et ce n'était pas seulement l'esclavage qui était à redouter. Souvent les lari, serviteurs eunuques du palais, par pur plaisir éventraient des femmes enceintes, décapitaient des enfants avant d'envoyer leurs têtes fumantes rouler sur la place du marché tandis qu'à travers le royaume, les princes du sang semaient la désolation !

Malobali était arrivé au bord de la lagune. Le plus pénible, c'était quand des femmes s'y trouvaient. Elles commençaient à pouffer dès qu'il apparaissait, engoncé dans cette veste d'uniforme rouge et ce pantalon droit que lui avait donné le prêtre. Elles se tordaient quand il déballait son linge et commençait de le frotter avec des gestes maladroits. Comme il ne parlait pas leur langue, il ne pouvait les injurier comme elles le méritaient. Et, bien sûr, il n'osait pas les frapper ! Heureusement, ce matin-là, les rives étaient désertes. L'épaisse végétation s'avançait jusque dans l'eau et y continuait, souterraine, émergeant par endroits en fleurs violacées, maléfiques comme des pourritures. Ailleurs, des plages grisâtres se dessinaient, défoncées par les pieds des bêtes. Malobali s'accroupit, puis, ôtant sa veste d'ordonnance, il s'étendit sur le sol. Au-dessus de sa tête, le ciel était sans un nuage. Quelque part sur la terre, au nord ? à l'est ? à l'ouest ? Nya pensait à lui et pleurait. Sans arrêt, elle priait ses féticheurs d'intercéder auprès des ancêtres afin de lui assurer une bonne vie. Eh bien, ils n'avaient pas réussi ces féticheurs ! C'est en enfer qu'il se trouvait, dans cet enfer dont parlait sans cesse le père Ulrich.

La religion que le prêtre tentait d'inculquer à Malobali lui semblait totalement incompréhensible, abstraite, puisqu'elle ne s'appuyait sur aucun de ces gestes auxquels il était habitué. Sacrifices, libations, offrandes. Plus grave encore, elle condamnait toutes les manifestations de la vie : musique, danse, réduisant son existence à un désert dans lequel il circulait tout seul. Parfois, quand le père Ulrich lui parlait, Malobali tournait la tête à droite et à gauche pour tenter de surprendre ce dieu omniprésent dont il était question. Seuls le silence, l'absence lui répondaient.

Que faire ?

Une fois de plus, Malobali se posa cette question, sans y trouver de réponse. Au loin, un calao se détacha du faîte d'un arbre.

De Porto Novo à Ouidah, que, dans la région, on appelait Gléhoué, il était plus sûr de se rendre en barque en suivant la côte. Conduits par quatre pagayeurs, les deux prêtres et Malobali firent ce trajet en deux jours et demi. La ville de Ouidah était passée sous contrôle du puissant roi du Dahomey qui y avait planté ses vodoun[1]. De la mer, on y accédait par une courte route piétinée depuis des années par les esclaves emmenés vers le Brésil et Cuba principalement et par les Européens, Portugais, Hollandais, Danois, Anglais, Français, qui tous possédaient un fort et rivalisaient d'intrigues auprès du souverain. En entrant dans la ville, comme tous les étrangers, les deux prêtres durent aller trouver le yovogan, représentant du roi du Dahomey, et lui exposer l'objet de leur présence. En effet, ils avaient appris que se trouvait à Ouidah une importante colonie catholique composée d'Africains, anciens esclaves affranchis de retour du Brésil, de commerçants portugais et brésiliens. Or le dernier prêtre portugais qui vivait dans le fort était mort et le Portugal, affaibli par les guerres et la récente perte de sa colonie brésilienne, ne pouvait plus y assurer la présence de missionnaires. Dieu est Dieu. Qu'importe qu'il soit servi par des Portugais ou par des Français ! Père Ulrich et père Etienne venaient donc offrir leurs services à ces brebis sans pasteur.

Le yovogan Dagba était un homme énorme, si énorme qu'il pouvait à peine se déplacer. Entouré de ses porte-éventails, il était assis sur une haute chaise de bois, vêtu d'un pagne de coton immaculé, avec des rangées de cauris autour du cou. Malobali, habitué à la pompe de l'entourage de l'Asantéhéné à Kumasi, regarda autour de lui avec un certain mépris. Une case à toit de paille s'ouvrait sur une cour soigneusement balayée et était encombrée de toutes sortes d'objets apparemment hétéroclites qui étaient en réalité les symboles de la haute fonction de Dagba.

Dagba accorda gracieusement sa permission de demeurer dans la ville et, surcroît d'amabilité, chargea un esclave de conduire les nouveaux venus chez la senhora Romana da Cunha, ancienne esclave revenue du Brésil où, selon la coutume, elle avait pris le nom de son maître qui était l'âme de la communauté chrétienne.

Dans les rues de Ouidah, les deux prêtres et Malobali suscitèrent une vive curiosité. Depuis des années, les gens de Ouidah étaient habitués aux allées et venues des Blancs. Mais ces deux-là, avec leurs

1. Dieux, en fon.

robes noires, leurs larges ceintures et leurs croix autour du cou ne ressemblaient en rien aux hommes en habits à pans tombants, gilets boutonnés et bottes courtes à revers qu'ils avaient coutume de voir. Malobali également intriguait. On s'interrogeait sur ses scarifications rituelles. D'où venait-il ? Ce n'était ni un Mahi ni un Yoruba. Un Ashanti ?

Ouidah était une jolie ville aux rues bien tracées, aux concessions pimpantes serrées autour du temple du dieu Python, cœur symbolique de la ville, que l'on avait hérité des Houédas, premiers occupants de l'endroit. Non loin du temple était situé un marché où l'on vendait de tout. Produits locaux, viande fraîche et boucanée, maïs, manioc, mil, ignames. Mais aussi produits européens, cotonnades aux couleurs vives, mouchoirs anglais et surtout alcool : rhum, aguardente[2], cachaça. A la différence de Cape Coast, les forts des Européens se trouvaient dans la ville et à portée de fusil l'un de l'autre comme pour se surveiller mutuellement.

Romana da Cunha habitait le quartier Maro, exclusivement peuplé d'anciens esclaves du Brésil que l'on appelait les « Brésiliens » ou les « Agoudas », à côté d'authentiques Brésiliens et de Portugais de race blanche auxquels ils étaient liés par la religion et certaines pratiques de vie. Romana avait fait fortune en blanchissant le linge des négriers européens et, donc, habitait une vaste maison de forme rectangulaire, entourée d'une galerie fermée par des fenêtres aux volets de bois finement ajourés.

Afin d'indiquer sans équivoque la religion qui était la sienne, la façade nord de la maison était couverte d'azulejos représentant la Vierge Marie, son précieux fardeau dans les bras, tandis qu'au-dessus de la porte d'entrée une croix était sculptée. Un garçonnet aux manières d'adulte vint ouvrir et pria les visiteurs d'attendre pendant qu'il courait prévenir sa mère. Au bout d'un temps assez long, la senhora da Cunha fit son apparition.

C'était une petite femme, assez frêle, encore jeune, qui aurait même été jolie n'était l'expression de son visage, à la fois austère et exaltée, chagrine et dévote, apeurée et inflexible. Un mouchoir de toile noire cachait la moitié de son front, cependant qu'une robe de même couleur cousue comme un sac l'engonçait, effaçant ses seins qu'on devinait cependant ronds et fermes, ses hanches, ses fesses. Elle bredouilla, utilisant son fils comme interprète, qu'elle était très honorée, que sa maison si modeste ne méritait pas un pareil honneur. Puis elle ouvrit à deux battants la porte d'une pièce meublée de

2. Eau-de-vie appréciée dans le golfe du Bénin, lors de la Traite.

fauteuils, d'une lourde commode et d'une table décorée de chandeliers de métal brillant. Pendant tout ce temps, par discrétion, Malobali était demeuré debout à l'entrée de la concession. Sur un signe du père Ulrich, il se décida à s'approcher et à saluer à son tour l'hôtesse.

Quand Romana leva les yeux sur lui, ses traits se décomposèrent. Une expression d'incrédulité, suivie d'une peur panique, se peignit sur son visage. Elle balbutia et son fils, imperturbable, traduisit :

— D'où sort-il ? Que veut-il ? Qui est-ce ?

Père Ulrich répondit d'un ton apaisant :

— C'est Samuel, notre bras droit. Un enfant de Dieu, lui aussi.

Convulsivement, Romana tourna le dos à Malobali, lui intimant :

— Reste dehors, toi...

Hors de lui, Malobali obéit. Qui était cette femme ? De quel droit lui parlait-elle ainsi ? Une vile esclave de traite, qui avait usurpé le nom de son maître, abjuré ses dieux, renié ses ancêtres... Il faillit se raviser, entrer à l'intérieur de la maison, narguer Romana, lui demander les raisons de son impolitesse, mais il se retint. Autour de lui, c'était le branle-bas. En un rien de temps, la nouvelle de l'arrivée des deux prêtres s'était répandue à travers la ville et tous les catholiques accouraient. Il y avait des Blancs. Des mulâtres pareils à ceux que Malobali avait vus à Cape Coast. Mais en majorité, il y avait des Noirs. Vêtus de robes à fleurs, parlant un portugais agrémenté de quelques mots de français et d'anglais, ponctué de grands gestes.

Romana réapparut dans la cour. En attendant que père Etienne et père Ulrich se rendent en ambassade auprès du roi du Dahomey afin d'obtenir l'autorisation d'édifier une mission, elle se chargeait de les héberger, leur offrant ses meilleures chambres à coucher, meublées de lits à moustiquaire avec des draps de Hollande. Son regard évita soigneusement Malobali qui se demanda si elle pensait à le loger ou s'il devrait trouver refuge dans la rue.

Comme Malobali demeurait mélancoliquement sous son oranger, une jeune fille s'approcha de lui et murmura :

— Bambara ?

Il acquiesça. Alors, elle lui fit signe de le suivre. Surpris, il obéit.

Au pas de course, ils reprirent le chemin du centre de la ville, arrivèrent en vue des forts. Là, elle lui fit signe de l'attendre et disparut à l'intérieur de l'un d'entre eux.

Au bout de quelques minutes, elle réapparut, suivie d'un soldat. Avant qu'il se soit approché de lui et qu'il ait ouvert la bouche, Malobali avait reconnu un Bambara. Les deux hommes se jetèrent dans les bras l'un de l'autre. En entendant parler sa langue, Malobali se voyait obligé de frotter les yeux contre le drap de l'uniforme de l'inconnu pour ne pas verser de larmes, humiliantes, bonnes pour les femmes. Enfin ils se séparèrent, se tenant néanmoins par les mains comme s'ils ne pouvaient pas se quitter entièrement.

— Tiè[3], je suis Birame Kouyaté...

— Je suis Malobali Traoré...

Un Bambara ! Chantez *bala, flé, n'goni !* Battez Dounoumba ! Un Bambara ! Alors il n'était plus seul !

La jeune fille qui avait conduit Malobali se tenait à l'écart, à la fois discrète et présente. Malobali interrogea, la désignant du geste :

— Qui est-ce ?

Birame sourit :

— C'est Modupé[4]. Et personne n'a mieux mérité ce nom... Quand elle a entendu dire que tu étais un Bambara, elle a tout de suite pensé à te conduire auprès de moi. Elle-même est une Nago. Elle habite le quartier Sogbadji à côté d'une fille que je vais épouser...

Cependant, il fallut penser à rentrer. Que diraient les deux prêtres s'ils s'apercevaient de l'escapade de « leur bras droit » ? Que dirait Romana si elle s'apercevait de l'absence de sa servante ? Mais, à présent, Malobali avait du baume au cœur.

Quand ils arrivèrent chez Romana, personne ne prêta attention à eux, car la maison recevait la visite d'un grand personnage, le plus important du pays après le roi Guézo, le Portugais Francisco de Souza dit Chacha Ajinakou. Francisco était arrivé à Ouidah comme teneur de livre du garde-magasin du fort San João d'Ajuda. Puis quand Portugais et Brésiliens s'étaient retirés, il était demeuré sur place et était devenu l'autorité suprême, s'enrichissant spectaculairement du commerce des esclaves dont il était l'agent de vente exclusif. En fait, pas un négrier ne pouvait prendre un esclave à bord sans sa permission. Catholique fervent, cela ne l'empêchait pas d'avoir un véritable harem, à ne plus pouvoir compter ses enfants. Vêtu avec une négligence surprenante pour un homme de son rang, coiffé d'une calotte de velours ornée d'un gland qui lui retombait sur le front, il expliquait par l'intermédiaire de son fils Isidoro qui bredouillait un peu le français que c'était une offense de ne pas honorer son toit. Mais père Etienne, qui savait apaiser les susceptibilités, broda avec bonheur sur le thème de Marthe et Marie, ces humbles femmes dont Notre Seigneur Jésus-Christ avait choisi la demeure, et Chacha Ajinakou se calma. Il promit d'intervenir auprès du roi Guézo qui lui

3. Mot bambara signifiant « homme » et par extension « frère ».
4. Prénom yoruba qui signifie : « Je remercie ».

devait beaucoup, car il l'avait aidé à monter sur le trône au détriment de son frère, afin qu'il reçoive les prêtres au plus vite et leur accorde ce qu'ils souhaitaient.

Bientôt les servantes, et parmi elles Modupé, apportèrent des plats de nourritures inconnues de Malobali : féchuada, mélange de jus de tomate, d'oignons, de viande frite et de gari[5], dont la recette venait de Bahia, cocada et pè de moulèque[6].

Ce n'était certes pas la première fois que Malobali se trouvait parmi des étrangers puisque depuis des mois il bourlinguait loin de chez lui. Pourtant, c'était la première fois qu'aucun effort d'hospitalité n'était fait dans sa direction. C'était la première fois qu'il se voyait traité en paria. Ignoré. Négligé.

Pourquoi ?

Parce qu'un vaisseau négrier ne l'avait pas emporté vers une terre de servitude pour l'introduire dans une douteuse intimité avec les Blancs ? Parce qu'il n'en était pas revenu, singeant leurs manières et professant leur foi ?

Voilà que, joignant les mains, tout le monde se mettait à chanter le Salve Regina, les voix aiguës des enfants dominant celles des adultes, cependant que père Ulrich s'efforçait, battant la mesure de la main, de contenir l'emportement de ses nouvelles ouailles. Malobali rencontra le regard de Romana. Elle avait troqué son vêtement noir contre une longue robe couleur gorge-de-pigeon, resserrée à la taille par une ceinture, les manches bouffantes, six rangs de dentelle autour du cou. Mais cet accoutrement ridicule, du moins semblait-il ainsi à Malobali, lui seyait, faisant ressortir sa jeunesse d'autant plus que la visite des prêtres, l'emplissant de joie, animait son visage. Elle détourna vivement les yeux de Malobali, confondu. Pourquoi cette femme le haïssait-elle ? La veille encore, ils ne s'étaient jamais vus.

Comme il se posait cette question, ployant le genou, Modupé lui tendit une calebasse de nourriture. Elle, au contraire, portait sur le visage une expression d'adoration et déjà de totale soumission. Malobali sut qu'aussitôt qu'il le voudrait elle serait à lui. Somme toute, ce séjour à Ouidah ne s'annonçait pas mal. Il retrouvait dès le premier jour l'amitié d'un homme et l'amour d'une femme.

5. Farine de manioc.
6. Friandises brésiliennes.

# 5

— Ago [1] !

Malobali ouvrit les yeux et reconnut la silhouette d'Eucaristus. Il sourit et lui fit signe d'approcher, car une étrange amitié s'était nouée entre l'enfant et l'adulte, mêlée chez le dernier d'une profonde pitié. Quand Malobali se rappelait sa liberté, sa gaieté, ses jeux dans la concession de Dousika et qu'il les comparait à l'éducation que recevait Eucaristus, couvert de vêtements, frappé au « palmatoire » pour un oui ou pour un non, forcé de prier des heures entières, à genoux et d'ânonner interminablement des phrases dont il connaissait à peine le sens, il se sentait tenté d'aller vers Romana et de lui exprimer ce qu'il ressentait. Mais, en vérité, de quel droit ? Apparemment, c'était l'amorce de mœurs auxquelles il ne comprenait rien.

L'enfant demeura debout timidement auprès de la porte et fit :

— Maman voudrait que tu coupes du bois...

Malobali soupira. Il sentait que, malgré ses efforts, il allait vers une confrontation violente avec Romana. Depuis plus de deux semaines, père Etienne et père Ulrich étaient partis en ambassade auprès du roi Guézo, le laissant derrière eux puisqu'il ne pouvait leur être d'aucune utilité. Et Romana s'était mise à l'employer comme un serviteur : « Samuel, fais ceci, Samuel, fais cela... »

S'il avait obéi les premiers temps, c'était en vertu de sa qualité d'hôte et par courtoisie. Mais il avait très vite compris que pour

1. Mot fon qui signifie « Attention ! ».

Romana il s'agissait de tout autre chose. D'un désir de l'humilier. Pourquoi ?

Il se releva et, sans prendre la peine d'enfiler ses vêtements, portant seulement un cache-sexe, il sortit dans la cour. Une hache était plantée à côté d'une pile de bois qui atteignait presque le rebord du toit. Dominant sa fureur, Malobali se mit à l'ouvrage. A grands coups puissants, il fendit les troncs et les branches cependant que sous l'effort la sueur ruisselait le long de son dos. Il avait disposé ainsi d'un bon tiers de la pile quand Romana surgit de la maison. Elle semblait en proie à une colère inouïe, prononçant des paroles incompréhensibles, entrecoupées de cris. Se jetant sur Malobali, elle lui retira la hache des mains au risque de se blesser et la lança au loin. Malobali demeura interdit. Que se passait-il ? Que lui reprochait-elle ? Au vacarme, toutes les petites servantes étaient sorties de dessous l'auvent où elles préparaient le linge pour la lessive, tandis que celles qui balayaient les pièces de la maison accouraient à leur tour. Malobali essuya de la main la sueur de son front et fit face à Romana.

A la voir ainsi hurler et s'époumonner, il fut saisi d'une réelle pitié. Cette femme souffrait. De quoi ? Modupé lui avait dit que son mari était mort au Brésil dans des circonstances telles qu'elle n'en parlait jamais et qu'elle ne voulait plus d'autre époux que Notre Seigneur Jésus-Christ. Etait-ce son souvenir qui la torturait et la rendait pareillement inhumaine ? Un instant, les cris de Romana s'interrompirent et Malobali remarqua la beauté de ses yeux en amande, le dessin un peu puéril de sa bouche habituellement masqué par un pli amer. Il dit doucement :

— Qu'est-ce que tu veux ?

C'est alors qu'Eucaristus qui, terrifié, se tenait plaqué contre le mur de la maison, s'en détacha et balbutia :

— Elle dit que tu dois t'habiller, qu'elle ne veut pas de sauvage tout nu dans sa maison, parce que c'est une maison chrétienne.

Malobali se serait attendu à tous les reproches, sauf à celui-là. Depuis quand le corps d'un homme est-il objet de scandale ? Il éclata de rire, tourna le dos et rentra dans sa chambre.

Les choses auraient pu en rester là. Il n'en fut rien.

Apparemment enragée de la manière nonchalante avec laquelle Malobali se retirait dans une chambre qu'il n'occupait que grâce à son bon plaisir, Romana entra dans sa maison, en ressortit avec le palmatoire destiné à ses enfants et suivit Malobali. Peut-être n'avait-elle pas l'intention de s'en servir ? Peut-être n'était-ce qu'un geste de bravade ?

Quand Malobali la vit revenir vers lui, le palmatoire à la main, il en fut médusé. Qu'était-il donc devenu pour qu'une femme ose ainsi le menacer ? En même temps la rage l'inonda. Il allait se jeter sur Romana, l'assommer, la tuer peut-être, quand une voix lui rappela ses démêlés en pays ashanti après le viol d'Ayaovi. Que se passerait-il à présent s'il se rendait coupable de meurtre ?

Il repoussa Romana, brisa le palmatoire sur son genou et sortit. Modupé le rejoignit dans la rue. Elle commença par lui tendre ses vêtements, objets du litige, puis cette fois encore, comme un esprit bienfaisant, elle le guida à travers les rues. Il était encore très tôt. Pourtant, dans la ville, l'activité était intense. Des femmes affluaient vers les marchés autour desquels étaient déjà installés les artisans, graveurs sur calebasses, potiers, vanniers, tisserands, offrant leurs objets aux passants. Des files d'esclaves se hâtaient vers les palmeraies nouvellement plantées aux portes de la ville ou vers les champs dont les produits nourrissaient la population. Les commerçants prenaient le chemin du port.

Modupé et Malobali passèrent devant le temple du Python, puis entrèrent dans le quartier Sogbadji où habitait la famille de Modupé.

Originaire d'Oyo, celle-ci se spécialisait dans le tissage. C'étaient des gens aisés qui ne demandaient rien à personne, mais qui avaient cru bon de confier une de leurs filles à la senhora Romana da Cunha, nago comme eux et fort estimée dans la communauté. Aussi, il ne serait jamais venu à l'idée de Modupé de se plaindre de coups ou de mauvais traitements qu'elle aurait imputés au seul désir de lui inculquer une bonne éducation. Mais son amour pour Malobali lui donnait du courage. Traversant l'enfilade de cours de la concession, elle osa se jeter aux pieds de sa mère et lui conter en pleurant ce qui venait de se produire, soulignant que Malobali était un parent de Birame. La première pensée de Molara, la mère de Modupé, fut de ne rien faire qui puisse irriter la puissante Romana. Mais la tradition d'hospitalité du peuple auquel elle appartenait prit le dessus. « Si le babalawo[2] consulte Ifa[3] chaque jour, c'est qu'il sait bien que la vie est changeante », dit le proverbe. Qui sait si un jour, un de ses fils, un membre de sa famille ne serait pas aussi loin de chez lui et dans le besoin ? Elle pria une de ses servantes d'apporter à Malobali de l'eau fraîche, un plantureux petit déjeuner de plantains et de haricots, en attendant le retour de son mari.

Francisco de Souza dit Chacha Ajinakou avait coutume d'arbitrer les querelles survenues dans la communauté des « Agoudas ».

---

2. Prêtre-devin yoruba (ce mot signifie « père du secret »).
3. Dieu yoruba de la divination.

Dans sa maison du quartier Brésil qu'il avait fondé, il faisait figure de juge et de conseiller. Il écouta d'abord l'exposé de Romana da Cunha puisqu'elle s'estimait offensée, puis celui de Malobali tel que le lui présentait l'honorable famille de Modupé, comprenant bien le désir de cette dernière d'en référer à son autorité.

La maison de Chacha était belle. Une douzaine de pièces meublées d'objets venus d'Europe, fauteuils, tables, commodes, lits à moustiquaire, qui s'ouvraient sur une vaste cour carrée plantée d'orangers et de filaos. A côté de la résidence s'élevait un barracon, entrepôt formé de vastes espaces découverts entourés de palissades avec des abris pour les esclaves que l'on amenait de tous les coins du pays. Dans l'attente d'un vaisseau, ils étaient environ une centaine et on voyait leurs pauvres silhouettes prostrées, dans toutes les postures de l'abattement. Mais personne de l'entourage de Chacha n'y prêtait attention, et lui moins que tout autre.

Chacha prit un peu de tabac à priser et dévisagea Malobali, essayant de le jauger comme un mâle, un autre. Quelle folie que celle des femmes ! Ainsi, Romana avait cru pouvoir le frapper impunément ? Il se tourna vers Isidoro et rendit son verdict :

— Le père Etienne et le père Ulrich, en laissant Samuel chez la senhora da Cunha, n'ont pas dit pour autant qu'il serait à son service. Samuel est catholique, baptisé et ne saurait être traité comme un esclave. Pourtant, avouons que, se promenant indécemment vêtu chez une femme honorable, il se mettait dans son tort. Ce qui n'autorisait pas cependant la senhora da Cunha à le menacer avec un palmatoire. Pour éviter que pareils incidents se reproduisent, je prendrai Samuel sous mon toit jusqu'au retour des serviteurs de Dieu.

Là-dessus, il récita trois Pater et trois Ave, que toute l'assistance reprit en chœur. Modupé en eut les larmes aux yeux. Elle avait espéré que Malobali serait confié à sa famille, et, alors, au lieu de ces étreintes à la sauvette, quelles nuits en perspective !... Malobali, lui, s'estima comblé et alla serrer vigoureusement la main de Chacha, de son fils, d'Olu, le père de Modupé, avant de s'incliner devant sa mère ainsi qu'il l'aurait fait devant Nya, en un de ces gestes pleins de grâce qui lui gagnaient les cœurs des femmes. Olu, avec lequel il avait aussitôt sympathisé, lui avait donné des vêtements yorubas et, du coup, il avait retrouvé toute sa noblesse et sa majesté.

Le jugement rendu, Romana se retira avec Eucaristus. L'enfant glissa sa main dans la sienne, s'étonnant de la trouver brûlante, et fit :

— C'est mieux ainsi, maman !

Romana l'entendait à peine, car Malobali avait vu juste, elle souffrait le martyre. Depuis la mort de Naba et son retour en

Afrique, Romana n'avait pas regardé un seul homme. Son cœur était une chapelle ardente au défunt, et dans son esprit elle revivait chaque événement qui avait conduit à sa terrible fin. Les révoltes musulmanes à Bahia. La trahison d'Abiola. Le procès. De tout cela, elle ne s'était jamais confiée à personne, sentant bien qu'au premier mot prononcé les digues de la douleur se rompraient et qu'elle risquait la folie, la mort alors qu'elle avait trois fils à élever.

Dès que Malobali avait paru, tout cela avait changé. Son cœur, qu'elle croyait racorni comme une viande boucanée au marché, s'était remis à palpiter. Le désir l'avait torturée. Dans son délire, elle croyait revoir Naba, plus jeune, plus beau. Et cependant étrangement semblable. Avec son intuition féminine que décuplait la jalousie, elle avait tout de suite deviné ce qui se passait entre Modupé et lui, comment elle le rejoignait à l'heure de la sieste quand ils croyaient la maison endormie. D'abord, elle avait pensé recourir à la délation et informer le père de Modupé. Puis elle avait eu honte d'elle-même.

Que venait-elle de faire ? Par sa stupidité, elle s'était privée de le voir. Il ne traverserait plus la cour de son grand pas nonchalant. Il ne la saluerait plus dans son yoruba hésitant. Le matin, elle ne le verrait plus boire debout sa bouillie de maïs. Le pis, lui semblait-il, c'est que chacun avait percé son secret, chacun savait qu'elle était folle de cet homme, de cet étranger, de ce serviteur des curés, plus jeune qu'elle de surcroît ! Ils arrivèrent à la maison et Romana se dirigea vers sa chambre pour pleurer en paix. Mais elle avait compté sans la communauté agouda ! Ce fut le défilé des d'Almeida, de Souza, d'Assumpçao, da Cruz, do Nascimiento... qui tous s'estimaient offensés par ce jugement. N'aurait-on pas dû punir ce nègre qui s'était promené nu chez une chrétienne ? Les exagérations allaient bon train et au bout de la matinée, Malobali avait agressé des servantes, fait des gestes obscènes à l'adresse de Romana et frappé les enfants. On parlait d'en référer au roi Guézo qui avait toujours favorisé les Agoudas et, pour la première fois peut-être, un esprit de rébellion soufflait contre Chacha.

Quand la nuit tomba, Romana ne put plus y tenir. Elle dépêcha une petite servante auprès de Malobali pour le prier de venir la voir.

Malobali, quant à lui, n'avait aucun moyen de deviner les sentiments qu'il inspirait à Romana. Il reçut ce message avec surprise et se demanda ce que cette femme qui lui avait causé tant d'ennuis lui voulait à présent. Il sortit dans la nuit noire.

Quelque part dans un quartier de la ville, un être humain avait payé son tribut à la mort et on entendait le chœur funèbre.

*Le serpent qui s'en va*
*Compte sur les feuilles mortes*
*Pour dissimuler ses petits.*
*Toi, sur qui as-tu compté ?*
*A qui nous as-tu laissés*
*En t'en allant au pays des morts ?*
*O kou, O kou, O kou*[4]*... !*

Ce chant lui sembla de mauvais augure et il faillit rebrousser chemin. Néanmoins, il continua sa route. Quand il atteignit le quartier Maro, il s'aperçut que la demeure de Romana était pratiquement plongée dans l'obscurité. Les petites servantes avaient regagné leurs chambres dans les dépendances au fond de la cour. Les enfants étaient au lit. Seule était éclairée par des bougies à la stéarine la chambre de Romana, pièce sommairement meublée de nattes et de calebasses, car elle gardait son beau mobilier pour les salles d'apparat. Romana avait ôté ses vêtements portugais et portait un ensemble yoruba, c'est-à-dire un court pagne tissé, noué sur le côté et une blouse largement échancrée sous laquelle son corps se dessinait soudain libre et jeune. Elle était tête nue et ses épais cheveux noirs apparaissaient finement et harmonieusement tressés. En réalité, Romana ne savait pas elle-même ce qu'elle attendait de Malobali et, quand elle le vit si près d'elle, elle manqua défaillir. Il lui sembla que c'était Naba qui venait d'entrer. Naba, jeune et vigoureux, comme il l'était sans doute avant que la captivité ne l'ait détruit, lui apportant son amour avec ses fruits. Mais Malobali demeurait silencieux, la fixant d'un regard perplexe. Enfin, il l'interrogea, cherchant ses mots dans le labyrinthe d'une langue étrangère :

— Qu'est-ce que tu veux ? Si ce que tu as à dire est bon, pourquoi attends-tu la nuit ?

Romana se détourna :

— Je voulais te demander de m'excuser...

Malobali eut un haussement d'épaules :

— Ne parlons plus de cela puisque Chacha Ajinakou a arrangé l'affaire...

Il y eut un silence, puis Romana s'arma de courage et fit front :

— Je voudrais te demander de revenir habiter ici. Par Notre Seigneur, je ne te maltraiterai plus.

Malobali sourit :

— On dit chez moi que celui qui se fie à une femme se fie à une

4. Kou : la mort, en fon.

rivière qui déborde. Malgré ta promesse, tu te fâcheras à nouveau…

En entendant ces mots, « chez moi », une phrase trembla sur les lèvres de Romana :

— Mon défunt mari était comme toi de Ségou…

Puis cela lui sembla une trahison. Parler du mort au vivant qui lui infligeait le plus cruel des outrages puisqu'il s'emparait du cœur et des sens de sa veuve. Au lieu de cela, elle fit :

— Reviens au moins voir les enfants. Ils t'aiment tant. Eucaristus surtout.

Malobali se dirigea vers la porte :

— Je reviendrai, *senhora,* je reviendrai.

Troublé, mécontent de lui-même, inquiet, Malobali prit la route du fort pour rencontrer Birame. Pourquoi cette femme ne le laissait-elle pas en paix ?

Le cheminement de Birame avait été entièrement différent de celui de Malobali. Il venait du Kaarta et avait été capturé par des Touaregs qui l'avaient emmené dans le Walo[5]. Là, il avait fait partie des recrues du gouverneur Schmaltz dans son expérience de colonisation agricole au Sénégal. De là, il avait bourlingué toujours avec des Français et finalement avait échoué avec eux au fort de Ouidah. Quand ils avaient été rappelés par leur gouvernement, il y était resté avec les autres Bambaras, se livrant à la Traite et hissant le drapeau pour signaler aux traitants qu'il y avait des esclaves disponibles. En fait, il était un peu un des hommes de Chacha.

Quand il eut entendu ce qui venait de se produire, Birame proposa :

— Viens habiter ici. Il y a place pour tous…

Mais Malobali hocha la tête :

— Non, Chacha m'a permis de demeurer chez lui et je ne veux pas avoir l'air d'être ingrat.

Birame eut une moue :

— Méfie-toi de ces Portugais, de ces Brésiliens, des Noirs surtout. C'est une sale race de singes blanchis qui méprisent tout le monde et se croient supérieurs. Evite-les autant que tu peux…

Malobali pensait à Romana. Aurait-il été question d'une autre femme qu'il aurait certainement percé son secret. Mais là, il ne comprenait rien à cette attitude, à cette douceur faisant suite à tant de violence, à ces sourires, à ces regards. Dans la totale confusion d'esprit où il se trouvait, il vida avec Birame plusieurs calebasses d'aguardente.

---

5. Royaume situé dans l'actuel Sénégal.

Bientôt, toute la communauté agouda et tout Ouidah eurent sujet de potins.

Chacha Ajinakou se toqua d'amitié pour Malobali. La chose était inhabituelle. Car Chacha était un homme arrogant qui ne fréquentait guère que les capitaines de négriers quand il n'était pas couché avec une de ses femmes. Il employa Malobali dans son commerce d'esclaves. Depuis plus de dix ans, les Anglais avaient interdit la Traite et forcé nombre de nations à les imiter. Les Français venaient quant à eux d'en faire autant. Et pourtant le trafic des esclaves ne diminuait pas. Des bateaux entiers faisaient voile vers le Brésil et vers Cuba.

On vit donc Malobali se diriger en chaloupe jusqu'aux négriers, en redescendre avec les capitaines, les conduire chez le yovogan Dagba, puis chez Chacha. On le vit prendre ses repas à la table de Chacha avec les traitants, inspecter avec eux le bétail humain qu'il avait lui-même rendu présentable auparavant par toutes sortes d'artifices.

Bref, en peu de temps, Malobali fut haï.

Pourquoi ? Est-ce parce qu'il pratiquait la Traite ? Certainement pas. Tout le monde s'y livrait plus ou moins à Ouidah. Parce qu'il était un étranger ? Non plus. Dans cette étroite langue de terre, entre les fleuves Coufo et Ouémé, Ajas, Fons, Mahis, Yorubas, Houédas… s'étaient rencontrés, sans parler des Portugais, des Brésiliens, des Français et même des Anglais du fort William's. Les langues s'étaient mêlées, les dieux s'étaient échangés, les coutumes s'étaient confondues. Alors, que lui reprochait-on ? d'être arrogant, de plaire aux femmes, de boire trop, de rafler des gains dans un jeu de carte qu'ils disait avoir appris dans ses pérégrinations, de croire Ségou supérieure à tout autre endroit de la terre. Dans ce cas, que n'y était-il resté ?

Les choses se corsèrent quand les deux prêtres revinrent d'Abomey, débordant de reconnaissance pour le roi Guézo qui leur avait fait cession d'un bout de terrain en dehors de la ville. Ils réclamèrent leur serviteur, mais Chacha refusa de le leur rendre, prétextant que Malobali valait mieux que la fonction qu'ils lui réservaient.

Ce fut un beau tollé !

Les prêtres reprochèrent à Chacha de l'engager dans le trafic de « chair humaine », indigne d'un chrétien, blâmèrent Malobali et finirent par avoir d'une certaine façon gain de cause. Désormais Malobali partagea son temps entre la construction de l'église et le travail dans les palmeraies du planteur José Domingos.

En effet, conjointement au trafic des esclaves, un nouveau

commerce se développait qui faisait déjà la fortune des traitants de la Côte-de-l'Or et surtout de ceux des Rivières à Huile [6]. Le commerce de l'huile de palme.

Désormais on vit Malobali conduire hors de la ville jusqu'aux palmeraies des pelotons d'esclaves, les surveiller tandis qu'ils grimpaient aux arbres, noués par une corde, une hache entre les dents pour abattre les régimes de noix, avant de les charger dans des pirogues ou de les acheminer dans des paniers par voie de terre.

Malobali continua de demeurer chez Chacha. Tard dans la nuit, on entendait les deux hommes jouer au billard avec les capitaines de négriers, boire du rhum en échangeant des plaisanteries au point qu'Isidoro, Ignacio, Antonio, les trois aînés de Chacha en concevaient de la jalousie et parlaient de sortilège bambara.

Ce fut apparemment un moment heureux de l'existence de Malobali. Après les dangers, les tueries et les viols de la vie de soudard, les frustrations de la vie de serviteur de prêtres, il goûtait à une totale liberté. En outre, avec les noix de palme que José Domingos lui laissait en guise de paiement, il faisait fortune, car il les vendait à des femmes qui concassaient les amandes et fabriquaient de l'huile rouge. Deux Français, les frères Régis, étaient récemment arrivés dans la ville et parlaient de transformer le fort en factorerie privée. Là, on emmagasinerait l'huile qu'on dirigerait ensuite vers Marseille, une ville de France où des négociants en feraient du savon, de l'huile pour les machines, etc. A la longue, ce serait plus lucratif que le commerce des esclaves...

Malobali hésitait. Chacha se targuait d'obtenir du roi Guézo à son intention la concession d'un terrain où il bâtirait sa maison. Ensuite, il pourrait épouser Modupé... Mais il songeait de plus en plus à retourner à Ségou. Il flairait un danger dans l'odeur sèche et brûlée du pays, dans ses lagunes, dans sa mangrove. Quelque part, celui-ci était tapi comme une bête attendant le moment de bondir sur lui, d'enfoncer ses crocs dans sa gorge. Quelqu'un lui dit que d'Adofoodia, dans le nord du royaume, on ne se trouvait qu'à dix jours de Tombouctou. Il n'eut de cesse qu'il n'apprît où se trouvait cette ville et comment on pouvait s'y rendre.

Une fois à Tombouctou, n'était-on pas pratiquement arrivé à Ségou ?

---

6. On appelait « Rivières à Huile » le delta du Niger dont on ne connaissait pas encore le cours.

# 6

Eucaristus toucha le bras de Malobali et murmura :

— Raconte-moi une histoire...

Malobali réfléchit, puis commença :

« Souroukou et Badéni se rencontrèrent. Badéni crut que Souroukou était sa mère. Aussi, il courut après elle et se mit à la téter. Souroukou voulut se dégager et prendre Badéni par la tête. Mais brusquement elle enleva d'un coup de dents toutes ses propres parties sexuelles. Alors elle cria " Ah, ce Badéni tète vraiment trop fort. " »

Eucaristus, le dernier-né des fils de Romana, éclata de rire. Quand Malobali parlait ainsi, remontait dans sa mémoire le souvenir confus de son père. Il était si jeune quand il était mort ! Trois ans à peine. Et depuis sa mère ne prononçait jamais son nom, comme s'il avait été enterré dans un champ maudit sur lequel on laisse pousser arbres, plantes et broussailles sans jamais sarcler ni défricher. Quand Malobali lui disait un conte, il croyait revoir un homme très grand, à carrure imposante, très doux, plus tendre que sa mère. Il croyait entendre les accents d'une langue qui n'était pas le yoruba. A quel peuple appartenait son père ? Il n'osait interroger Romana, car il savait qu'elle lui répondrait d'un coup de palmatoire ou d'un soufflet sur la bouche. Câlinement, il appuya la tête contre l'épaule de Malobali :

— Raconte-moi à présent l'histoire de ta naissance...

Malobali rit :

— Mais ce n'est pas un conte. Le jour même de ma naissance,

un Blanc se tenait à la porte de Ségou et demandait à être reçu par le Mansa. D'où venait-il ? Que voulait-il ? Personne ne le savait. Aussi les féticheurs crurent que c'était le déguisement d'un mauvais esprit puisque sa peau avait la couleur de celle d'un albinos...

— Pourquoi a-t-on peur des albinos ?

A ce moment, une petite servante entra dans la pièce où l'homme et l'enfant se tenaient et murmura :

— Iya te demande, Samuel !

Romana se tenait à l'intérieur de la maison. Elle venait visiblement de prendre son bain, car sa peau, huilée et brillante, exhalait un faible parfum. Elle leva la tête vers Malobali et lui reprocha :

— Eh bien, tu viens voir Eucaristus et tu ne me salues même pas !

Il s'excusa avec un sourire :

— Je croyais que tu dormais, senhora...

Elle lui désigna un siège :

— Je voudrais te proposer une affaire, une association. Je sais que tu réussis fort bien dans le commerce de l'huile de palme. Je voudrais m'y associer...

— Comment cela ?

Homme obtus, qui ne comprenait pas qu'elle se souciait peu de palmiers, de palmistes et d'huile de palme ! Elle poursuivit :

— Eh bien, je voudrais que tu t'engages à me livrer ici chaque semaine trois à cinq paniers de noix. J'ai suffisamment de domestiques et d'esclaves pour faire le reste...

Malobali réfléchit. Il n'avait aucune envie d'entrer dans une association trop étroite avec Romana, car sa présence lui inspirait une sorte de terreur. Son extrême nervosité le dérangeait, puisqu'il n'osait lui attribuer la seule cause possible. Il répondit :

— Tu sais bien que je ne suis pas mon maître. Je dois en parler à José Domingos.

Elle soupira :

— Il me hait...

Il haussa les épaules :

— Pourquoi te haïrait-il ?

— Parce qu'on hait les femmes, on les méprise, on ne veut pas qu'elles prennent des initiatives.

Ces paroles semblèrent à Malobali parfaitement incompréhensibles et, comme il ne trouvait rien à dire là-dessus, Romana poursuivit :

— Tu sais, la vie est très difficile pour une femme sans mari.

A présent, Malobali se retrouvait sur un terrain qu'il pouvait appréhender et rétorqua :

— Mais pourquoi restes-tu sans mari ? Tu es...

Pour la première fois peut-être, il la regarda bien en face, remarquant combien elle était fragile et termina sa phrase avec sincérité :

— ... belle...

— Aussi belle que Modupé ?

Aucun doute n'était possible. Malobali avait vu trop de femmes pâmées devant lui pour ne pas être éclairé. Il se leva vivement comme un homme face à un serpent dans la brousse et balbutia :

— Iya, Eucaristus m'attend, je vais lui raconter la fin de l'histoire...

Il l'appelait Iya pour la rappeler au respect d'elle-même. Mais comme il prononçait ce mot, de façon incorrecte en appuyant à tort sur la première syllabe et en négligeant la hauteur de ton, elle se redressa et se jeta contre lui :

— Autrefois quelqu'un m'appelait comme cela.

Malobali referma les bras autour d'elle et, emporté par l'habitude, allait faire ce qu'à l'évidence on attendait de lui, puis une intuition lui souffla qu'avec ce corps frêle entraient dans sa vie des sentiments dangereux, inconnus : la passion, la possessivité, la jalousie, la terreur du péché. Il se ressaisit, la repoussa fermement sur sa natte et s'en alla.

Eucaristus, qui le guettait sous les orangers, le vit s'en aller à grands pas.

Quand Romana réalisa qu'elle était seule, elle fut d'abord pétrifiée. Ainsi, elle s'était offerte, elle avait enfreint le septième commandement, elle avait profané la mémoire de son époux et elle avait été refusée. Epouvantée, elle poussa un cri tel que les petites servantes plongeant leurs mains dans l'eau savonneuse, les enfants et les proches voisins l'entendirent.

Ce cri vrilla les oreilles de Malobali et lui fit pousser instantanément des ailes aux chevilles. Il se mit à courir ventre à terre et les gens sortaient devant les cases pour voir ce voleur fuyant après son forfait.

Il se retrouva sur la plage, du sable blanc et fin sous les pieds et se laissa tomber sur un tronc de cocotier rongé de sel et de mousse qui s'effondra doucement sous son poids. Au large flottaient une goélette et un sloop. Ah ! Refaire son existence au Brésil, à Cuba, n'importe où !

Malobali regardait le visage de sa vie et le haïssait comme celui d'une catin rencontrée dans une case immonde, mais avec laquelle il fallait désormais partager ses jours.

Comme il se tenait là, la tête entre les mains, un homme s'approcha de lui et, l'ayant observé à la dérobée, lui adressa la parole :

— Est-ce que tu n'es pas Samuel, l'associé de José Domingos ?

Malobali lui tourna le dos. Il n'allait pas cette fois encore se laisser prendre aux conseils d'ancêtres faussement compatissants, en réalité décidés à le perdre ! Néanmoins l'homme insista :

— Si tu veux, partons pour Badagry. Ou Calabar. C'est là qu'est l'avenir ! En trois mois, nous pourrions être habillés de soie et de velours comme Chacha Ajinakou lui-même...

Non ! S'il devait quitter le pays, ce serait pour retourner chez lui. Pourtant, y parviendrait-il jamais ? Il sentait bien qu'il s'était rendu bien plus coupable en refusant de faire l'amour avec Romana qu'en lui cédant. Comment, comment se vengerait-elle ?

Une chaloupe se détacha de la rive, chargée de malheureux qu'on allait jeter fers aux pieds dans le ventre du sloop. Le vent porta aux narines de Malobali leur odeur de sueur et de souffrance.

Pendant ce temps, une armée d'Agoudas en colère envahissait la cour de la maison de Chacha Ajinakou. Alerté, Chacha sortit drapé dans une robe de chambre, car il était au lit cuvant un excès d'aguardente. Francisco d'Almeida, un mulâtre revenu de Bahia l'année précédente, ôta en signe de respect la calotte en filet qu'il portait sur la tête et fit :

— Donne-nous Samuel, Chacha. Il a violé la senhora da Cunha...

Bien qu'il fût de fort mauvaise humeur, Chacha éclata de rire :

— Qui vous a raconté cette histoire ?

— Il y a des témoins, Chacha...

Chacha haussa les épaules :

— Des témoins ? Alors, ce n'est plus un viol...

Néanmoins, il donna l'ordre à un esclave d'aller chercher Malobali afin qu'il se justifie. Au moment où l'esclave, revenant seul, annonçait sa disparition, ce qui provoqua de vives réactions parmi les Agoudas, Malobali apparut dans la cour, le front bas, signifiant dans toute son attitude qu'il savait déjà de quoi on l'accusait. Chacha se tourna vers lui :

— Samuel, ceux qui sont ici sont venus me présenter une affaire très grave. Il paraît que tu as violé la senhora da Cunha...

Malobali releva la tête et fixa Chacha avec désarroi :

— Qui leur a dit cela ?

Francisco fit haineusement :

— Mais la senhora elle-même, et tout le voisinage a entendu les cris qu'elle poussait en se défendant contre toi. Même le petit Eucaristus t'a vu t'enfuir après ton crime…

Chacha s'interposa :

— Menons-le auprès de Dossou qui lui fera l'adimo[1]…

Malobali soupira :

— Ce n'est pas la peine. Je suis coupable…

Ce fut un beau tumulte. Certains firent mine de se jeter sur Malobali. D'autres l'injurièrent tandis que d'autres encore allaient casser des branches aux filaos de la concession pour le flageller. Chacha imposa calme et silence à tout ce monde :

— Au royaume de Guézo, personne ne se fait justice lui-même. Conduisez-le auprès de Dossou qui décidera de la peine.

Dossou était le représentant à Ouidah de l'ajaho[2] qui, vivait, quant à lui, à Abomey dans l'intimité constante du roi. Faisant fonction de juge d'instruction, il s'occupait des petites affaires et quand celles-ci dépassaient sa compétence, il envoyait les plaignants auprès de Guézo. Dossou habitait non loin du yovogan Dagba une maison d'apparence assez modeste si on la comparait aux splendides demeures des Agoudas. Pour cette raison peut-être il les haïssait. Il sortit dans la cour, pensant aux ignames cuites sous la cendre et au calalou que lui avait préparé une de ses épouses et fit avec exaspération :

— Est-ce que votre affaire ne peut pas attendre à demain ?

Puis il ordonna à deux esclaves de lier derrière son dos les mains de Malobali et de le conduire dans la petite case attenante à la sienne, qui faisait office de prison. Les Agoudas furent bien forcés de se disperser.

Malobali s'accroupit dans un coin de la case, petite, sombre et humide dont les esclaves obstruèrent la porte avec des troncs de cocotier. Il ne comprenait pas exactement ce qui se passait en lui. Une sorte de lassitude, comme s'il n'en pouvait plus de jouer à la course avec son destin. Il avait échappé à Ayaovi pour se retrouver aux prises avec Romana. Et puis, un autre sentiment confus, complexe, l'habitait. Une sorte de pitié pour Romana. Allait-il l'humilier publiquement en la déclarant menteuse ? Malobali avait bien vu le sourire de Chacha. Il signifiait : « Quelle idée saugrenue d'aller violer Romana ! Allons donc ! »

Il se rappelait la question plaintive : « Plus belle que Modupé ? » Ah, c'est « oui » qu'il aurait dû lui répondre avant de la prendre dans

1. Ordalie.
2. Ministre de la Justice.

ses bras ! Au lieu de cela, il s'était retiré comme un lâche. Quelle était la peine qu'il risquait pour un viol ? Romana n'étant ni une femme mariée ni une jeune fille impubère, l'offense à Ségou ne serait pas considérée comme très grave. Mais il ignorait les mœurs du Dahomey.

Ne disait-on pas que les condamnés étaient souvent emmenés à Abomey et sacrifiés lors des grandes cérémonies coutumières aux mânes des ancêtres royaux ? Dans d'autres cas, ils étaient envoyés dans une région marécageuse appelée Afomayi et cultivaient leur vie durant les terres du roi. Et puis, Romana était une Agouda, c'est-à-dire qu'elle appartenait à un groupe social puissant, ayant crédit en cour. On pouvait redouter le pire. Dans l'ombre de sa prison, Malobali entendait les voix et les rires des femmes et des enfants de Dossou dans la cour de la concession. S'il était condamné à la mort ou aux travaux forcés, qui s'en soucierait, ici ? Personne, à part Modupé. Mais Modupé n'avait pas seize ans, elle l'oublierait. Même là-bas, à Ségou, Nya se lasserait d'attendre son retour et bercerait les enfants que Tiékoro ne manquerait pas de faire à une autre femme que Nadié. Qu'est-ce que la vie ? Un fugitif passage qui ne laisse aucune trace à la surface de la terre. Un enchaînement d'épreuves dont on ne perçoit même pas la signification. Le père Ulrich disait que tout cela n'avait qu'un but : purifier l'homme et le rendre pareil à Jésus. Avait-il raison de parler ainsi ?

Les moustiques commencèrent leur ronde infernale autour de son visage. Le lendemain, on le traduirait à l'agoli[3] pour être jugé. En attendant, il fallait dormir. Malobali n'avait pas été pour rien un soldat, habitué à voler le sommeil au détour des batailles et des razzias. A peine eut-il fermé les yeux que son esprit se détacha de son corps pour rôder dans l'invisible.

Son esprit survola la sombre étendue des forêts, le pelage fauve des terres sableuses et atterrit à Ségou dans la concession de feu Dousika.

On y fêtait une naissance. Nya, étendue sur le flanc, serrait un bébé contre elle. Un fils prénommé Kosa[4]. Quoi de plus beau pour une femme qu'enfanter dans son âge mûr ! Nya rayonnait. Le fard de la jeunesse s'était posé sur ses traits quand elle regardait son nouveau-né, endormi, une goutte de lait aux lèvres. Soudain, l'enfant ouvrit les yeux, des yeux d'adulte, noirs et profonds, pleins d'une réelle malice. Il fixa Malobali et déclara :

---

3. Tribunal, en fon.
4. Le mot signifie : « affaire terminée », en bambara. On le donne à un enfant tard venu.

— Auras-tu autant de chance que moi, Naba ?

La force du rêve fut telle que Malobali s'éveilla, haletant. Que signifiait-il ? Malobali n'avait guère plus de sept ou huit ans quand Naba avait disparu, ce qui fait qu'il n'avait pas vraiment connu son aîné, et ne l'avait pas pleuré. Aussi, c'était bien rarement que sa pensée se tournait vers lui. Cette confrontation soudaine et brutale avec un nouveau-né qui prétendait être sa réincarnation ne pouvait avoir qu'un sens : Naba était mort. Mais pourquoi cette malice, cette agressivité ? Quel tort son cadet lui avait-il causé ?

Malobali tourna et retourna ces questions dans sa tête. Au matin, les esclaves écartèrent les troncs de cocotier qui obstruaient l'entrée de la case-prison et le père Etienne entra.

C'était bien la dernière personne que Malobali s'attendait à voir ! Passe encore si ç'avait été le père Ulrich ! Encore sous le coup de son rêve et de l'angoisse qu'il avait installée en lui, Malobali se blottit dans un angle en poussant un grognement. Que voulait-il, celui-là ? Se réjouir de son malheur ? Père Etienne se signa longuement et ordonna :

— A genoux, Samuel ! Récite avec moi le Pater Noster…

Comme chaque fois qu'il se trouvait sous le regard maléfique des deux prêtres, Malobali ne put qu'obéir. Il rassembla ces mots pour lui dénués de véritable signification, mais auxquels ses interlocuteurs accordaient tant de poids.

— Je sais que tu n'as pas péché, que tu es innocent du crime dont on t'accuse…

La flamme de l'espoir bondit dans le cœur de Malobali. Il balbutia :

— Comment le savez-vous, mon père ?

Père Etienne joignit à nouveau les mains :

— Hier soir, j'ai reçu en confession Romana da Cunha. Samuel, connais-tu la parabole des perles jetées aux pourceaux ? C'est une perle que tu as là, pourceau indigne. Mais peut-être Dieu dans son insondable sagesse a-t-il voulu ainsi obtenir ta rédemption. A son contact, tu te purifieras. Elle te fera marcher dans la voie du Seigneur…

Confondu, Malobali regarda le prêtre :

— Que voulez-vous de moi, mon père ?

— Que tu l'épouses, Samuel, et que cet amour dont tu l'as enflammée travaille à votre salut à tous deux…

— Il faut que je t'explique, pour que tu ne croies pas que je me jette ainsi à la tête du premier venu…

Malobali posa les doigts sur les lèvres de Romana, mais elle les écarta fermement et poursuivit :

— Laisse-moi parler. Trop longtemps, j'ai porté ce poids-là sur mon cœur. Il faut que je m'en délivre. Je suis née à Oyo, dans le plus puissant des royaumes yorubas. Mon père avait d'importantes fonctions à la cour puisqu'il était un arokin[5], chargé des récitations des généalogies royales. Nous habitions dans l'enceinte du palais. Puis un jour, victime des querelles, des intrigues d'ennemis, mon père a été destitué de ses fonctions. Notre famille a été dispersée. Je ne sais pas ce que sont devenus mes frères, mes sœurs. Moi j'ai été vendue à des négriers et emmenée au fort de Gorée. Peux-tu imaginer la douleur d'être séparée de ses parents, arrachée à une vie de luxe et de bien-être ? J'avais alors treize ans à peine, j'étais une enfant. Alors dans ce fort abominable, parmi ces créatures promises comme moi à l'enfer, je ne cessais de pleurer. Je souhaitais mourir et je serais certainement arrivée à mes fins quand un homme est apparu. Il était grand, fort. Il portait à l'épaule un sac d'oranges. Il m'en a offert une et c'était comme si le soleil qui, depuis des semaines refusait pour moi de se lever, réapparaissait dans le ciel.

Pour moi, pour me protéger, cet homme a fait l'effroyable traversée. Parfois les vagues aussi hautes que le palais d'Alafin[6] balayaient le pont. Alors je me serrais contre lui et il me chantait des berceuses dans une langue dont je ne saisissais que la douceur. Dans les cales, les marins blancs violaient les femmes noires et j'entendais leurs plaintes mêlées aux gémissements de la mer. Samuel, si l'enfer existe, il ne doit pas être différent.

Puis nous sommes arrivés dans une grande ville sur la côte du Brésil. Peux-tu imaginer ce que c'est que d'être vendue ? La foule qui vous dévisage autour de l'estrade, les groupes des nègres blottis les uns contre les autres, l'examen des muscles, des dents, des parties sexuelles, le marteau du commissaire-priseur ! Hélas ! Naba et moi, nous avons été séparés...

— Naba, tu dis Naba ?

— Laisse-moi continuer. Après, après, je répondrai à tes questions. J'ai été achetée par Manoel da Cunha qui m'a emmenée sur sa fazenda tandis que Naba s'en allait vers le nord dans le sertão. Et c'est là que mon véritable calvaire a commencé. Car je n'avais pas souffert jusqu'alors, j'allais m'en apercevoir, puisqu'il était près de moi. Désormais j'étais seule. Seule. Et je n'étais pas depuis deux

5. L'arokin est un peu l'équivalent du griot.
6. Titre donné au roi d'Oyo.

nuits dans la senzala que Manoel m'envoyait chercher. Alors j'ai dû subir cet homme que je haïssais. Et il a déposé sa semence en moi…

— Tais-toi, puisque parler te fait tant de mal…

— Non, je dois continuer. Cent fois, mille fois, j'ai voulu tuer cet enfant. Les vieilles esclaves connaissaient des plantes et des racines grâce auxquelles, dans un jus rougeâtre, j'aurais pu expulser ce fœtus, symbole de ma honte. Quelque chose m'en empêchait. Et un jour, Naba est réapparu. Dans la cuisine, au moment où je servais le repas et sans un mot, il m'a serrée contre lui… Et je me suis sentie lavée, absoute…

Comme elle reprenait son souffle, Malobali la supplia :

— Parle-moi de cet homme, Romana… Tu l'appelles Naba ?

— Oui, il faut que je t'en parle pour que tu ne croies pas que je suis une dépravée, s'amourachant du premier venu ! C'était comme toi un Bambara de Ségou. Son diamou était Traoré. Son totem était la « grue couronnée ». Il n'avait pas quinze ans qu'il avait tué son premier lion et les femmes chantaient en le voyant :

*Le lion jaune au reflet fauve*
*Le lion qui délaissant les biens des hommes*
*Se repaît de ce qui vit en liberté*
*Corps à corps, Naba de Ségou…*

Mais un jour, des « chiens fous dans la brousse » l'avaient capturé et vendu… Et quand je t'ai vu entrer dans ma maison avec les deux prêtres, j'ai cru que Dieu dans son insondable bonté me le rendait. J'allais tomber à genoux pour le remercier. Hélas ! je me suis aperçue de mon erreur. La fureur m'a prise, car une fois de plus le destin se moquait de moi et me faisait souffrir. Car il faut que je continue mon histoire. Ils l'ont tué, Samuel, ils l'ont tué !

— Ils ont tué mon frère ?

— Ton frère ?

— Mon frère, c'était mon frère. L'histoire que tu racontes est celle de ma famille. A cause d'elle, les cheveux de ma mère ont blanchi, mon père est mort avant son âge et rien chez nous n'a plus été comme avant…

Malobali serra Romana contre lui, s'émerveillant de la clairvoyante ténacité des ancêtres. Car elle lui revenait légitimement à la mort de son aîné. Mais comment aurait-il pu rentrer en possession de son bien, séparé de lui par tant de mers, de déserts, de forêts, sans leur aide, sans cet enchaînement d'aventures qu'ils avaient patiemment tissé ? De Ségou à Kong. Puis à Salaga. De Salaga à Kumasi. Puis à Cape Coast. De Cape Coast à Porto Novo. Enfin de Porto Novo à Ouidah…

Oh, comme il allait l'aimer à présent ! Pour lui faire oublier. Déjà, grâce à lui, elle avait retrouvé sa beauté, sa jeunesse. Bientôt elle retrouverait sa gaieté. Il n'aurait de cesse qu'il n'ait ramené le rire sur ses lèvres. Et sur celles de ses enfants. Il passa la main sur ses seins très doux, son ventre légèrement bombé, osa effleurer le duvet secret de son sexe. Tout ce jardin, cette belle terre qu'il allait désormais labourer sous le regard complice des dieux et des ancêtres.

Modupé ? Il chassa sa pensée de son esprit. Quel droit avait-elle devant la veuve de son aîné ? C'était là un devoir à la fois saint et impérieux auquel il ne pouvait se soustraire.

Serrant Romana contre lui, il satisfit son désir d'être possédée.

# 7

Les canons rouillés des forts Saint-Louis-de-Grégoy, Sao João Baptista de Ajuda et de Fort William's se seraient mis à tonner en même temps contre la ville qu'ils n'auraient pas produit plus d'effet que l'annonce du mariage de Malobali et de Romana. On voyait là la main des prêtres. Mais dans quel but ? Ils étaient bien placés pour savoir que le catholicisme de Malobali n'était qu'un vernis et qu'au bout de deux mois, Romana se verrait affligée d'une ou plusieurs coépouses. Les Agoudas ne comprenaient pas qu'elle puisse troquer ce beau patronyme brésilien de da Cunha pour ce nom de Traoré qui sentait à plein nez la barbarie et le fétichisme. Tout le monde plaignait Modupé qui, elle, ne disait rien puisque les grandes douleurs sont muettes.

Le mariage fut célébré à la fin de la saison sèche. Les missionnaires, aidés des esclaves que Chacha avait mis à leur disposition, avaient fait du beau travail. Ils avaient édifié une église, assez imposante. C'était une grande case rectangulaire couverte d'un toit de paille reposant sur des piliers faits de troncs d'iroko, reliés à mi-hauteur par un mur ajouré. L'autel était dressé sur une estrade s'adossant à une palissade sur laquelle une croix était peinte avec des couleurs végétales. Une allée séparait les deux ailes dans lesquelles des bancs étaient disposés, et cet ensemble pouvait bien abriter une centaine de personnes. Derrière l'église s'élevait un bâtiment qui faisait à la fois office d'école et de logement pour les prêtres. La Société des missions africaines de Lyon était aux anges, car la mission de Ouidah se vantait d'un total de cinquante-six élèves, tous enfants d'Agoudas et demandait l'aide de sœurs pour résoudre le problème de l'enseignement féminin. En effet, ne serait-ce pas la constitution de familles chrétiennes, prenant en main la formation de leurs enfants, qui permettrait aux missions de s'installer de façon stable ?

Pour son mariage, Malobali céda aux sollicitations de Romana et fit, auprès d'un commerçant anglais en route pour les Rivières à Huile et arrêté quelques jours à Fort William's, l'acquisition d'une redingote, d'un pantalon moulant et d'une cravate de soie noire. Romana elle-même avait acheté une robe de soie couleur parme avec des manches pagode et un châle dont l'extrémité balayait le sol. Quant à ses trois fils, Eucaristus, Joaquim et Jésus, iis étaient tout de noir vêtus et portaient de petites cannes à pommeaux d'argent. Chacha Ajinakou servit de témoin à Malobali.

Un incident gâta le bel ordonnancement de la cérémonie. Père Ulrich, qui officiait, avait à peine terminé son homélie sur la beauté de l'amour humain, reflet de celui de Dieu, qu'un long python détacha ses volutes de la branche du toit sur laquelle il était enroulé. L'animal balança la tête d'avant en arrière dans le vide puis, avec une souplesse silencieuse, sauta par terre au pied des enfants de chœur. Dagbé, le python Dagbé, incarnation de l'Etre suprême ! Qu'était-il venu annoncer ? Certains prirent cela pour un bon présage. D'autres pour un mauvais. Tous furent troublés.

Tous les habitants de Ouidah sortirent de chez eux, partagés entre l'hilarité et l'admiration, pour regarder défiler le cortège des Agoudas. Comme ils devaient avoir chaud, enveloppés de velours et de soie sous le soleil ! Manoel da Cruz portait un chapeau haut de forme qu'il avait acheté à un traitant, et la foule se tordait à son passage. Ces gens oubliaient-ils la couleur de leur peau ? Les voilà qui s'habillaient comme des Blancs !

Le cortège entra chez Chacha et tous les esclaves du barracon, tirés de leur abattement, vinrent contempler les mariés. Chacha leur fit servir des rations supplémentaires. De grandes tables étaient dressées avec des services en porcelaine de Chine, des verres admirablement taillés, des plats d'argent dans lesquels s'entassaient toute sorte de nourriture. Mets brésiliens, bien sûr, fechuada, cousidou, cachuapa, piron. Mais aussi mets locaux, boulettes d'acassa, marmites de calalou, poissons pêchés à la mer ou dans le marais de Wo et bouillis entiers, monceaux de crevettes, ignames, manioc... Des calebasses de bière de mil circulaient, de l'aguardente, du gin, de l'aquavit, des vins de Porto, des vins français ainsi que des pintes de stout et de Guinness. Les capitaines des négriers prirent part au banquet. Même le yovogan Dagba fit une apparition, entouré de son cortège de danseurs et de musiciens.

Les plus heureux de l'assemblée étaient peut-être les enfants de Romana, assis au bout de la table. Ils croyaient voir poindre l'aube d'une vie nouvelle. Leur mère était transformée, souriante, pleine d'indulgence. Leur père leur était rendu en la personne du frère de leur père. C'était bien plus fantastique que les histoires de la bête tutu, de zumbi et de jurupari [1] que leur contait autrefois leur mère ! Avec ce nouveau père, fini les coups de palmatoire ! Fini les psalmodies des dizaines de chapelets, des Salve Regina, des

*Peuples africains dans la nuit*
*Non, tu n'es pas voué au mépris, à la haine*
*Tu n'es plus abandonné comme un peuple maudit !*

suivis de :

*Marchons, marchons sur les pas de Jésus.*

Fini les éprouvantes séances de lecture et de calcul !

Bien plus que les autres convives, ils sentaient qu'un combat allait s'engager entre deux modes de vie, deux cultures, deux univers et, naïvement, ils croyaient deviner le vainqueur.

Au dessert, des musiciens portant en bandoulière des banderoles jaune et vert, aux couleurs nationales de Bahia, firent irruption. C'étaient les esclaves des Agoudas qui frappaient sur de petits tambours carrés, raclaient des scies avec des tiges métalliques, tapaient des planchettes les unes contre les autres, claquaient des mains, bref faisaient un beau chahut !

Les Bambaras présents à la fête, Birame en particulier, regardaient tout cela avec stupeur. Si c'était pour perpétuer ainsi le souvenir du Brésil, que les Agoudas n'y étaient-ils restés ! Les voilà qui clamaient qu'ils y avaient passé les meilleures années de leur vie. Oubliaient-ils qu'ils y avaient été esclaves ? Et qu'ils avaient choisi de revenir dans la terre d'Afrique ? Oubliaient-ils que souvent ils y avaient fomenté des révoltes ? Etrange revirement !

Vers la fin de l'après-midi, les deux prêtres se retirèrent après une dernière homélie et l'atmosphère s'encanailla quelque peu. Jeronimo Carlos se leva et commença d'imiter la cadence endiablée du « boi a ou boi », le taureau, tandis que son frère João jouait à la « careta », à l'homme masqué. Les enfants firent éclater des pétards dont le bruit emplit de terreur les autochtones de Ouidah, peu au fait de ces divertissements appris des Blancs.

La soirée se poursuivit par un bal. Tous les Agoudas avaient en

1. Personnages du folklore brésilien.

mémoire les bals donnés par leurs anciens maîtres à Recife, à Bahia ou sur les fazendas, le jour de la botada[2], et où ils s'étaient contentés de porter les plats. Eh bien, à présent, c'était eux qui évoluaient aux accents des quadrilles et des valses avec un emportement que les Portugais ignoraient peut-être. Il y avait dans l'air un mélange de nostalgie et d'esprit de revanche qui donnait une coloration particulière à la cérémonie et soudait étroitement tous les convives.

Tout se termina par un feu d'artifice dont les arabesques se dessinèrent longtemps au-dessus des toits de paille de Ouidah, entre les cocotiers du littoral, et jusqu'à la mer bleu sombre comme le ciel.

Les premiers temps du mariage furent, pour Malobali, une découverte. Peut-être parce qu'il avait possédé tant de femmes, il ne leur avait jamais prêté attention. Elles n'étaient que des corps dociles dont il aimait la tiédeur, mais qu'il oubliait aussitôt. Pour la première fois, en face de Romana, il s'apercevait qu'une femme était un être humain dont les sentiments complexes le déconcertaient. Il reconnut vite en Romana une intelligence qu'il ne possédait pas lui-même. Aussi, il aurait été porté à l'admirer, si, en même temps, elle n'avait été si dépendante de lui. Une parole un peu brusque, un geste d'impatience la mettaient en larmes. Un semblant d'indifférence l'affolait et elle pouvait passer des heures à lui demander de quoi elle était coupable.

Pour Malobali, l'amour avait toujours été un acte simple et satisfaisant comme l'absorption d'une nourriture ou d'une boisson bien préparée. Avec Romana, cela devint un drame, un jeu fascinant et pervers, un théâtre de la cruauté dont il était bien incapable de déchiffrer les signes et auquel il se trouvait mêlé presque à contrecœur, presque avec effroi. Il ne comprenait ni pourquoi Romana le désirait si fort, ni pourquoi elle semblait tant s'en repentir.

Sur le plan matériel, le couple prospéra. Chacha, qui ne s'intéressait pas au commerce de l'huile de palme, intervint auprès du roi Guézo pour donner à Malobali le monopole de sa vente aux Européens, en particulier aux frères Régis. Malobali achetait toute l'huile rouge, produite par les femmes, et, après s'être acquitté d'une taxe auprès du tavisa, fonctionnaire du roi, la revendait aux traitants. Bientôt, il fut si riche qu'il créa une tonnellerie, employant des Agoudas qui avaient appris les métiers du bois au Brésil. Les tonneaux de bois présentaient cette supériorité sur les jarres de terre,

2. Fête de la moisson au Brésil.

jusqu'alors employées, qu'ils ne se cassaient pas et étaient plus maniables.

Romana avait toujours été âpre au gain, Naba, autrefois, le lui reprochait. Cet aspect de son caractère s'était développé pendant ces longues années où, seule avec ses enfants, elle avait craint pour leur avenir. Elle acheta un coffre de métal où elle entassa de la poudre d'or et des cauris, bien sûr, mais aussi des pièces d'or et d'argent qu'elle obtenait de certains traitants, et dont elle enfouit la clé entre ses seins, car elle se méfiait des accès de générosité de Malobali et de sa propension à dépenser des fortunes en alcool de traite ou au jeu de cartes. C'est pour cette raison qu'elle tentait de le détourner de la compagnie de Chacha et aussi de Birame. Mais là, il se mêlait à ses efforts beaucoup de jalousie. Elle détestait le temps que Malobali passait loin d'elle, le plaisir qu'il prenait ailleurs, la liberté dont il jouissait. Elle aurait aimé le garder dans la concession à portée de sa vue comme un de ses enfants et, quand il était là, pour le forcer à s'intéresser à elle, elle ne cessait de le houspiller.

Quand commença la mésentente du couple ? En vérité, dès la nuit de noces, quand Malobali fut contraint de donner plus qu'il ne possédait. Bientôt tout devint sujet de querelles. Les Agoudas, dont Malobali trouvait les amusements puérils et guindés, et l'arrogance vis-à-vis des autochtones insupportable ; les Bambaras, que Romana trouvait quant à elle grossiers, dépravés, ennemis du vrai Dieu. Elle haïssait tout particulièrement Birame parce qu'il était musulman et que, à ses yeux, l'islam était une religion meurtrière qui mettait Oyo, son pays natal, à feu et à sang et avait causé la mort injuste de Naba ; les enfants, Eucaristus surtout, car, ayant appris que les missionnaires anglais envoyaient de jeunes Africains à Londres pour devenir prêtres, Romana voulait supplier père Etienne de songer à Eucaristus. Elle voyait déjà son dernier-né vêtu de la longue robe noire, le chapelet reposant sur la hanche comme une arme de Dieu, la croix suspendue autour du cou, tandis que la foule se prosternait devant lui. Or Malobali ne parlait aux garçons que de Ségou, ce repaire du fétichisme, et leur avait donné des noms bambaras qu'il affectait d'utiliser exclusivement.

Pour éviter ces différends suivis de réconciliations plus épuisantes encore, Malobali, qui cependant avait toujours haï l'effort, se plongea dans son commerce. Peu à peu, ses seules conversations avec Romana eurent trait à la mesure de l'huile de palme, à son conditionnement, à sa vente avec profit, à l'élimination de tel ou tel concurrent. Le pis, c'est que les lunes se succédaient et que Romana n'enfantait pas. Elle qui avait mis au monde quatre fils ! Son corps lui faisait l'effet d'un champ trop longtemps laissé en jachère et qui ne peut plus nourrir la semence.

Dans son angoisse, Romana alla trouver un babalawo. L'homme était originaire de Kétu et on en disait le plus grand bien parmi les Nagos de Ouidah. Il était assis sur sa natte, avec devant lui les instruments de divination, les seize noix de palme, la chaîne sacrée et la poudre. Il planta son regard étincelant dans le sien, la forçant à réciter les paroles rituelles :

*Ifa est le maître de ce jour,*
*Ifa est le maître de demain,*
*Ifa est le maître du jour qui suit demain.*
*A Ifa appartiennent les quatre jours*
*Créés par Oosa*[3] *sur la terre.*

Puis il lança ses noix de palme sur le plateau divinatoire de bois, décoré sur le pourtour de dessins triangulaires et d'une image d'Eschu le messager. Le cœur de Romana battait à tout rompre. Mais l'homme d'Ifa la rassura, récitant un long et obscur poème qui se termina par ce mot : Olubuunmi[4].

Quand Malobali reprit-il le chemin de la maison de Modupé qui, de son côté, confortée par les prédictions de son babalawo, attendait patiemment son retour ? Quand commença-t-il de la considérer comme sa seule et véritable épouse ? Non, cette cérémonie dans l'église de Ouidah ne signifiait rien. Puisque les cadeaux n'avaient pas circulé. Puisque les dieux et les ancêtres n'avaient pas été sollicités, apaisés, invités à offrir leur protection. Puisque le chœur n'avait pas chanté la bénédiction traditionnelle.

*Que ce mariage soit heureux !*
*Qu'il en sorte pieds et mains !*
*Que dure le feu de cette union !*

Ségou ! Ségou ! Il fallait retourner à Ségou ! Pourquoi s'attarder parmi des étrangers ? Près d'une femme qui l'épuisait, mais qui n'enfantait pas ? Que se passait-il à Ségou ?

Sûrement le règne du Mansa Da Monzon se poursuivait en grandeur et en victoire. Que n'était-il là pour vivre ces grandes heures ? Ah, poser la tête sur les genoux de Nya !

« Mère, tes cheveux ont blanchi en mon absence. Je n'ai pas vu ces rides se dessiner autour de ta bouche et je te retrouve plus frêle et

3. Oosa, ou Oosala, Eshu : dieux du panthéon yoruba.
4. « Dieu (te) comblera », en yoruba.

vulnérable que dans mon souvenir. Mère, me pardonneras-tu mes errances ? »

Malobali fit part à Modupé de ses projets :

— Je ne sais pas très bien comment arriver jusque-là. Je dois prendre conseil des commerçants haoussas, car ces gens-là connaissent toutes les routes…

Les yeux de Modupé s'emplirent de larmes :

— Est-ce que je peux parler de tout cela à ma mère ?

Malobali la serra contre lui. Il était conscient de tous les sacrifices qu'elle consentait pour lui. Si la majorité des Agoudas, bien que catholiques, avaient deux ou trois femmes, il savait que cela lui était interdit, car Romana ne l'accepterait jamais. Aussi, malgré les cadeaux dont il comblait sa famille, il n'avait jamais pu célébrer son mariage avec Modupé. Elle souffrait, il le savait, de cette humiliation, de cette situation fausse. Il fit doucement :

— Nous célébrerons notre mariage à Ségou, parmi les miens. Ensuite, ma famille chargera une caravane de présents destinés aux tiens. Tu la vois entrer dans Ouidah ? Les gens sortiront de chez eux et s'exclameront : « Mais d'où viennent-ils, ceux-là ? Et qui cherchent-ils ? »

A force, il parvint à lui arracher un sourire. Oui, sans tarder, il fallait mettre ce plan à exécution. Birame, lui aussi, en avait assez de cette vie en terre lointaine. Il se joindrait, c'était certain, à tout projet de retour au pays natal.

La maison de Romana avait subi d'importantes modifications. Malobali avait fait édifier dans la cour un bâtiment aux murs de terre qui, d'un côté, tenait lieu d'entrepôt aux tonneaux d'huile de palme en attendant le passage des navires marchands ; de l'autre, de boutique avec des balances et des poids français qui servaient à peser les jarres apportées par les détaillants. Toute la matinée, c'était une rumeur, un babillage de femmes, méfiantes devant les appareils de mesure des Blancs et qui toujours s'estimaient lésées, menaçant de se plaindre au roi Guézo lui-même. Eucaristus, qui à présent maîtrisait parfaitement l'écriture, tenait un livre de comptes, assis à une table couverte d'encriers, de plumes de diverses couleurs, de cachets de cire. Sa jeune figure, sérieuse et compassée, les dessins cabalistiques qu'il traçait sur le papier intimidaient tout le monde, et sous tous les toits on parlait de lui comme d'un prodige. La tonnellerie elle-même avait été bâtie sur un terrain adjacent et employait dix ouvriers qui, toute la journée, coupaient, rabotaient, polissaient, cependant que des esclaves apportaient des troncs d'arbres venus des forêts voisines.

Mais, quand Malobali arriva chez lui, tout était tranquille, car il était fort tard. Flottait seulement ce parfum âpre de l'huile de palme mêlé à celui des bois fraîchement coupés qui s'attachait à tous les objets de la concession. Il entra dans la chambre à coucher et Romana nota avec bonheur qu'il n'était pas saoul. Il bourra sa pipe de tabac de Bahia, la ficha entre ses dents, mais ne l'alluma pas, car il savait que Romana en détestait l'odeur. Et celle-ci, qui en était réduite à se contenter de miettes, se réjouit de cette apparente attention. Puis, il fit gravement :

— Iya, je crois que je vais aller à Abomey...

Elle répéta avec incrédulité :

— A Abomey ? Qu'est-ce que tu as à y faire ?

Malobali avait tout préparé et fit avec conviction :

— Ecoute, je veux posséder ma propre palmeraie. Je veux que mes propres esclaves montent cueillir les régimes et extraient l'huile. Cela sera plus rentable pour nous que de l'acheter à des détaillants...

Romana demeura un instant silencieuse, puis reprit :

— Extraire l'huile de palme est un travail de femmes libres dont certaines appartiennent à de puissantes familles fons. Par exemple, une des femmes du yovogan Dagba... Crois-tu qu'elles te laisseront faire ?

— Voilà pourquoi je dois demander audience au roi lui-même...

Romana soupira :

— Malobali... [Car il lui avait interdit de l'appeler Samuel.] Tu es un étranger, ne l'oublie pas !

Malobali balaya l'objection :

— Oui, mais je suis marié à une Agouda et le roi Guézo les adore. Et puis, étranger, étranger ! Est-ce que les Portugais, les Brésiliens qui font la pluie et le beau temps par ici ne sont pas des étrangers ?

Si elle avait rétorqué : « Oui, mais ce sont des Blancs ! » il serait entré en fureur. Alors elle ne dit rien et conclut sans entrain :

— Si tu crois bien faire...

Il fit mine de se lever et elle ne put s'empêcher de murmurer :

— Tu ne restes pas avec moi ?

Malobali songea rapidement que s'il voulait apaiser tous ses soupçons et avoir les mains libres pour préparer son départ, il valait mieux la combler sexuellement. Il s'approcha d'elle et alors il s'aperçut qu'elle s'était frotté le corps d'une crème parfumée que vendaient les Haoussas. Cela lui fit pitié et son émotion lui donna l'illusion du désir.

Que Romana n'avait-elle accepté sa condition de femme ! Que ne s'était-elle laissé conduire au lieu de prétendre le guider, lui imposer un mode de vie qu'il haïssait ! C'était poignant de passer ainsi à côté du bonheur !

Romana, quant à elle, expliquait à sa manière les difficultés survenues entre Malobali et elle. Naba, c'était Naba. Si doux et tolérant de son vivant, il ne supportait pas de voir sa veuve dans les bras de son frère. Malobali avait beau lui répéter que c'était la coutume en pays bambara, que Nya, sa mère, à la mort de Dousika, avait été donnée à son frère cadet Diémogo pour le plus grand bien de la communauté, Romana croyait flairer en tout cela comme un parfum d'inceste. Aussi, s'abîmait-elle en prières, décorant de bouquets l'autel de l'église, chantant avec passion : « Pitié, Seigneur ! »

En un mot, elle était encore plus torturée après son mariage qu'avant. Comme elle ne cessait de maigrir, les matrones de Ouidah pinçaient les lèvres. Les ancêtres avaient leur raison de ne pas favoriser ce mariage, et le Dieu des chrétiens, qui l'avait béni, l'apprendrait bientôt à ses dépens. Cette nuit-là, pour une fois apaisée, elle caressa le bras de Malobali et souffla :

— Pour obtenir une audience auprès de Guézo, il te faudra lui offrir des cadeaux très coûteux, surtout qu'il n'aime que les choses des Blancs. Demain, je vais ouvrir le coffre et tu prendras ce que tu voudras...

Ces phrases destinées à lui plaire et à lui marquer de la soumission irritèrent Malobali. N'est-ce pas lui qui aurait dû dire : « Iya, demain j'ouvrirai le coffre, car j'ai de grosses dépenses à faire ? » N'est-ce pas ainsi que cela se passait entre Nya et Dousika lors des cérémonies importantes de la famille ? Il ramassa ses vêtements dans l'ombre et se leva. Elle supplia :

— Où vas-tu ?

Sans répondre, il sortit.

Une fois dans la cour, il alluma sa pipe et aspira profondément la fumée. La nuit était douce. Un croissant de lune sans force se dissimulait derrière les branches d'un fromager. Fallait-il partir ? Laisser derrière soi les enfants de Naba, c'est-à-dire les siens, affublés de noms d'emprunt, élevés dans l'ignorance de leurs traditions et de leur langue, adorant une idole étrangère ? N'était-ce pas là un crime dont il devrait répondre devant la famille ? Comment s'en expliquer devant le clan ? Comment soutenir le regard de Nya apprenant qu'il avait retrouvé les fils de Naba et ne les avait pas ramenés à Ségou ?

Malobali s'efforçait de faire taire sa conscience, se persuadant que la prudence lui interdisait une telle entreprise, quand Eucaristus surgit de l'ombre. Cela signifiait que l'enfant avait guetté son retour, laissant sa porte entrebâillée. Des trois garçons, c'était le plus attaché à lui, le plus sensible, le plus meurtri par l'absence du père. Eucaristus pria :

— Raconte-moi une histoire...

Malobali caressa la tête ronde et fit tendrement :

— Bon, écoute ! Un homme et son fils étaient en train de manger. Un étranger affamé arriva. Ils l'invitèrent donc à partager leur repas. L'étranger s'assit et prit une énorme poignée de nourriture. Alors l'enfant s'écria : « Baba, tu as vu comme cet étranger prend une grosse bouchée ? » Le père le blâma et lui dit : « Tais-toi. Est-ce qu'il t'a dit qu'il va la manger pour en reprendre une autre ? » A ton avis, qui a chassé l'étranger du repas, le fils ou le père ?

Eucaristus, qui connaissait la réponse, ne manqua pourtant pas de feindre l'ignorance, puis il interrogea :

— Qu'est-ce que je suis : un Agouda, un Yoruba ou un Bambara ?

Malobali le serra contre lui :

— Les fils n'appartiennent jamais qu'à leur père. Tu es un Bambara. Un jour, tu viendras à Ségou. Tu n'as jamais vu de ville comme celle-là. Les villes par ici sont des créations des Blancs. Elles sont nées du trafic de la chair des hommes. Elles ne sont que de vastes entrepôts. Mais Ségou ! Ségou est entourée de murailles. C'est comme une femme que tu ne peux posséder que par violence...

Eucaristus écoutait et son imagination s'enflammait. Non, il ne voulait pas de l'avenir que lui préparait sa mère. Il ne voulait pas devenir un prêtre, un homme sans épouses. Il voulait que les jeunes filles, faisant tinter les grelots de leurs chevilles, s'exclament en chœur, pleines d'admiration et d'effroi devant lui comme les chasseurs yorubas devant le léopard :

*Prince, prince, géant de ceux de ton espèce*
*Ton étreinte donne la mort*
*Tu joues et tu tues*
*Tu déchires les cœurs*
*La mort qui vient de toi est douce et rapide.*

Un nuage passa devant le croissant de lune et pendant un instant le ciel fut noir. Par bouffées arrivait l'odeur de la mer, dominant celle des orangers qui poussaient à profusion dans les concessions. Malobali soupira. Il allait partir, sa décision était prise. Pourtant, au moment de quitter Romana, il imaginait sa vie sans elle et s'en désolait. Modupé comblerait-elle le vide de son absence ?

Eucaristus sentait que Malobali s'était en pensée éloigné de lui et voulait encore entendre parler de Ségou. Aussi pria-t-il :

— Parle-moi du jour de ta naissance et de ce Blanc à la porte de la ville…

— Tu as déjà entendu cela cent fois…

L'enfant eut une moue câline :

— Peut-être, mais tu ne m'as jamais dit si ta mère elle-même a pris cela pour un mauvais présage ?

— Ma mère ?

Malobali se leva. Il n'avait pas loin de trente ans à présent. Il avait bourlingué, vu le monde, serré des femmes dans ses bras. Et pourtant la douleur était là, intacte. Les paroles de Nya résonnaient encore à ses oreilles : « Je suis ta mère puisque je suis la femme de ton père et puisque je t'aime. Mais ce n'est pas moi qui t'ai porté dans mon ventre… »

Où était-elle, celle qui l'avait ainsi abandonné ? Mère absente ! Marâtre ! Sais-tu que tu m'as condamné à errer sans fin à ta recherche ?

# 8

A partir de Ouidah, la terre remplace le sable. La végétation est plus abondante, les arbres plus fournis, et puis, on entre dans une épaisse forêt pour ne la quitter qu'à Ekpè. Après Ekpè, la Lama est un terrain formé d'une sorte de terre glaiseuse où le niveau d'eau n'atteint jamais qu'une faible hauteur. C'est une dépression boueuse, faite d'argile et de marne. Puis sortant de la Lama, la route remonte en pente raide, devient plus douce et arrive enfin sur un plateau tourné au sud en forme d'arcs de cercle. La grande végétation disparaît peu à peu et ce plateau n'est plus couvert que de hautes herbes et garni de bouquets d'arbres, palmiers rôniers, fromagers...

Pour Malobali, tout avait mal commencé.

D'abord, il avait cédé devant les pleurs de Modupé et mis sa famille dans le secret. Ainsi, il suffisait d'une indiscrétion toujours possible pour que Romana apprenne la vérité sur ce voyage à Abomey. Ensuite quand il avait approché le yovogan Dagba, celui-ci lui avait fait observer en riant qu'il ne s'occupait que des rapports des Blancs avec le souverain. Malobali était un Noir, marié de surcroît avec une femme du pays, c'est-à-dire parfaitement libre de ses mouvements à condition de s'acquitter des taxes dues aux différents dénou[1]. Il lui avait donné le droit d'aller à cheval sous un parasol, entouré de serviteurs armés comme les chefs dahoméens, honneur que Malobali n'avait pu décliner, mais qui le signalait à l'attention de tous. Alors qu'il avait envisagé de se perdre dans la foule des

1. Poste de douanes, mot fon.

commerçants et de franchir le fleuve Zou jusqu'à Adofoodia d'où, lui avait-on dit, il était très facile de se rendre à Tombouctou. Là, il attendrait que Modupé, guidée par Birame, vienne le rejoindre. Tout cela était périlleux, peu sûr, soumis à nombre d'impondérables.

En entrant à Abomey, Malobali fut surpris par l'étendue de la ville et surtout du palais royal, le palais Singboji. Celui-ci s'étendait sur une surface égale à celle de Ouidah tout entière. Entouré d'énormes fortifications dont la protection était renforcée par un large fossé, il abritait environ dix mille personnes. Le roi, ses femmes, ses enfants, ses ministres, ses amazones[2], ses guerriers et toute une foule de prêtres, de chanteurs, d'artisans, de serviteurs préposés aux fonctions les plus diverses. Si les bâtiments qu'occupaient Guézo étaient rectangulaires, les tombeaux des rois défunts, sis à l'intérieur de cette même enceinte, étaient circulaires et abrités de toits de paille si bas qu'on ne pouvait y pénétrer qu'en rampant, à la fois par égard pour les augustes mânes et parce que toute autre position était impossible. Ces tombeaux se dressaient à l'est d'une allée centrale appelée Aydo Wedo, arc-en-ciel, tandis que les demeures des « mères des rois », encore appelées « mères de panthères » et dont l'importance était considérable à la cour, étaient situées à l'ouest. Il s'élevait un incessant bruit de musique, causé par divers instruments, olifants en défenses d'éléphants, tam-tams, cloches et la voix de centaines de jeunes filles surnommées les « oiseaux du roi », dont les pépiements accompagnaient tous ses déplacements.

Malobali devait passer une ou deux nuits au quartier Okéadan, dans une famille apparentée à celle de Modupé. Là, il comptait se débarrasser de son escorte, la payer grassement et la renvoyer à Ouidah. Le temps qu'elle y parvienne et que l'on commence à s'étonner de son absence, il serait, du moins il l'espérait, bien près de Tombouctou. Or il se trouvait qu'un certain Guédou, membre de la police secrète du roi Guézo, la fameuse lêguêdê, fréquentait cette maison nago où il espérait prendre épouse. Guédou fut intrigué par cet étranger, la manière dont il se séparait furtivement de son escorte et l'empressement qu'il mettait à se retirer dans la pièce qu'on lui avait offerte sans même songer à faire connaissance avec la famille. Son instinct lui souffla que cet individu-là avait quelque chose à cacher. Il attira un des enfants du maître de maison à l'ombre d'une muraille :

— Sais-tu qui est cet homme ?

L'enfant eut une moue :

---

2. Corps de troupes uniquement composé de femmes.

— Je crois que c'est un Ashanti ou un Mahi. En tout cas, ce n'est pas un Nago.

Guédou fronça les sourcils. Un Ashanti ? Un Mahi ? Alors, de toute façon, c'était un ennemi !

En effet, les relations entre l'Asantéhéné de Kumasi et le roi du Dahomey n'avaient jamais été bonnes, au point qu'un ou deux ans auparavant Guézo avait fait savoir au gouverneur MacCarthy installé dans le fort de Cape Coast qu'il serait heureux de voir les Anglais mettre la main sur le pays ashanti. Quant aux Mahis, c'étaient les ennemis héréditaires que tous les stratèges de Guézo le pressaient de détruire. On savait qu'une fois de plus, le roi s'apprêtait à partir en campagne contre Hounjroto, la capitale de ses voisins, car il avait besoin de captifs pour la Traite et de victimes expiatoires pour la grande fête de l'Atto[3]. Saison féconde pour les espions en quête de renseignements sur les expéditions militaires que l'on projetait !

Guédou courut donc au quartier Ahuaga où son supérieur Ajaho, à la fois ministre des cultes, huissier du palais et chef de la police secrète, possédait sa résidence de fonction.

Que les rues d'Abomey étaient animées ! Des Blancs affalés dans des hamacs allant au pas de leurs porteurs. Des féticheurs, les cheveux rasés, le torse nu, les poignets et les chevilles ceints de filières de cauris, les yeux entourés de traits blancs et rouges faits d'une solution de kaolin et de latérite. Des files de jeunes filles vêtues de pagnes de velours et de satin allant à la source Dido puiser l'eau des offrandes aux rois défunts.

Arrivé au quartier Ahuaga, Guédou apprit que Ajaho s'était rendu dès le matin au palais Singboji pour une importante réunion ministérielle. Le palais s'ouvrait sur la place et la ville par nombre de portes. Guédou évita soigneusement la porte Hongboji, réservée aux allées et venues des reines et gardée par des eunuques, et passa par la porte Fêdê. Le conseil était terminé, Ajaho était en grande conversation avec le bijoutier Hountonji, assis sur un billot de bois, les pieds dans la poussière, le corps baigné de sueur et vêtu seulement d'une bande d'étoffe passée entre les jambes et retenue par une ceinture de lianes. Ajaho lui-même était un grand et bel homme, un des sept « porteurs de chapeaux de feutre » du royaume, vêtu d'un pagne flottant de soie blanche. Guédou lui conta rapidement les soupçons que Malobali lui avait inspirés et Ajaho, loin d'en sourire, l'écouta avec une extrême attention. Car l'affaire était sérieuse. Après un temps de réflexion, il déclara :

3. Cérémonie au cours de laquelle le roi distribue des présents à son peuple.

— Guézo n'a d'yeux que pour les Mahis. Il veut leur donner une leçon, car ils ont tué deux ou trois Blancs de ses amis qui voulaient visiter leurs bois sacrés. Il néglige complètement les Ashantis. Je pense au contraire que c'est de ce côté qu'il faut redouter une attaque ! Les Ashantis n'ont pratiquement plus d'accès à la mer à cause du blocus des Anglais et aimeraient bien faire main basse sur notre port de Ouidah. Sois vigilant, Guédou. Ne quitte pas cet homme...

Guédou ne se le fit pas dire deux fois. Il quitta le palais, traversa la place Singboji en direction du grand marché, puis tournant à l'ouest, se dirigea vers le quartier Okéadan. A présent, le soleil s'apprêtait à aller se reposer vers le fleuve Coufo. La grande chaleur s'était apaisée et une ombre fraîche commençait de tomber du ciel. Les femmes quittaient les marchés, suivies de fillettes portant les ballots de piments, les gourdes d'huile de palme, la viande boucanée, le maïs, qu'elles n'avaient pas vendus. Guédou se demandait comment découvrir la véritable identité de l'étranger. Il ne pouvait tout simplement l'aborder et l'interroger. Soudain, il eut une idée. La bière de mil délie la langue. Surgir à l'heure du repas puisqu'il était un familier de la maison. En offrir en abondance. Il entra au marché Ajahi.

La voix légèrement pâteuse, Malobali déclara :

— Je ne comprends pas nos rois. Ils adorent les Blancs. Après avoir fait fête aux Portugais, voici que Guézo n'a d'yeux que pour les Zodjaguis[4]. Quand j'étais à Cape Coast, c'était les Anglais qui étaient les bien-aimés. Est-ce qu'ils ne voient pas que ces Troncs-Blancs[5] renferment un danger ? Moi, j'ai...

Guédou n'avait retenu qu'un mot et l'interrompit :

— Tu étais à Cape Coast ? Pardonne ma curiosité, mais de quel pays viens-tu ?

Malobali allait dire la vérité, quand il songea qu'il valait mieux garder l'incognito. Qui sait si Romana n'avait pas dépêché des espions après lui ? Il ne serait tranquille qu'à Tombouctou. Guédou, qui le fixait, nota cette hésitation et fit avec une politesse feinte :

— Pardonne-moi, je suis indiscret.

Malobali secoua la tête :

— Indiscret ? Non. Je suis un Ashanti de Kumasi. J'ai porté longtemps l'uniforme des guerriers et puis, voilà quelques années, je

4. Surnom donné aux Français par les Fons.
5. Les Blancs, en général.

me suis reconverti dans le commerce. Je vends de la noix de kola à ces « noircisseurs de planchettes » du pays haoussa et c'est là que je me rends en ce moment.

Tout cela sonnait faux, Guédou n'aurait su dire pourquoi. Cependant, il ne poussa pas l'inquisition plus avant et revint à leur conversation initiale :

— Tu as raison en ce qui concerne les Blancs. Qu'est-ce qui séduit nos souverains en eux ? Leurs fusils et leur poudre ? Est-ce que nous n'avons pas d'arcs ni de flèches ? Leurs alcools ? Est-ce que la bière de mil ou de maïs n'est pas aussi bonne ? Leurs velours et leurs soies ? Moi, je te dirai que je préfère nos tissus de raphia...

Les deux hommes rirent et vidèrent à nouveau une calebasse de bière de mil. Malobali reprit :

— On dit que les Blancs refusent de se prosterner devant Guézo ?

Guédou inclina la tête :

— J'en suis témoin. Et ce n'est pas tout. Le roi les a invités à la grande fête de l'Atto. Au moment où les victimaires envoyaient les captifs vers les dieux et les ancêtres, ils ont manifesté publiquement de la désapprobation et du dégoût. Certains d'entre eux ont même quitté l'estrade royale.

— Et qu'est-ce que Guézo a fait ?

Guédou hocha tristement la tête :

— Rien, bien sûr. Les Blancs ne comprennent pas que nous honorions les nôtres. Imagine qu'à la mort de votre Asantéhéné Osei Bonsu les prêtres n'aient pas dépêché avec lui, pour lui tenir compagnie, ses femmes, ses esclaves, ses favoris...

C'est alors que Malobali commit une erreur, somme toute compréhensible. Il était à moitié saoul, las de longues journées de voyage, angoissé, inquiet quant à la réussite de ses projets personnels. Entendant les paroles de Guédou, il s'exclama étourdiment :

— Osei Bonsu est donc mort ?

Guédou le regarda dans les yeux et fit simplement :

— Cela fait au moins deux saisons sèches que Osei Yaw Akoto a pris sa place sur le trône d'or.

Là-dessus, il se retira.

Il est des moments où l'homme se lasse de lutter. Contre lui-même. Contre le destin. Contre les dieux. « Ah, se dit-il, advienne que pourra ! » Plus grave encore, quelque chose en lui aspire à la fin des troubles et de l'agitation, et ne désire que la paix. La paix éternelle. Il semblait à Malobali que, depuis des années, il ne cessait de fuir une force obscure et toute-puissante à laquelle il n'échappait que pour en être victime plus tard. Il avait évité les conséquences du viol d'Ayaovi pour tomber dans les rets des missionnaires. Puis dans ceux de Romana. A présent, il tentait d'échapper à Romana. Pour aller où ?

Et alors que tout son instinct lui soufflait de se méfier de Guédou, de quitter cette maison après la formidable gaffe qu'il venait de commettre, de reprendre la route et de franchir le Zou, il était incapable d'agir. Il avait beau se rappeler les seins tièdes de Modupé, le visage de Nya, l'odeur de la terre de Ségou quand le soleil la réchauffe ou que les pluies de l'hivernage l'inondent, il restait là, le corps et l'esprit gourds. Et pendant ce temps-là, Guédou courait vers le palais Singboji.

Ajaho était avec son ami Gawu, un prince du sang, célèbre pour son courage à la guerre. Les deux hommes se passaient une tabatière et vidaient des calebasses de rhum venu de Ouidah dont l'usage était en principe réservé au roi. Contrairement aux apparences, ils n'étaient nullement d'humeur joyeuse et traitaient de ce qui faisait jaser et s'inquiéter toute la cour : l'influence des Blancs sur Guézo.

— Qui aurait cru que Guézo n'aurait pas hérité du caractère de son père, le roi Agonglo ?

— Est-ce qu'il a oublié qu'il descend d'Agasu, la panthère ?

Guédou toussa légèrement pour attirer l'attention sur sa présence, et Ajaho se tourna vers lui :

— Eh bien ?

Guédou s'agenouilla sur le sable blanc et fin venu de Kana, qui couvrait le sol, et souffla :

— Que dirais-tu d'un Ashanti qui ne saurait pas que l'Asantéhéné Osei Bonsu a rejoint ses ancêtres depuis deux saisons sèches ?

Les trois hommes se regardèrent, puis Gawu railla :

— Etrange en effet !

Il y eut un silence, puis Ajaho ordonna :

— Prends quelques hommes et va l'arrêter. Présente-le devant moi demain matin...

Guédou, songeant déjà à son avancement, leva le regard vers Ajaho :

— Où dois-je le faire enfermer ?

Car les prisonniers étaient répartis dans les geôles en fonction de leur rang social. Il existait à l'intérieur du palais des cellules pour les princes et les princesses. D'autres dans divers quartiers d'Abomey, pour les gens du commun. Celle de Gbekon-Huegbo avait une sinistre réputation. On disait que les prisonniers s'y tenaient accroupis, le cou entravé par un carcan qu'une chaîne reliait à l'extérieur et sur laquelle les geôliers s'amusaient à tirer. Quelquefois, quand ils étaient d'humeur particulièrement joueuse, ils tiraient si fort que le cou de la malheureuse victime se rompait. Alors on disposait du corps à la faveur de la nuit. Les familles ne pouvaient donc ni lui raser les cheveux, ni lui couper les ongles, ni le laver à l'eau tiède avant de l'oindre de pommade odorante afin qu'il se présente en bonne condition et soit admis par Sava le douanier dans Koutomé, la cité des morts.

C'est à Gbekon-Huegbo que Guédou conduisit Malobali.

« Après tout, est-ce que nous savons qui il est ? Il est arrivé dans ce pays avec les missionnaires. Et puis, il les a abandonnés. Il a séduit nos femmes. Si à présent, les hommes de la lêguêdê l'arrêtent, c'est qu'ils ont leurs raisons. »

Voilà à peu près ce qui se dit à Ouidah quand on y apprit l'arrestation de Malobali. Personne ne songea à se précipiter vers Abomey pour jurer de son identité et garantir son honorabilité. Chacha Ajinakou grommela qu'il était devenu si arrogant qu'il avait dû commettre quelque insolence à la cour. Père Etienne et père Ulrich ne bougèrent pas. D'abord, ils craignaient d'indisposer le roi. Ensuite, Malobali avait toujours été un élément de discorde entre eux, le premier ne lui faisant pas confiance, le second étant convaincu qu'il ramènerait cette âme à Dieu. La famille de Modupé, quant à elle, fit venir un babalawo qui prescrivit des breuvages et des onguents de nature à chasser le souvenir de Malobali de l'esprit de la jeune fille et, pour parfaire cette cure, conseilla de l'expédier chez un oncle à Kétou. Les Bambaras du Fort, Birame en tête, se souvinrent qu'ils étaient des étrangers s'appuyant sur la présence de Français, étrangers eux-mêmes, et que l'humeur de Guézo pouvait rejeter tout ce monde à la mer. Bref, personne ne prit fait et cause pour Malobali.

A l'exception de Romana.

Romana ne comprenait pas pourquoi elle était condamnée à revivre inlassablement la même histoire. Voir l'homme qu'elle aimait emprisonné pour un forfait qu'il n'avait pas commis. Quel crime expiait-elle ? Les Orisha[6] yorubas la punissaient-ils de les avoir abandonnés, changeant son nom d'Ayodélé, « La joie est entrée dans ma maison », en celui de Romana ? Alors elle accusait le père Joaquim qui l'avait convertie et les religieuses de l'hôpital Santa Casa de Misericordia à Recife.

Puis elle se reprochait d'avoir aimé et désiré Malobali comme on ne doit aimer et désirer que Dieu. D'avoir trahi à cause de lui la

6. Dieux yorubas équivalents des Vodoun fons.

fidélité qu'on doit à un défunt époux. Elle était dans un tel état d'agitation qu'on ne donnait pas cher de ses jours. Toute la communauté agouda, qui l'avait si souvent critiquée, se retrouvait autour de sa natte, apportant qui un emplâtre de feuilles à poser sur son front, qui une décoction de racines à lui faire boire, qui un onguent bienfaisant.

Les babalawo et les bokono[7], assis sous les orangers et les filaos, faisaient courir des noix de palme ou des cauris sur leurs plateaux divinatoires, récitaient des litanies connues d'eux seuls, sous le regard du père Etienne et du père Ulrich qui n'osaient les chasser et de leur côté donnaient la communion à la malade chaque fois que son état le permettait.

Alors qu'on la croyait au plus mal, Romana revint à elle, s'assit sur sa natte et réclama une calebasse d'eau. Puis elle dit fiévreusement

— Il faut que j'aille à Abomey. Il faut que je le sauve.

Le trajet de Ouidah à Abomey demandait bien une semaine à un marcheur entraîné. Car le portage en hamac était réservé au roi et aux Blancs qui visitaient le royaume. L'usage du cheval et du mulet, aux grands dignitaires. Fallait-il laisser cheminer une femme affaiblie, à moitié folle de douleur ? A la surprise générale, Birame et les Bambaras, comme pris de remords, s'offrirent à l'accompagner. Les servantes de Romana et les épouses des Bambaras bourrèrent des sacoches de maïs grillé, de farine de mil et de boules d'accassa, et remplirent des gourdes d'eau fraîche.

Le petit groupe prit la route au matin, Birame emmenant avec lui Molara, sa jeune épousée. A la sortie de la ville se dressait une statue de Legba, esprit du mal. C'était une statue de terre de barre, affublée d'un pénis monstrueux et dont le regard exprimait toute la méchanceté du monde. Le cœur de Romana s'emplit de terreur. Il la regardait, il la regardait et lui signifiait que toute tentative de sauver Malobali était vaine. Il tenait sa proie. Il ne la lâcherait pas.

Bientôt, on traversa une région de palmeraies et devant les esclaves, grimpant le long des troncs, s'agitant autour des régimes tombés à terre, Romana se rappelait Malobali. Les premiers temps de leur mariage, quand il revenait des champs en nage, elle lui offrait un plat brésilien d'acaraje, beignets de purée de haricots mélangés de crevettes pilées, qu'il adorait. Puis il la rejoignait dans sa chambre et, l'enlaçant, riait :

---

7. Les babalawo sont yorubas. Les bokono sont des prêtres-devins fons. Ils ont la même fonction.

— L'amour l'après-midi ! Ça, c'est les Blancs qui vous l'ont appris...

Les Blancs ! Oui, c'était leurs manières, leur religion qui l'avaient séparée de Malobali. Elle n'avait pas su jouer le jeu de la soumission, du respect et de la patience comme sa mère avant elle. Elle avait prétendu lui parler d'égal à égal. Le conseiller, voire le diriger. Et, en fin de compte, elle l'avait perdu. Car c'est elle qu'il fuyait en courant à Abomey, elle le savait à présent. Elle. Elle seule.

Pendant que ces pensées se bousculaient en désordre dans la tête de la pauvre Romana, Birame et sa compagne prenaient plaisir au spectacle de la route de Ouidah à Abomey, la plus fréquentée du royaume. Ils essayaient de distinguer les Français des Anglais mais n'y parvenaient pas. Ils ne voyaient que visages couleur de kaolin, cheveux jaunes et yeux étincelants comme ceux des bêtes de proie.

Le Dahomey était un pays prospère. A perte de vue, des champs de maïs, les buttes des ignames dont la chevelure verte et bouclée sortait du sol et le pointillé blanc des bourres du coton. Une fourmilière d'esclaves transportait l'eau des puits dans de larges calebasses.

Tout le monde dut se ranger dans les herbes qui poussaient dru sur le bord de la route quand un dignitaire passa, précédé de ses chanteurs, de ses danseurs et de ses musiciens, abrité d'un vaste parasol que ses esclaves tenaient au-dessus de sa tête. Certains assurèrent qu'il s'agissait du prince Sodaaton qui allait remplacer le yovogan Dagba, lequel avait déplu à Guézo.

Les gens qui savaient le drame que vivait Romana la regardaient avec commisération. Pourtant ils se tenaient éloignés d'elle. Le malheur n'est-il pas contagieux ? Quand Zo, le feu, veut brûler un arbre, n'incendie-t-il pas aussi l'herbe et la broussaille à côté de lui ?

Un matin, ils arrivèrent dans une ville léthargique, en attente. Le roi, les dignitaires, les soldats, les amazones étaient partis au siège de Hounjroto, la capitale du pays Mahi. Romana, étant une Agouda, bénéficiait d'un puissant réseau d'alliances. Car depuis le roi Adandozan, nombre de Brésiliens, métis, Noirs, anciens esclaves gravitaient à la cour d'Abomey où ils exerçaient les fonctions les plus diverses : interprètes, cuisiniers, médecins. En peu de temps, elle put savoir dans quelle prison était Malobali.

# 9

Le siège de Hounjroto dura trois mois.

Le roi Guézo avait une revanche à prendre contre cette ville car deux de ses frères y avaient été faits prisonniers et y étaient morts. Aussi une fois que ses troupes s'en furent rendues maîtresses, il la fit raser et incendier cependant que les vieillards étaient éventrés, les hommes valides, les femmes et les enfants emmenés en captivité.

A l'aube donc, le cortège des vainqueurs rentra dans Abomey par la porte de Dossoumoin, face au soleil levant. En tête marchaient les soldats, suivis des dignitaires à cheval, encadrant le roi couché dans son hamac. Guézo portait sa tenue de guerre, une tunique rouge, un pagne passé sous l'aisselle droite et noué sur l'épaule gauche. Il était ceint de sa giberne, coiffé d'un béguin à larges bords cousu d'amulettes protectrices et tenait à la main droite une corne de buffle remplie de poudre. Les amazones, quant à elles, formaient la garde royale et séparaient les hommes des reines qui avaient tenu à accompagner leurs époux. Si les reines malgré les circonstances étaient somptueusement vêtues de pagnes de satin, de velours et de damas, le cou chargé de colliers d'or, les poignets de bracelets, des feuilles de métal précieux fichées dans le lobe des oreilles, les amazones, armées de mousquets, portaient virilement une culotte sous une tunique sans manche qui leur serrait la taille sans la gêner. A l'arrière, les eunuques protégeaient les reines de tout contact et de tout souffle de nature à les souiller. Puis venaient, en file interminable, les captifs, mains liées derrière le dos, chevilles entravées.

Le peuple ne savait pas très bien ce que l'on reprochait aux

Mahis et pourquoi bientôt tout le monde devait tomber sous le couteau du victimaire ou partir en captivité au Brésil ou à Cuba. Mais comme les tam-tams battaient, les soldats chantaient, les olifants beuglaient dans une odeur de poudre et de poussière, il était heureux. Pour mettre le comble à l'excitation, des soldats déchargèrent leurs fusils, et un rugissement d'enthousiasme monta jusqu'au ciel.

Romana, s'appuyant sur Birame et Molara, s'était traînée sur la place du palais Singboji. Elle ne distinguait rien et fixait Ajaho dans l'espoir de déceler quel genre d'homme il était, car elle entendait aller se jeter aussitôt à ses pieds. S'il ne la croyait pas, s'il pensait qu'elle voulait protéger un individu dangereux, eh bien, qu'il lui fasse donner l'adimu, on verrait bien le résultat. Birame passa son bras sous le sien et l'entraîna :

— Viens, Ayodélé (car comme Malobali, il ne lui donnait jamais son prénom catholique), il n'y a plus rien à faire par ici. Allons plutôt attendre Ajaho à sa résidence.

Avant cette épreuve, Romana et Birame se haïssaient, l'un accusant l'autre d'accaparer Malobali. Mais, depuis trois mois qu'ils vivaient l'un près de l'autre à Abomey, unis dans la même inquiétude, ils avaient fini par se connaître et par s'aimer. Songeant aux extraordinaires épreuves que cette femme avait traversées, Birame était pris d'un véritable respect doublé d'admiration. En même temps, son esprit se heurtait à une énigme. Pourquoi une créature douée de tant de qualités : force, ambition, intelligence, s'était-elle si follement éprise de Malobali qui n'avait à son actif que sa belle gueule et l'avait tant humiliée ? Quels animaux déconcertants que les femmes !

A travers la foule en liesse, il guida Romana et Molara jusqu'au quartier Ahuaga. Le calme revint. Les femmes retournèrent à leurs étals sur les marchés, les tisserands à leurs métiers, les teinturiers à leurs bassins. Près de la porte d'Adonon se tenaient les fabricants de parasols royaux, entourés d'un peuple d'apprentis et tout ce monde bavardait, riait dans l'attente des célébrations qui allaient suivre. Dans la joie de sa victoire, Guézo ne serait pas avare de victuailles et lancerait par poignées des pièces d'or et d'argent à la foule. On aurait à manger et à boire des jours entiers !

Romana, Birame et Molara n'eurent pas longtemps à attendre, car Ajaho, fonctionnaire consciencieux, tenait à savoir ce qui s'était passé en son absence.

Dans un instinctif réflexe de coquetterie, Romana s'était parée d'une de ses plus belles robes brésiliennes. La partie supérieure du vêtement était faite de mousseline travaillée tandis qu'une large dentelle allait de l'encolure à la taille. La jupe était volumineuse, formant un cercle complet, garnie dans le bas d'une arabesque blanche. En outre, un châle, fait d'étroites bandes de coton de couleur cachait son épaule droite, nue, selon la coutume. Autour de sa tête, elle avait drapé un grand mouchoir de filet blanc. Ajaho fut séduit. Il l'écouta sans l'interrompre, puis prenant à témoin ses adjoints, railla :

— Pourquoi un homme qui possède une femme telle que toi voudrait-il la quitter ? Tu te trompes. L'homme que tu crois ton mari est bien un chien mahi qui s'est fait passer pour un Ashanti...

Romana se jeta à ses pieds et supplia :

— Fais-le paraître devant moi, seigneur, on verra bien s'il aura le cœur de le soutenir...

Curieuse affaire ! Ajaho renvoya Romana et lui demanda de revenir le lendemain. Comme Romana et Birame, quittant le quartier Ahuaga, passaient à nouveau devant la porte d'Adonon, ils se heurtèrent à un crieur public agitant sa clochette cependant qu'à deux pas derrière lui venaient deux batteurs de tam-tam. Ils s'arrêtèrent pour l'écouter :

— Habitants d'Abomey, le Maître du monde, le Père des richesses, l'Oiseau-cardinal-qui-ne-met-pas-le-feu-à-la-brousse [1] ordonne d'annoncer les « fêtes de coutume [2] » qui commenceront après-demain soir. Le Maître du monde distribuera des pagnes et de l'argent à son peuple après l'expédition des messages aux rois défunts...

Romana frémit. L'expédition des messages aux rois défunts ! Cela signifiait les sacrifices. Ah, si elle ne parvenait pas à sauver Malobali, il ferait partie des messagers !

Un peu plus loin, ils rencontrèrent des Blancs dans leur hamac. Ils quittaient la ville en hâte, car ils ne pouvaient supporter la vue des sacrifices humains auxquels, pour les honorer, Guézo les conviait à assister du haut de l'estrade royale. Birame cracha sur leur passage :

— Hypocrites ! Il paraît que dans leur pays, avec les armes qu'ils fabriquent, ils se tuent les uns les autres par centaines de milliers. Ici, ils veulent donner des leçons...

Des hommes qui l'entendirent approuvèrent hautement et une conversation s'engagea. Tout le monde était d'accord. Les Blancs détruiraient le Dahomey puisqu'ils voulaient supprimer et le commerce des esclaves et les sacrifices aux rois. Romana, quant à elle, n'entendait rien. Tout son être n'était que prières. Elle faisait appel à Jésus-Christ, à la Vierge Marie, aux saints du paradis. Mais

1. Non donné aussi à Guézo.
2. On appelle ainsi les fêtes en l'honneur des rois défunts et des divinités.

aussi aux puissants Orisha yorubas que ses parents apaisaient avec de l'huile de palme, de l'igname nouvelle, des fruits et du sang. Lequel avait-elle offensé ? Ogun, Shango, Olokun, Oya, Legba, Obatala, Eshu... ?

Guédou fit tomber la pierre qui retenait la planche à l'entrée de la cellule et recula devant l'épouvantable puanteur. Forcément, pendant ces trois mois, l'homme avait fait ses excréments sous lui. Cette odeur se mêlait à celle des détritus d'aliments pourris, de bêtes mortes, et d'air vicié de l'étroit boyau. Puis il fit signe à deux de ses hommes d'entrer et leur ordonna :

— Détachez-le...

Les hommes tirèrent au jour un paquet d'os recouvert d'une mince peau suintant de sanie, fendue d'ulcères, ou écailleuse comme celle d'un serpent. Les cheveux et la barbe avaient poussé comme la mauvaise herbe et, effarée, toute une colonie de bestioles, puces, punaises, dérangées dans leur habitat habituel, s'enfuyaient. Blessés par la lumière, les yeux de l'homme virevoltaient comme des papillons de nuit surpris par un flambeau. Devant ce spectacle, une sorte de fureur emplit Guédou qui, croyant faire son devoir, n'avait été en fin de compte qu'un bourreau. Il décocha à l'homme un grand coup de pied :

— Si tu es un honorable Bambara, pourquoi ne l'as-tu pas dit ? Pourquoi t'es-tu fait passer pour un Ashanti ? Les querelles avec les femmes se règlent sous l'arbre... Non dans les prisons.

Malobali était bien incapable de se défendre. Depuis longtemps, il était à peu près inconscient, l'esprit détaché du corps, s'impatientant contre les fils qui le retenaient encore à la terre. Les hommes firent cercle autour de lui et Guédou continua avec la même rancœur :

— Il paraît même que c'est un ami de Chacha Ajinakou. Ajaho va lui envoyer un des médecins du roi avant qu'on ne le rende à sa femme, une Agouda.

Tous ces mots, Chacha Ajinakou, Agouda, scandaient l'étendue de la méprise. Mais enfin pourquoi l'homme ne s'était-il pas défendu ?

Le médecin royal ne tarda pas à arriver et posant les yeux sur Malobali le crut d'abord mort. Puis une faible sudation de la peau le convainquit de son erreur. Il ouvrit l'outre qu'il portait et dans laquelle se trouvaient placés ses poudres, ses emplâtres, ses onguents et les gris-gris, destinés à consolider leurs effets. Mais il eut beau faire, Malobali demeura inconscient, incapable de se tenir sur ses jambes et d'obéir à la voix humaine. En désespoir de cause, le médecin lui ayant fait couper barbe, cheveux et ongles, couvrit son corps de pansements destinés à arrêter l'infection et se retira. C'est un véritable cadavre que l'on remit à Romana.

Souvent une femme accouche avant terme d'un enfant difforme. La famille veut le faire disparaître et se réconcilier avec les dieux qui ont manifesté leur courroux de cette manière. Mais la femme refuse et s'attache à ce nourrisson malgracieux. Elle le préfère à ses autres enfants. Elle guette la moindre étincelle de vie dans son regard, prend ses rictus pour des sourires et, enfin, devant tant d'amour, le petit être prend une forme humaine. C'est ce qui se passa entre Romana et Malobali. Apparemment indifférente à l'odeur de ses plaies ouvertes, de son vomi, de ses défécations, elle le soigna, réunissant les objets les plus difficiles à trouver que lui demandaient les babalawo et les médecins et ne reculant devant aucun sacrifice. On lui conseilla de s'adresser à Wolo, un des bokono royaux qui, parfois, consultaient l'oracle pour le commun des mortels. Grâce à la complicité de Marcos, un Agouda, cuisinier de Guézo, elle parvint à pénétrer dans le palais royal, jusqu'à la pièce ronde du côté droit de l'entrée, où se tenait le vieil homme. Wolo se recueillit un long moment avant d'entrer en communication avec les esprits, puis commença la séance. Mais au fur et à mesure qu'il manipulait ses instruments, il semblait plus soucieux, plus déconcerté. Il donna l'impression de parlementer longuement avec un interlocuteur invisible, usant tour à tour de persuasion et de menace. Ensuite, il demeura silencieux, préoccupé avant de rendre son verdict.

Sava, le douanier qui ouvre les portes de Koutomé, la cité des morts, avait laissé entrer l'esprit de Malobali qui rôdait dans l'au-delà. Cela paraissait une erreur et Wolo le sommait de le libérer et de le rendre aux vivants. Mais Sava objectait que le premier médecin appelé auprès de Malobali lui avait rasé les cheveux et coupé les ongles de nuit, rites que l'on réserve aux cadavres. En conséquence, il était dans son bon droit. Wolo ne désespérait pas de faire fléchir Sava. Mais tout cela serait long.

Pour la première fois, Romana céda au découragement. Elle avait dépensé déjà une part considérable de sa fortune. Ses enfants étaient loin d'elle et que devenaient-ils à Ouidah ? Elle se trouvait dans cette ville étrangère, toute au bonheur d'une victoire qui pour elle ne signifiait rien. La patience de ceux qui l'avaient accompagnée, de Birame et Molara eux-mêmes, s'amenuisait et ils en venaient à penser que la fin de Malobali tardait trop. Un instant, elle pensa à l'achever et à se donner la mort, comme une épouse royale qui suit son seigneur. Puis elle eut honte de ces pensées qui offensaient et la foi chrétienne et les croyances yorubas. Au marché Ajahi, des jeunes filles vendaient du mil et du maïs. La volaille, les pattes liées par des brindilles sèches, caquetait sans arrêt. Que racontait-elle ? Des histoires aussi douloureuses que celles des humains ? Romana s'appuya pour ne pas tomber à un des piliers d'iroko qui soutenaient la voûte du marché. D'un étal proche, un parfum de gingembre et de piments lui montait aux narines. Une femme riait, découvrant des dents étincelantes. La vie continuait, alors qu'elle était submergée de douleur. Alors qu'elle souhaitait périr. Sans forces, elle se traîna à la zone du marché réservée aux animaux à quatre pattes et acheta le mouton noir qu'avait demandé Wolo. Intrigués, les gens regardaient cette femme frêle que l'énorme animal semblait conduire.

Quand elle arriva au quartier Okéadan, elle trouva tout le monde en émoi. Malobali s'était assis, avait réclamé de l'eau. A présent, on lui faisait avaler un peu de bouillie de maïs. Il regarda Romana et fit d'un ton plaintif :

— Iya, où étais-tu allée ?

Son corps d'athlète avait maigri de moitié. Sa peau toujours soigneusement huilée était couturée, griffée de cicatrices dont certaines fermaient mal et laissaient échapper du pus. Son visage un peu brutal sur lequel tant de femmes s'étaient retournées était émacié, tuméfié par endroits, comme frappé au hasard par le marteau d'un forgeron fou. Mais il était vivant. Rendant grâce aux dieux, Romana se serra contre lui.

Ce furent certainement les plus beaux jours de leur vie. Romana avait toujours rêvé de posséder Malobali exclusivement. Possession toujours impossible, car d'autres femmes, des camarades de beuveries, des compagnons de plaisir l'accaparaient. A présent, personne ne voulait plus de lui. Elle seule pouvait le prendre dans ses bras, rechercher le contact de son corps, suivre sans se lasser sa parole à peine audible. Ceux qui s'approchaient de leur chambre entendaient un murmure pareil à la douce musique des flûtes quand la lune est haute et que les bergers se vautrent dans l'herbe auprès de leurs troupeaux. Ils hésitaient à entrer, posant à la porte les aliments ou les médicaments nécessaires aux soins. Puis, étonnés, ils se retiraient sur la pointe des pieds. L'amour parfait existe-t-il ? Un homme et une femme peuvent-ils parvenir à une totale fusion des cœurs et des corps ?

Aucun homme ne voit réellement clair dans les desseins des dieux, et les bokono royaux ont beau siéger en permanence dans la faagbaji[3], ils ne peuvent tout prévoir. Quelques semaines après le sac de Hounjroto alors que le peuple digérait encore les victuailles que lui avait fait distribuer Guézo, Sakpata, déesse de la variole, se fâcha. Nul ne peut dire ce qui suscita sa colère. Des sacrifices avaient-ils été négligés ? Des prières marmonnées à la hâte ? Et par qui ? Toujours est-il qu'un beau matin, Sakpata entra en fureur, couvrant Abomey de son souffle puant. Elle marcha à grands pas de droite et de gauche, depuis le quartier Okéadan, repaire de Nagos, jusqu'au quartier Ahuaga et au quartier Adjahito sans oublier les quartiers Dota et Hetchilito. Passant par-dessus le tombeau de Kpengla[4], elle entra au palais royal, renversant sur le sable et dans des douleurs violentes gardes et amazones qui, leurs mousquets à leurs pieds, devisaient tranquillement. Elle tourna autour de la « demeure des perles », édifiée en honneur des rois défunts, évita la demeure d'Agasu, la panthère, ancêtre des rois fons et, pour mieux marquer son humeur, fit irruption dans la salle des trônes où Guézo, entouré de dignitaires et de princes du sang, écoutait les louanges de ses chantres patentés. Mortellement atteint, le prince Doba[5], glissa aux pieds du roi, le visage brusquement rose et boursouflé, les yeux inondés de larmes putrides. Sakpata fixa Guézo avec méchanceté et siffla :

— Je t'épargne cette fois. Mais je reviendrai te chercher, tu ne m'échapperas pas...

Puis en piaffant, elle revint vers les quartiers populaires.

Molara, la jeune femme de Birame, se trouvait au marché Ajahi quand elle sut que Sakpata était entrée dans la ville. Elle venait d'acheter du poisson fumé venu du marais de Wo, de l'huile de palme et des feuilles de manioc et cherchait du lait caillé pour Malobali. En hâte, elle rentra à la maison, car quand Sakpata se fâche, mieux vaut rester chez soi, éconduire les visiteurs, éviter les voisins. En un rien de temps, les marchés se vidèrent ainsi que la place du palais Singboji, toujours encombrée d'une foule guettant l'arrivée des princes sur leur lieu de palabres et parfois l'apparition du roi lui-même. Toutes les rues s'emplirent de gens terrifiés, pensant aux infusions qu'ils pourraient prendre à titre préventif. Partout, on croisait les prêtres de la déesse, se hâtant vers ses temples pour tenter de l'apaiser par des prières et des sacrifices. Apparemment, ils n'y parvinrent pas, car, au soir, on comptait déjà deux cent cinquante cadavres. Les familles finissaient à peine de laver un mort qu'un autre

3. Pièce ronde dans le palais royal où les bokono se tiennent en permanence à la disposition du roi.
4. Roi du Dahomey de 1775 à 1789.
5. Un des fils de Guézo.

des leurs succombait et qu'elles devaient courir vers lui afin de le parer pour le voyage. Elles ne savaient plus où creuser des fosses dans les concessions. Bientôt les nattes funéraires manquèrent, ainsi que les moutons blancs et la volaille. Des malins se dirigèrent vers les agglomérations voisines dans l'espoir de s'en procurer et de faire de fructueux bénéfices, en tablant sur la douleur des parents des défunts. C'est ainsi qu'on échangea un poulet malingre contre deux sacs de cauris ou trois jarres d'huile de palme.

Sakpata ragea encore davantage au second jour. Les gens commencèrent à hasarder des explications. Sakpata était une déesse mahi dont Guézo avait introduit le culte. Ne manifestait-elle pas son mécontentement de voir les siens écrasés par ceux d'Abomey ? Ne manifestait-elle pas son aversion pour le pays où son culte était transplanté ? Ne s'insurgeait-elle pas contre le grand prêtre Misayi qu'avait nommé le roi ? Bref, on n'était pas loin des pensées sacrilèges.

Au quartier Okéadan, tout le monde tremblait pour Malobali. Certes il avait recommencé à s'alimenter et à faire quelques pas sans aide. Pourtant il demeurait un être sans défense qui, au premier appel de la déesse, viendrait grossir le cortège de ses suivants. Romana fit provision de tamarin dont les graines et les feuilles étaient en principe souveraines. Birame et Molara, qui pourtant venaient d'avoir un enfant, s'en souciaient moins que de Malobali. Quelqu'un ayant recommandé à titre préventif l'infusion de racines de cailcédrat, Birame se rendit jusqu'à Kana pour en trouver.

Le cortège de Sakpata grossissait sans cesse ; il n'y avait plus dans Abomey une famille qui ne soit endeuillée quand Malobali eut un accès de fièvre. Prise de panique, Romana fit venir un médecin qui venait de sauver les enfants d'une famille voisine. Mais celui-ci ne put se prononcer et prescrivit des cataplasmes de feuilles de baobab. Au soir, toute la maison respirait, car la fièvre était tombée. Trois jours plus tard, elle revenait au galop.

Romana qui était allée puiser de l'eau au canari entendit un grand cri. Courant jusqu'à la chambre, elle trouva Malobali tendu comme un arc, le corps dévoré de pustules qui s'étaient abattues sur lui aussi brusquement que des sauterelles sur un champ, les yeux noyés de larmes laiteuses. Quelques heures plus tard, il mourait dans ses bras.

A quoi pensa Malobali au moment de rejoindre Koutomé ? A Ayoavi qu'il avait violée, déchaînant sur sa tête la colère de la Terre ? Et n'était-ce pas celle-ci qui se vengeait par l'intermédiaire d'une autre déesse ? A Modupé qu'il n'épouserait jamais et à qui il ne ferait jamais de fils ? A Romana, perle jetée au pourceau qu'il était ? Non, il pensa aux deux seules femmes qui avaient compté dans sa vie. Nya et Sira. Que faisaient-elles au moment où il fermait les yeux ? Eprouvaient-elles une brusque douleur en plein cœur et relevaient-elles la tête, inquiètes, pour scruter les pans du ciel au-dessus des cailcédrats ? Ou bien continuaient-elles d'aller à travers les cours sableuses des concessions, donnant des ordres à leurs servantes ?

— Mère, je meurs et vous ne le savez pas !

Au moment même où l'esprit de Malobali quittait définitivement son corps, Sakpata s'apaisait. Elle avait ragé, parcouru la ville, épuisé ses prêtres pendant quarante et un jours et quarante et une nuits. Le nombre de ses adeptes avait triplé, frappés par une pareille démonstration de puissance. A toutes les portes de la ville, ses statues s'élevaient tandis qu'à Abomey, sur les tombes à présent plus nombreuses que les cases, s'étalaient ses mets favoris.

Cependant, au palais Singboji, l'angoisse régnait. Sakpata n'avait-elle pas promis de revenir chercher le roi Guézo lui-même ? Aussi, la faagbaji ne désemplissait pas de prêtres tentant de deviner le moment de ce retour fatal. Tout le jour, ils faisaient courir leurs noix de palme sur leurs plateaux divinatoires, mais Faa[1] restait silencieux et ne révélait rien.

6. Faa est le dieu fon de la divination (Ifa des Yoruba).

# 10

« Après la mort de Malobali, Ayodélé n'a plus eu goût à rien. Elle songeait à se laisser mourir, quand elle s'est aperçue qu'elle était enceinte. Un enfant ! Le trésor qu'elle avait vainement espéré pendant tout le temps de son union avec Malobali. Voilà qu'il lui était donné après sa mort. Elle s'est rappelé les paroles du babalawo qu'elle était allée consulter des années plus tôt. Il avait conclu sa séance en disant " Olubunmi " qui signifie " Tu seras comblé ". Alors c'est le nom qu'elle a donné à son enfant. Oui, quelle ironie ! Dieu te comblera d'une main et te frappera de l'autre. Pourtant c'était une chrétienne, alors elle a accepté. Elle a porté vaillamment sa grossesse. Mais je crois que pour une femme comme elle, des enfants ne suffisaient pas à donner un sens à la vie. Nous avons eu beau l'entourer. Il n'y avait plus en elle le désir d'aller et venir sur la terre. Son esprit était tourné vers Koutomé, essayant de franchir ses portes. Un beau matin, nous l'avons trouvée morte sur sa natte. Comme elle n'avait pas de lait, c'était ma femme Molara qui allaitait son nouveau-né. Alors, nous l'avons gardé et quand j'ai décidé de reprendre le chemin de Ségou, je vous l'ai amené. Il vous appartient. »

Birame se tut et pendant un instant on n'entendit que les pleurs des femmes et les soupirs des hommes. Pourtant, quel est le remède, quel est le médicament contre la mort, si ce n'est l'enfant ? Olubunmi restait. Nya était la seule à ne pas partager ces sentiments de résignation, car elle apprenait d'un même coup la mort de deux de ses fils. Aussi perdit-elle la tête, apostrophant Birame :

— Et les autres ? Les autres enfants de mes fils ? Qu'en as-tu fait ?

Diémogo lui fit signe de se taire. Sans rudesse cependant. C'est bien connu, la femme, surtout quand elle souffre, n'est jamais maîtresse de ses paroles. Mais déjà Birame reprenait son récit :

« La famille d'Ayodélé est originaire d'Oyo. Nous la croyions détruite, dispersée par les troubles religieux de la région, les guerres entre Peuls musulmans et Yorubas. Or voilà qu'un homme est arrivé à Ouidah qui s'est dit être son oncle paternel, son père, en un mot. Installé à Abéokuta, il avait été lui-même esclave à la Jamaïque, puis libéré s'était établi à Freetown, d'où il était revenu. Il était riche, tout à fait capable de s'occuper des trois aînés et nous n'avons pu l'empêcher de les emmener avec lui... »

Nya se roula par terre et toutes les autres femmes avec elles. Diémogo, partagé entre le désir d'être reconnaissant envers cet hôte qui tout de même ramenait un enfant et le chagrin d'en avoir perdu trois autres, interrogea :

— Mais pourquoi ? Pourquoi l'as-tu laissé faire ?

Birame baissa la tête :

— Pardonne-moi. J'ai eu peur d'entreprendre ce long voyage dans l'inconnu à travers les pays en guerre pour se procurer des esclaves, et j'ai craint que la triste aventure survenue à Naba ne se reproduise avec l'un de ses fils. Tandis qu'Olubunmi n'est qu'un bébé au dos de Molara. Là où elle va, il va. Il n'a besoin que de son lait.

Pour la première fois peut-être, la famille songea à regarder le petit garçon. Potelé, dodu, il n'avait pas encore un an et fixait tout ce monde d'un regard sérieux comme s'il comprenait toute la gravité de la situation. Quelqu'un s'exclama :

— Olubunmi ? Mais ce n'est pas un nom de Bambara !

Diémogo eut un geste apaisant :

— Qu'importe son nom ! L'essentiel est qu'il soit vivant...

Puis il se tourna vers Birame :

— Nous sommes injustes avec toi. Nous devrions te remercier et te couvrir de présents. Au lieu de cela, nous te querellons. C'est ce qui arrive au messager. On le rend toujours responsable des mauvaises nouvelles qu'il apporte.

Birame soupira :

— Crois-moi, j'aurais aimé vous les éviter. Mais c'est la volonté des dieux.

Le conseil de famille était réuni dans la cour principale de la concession. Diémogo était assis au centre, entouré de ses frères cadets, des fils aînés de Dousika et des siens. Les femmes étaient présentes, elles aussi, groupées autour de Nya, l'entourant de leur chaude compassion. Car n'était-elle pas la principale victime du drame qui se jouait ? Qu'avait-elle fait pour mériter tant d'épreuves ? Cependant on hésitait à la plaindre entièrement. En effet, ne tenait-elle pas Kosa entre ses bras, l'enfant de son âge mûr, et n'est-ce pas le signe évident de la bienveillance des dieux qu'un fils tardif ? Qu'elle était belle, Nya ! Tant de douleurs regardées en face avaient creusé ses yeux, tempéré l'éclat un peu arrogant de leur jeunesse, y allumant au contraire les reflets d'une tendre indulgence devant les folies. Deux plis s'étaient imprimés autour de ses lèvres. Mais loin de la rendre amère, ils ajoutaient à l'expression un peu lasse, généreuse et bienveillante de son visage.

Nya regarda Tiékoro comme pour l'inviter à parler, car il ne s'était pas encore prononcé. Or Tiékoro occupait une place particulière dans la famille. Certes Diémogo en était le fa, le chef désigné par le conseil. Pourtant, Tiékoro en était incontestablement le guide spirituel. Contrairement à ce qui aurait pu se produire, il était sorti grandi de l'épreuve du suicide de Nadié, puisqu'il avait reconnu sa part de responsabilité et fait ouvertement pénitence. Ensuite, son séjour à Hamdallay, capitale du Macina, auprès de Cheikou Hamadou qui discutait avec lui de la possibilité de faire progresser l'islam en terre de Ségou, lui avait conféré une auréole de sagesse et de compétence. Il était devenu celui vers lequel tout le monde se tournait avant de prendre une décision, une sorte d'oracle animé par Mahomet. Pour couronner le tout, voilà que, l'année précédente, il s'était rendu en pèlerinage à La Mecque et s'était arrêté au retour à Sokoto où le sultan l'avait comblé d'honneurs, lui donnant une épouse. Désormais, le clan tout entier s'enorgueillissait de posséder pareil fils dont la réputation était grande aux quatre coins de la terre.

Tiékoro se leva. Ce qui ajoutait encore à son prestige, c'était la munificence avec laquelle il était vêtu, un boubou de soie par-dessus un pantalon de même étoffe, un court boléro richement brodé par-dessus le boubou, un lourd turban dont il ramenait souvent un pan sur son visage et sur lequel il posait un voile blanc. Il joignit les mains et se tourna vers Birame :

— Loin de te quereller, je te remercierai plutôt et j'inviterai toute la famille à m'imiter. Ne nous as-tu pas apporté les meilleures nouvelles ? La mort n'est-elle pas une fête ? N'est-ce pas le mécréant qui se lamente devant l'enveloppe charnelle et ne pense pas au bonheur de l'âme, lampe du corps, quand elle se confond à l'éclat du divin ? Il n'y a de dieu que Dieu...

Au fur et à mesure qu'il parlait, la voix de Tiékoro s'enflait et bientôt elle couvrit tous les autres bruits : craquements secs des branches enflammées, bruissement des feuilles d'arbres dérangées par le vent, bêlement des moutons dans leur enclos. En entendant parler son frère, une boule se forma dans la gorge de Siga, remonta jusqu'à sa bouche où elle éclata, l'emplissant d'une saveur amère qui était celle de la haine. L'hypocrite ! L'hypocrite ! Nul n'ignorait que c'était sa cruauté et ses injustices qui avaient chassé Malobali de la concession, le précipitant dans ces aventures où il avait trouvé la mort. Et pourtant, insensible au remords, il pérorait, donnait des leçons, tirait des explications pour la plus grande gloire de Dieu. Quel était ce dieu qui demandait à une mère de se réjouir de la mort de ses fils ? Siga, quant à lui, aurait souhaité prendre Nya dans ses bras :

— Pleure, mère aimée, il n'y a plus de lumière dans la case et les doux oiseaux du bonheur se sont envolés. Pleure, mais n'oublie pas que je suis auprès de toi.

Pourtant, Siga avait l'honnêteté de s'avouer que ce n'était pas seulement les paroles de Tiékoro qui l'irritaient. Mais la manière dont tout le monde le regardait. Les femmes surtout. Et la sienne, en particulier, Fatima. Une admiration éperdue comme si les dieux eux-mêmes avaient décidé de visiter la terre et de la parcourir dans un éblouissant cortège. Ne voyaient-elles donc pas l'affectation de ce cuistre ?

A présent, Birame se levait et remettait symboliquement Olubunmi à Diémogo qui l'élevait au-dessus de sa tête. L'enfant était beau. Pourtant le sang yoruba mêlé au sang peul que son père possédait déjà contribuait à lui donner un air totalement étranger. Molara, qui l'avait nourri dix mois et à qui personne ne demandait son avis, pleurait doucement tandis que Birame la réprimandait à voix basse. Pourquoi se lamentait-elle alors que le voyage se terminait heureusement et que le petit orphelin retrouvait sa famille ?

Sur un signe de Nya, les esclaves apportèrent des calebasses de dolo et jetèrent des bûches dans le feu. Puis les femmes se retirèrent, laissant les hommes deviser et boire entre eux. Bientôt Birame fut assailli de questions.

— Dahomey ? Tu dis Dahomey ?

— Tu dis qu'il y a beaucoup de Blancs là-bas ?

— Et des Peuls ? Est-ce qu'il y a des Peuls ?

— Et des musulmans ? Et des mosquées ?

La curiosité reprenait ses droits. Bientôt les aventures extraordinaires de Naba et Malobali ne seraient plus que des éléments exotiques du patrimoine familial.

Siga ne disait rien. Il n'avait guère connu Malobali, ayant passé à Fès la majeure partie du temps où il était adolescent. A son retour à Ségou, il l'avait trouvé en pleine révolte contre son aîné, mais il n'était pas intervenu dans ces querelles. Comme il s'en repentait à présent ! Peut-être aurait-il pu l'empêcher de s'embarquer dans ces aventures dont la fin tragique endeuillait la famille ? Tous, ils étaient tous responsables ! Et il n'était pas juste d'accabler Tiékoro. Celui-ci avait entrepris d'interroger Birame :

— Tu penses donc qu'au Dahomey le danger venait des Blancs ? Comment cela ? Est-ce à cause de leur religion ? Ou avaient-ils des ambitions politiques ?

Birame, âme simple, était bien incapable de répondre à ces questions et Tiékoro jouissait manifestement de sa supériorité intellectuelle. Ecœuré, Siga détourna la tête.

Or, contrairement à ce que croyait Siga, Tiékoro souffrait le martyre. Après la mort de Nadié, il se sentait pleinement responsable de celle de Naba et de Malobali. Il aurait aimé se jeter par terre et hurler comme une femme lors de funérailles pour se délivrer de son angoisse et de son remords. Mais un autre personnage collait à lui, celui qu'il avait adopté depuis quelques années, celui du sage empli du souci de Dieu. Alors, il ne pouvait s'empêcher de prononcer les paroles, d'accomplir les gestes, d'adopter les attitudes de son double. Mais qui savait ce qui se passait en lui ?

En réalité, toute sa vie n'était qu'un long dialogue avec Nadié. Tour à tour, il l'accusait d'avoir manqué de confiance en lui, de n'avoir pas su attendre que ces fumées d'orgueil, qui obscurcissaient son esprit, se dissipent. Puis il la suppliait de lui pardonner et de lui signifier son amour. Et voilà que deux autres défunts venaient s'ajouter à cette ombre et qu'ils l'assaillaient à leur tour. Dans son désarroi, il s'approcha de Diémogo et lui dit :

— Mais ne faudrait-il pas prévenir sa mère ?

Diémogo se troubla. Encore une fois, Tiékoro lui coupait l'herbe sous le pied. Car n'était-ce pas lui qui aurait dû y songer ? Aussi, son irritation le rendit morose et il fit sans entrain :

— Est-ce qu'on sait où elle se trouve ?

Tiékoro haussa les épaules :

— Ce n'est pas difficile à trouver. On sait qu'elle habite dans le Macina et qu'elle est remariée à un certain Amadou Tassirou qui a eu maille à partir avec Cheikou Hamadou pour des questions de confréries... Car il appartient à la Tidjaniya et Cheikou Hamadou à la Qadriya...

Même en donnant ces explications, Tiékoro ne pouvait s'empêcher d'être pédant et d'indiquer subtilement à Diémogo son ignorance de toutes ces questions, qui pourtant divisaient le monde autour de lui. Diémogo regarda par terre pour cacher l'expression de son regard :

— Et qui me conseilles-tu d'envoyer auprès d'elle ?

— C'est une mission dont je me chargerai moi-même.

Diémogo le fixa avec stupeur :

— Tu abandonnerais ta zaouïa[1] ?

— Je ne serai absent que quelques semaines. De toute façon, je devais m'absenter car le Mansa m'a chargé d'aller m'entretenir avec Cheikou Hamadou à Hamdallay...

Jusqu'au matin, Tiékoro avait songé à refuser cette mission. S'il changeait d'avis, c'est qu'il voyait là une occasion inespérée de donner un dérivatif à ses remords et à son sentiment d'impuissance. Approcher Sira, parler avec elle du défunt Malobali, jouer un rôle de consolateur. Diémogo interrogea :

— Quand penses-tu partir ?

— Mais demain matin...

Là-dessus, il s'éloigna et Diémogo le regarda s'éloigner avec un sentiment bien voisin de la haine. Tiékoro était toujours entre Nya et lui. Il avait cru un instant que Kosa, le fils qu'ils avaient eu, les rapprocherait. Hélas ! il n'en était rien. Nya n'oubliait pas un instant qu'elle était la mère de Tiékoro et que seuls ses intérêts ou ses caprices comptaient. Elle avait insisté pour qu'on l'autorise à ouvrir cette zaouïa. Des murs avaient été abattus. Une partie des cours avaient été transformées pour les élèves étrangers qui ne cessaient d'affluer de tous les coins du royaume. A présent, on ne comptait pas moins d'une centaine d'enfants qui, dès le matin, braillaient des prières, noircissaient des planchettes et chantaient leur foi en l'islam. Passe encore s'ils avaient contribué aux dépenses de leur entretien ! Non ! Tiékoro estimait scandaleux que les parents payent pour assurer à leurs enfants la connaissance du vrai Dieu. Alors, en attendant que les champs qu'ils cultivaient rapportent, c'était aux Traoré de les nourrir ! Nourrir ce tas d'hérétiques ! Tiékoro oubliait-il que les musulmans étaient des ennemis ? A chaque fois que Diémogo tentait d'aborder ce problème, Tiékoro l'arrêtait avec dédain :

— Dieu, qui pourvoit à la croissance des plantes et de toute la création, ne nous laissera jamais manquer de rien !...

Nya ne sentait-elle pas que la présence de cette zaouïa était de nature à irriter les dieux et les ancêtres qui déchaîneraient sur la famille les pires cataclysmes ? Peut-être le pauvre Malobali avait-il payé de sa vie le reniement de son aîné et la coupable indulgence du

1. Ecole d'enseignement coranique et de méditation.

clan à son endroit ! Une fois de plus, Diémogo s'exhorta à faire preuve d'autorité et à porter l'affaire de la zaouïa devant le conseil de famille.

Pendant ce temps, Tiékoro se dirigeait vers le palais du Mansa, pour l'informer qu'il se rendrait dès le lendemain à Hamdallay.

Depuis quelques années, les armées bambaras et les armées peules ne s'étaient pas affrontées directement. Or voilà qu'on apprenait que les célèbres lanciers du Macina avaient à nouveau sauté sur leurs chevaux et conquis Tombouctou. Désormais, les Peuls obligeaient les Touaregs à se sédentariser et à cultiver la terre tandis qu'ils forçaient les autres habitants à payer de lourds tributs. On racontait des scènes révoltantes de commerçants, contraints de livrer leur or et leurs objets précieux, de femmes violées alors même qu'elles étaient musulmanes, et d'éleveurs rançonnés. Cela créait une situation nouvelle dans la région. Qu'advenait-il des relations commerciales de Ségou avec Tombouctou ? A quelles nominations Cheikou Hamadou avait-il fait procéder ? Qui étaient les nouveaux chefs militaire et civil ? Voilà toutes les questions auxquelles Da Monzon entendait que Tiékoro trouve réponse.

Les gardes qui connaissaient Tiékoro abaissèrent leurs lances devant lui ; il entra dans la première cour et, à sa vue, une petite foule de griots commença de le chanter. Tiékoro ne pénétrait jamais dans le palais sans se rappeler la façon humiliante dont son père Dousika avait été démis de ses fonctions de conseiller. En un sens, il l'avait vengé. Alors pourquoi cette amertume en son cœur ? Il traversa l'enfilade des sept vestibules jusqu'à la pièce où Da Monzon recevait ses familiers.

Da Monzon avait beaucoup vieilli. Après près de vingt ans de règne, il semblait usé par trop d'exploits guerriers, trop de décisions touchant à de graves domaines : relation avec le Kaarta, attitude vis-à-vis de l'islam, vis-à-vis de la Traite et du commerce avec le Nord qui sous son prédécesseur n'avaient pas eu pareille importance. Les méchantes langues soufflaient qu'il était aussi usé par son excessif amour pour les femmes et les soins qu'il donnait à ses huit cents épouses et concubines. Il était assis sur une chaise recouverte de cuir rouge avec des pieds sculptés en forme de lion, qu'il avait achetée à un commerçant de la côte, et, autre objet de traite, il portait des pantoufles en velours noir brodées de fleurs d'or.

S'étant incliné et ayant exprimé ses respects, Tiékoro vint au vif du sujet :

— Maître des énergies, je vais partir demain pour exécuter tes décisions.

Da Monzon s'étonna :

— Tu m'en vois heureux. Mais qu'est-ce qui t'a fait changer d'avis ? Jusqu'à hier, tu étais indécis...

Alors, en quelques mots, Tiékoro résuma l'histoire de Malobali, concluant :

— J'en profiterai donc pour informer sa mère, la Peule Sira...
Il se fit un grand silence dans la salle. Même les musiciens déposèrent leurs flûtes et retinrent les baguettes de leur bala. Quoi de pis que de trouver la mort en terre étrangère ? Quel terrible destin que celui de ces Traoré ! Quels crimes avaient-ils donc commis ? Ceux qui étaient présents, et qui à des degrés divers détestaient Tiékoro, n'étaient pas loin de penser que c'était sa conversion qui avait apporté la malédiction sur la famille. En même temps, puisqu'on avait besoin de ses compétences, cette haine ne pouvait s'exprimer au grand jour et il se créait autour de lui une atmosphère faite de pensées refoulées, exprimées à demi, qui le blessait profondément. Il aurait souhaité être aimé. Or il n'était qu'utilisé. Admiré, alors qu'il était craint. Da Monzon rompit le silence en déclarant :

— Demain, je ferai porter des présents à ta famille. Dis à Diémogo que nous partageons tous ce deuil.

Reconnaissant Tiékoro, Siga fit brutalement :

— Qu'est-ce que tu veux ?

Tiékoro ne se laissa pas démonter par cet accueil :

— Je veux t'avertir que je pars demain pour le Macina et que je serai plusieurs semaines absent.

Siga eut un haussement signifiant que cela lui était bien égal et Tiékoro le regarda d'un air narquois, comme si cette attitude l'amusait prodigieusement, avant de dire :

— Je pourrai t'être d'un grand secours...

— Comment cela ?

Les relations entre Tiékoro et Siga n'avaient jamais été bonnes. A présent elles étaient totalement détériorées. D'abord, la jalousie et la rancœur avaient atteint chez le second un degré extraordinaire. Car, si Tiékoro n'avait eu aucune difficulté à ouvrir cette zaouïa dans la concession commune, le projet de Siga de créer une tannerie avait été repoussé avec horreur. Quoi ? Les Traoré, des nobles auxquels seul le travail de la terre convenait, allaient imiter les garankè, les artisans du cuir, les hommes de caste ? Siga était-il fou ? Non content de leur ramener cette étrangère qui regardait tout le monde avec mépris, il voulait déshonorer la famille ? Puis il y avait eu cette douloureuse affaire après laquelle Siga avait cru bon de quitter la concession et de s'installer sur des terres de la famille à l'extrémité orientale de la ville. Comme il était parvenu à tenir secrètes les véritables raisons de ce départ, il passait à présent pour un fils ingrat et dénaturé que Nya ne manquait pas d'opposer à son aîné. Il s'efforça de chasser ces pensées de son esprit, cependant que Tiékoro se penchait vers lui :

— Ce qui compte, c'est d'en imposer aux autres, tu ne l'as pas compris. Il faut se faire respecter. Je dirai plus, se faire craindre.

Perdant patience, Siga s'exclama :

— Garde tes prêches pour les élèves de ta zaouïa. Mais es-tu sûr de leur tenir le même discours ? Avec eux, est-ce que tu ne parles pas seulement d'amour et de charité ?

Tiékoro étendit une main apaisante :

— Siga, je veux t'aider. Sincèrement. Cheikou Hamadou vient de défaire Tombouctou. Les notables marocains de la ville se sont enfuis. Le commerce est désorganisé. Plus de caravanes se dirigeant vers le Maghreb, puisqu'il n'y a plus ni or ni cauris… N'est-ce pas le moment pour un esprit ingénieux de s'imposer et de fournir ces objets dont tout musulman a besoin ?

Siga haussa les épaules :

— Ne parlons plus de cela, Tiékoro. Tu sais ce que la famille pense de mes projets !

Tiékoro fit avec mépris :

— Alors continue de faire ce que tu hais, cultiver la terre. Après tout, tu n'es peut-être bon qu'à ça ?

Comme il se levait, Siga le retint :

— Comment pourrais-tu m'aider ?

— Il suffit qu'à Hamdallay et ailleurs, utilisant mes relations, je parle de toi pour que les commandes affluent. Avec la fortune viendra le respect !

La brutalité de ces mots choqua Siga. Pourtant Tiékoro ne disait que la vérité. Tant d'années d'apprentissage à Fès ! Tant de projets ! Le rêve de rivaliser avec les célèbres familles fassies ! Au lieu de cela, il était redevenu cultivateur comme avant, peinant et suant dans le champ que lui avait alloué le conseil familial et trop pauvre pour employer des esclaves. Il regarda son frère fixement :

— Qu'as-tu à te faire pardonner ?

Tiékoro fit avec arrogance :

— Tu sais bien que je n'ai rien à me reprocher !

C'était vrai ! Sur un point du moins, il était entièrement innocent. Ce n'était pas de sa faute si, dans ce « repaire de fétichistes et de barbares » qu'était Ségou à ses yeux, il avait semblé à Fatima le seul être civilisé. D'abord rapprochée de lui par la foi, elle avait insensiblement glissé vers d'autres sentiments, favorisée en cela par ce goût de l'intrigue amoureuse qu'elle tenait de ses origines. Siga se rappelait ce billet qu'il avait reçu un matin à Fès : « Es-tu aveugle ? Ne vois-tu pas que je t'aime ? »

Eh bien, elle en avait adressé d'autres à Tiékoro ! Peut-être ne songeait-elle pas à l'adultère. Simplement à ressusciter des jeux troubles et dangereux qui lui manquaient. Si elle avait été une femme bambara, Siga n'aurait pas hésité à la renvoyer dans sa famille. Mais, Fatima était une étrangère qui l'avait suivi par amour si loin de chez elle. N'était-ce pas de sa faute si elle passait ses jours déçue et morose ? Etait-ce là l'avenir qu'il avait fait miroiter à ses yeux ? Depuis leur retour à Ségou, Siga voyait sa ville natale à travers les yeux de Fatima, et le regret le prenait de n'avoir pas assez joui des splendeurs de Fès. « C'est une ville à laquelle la colombe a prêté son collier et que le paon a revêtue de son plumage », chantait un vieillard à Bab-Guissa et la foule l'écoutait, suspendue à ses lèvres. Est-ce le destin de l'être humain que de soupirer après ce qui est loin de lui ?

Il frappa dans ses mains pour appeler une esclave et lui ordonna de préparer du thé à la menthe. Comme elle se retirait, il se tourna vers son frère :

— Bon, si tu parles de moi à tes relations et si tu obtiens des commandes de babouches, comment pourrais-je les honorer ?

Comme il avait honte de demander conseil à celui qui l'avait si souvent blessé ! Tiékoro prit son air important :

— Tu as parfaitement le droit de demander à fa Diémogo ta part de bétail et d'or. Le bétail te permettra de te procurer des peaux. L'or de payer tes artisans.

Siga eut à nouveau un geste de découragement :

— Tu sais bien ce qu'il me répondra... Un Traoré garankè ! Un Traoré commerçant !

— Il acceptera, car, dès ce soir, je vais en parler à notre mère.

Il n'y avait nulle fanfaronnade dans ces paroles. Une fois de plus, Siga fut ulcéré. Que l'amour maternel est aveugle et injuste ! Tiékoro n'avait pris que la peine de naître le premier et voilà ! Il avait beau semer le mal autour de lui, car il semait le mal en vérité, tout ce qu'il faisait trouvait grâce aux yeux de Nya. Lui, Siga, ne serait jamais que le fils-de-celle-qui-s'est-jetée-dans-le-puits !

L'esclave revint, portant sur un plateau de cuivre de petits verres décorés de fleurs. Un à un, les objets manufacturés en Europe ou au Maghreb s'insinuaient à Ségou. Il n'était pas rare de voir des fils de famille porter des bottes à revers achetées à quelque trafiquant. Bien des ménages rangeaient des plats d'argent dans leurs cases et le Mansa faisait admirer à ses familiers un service de fine porcelaine de

Chine dont il ne se servait jamais. Tiékoro avait raison. Il fallait profiter de la désorganisation commerciale qui suivait la prise de Tombouctou par ces fanatiques du Macina.

Alors, les vieux rêves renaquirent de leurs cendres. Siga se vit commandant à un peuple d'esclaves, torse nu, trempant, teignant, découpant les peaux. En outre, il posséderait une boutique où, à côté de ces objets de cuir, il vendrait des tissus de soie et de brocart. Oui, il avait manqué de persévérance. Sans protester, il s'était incliné devant le conservatisme familial. Un yèrèwolo se doit de cultiver la terre ou de la faire cultiver par ses esclaves et de vivre de son produit. Mais le monde autour des yèrèwolo changeait. Voici qu'au sein même de la famille, ces changements se manifestaient. Naba emmené au Brésil. Malobali suivant des caravanes jusqu'au pays ashanti et trouvant la mort à Abomey, à des journées et des nuits de chez lui. Tous deux laissant des fils qui n'appartenaient plus qu'à moitié au clan et portaient en eux, comme le signe des races étrangères dont ils étaient issus, d'autres désirs, d'autres aspirations.

Après tout, Tiékoro n'était-il pas simplement le plus intelligent d'entre eux ? Prévoyant la victoire inéluctable de l'islam dans la région, non seulement il était un des premiers à s'y convertir, mais encore il devenait un des artisans de sa propagation. Beau calcul ! A ce moment, Siga eut l'impression d'être partial à l'endroit de son frère et, le regardant à la dérobée, fut frappé par son expression de souffrance. La lampe au beurre de karité entourait son visage d'un halo et sculptait ses traits que le jeûne rendait ascétiques. Chaque jour davantage, Tiékoro ressemblait à ces dévots de Tombouctou qui ne sortaient jamais dans les rues sans égrener avec ostentation leur chapelet et qui faisaient leur prière là où ils se trouvaient pour prouver que Dieu n'attend pas pour être honoré. Néanmoins, ses yeux immenses, noirs, tantôt fixes, tantôt extrêmement mobiles, détruisaient l'harmonie de son visage. On ne pouvait soutenir leur regard qui donnait l'effrayante intuition de ce qui se passait en lui.

*Quatrième partie*

# LE SANG FERTILE

# 1

Tiékoro fit paraître son fils Mohammed devant lui :

— Cheikou Hamadou nous fait un grand honneur. Il m'écrit pour demander que tu lui sois confié afin qu'il achève ton éducation religieuse.

Mohammed occupait une place particulière dans son foyer et dans la concession tout entière. C'était le premier fils qu'il avait eu de Maryem, l'épouse que lui avait donnée le sultan de Sokoto, à son retour de La Mecque. Elle avait eu coup sur coup trois filles et Tiékoro désespérait d'avoir un héritier digne de lui. Car tout en les aimant à sa manière, il ne pouvait oublier le statut d'Ahmed Dousika et d'Ali Sunkalo, les fils de Nadié. Ils n'étaient après tout que les fils d'une esclave. Or Maryem était apparentée à un sultan, née et élevée dans l'or, l'opulence et le bien-manger. Aussi Mohammed était-il presque un enfant royal.

En butte depuis sa naissance à la jalousie et à la haine de tous ceux qui, ne pouvant exprimer leurs véritables sentiments à Tiékoro, se vengeaient sur lui, Mohammed était un garçon introverti, écorché vif et qui vivait attaché au pagne de sa mère. A la pensée d'en être séparé, son désespoir fut tel qu'il osa se rebeller et protester :

— Est-ce que les Peuls du Macina ne sont pas nos ennemis ?

Tiékoro le foudroya du regard :

— Ose répéter pareille chose que je t'écrase, vermine ! Est-ce que ce ne sont pas nos coreligionnaires et nos frères en Allah, le seul vrai Dieu ?

L'enfant n'osa plus rien dire. Néanmoins, il savait la haine des

Bambaras pour les « singes rouges », les « noircisseurs de planchettes », les « bimi[1] » qui, s'ils n'étaient pas parvenus à les soumettre, comme ceux de Djenné et de Tombouctou, les avaient si souvent humiliés. Il bégaya, retenant à grand-peine ses larmes :

— Quand dois-je partir ?

— Quand je te l'ordonnerai...

Comme il se détournait, serrant son boubou autour de lui et dessinant ainsi ses formes fluettes, le cœur de Tiékoro se serra. Il le rappela, tenté de rompre avec sa froideur habituelle et de le serrer contre lui, en murmurant : « C'est pour ton bien que j'accepte cette offre. L'islam vaincra. Il triomphe déjà. Bientôt, le monde n'appartiendra qu'à ceux qui possèdent l'écriture et la connaissance des livres. Notre peuple, malgré toutes ses qualités humaines, sera traité d'ignorant et de fruste... »

Pourtant, comme Mohammed revenait vers lui, il ne sut lui parler et se borna à dire :

— Quand tu seras à Hamdallay, va rendre visite à ta grand-mère Sira.

Mohammed, peu au fait des complexités de la généalogie familiale, écarquilla les yeux :

— Nous avons des parents dans le Macina ?

Tiékoro inclina affirmativement la tête. Comme il se rasseyait sur sa natte, sa seconde femme, Adam, vint lui apporter sa bouillie du matin. Après la mort de Nadié, c'est avec joie et gratitude que Tiékoro avait accueilli la rupture de ses fiançailles par la princesse Sounou Saro. Car il n'avait plus qu'un désir : vivre seul, ne plus jamais prendre une femme dans ses bras. Il lui semblait qu'il n'aurait pas trop de toute son existence pour expier sa faute. Puis le sultan de Sokoto lui avait donné Maryem. Puis Cheikou Hamadou lui avait donné Adam, une fille de sa famille. Et il y avait déjà ce commerce commencé il ne savait comment avec Yankadi l'esclave qui élevait les fils de Nadié ! Ainsi sans l'avoir voulu, il se trouvait maître de deux épouses et d'une concubine, père d'une quinzaine d'enfants ! Mais chaque nouvelle naissance à son foyer, loin de le remplir de joie, l'emplissait de honte, lui faisant mesurer l'abîme entre ses aspirations et la robustesse de ses instincts. C'est pourquoi il regarda avec irritation le ventre proéminent d'Adam et déclara que la bouillie était trop liquide. Sans mot dire, elle reprit la calebasse et repartit vers les cuisines.

Tiékoro n'attendit pas son retour et se dirigea vers la zaouïa. Elle

1. « Je dis », en peul. Surnom donné par les Bambaras aux Peuls.

comptait à présent deux cents élèves appartenant aux familles les plus aristocratiques de Ségou, qui toutes faisaient le même calcul. N'était-il pas judicieux de donner à au moins un fils la connaissance de l'islam ?

Chaque jour s'écoulait selon le même rythme. D'abord la révision du Coran. Puis les commentaires, traités sous l'angle du droit ou de la théologie. Après le repas de midi venait la récitation du Livre sacré, qui ne se terminait qu'à la prière de l'après-midi. Ensuite, les enfants allaient travailler les champs de mil ou les jardins potagers qu'ils entretenaient sur les terres de la famille Traoré. Tiékoro, qui s'était toujours refusé au travail de la terre, ne les suivait pas. Il commençait d'égrener son chapelet. Puis il rejoignait la mosquée pour la prière du couchant, y demeurait jusqu'à la prière de l'entrée de la nuit à discuter question de foi avec l'imam. On parlait de plus en plus de la voie Tidjani et de l'ouvrage de Cheik Ahmed Tidjani *Djawahira el-Maani*[2]. Ensuite, Tiékoro reprenait le chemin de la concession familiale, avant de rejoindre sa case, s'arrêtait chez Nya qui l'informait de tout et prenait son conseil sur tout. Fiançailles, mariages, noms à donner aux enfants, baptêmes, dots.

Tiékoro aimait ces heures avec Nya dans la paix nocturne. A présent qu'il avait perdu Nadié, Nya restait le seul être à éprouver pour lui un amour sans faille. Et, s'entretenant avec sa mère, Tiékoro s'entretenait aussi avec Nadié, car non seulement Tiékoro ne chérissait ni Maryem ni Adam, mais encore il avait l'impression qu'elles voyaient clair en lui et le méprisaient. Hypocrite ! Il n'était qu'un hypocrite ! Avide d'honneurs ! Avide de gloire ! Et qui avait trouvé en se parant du nom d'Allah le moyen d'attirer l'attention ! Sa piété ne cachait rien que l'ambition de briller !

La conscience que Tiékoro avait de son indignité contrastait avec le respect que les souverains de pays aussi divers que le Macina, le sultanat de Sokoto, le Fouta Toro et le Fouta Djallon lui témoignaient, faisant de lui un être taciturne, violent, hésitant constamment entre l'exaltation et l'abattement. Comme il entrait dans l'enclos de la zaouïa, les plus jeunes élèves, qui malgré le régime de prières intensif auquel ils étaient soumis n'étaient que des gosses, chahutaient, se poursuivaient et roulaient dans le sable dans des parodies de bataille et des jeux violents. A sa vue, tout le monde s'immobilisa. Ceux qui étaient à terre se relevèrent et époussetèrent hâtivement leurs boubous. Des rangs se formèrent et des dizaines de paires d'yeux fixèrent le sol. Tiékoro haïssait l'effet qu'il produisait sur cette

2. « La Perle des significations. »

jeunesse et souvent, dans son exaspération, il talochait à tour de bras des joues, des fronts, des paupières qui n'avaient que le tort d'être trop dociles. Il entra dans la partie de l'enclos réservée aux élèves du deuxième degré et s'installa sur sa natte. Un à un, les enfants vinrent prendre place autour de lui.

Mohammed, les yeux boursouflés, vint s'installer parmi les derniers. Sans doute avait-il couru auprès de sa mère pour mêler ses larmes aux siennes. Ah ! il était grand temps de le séparer de Maryem qui l'amollissait ! Grand temps d'en faire un homme ! Bien sûr, la famille s'irriterait de la préférence qu'il marquait ainsi à un de ses enfants. Il imaginait déjà les commentaires. L'aigreur d'Ahmed et d'Ali qu'il avait mariés à deux filles de bonne naissance, mais sans grande fortune et qui trimaient dans les champs familiaux. L'inquiétude d'Adam concernant ses fils à elle. Pourtant, Tiékoro se préoccupait surtout des conséquences politiques de son acte. Les tensions entre Peuls et Bambaras s'attisaient. Le Mansa parlait de lancer une offensive de grande envergure contre le Macina et à cet effet s'approvisionnait en fusils de traite et en poudre de guerre, pressant le souverain du Kaarta de faire alliance avec lui. Envoyer son fils dans le Macina serait mal vu. Pourtant, pouvait-il refuser l'honneur fait à sa famille ? N'était-ce pas sa parenté, même lointaine avec le sultan de Sokoto qui était reconnue ainsi ?

Revenant sur terre, Tiékoro regarda fixement les petits visages anxieux tournés vers lui :

— Combien d'entre vous ont suivi le conseil que j'ai donné hier ?

Il y eut un flottement dans la classe, personne ne sachant manifestement à quoi il faisait allusion. Puis Alfa Mandé Diarra se leva :

— Moi, maître. Comme tu l'as recommandé, j'ai écrit le divin nom d'Allah sur le mur en face de ma couche afin qu'il soit à mon réveil la première image qui s'offre à mes yeux...

Alfa Mandé appartenait à la famille royale, étant le fils d'un frère du défunt Mansa Da Monzon. A cause de cela, Tiékoro lui accordait un traitement de faveur, l'exemptant du travail de la terre et le libérant deux jours par semaine afin qu'il retourne chez son père qui résidait à Kirango. Il espérait qu'Alfa Mandé entraînerait à sa suite d'autres enfants royaux. Or il n'en était rien. Aucun des fils du Mansa Tiéfolo ne l'avait imité et Tiékoro, qui, après la mort de Da Monzon, avait sollicité une entrevue du nouveau souverain pour l'entretenir de questions relatives à l'islam, n'avait jamais eu satisfaction. Ah, le temps était loin où Da Monzon le consultait sur tout et l'envoyait en ambassade dans les cités musulmanes ! Ceux qui entouraient Tiéfolo n'avaient que guerres en tête ! Ne comprenaient-ils pas que même s'ils tuaient les Peuls du Macina jusqu'au dernier, l'islam était venu dans la région pour s'imposer ? Pour prendre racines comme un arbre toujours vivace qui ignore les rigueurs de la saison sèche, qui verdit quand la broussaille autour de lui devient jaune ? Ah, esprits obtus et bornés !

Tiékoro félicita Alfa Mandé qui était sans contredit un de ses élèves les plus brillants et entonna :

— Oui, écrivez ce divin nom sur vos murs. Au lever, prononcez-le avec ferveur du fond de l'âme afin qu'il soit le premier mot sortant de vos lèvres et frappant votre oreille. Au coucher...

En parlant, il croisa le regard de Mohammed et il lui sembla que l'enfant le perçait à jour, décelant clairement son pharisaïsme et sa folle vanité. Alors, comme pour s'étourdir, il clama plus fort :

— Si vous persistez, à la longue la lumière contenue dans le secret de ses quatre lettres se répandra sur vous. Une étincelle de l'essence divine enflammera votre âme et l'irradiera...

Pourtant le regard de Mohammed ne contenait rien qui puisse choquer Tiékoro, l'enfant étant trop jeune, trop respectueux pour envisager de juger son père. D'autres le faisaient à sa place et Tiéfolo, fils aîné de Diémogo, était de ceux-là.

Tiéfolo ne cessait de se souvenir qu'il avait lui-même été chercher Tiékoro à Djenné après la mort de Dousika. Et ne cessait pas de s'en repentir. Il croyait bien faire alors, satisfaire aux dernières volontés du défunt, réaliser l'unité de la famille... S'il avait pu savoir qu'il travaillait simplement à la ruine et à l'humiliation de son père !

Il ne supportait plus de voir Diémogo réduit au rôle d'exécutant des volontés de Tiékoro. Il ne supportait plus la proximité de la zaouïa. Il ne supportait plus d'entendre ces litanies à la gloire d'un Dieu auquel les siens ne croyaient pas. Ses jours n'étaient plus qu'une fiévreuse interrogation sur la manière de débarrasser la famille de Tiékoro. Quand sa première femme la bara muso Ténègbè s'approcha de lui pour lui confier ce qu'elle venait d'apprendre, il la regarda avec incrédulité :

— Qu'est-ce que tu racontes là ?

Ténègbè garda le silence. C'était une très jolie femme, originaire du Kaarta, apparentée par sa mère au défunt Mansa Fula-fo Bo, « Bo le tueur de Peuls, dont le souvenir était encore présent dans tous les esprits. Tiéfolo crut que la haine qu'elle portait à l'islam et à cause de lui à Tiékoro l'égarait, et il haussa les épaules :

— C'est impossible ! Il n'a aucun respect pour notre famille et notre royaume. Pourtant il ne ferait pas cela...

Ténègbè fit simplement :

— Eh bien, tu me croiras quand tu verras Mohammed enfourcher le cheval qui le conduira à Hamdallay...

Là-dessus, elle se retira. Perplexe, Tiéfolo sortit dans la cour. La saison des pluies se terminait. Le feuillage des cailcédrats et des tamariniers était d'un vert éclatant. Les jardins potagers des femmes étaient en fleurs. Bientôt, il faudrait recrépir les murs des cases, refaire les toits abîmés par les averses. C'était le moment de l'année où tout homme actif sentait son sang inonder joyeusement son cœur et procurer une excitation agréable à ses membres. Dans quelques semaines, une fois ces travaux accomplis, Tiéfolo prendrait le chemin de la brousse à la poursuite de gibier. Et pourtant, loin de l'anticipation heureuse qu'il aurait dû éprouver, il ne ressentait qu'angoisse et exaspération. Il se dirigea à grands pas vers la case de son père, décidé cette fois à agir.

Diémogo s'entretenait avec le chef des esclaves et lui indiquait les tâches à entreprendre. C'était le seul domaine où Tiékoro, qui n'y entendait rien, lui laissait une certaine autonomie.

Tiéfolo s'approcha de son père, attendit respectueusement qu'il daigne se tourner vers lui, répondit à ses salutations, puis souffla :

— Est-ce que c'est vrai, ce que j'entends ? Il va envoyer Mohammed chez nos ennemis du Macina ?

Diémogo eut un geste d'impuissance :

— C'est ce que Nya m'a appris. Il lui a tellement obscurci l'esprit qu'elle considère cela comme un grand honneur pour notre famille...

— Un honneur ? Mais nous passerons pour des traîtres et des espions !

Des espions ? Au moment où Tiéfolo prononçait ces mots, un plan germa dans son esprit. Espions ? Avec une soudaineté qui le déconcerta, il prit congé de son père, retourna chez lui où il se changea, revêtant des habits plus élégants. Puis il sortit de la concession. A voir l'opulence de Ségou dans ces années-là, on comprenait pourquoi elle excitait à ce point les convoitises des Peuls de Cheikou Hamadou. Bien sûr, ces « singes rouges » ne parlaient que d'y implanter l'islam. Mais tout le monde savait qu'ils n'avaient d'autre désir que de faire main basse sur ses richesses et de contrôler ses marchés. Les Bambaras, chassés de Djenné par les persécutions religieuses, avaient rapporté de nouvelles techniques de maçonnerie et les maisons semblaient de véritables palais, avec, au-dessus des auvents des portes, de hauts panneaux décoratifs triangulaires et au faîte des murs des frises régulières. Chaque marché illustrait la diversité des échanges commerciaux du royaume : mil, riz, vin de miel d'abeille, coton, parfums, encens, peaux, poisson séché et fumé, et objets de traite que leur abondance rendait communs. Quelques années plus tôt, les femmes se jetaient sur cette pacotille. A présent elles ne lui accordaient plus un regard. Seules la poudre de guerre, les armes, les eaux-de-vie continuaient d'exciter l'envie, mais leur vente était strictement contrôlée par le Mansa.

Tiéfolo traversa la grand-place entourant le palais royal. Il le savait, c'était jour de réception du souverain et personne ne saurait lui interdire de l'approcher. Des ouvriers s'affairaient autour des murs d'enceinte, les badigeonnant avec une peinture ocre faite d'un mélange de boue et de kaolin, bouchant les fissures, redessinant les frises. Les tisserands royaux avaient pris place dans la deuxième cour et les longs serpents blancs des bandes de coton mordaient les métiers. Plus loin, les esclaves faisaient cercle autour d'un bouffon qui frappait de ses doigts bagués sur des calebasses. Tiéfolo fronça les sourcils. N'était-ce pas un Peul ? Ah, ces singes rouges étaient partout !

Le Mansa Tiéfolo avait succédé à son frère Da Monzon qui, même mort, continuait de le narguer. Car, il était moins beau, moins fort, moins admiré des femmes que lui et ne parvenait pas à être plus victorieux sur les champs de bataille. Allongé sur sa peau de bœuf, le coude enfoncé dans un oreiller de cuir orné d'arabesques, il écoutait avec ennui un griot qui lui exposait le problème de deux plaignants. Son œil vif s'arrêta sur Tiéfolo au moment où il entrait dans la salle et il eut une exclamation moqueuse :

— Hé, n'est-ce pas le frère de « Papa-mosquée », qui nous fait l'honneur d'être des nôtres ?

Car c'était là le surnom donné à Tiékoro.

Tiéfolo inclina sans mot dire son front dans la poussière, attendant d'être invité à parler. Cependant, au fur et à mesure que son tour approchait, il se mit à douter du bien-fondé de sa démarche. N'aurait-il pas dû d'abord s'ouvrir de ses intentions à son père et obtenir son accord ? Allons donc ! Diémogo l'aurait prié de demander la réunion du conseil de famille, qui, une fois de plus, sous l'impulsion de Nya, aurait donné raison à Tiékoro.

Etait-il bon de porter des querelles de famille devant le souverain ? Mais, précisément, ce n'était pas des affaires de famille. La décision de Tiékoro concernant Mohammed dépassait le cadre du clan et mettait peut-être en danger les intérêts du royaume. Tiéfolo en était là de ses discussions avec lui-même quand Makan Diabaté, le premier griot, appela son nom. Pris de court, Tiéfolo commença par bégayer. Peu à peu cependant, il parvint à exposer son affaire.

Il n'ignorait nullement le respect qui est dû à un aîné. Il savait d'autre part que le monde n'était pas une pierre ruée dans sa surdité. Voilà pourquoi il avait accepté la conversion de son frère Tiékoro, l'afflux d'idées et de mœurs nouvelles qu'elle entraînait. Pourtant il lui avait été plus difficile d'accepter deux belles-sœurs, étrangères et Peules, l'une venant de Sokoto, l'autre du Macina. Plus difficile encore d'accepter la transformation d'une partie de la concession léguée par les ancêtres en un lieu de réunions et de prières impies. Voilà qu'à présent son frère entendait envoyer un de ses fils à Hamdallay dans la demeure de Cheikou Hamadou lui-même ! Alors, il se le demandait, son frère n'était-il pas un espion à la solde d'une puissance étrangère ? Comment expliquer des liens si étroits et si privilégiés avec l'ennemi principal du royaume ? Le bien-être de Ségou passant avant tout, il était venu faire part de ses soucis et de ses soupçons au Maître des eaux et des énergies.

Pendant que Tiéfolo parlait, tous admiraient sa prestance, la noblesse de ses traits et étaient de cœur avec lui, car le comportement de Tiékoro était critiqué de tous. Néanmoins, les esprits étaient partagés. Le frère doit-il dénoncer le frère ? Tout cela ne pouvait-il se régler sous l'arbre à palabres d'une concession familiale ?

Quand Tiéfolo se tut, il se fit un grand silence. Par les ouvertures de la salle de réception pénétraient une brise tiède et les accents d'un orchestre quelque part dans une des cours du palais. Finalement le Mansa déclara :

— Homonyme [3], c'est là une bien délicate affaire et je comprends qu'il t'en coûte d'en parler...

En même temps, il scrutait Tiéfolo du regard, s'efforçant de deviner ses mobiles. Etait-ce vraiment le souci de Ségou qui l'animait ? Ne disait-on pas que Tiékoro avait ôté toute autorité à Diémogo, et le fils ne défendait-il pas les intérêts de son père ? Une fois Tiékoro convaincu d'espionnage et puni comme il le méritait, à qui profiterait son exclusion ? Pourtant le visage de Tiéfolo respirait la sincérité. On pouvait se fier à cet homme. Il ne cherchait pas à nuire à son frère — du moins pas seulement. Dans sa réelle détresse et dans son impuissance, il faisait appel à son souverain comme au suprême recours. Même si le Mansa éprouvait une profonde antipathie pour Tiékoro, il n'était pas homme à agir impulsivement. Il dit :

— Ne t'oppose pas à son désir. Laisse partir l'enfant à Hamdallay. Fais taire ceux de ta famille qui seraient tentés de maugréer

3. Il l'appelle ainsi car ils ont le même prénom : Tiéfolo.

contre cette décision. Nous nous chargeons de le surveiller et nous saurons bien ce qu'il cache...

Mandé Diarra, prince du sang et conseiller fort influent en cour, haussa les épaules :

— Je connais Tiékoro Traoré et ne l'ai pas plus en sympathie que vous autres. Pourtant, Fama, quel intérêt a-t-il à trahir Ségou ? Que peut lui offrir le Peul que nous ne possédions pas ici ? Des terres ? Il y en a en abondance. Des...

Tiéfolo l'interrompit, rendant un involontaire hommage à son frère :

— Si Tiékoro trahit, ce n'est sûrement pas pour des biens matériels. Ce n'est qu'affaire de religion. Il croit sincèrement que son Allah est le seul vrai Dieu et qu'il a pour mission de lui rendre gloire...

En quittant le palais, Tiéfolo fit un détour pour passer par la concession de Siga. Il avait été de ceux qui considéraient que Siga déshonorait le nom des Traoré en exerçant le métier d'un homme de caste et qui réclamaient son exclusion du clan comme un voleur ou un assassin. Puis, sans qu'il sache trop comment, l'affection pour son frère lui était venue, peut-être née de la pitié.

Pour retenir sa femme Fatima qui menaçait de retourner à Fès, Siga avait fait bâtir une maison que les curieux de Ségou ne cessaient de venir admirer, faisant pour cela un détour par le marché aux plantes médicinales. Elle était en briques de boue comme les autres demeures de la ville, mais adossée pour ainsi dire à la rue et entièrement tournée vers l'intérieur qu'occupait une cour circulaire creusée d'un bassin. Tout autour de ses deux étages couraient des galeries rehaussées d'arcs et de colonnades, sur lesquelles s'ouvraient les pièces principales. Le sol des cours, des galeries et de certaines pièces était recouvert de sable blanc et fin que Siga avait fait venir à grands frais d'une crique spéciale sur le Bani. Mais, le plus surprenant, c'était la tannerie, construite au flanc de la demeure. Pendant toute une saison sèche, on avait vu Siga, tête nue, pareil aux esclaves qu'il employait, creuser des bassins et des fosses entourés d'une bordure circulaire de pierre et prolongés par des rigoles d'écoulement. Deux ateliers attenants à ces bassins et ces fosses étaient destinés au séchage des peaux et à leur emmagasinage. Siga s'était entendu avec des bouchers qui lui vendaient des peaux. Comme elles étaient fraîches, il devait les saler lui-même avant de les tremper dans un premier bain tiède pour les faire légèrement gonfler, et de les soumettre à des lavages successifs. Hélas, de ce complexe fort impressionnant, il n'était rien sorti ! Siga avait-il mal calculé l'inclinaison du terrain pour les bassins et les fosses ? Sous-estimé la difficulté d'un approvisionnement régulier en peaux et l'opposition des garankè qui n'avaient pas voulu se soumettre à un homme qui héréditairement n'était pas de leur profession ? Ni babouches, ni bottes, ni ceintures, ni harnais... n'avaient été produits. Une année même, le sel ayant si cruellement manqué à Ségou que les femmes bambaras salaient les aliments avec de la cendre de leur foyer, des stocks de peaux s'étaient irrémédiablement abîmés, répandant leur puanteur à travers les rues de la ville et jusqu'aux portes du palais du Mansa.

Désormais, Siga végétait du produit de la vente de quelques babouches qu'il expédiait à un commerçant de Djenné et de tissus brochés que lui envoyait parfois son ancien maître de Fès. A part cela, il cultivait un champ dont la famille sous la pression de Tiékoro lui avait cédé la jouissance.

Tiéfolo n'entrait jamais dans la belle maison de Siga sans avoir l'impression de pénétrer dans le temple d'un dieu capricieux qui s'était refusé en dernière minute à combler ses suppliants. Tout avait été préparé pour le satisfaire, les autels couverts de lait, de fruits et de sang, les paroles rituelles prononcées et les battements de tam-tam minutieusement exécutés. Mais le dieu n'était pas descendu. Pourquoi ? Dans le patio, Fatima était entourée de deux esclaves qui étaient aussi les concubines de Siga, trop pauvre pour se payer de nouvelles épouses. Il sembla à Tiéfolo qu'elle avait encore grossi et bien qu'habitué à considérer l'embonpoint chez les femmes comme un signe de prospérité et de beauté, il pensa qu'elle devrait s'en tenir là. Elle posa sur lui son regard gris, demeuré très beau, dans la boursouflure des traits et fit d'un ton geignard :

— Il est couché. La fièvre l'a pris ce matin...

Depuis près de dix ans, son bambara était atroce et c'était bien le signe de son refus de s'intégrer au pays de son mari. Puis elle se remit à dévorer des dattes fourrées que son frère lui expédiait régulièrement avec du henné et des fards comme s'il s'agissait de choses essentielles. Tiéfolo grimpa jusqu'à la chambre de son frère. Siga avait prématurément vieilli et on lui aurait bien donné dix ans de plus qu'à Tiékoro, comme si la vie de jeûnes et de prières de ce dernier lui conservait la jeunesse. Ses cheveux grisonnaient. Une barbe peu soignée et de même teinte couvrait ses joues et il avait les yeux veinés de rouge du buveur impénitent de dolo qu'il était. Siga s'étonna :

— Je te croyais parti à la chasse ! Ne me dis pas que les antilopes et les phacochères ne t'ont pas encore appelé ?

Tiéfolo s'assit sur un escabeau :

— Il y a plus important que la chasse… Est-ce qu'il ne serait pas temps de rétablir l'ordre et l'autorité dans la famille ?

Puis il lui fit part de la décision de Tiékoro concernant Mohammed. Mais Siga haussa les épaules :

— N'est-ce pas son fils et n'a-t-il pas le droit d'en faire ce qui lui plaît ?

En réalité, Siga voyait bien où Tiéfolo voulait en venir. Or il était las. Sa vie lui faisait l'effet d'une pirogue de pêcheur somono, ancrée sur la berge du Joliba quand les eaux refluent, après la saison des pluies. Sous la faible impulsion du courant, elle parvient à se détacher de la glaise et en zigzags imperceptibles, elle descend, heurtant les îlots de roseaux et accrochant aux bancs d'huîtres. Quand il se rappelait les illusions et les rêves qui animaient ses jours et ses nuits à Tombouctou et à Fès, il se demandait ce qu'il était advenu du jeune homme qu'il avait été. Défait. Détruit. Mort. Aussi sûrement que Naba et Malobali. Oh, bien sûr ! il pouvait toujours se chercher des excuses : personne ne l'avait compris et soutenu, sa femme n'avait pas été celle qu'il souhaitait. Pourtant il savait que tout le mal venait d'une tare secrète et mystérieuse que son sang charroyait. Il eut une quinte de toux, puis déclara :

— Ne compte pas sur moi pour t'aider à perdre Tiékoro. D'ailleurs tu n'y parviendras pas. Les dieux sont avec lui.

Tiéfolo eut un rire :

— Les dieux ! Quels dieux ?

# 2

La ville de Hamdallay, dont le nom signifiait « Louange à Dieu », avait été fondée en 1819 et sa construction avait duré trois ans, grâce aux soins de maçons venus de Djenné. Elle était divisée en dix-huit quartiers, entourés d'un mur d'enceinte percé de quatre portes, au-dessus desquelles s'élevait comme un brouillard la respiration des fidèles célébrant Allah. On n'y comptait pas moins de six cents écoles coraniques où l'on apprenait le hadith, le tawhil[1], l'oussoul[2] et le tassawouf[3], tandis que les sciences auxiliaires comme la grammaire ou la syntaxe étaient enseignées dans des institutions spécialisées. Hamdallay était un lieu austère. La police y était assurée par sept marabouts. Toute personne rencontrée en ville une heure après la prière de l'entrée de la nuit était arrêtée aux fins de vérification d'identité. Elle devait réciter la généalogie de sa famille et indiquer la date depuis laquelle elle était convertie à l'islam. Ensuite elle devait indiquer les raisons de sa présence à Hamdallay. De même l'hygiène et la propreté étaient rigoureuses. Interdit d'uriner dans les rues. Ou d'y laisser couler le sang des bêtes égorgées. Les vendeuses de lait devaient couvrir leur marchandise et tenir près d'elles une calebasse d'eau afin de se laver les mains.

Mohammed frissonna en passant près du grand tamarinier situé près de la porte nord, au pied duquel se faisaient les exécutions capitales, puis près de la prison centrale et de l'emplacement pour

1. La théologie.
2. La récitation.
3. La voie spirituelle initiatique.

l'exécution des sentences. Cette ville ne lui inspirait que frayeur. Les hommes avec lesquels il avait fait le voyage lui avaient appris que les élèves de Cheikou Hamadou vivaient de charité publique et allaient de porte en porte mendier leur nourriture, qu'ils dormaient la nuit sur la terre nue et ne se lavaient jamais en signe d'humilité. L'enfant était terrifié, car il avait horreur des insectes, puces et punaises qu'il voyait déjà sortir de tous les replis de sa peau. Un disciple le conduisit jusqu'à la concession de Cheikou Hamadou et le remit à l'une de ses femmes, la belle Adya.

Sans le savoir, Mohammed traversait les mêmes affres que son père dans la cour d'El-Hadj Baba Abou à Tombouctou. Mais Cheikou Hamadou n'était pas El-Hadj Baba Abou. Mohammed fut introduit auprès d'un homme d'une cinquantaine d'années, de taille assez haute, le regard vif et bienveillant, vêtu avec une grande simplicité d'un boubou fait de sept bandes de coton, chaussé de sandales de peau tannée et la tête ceinte d'un turban bleu sombre de sept fois sa propre coudée. Il sourit à Mohammed :

— *As salam aleykum...*

Mohammed baissa les yeux :

— *Wa aleyka salam. Bissimillahi*[1]...

Cheikou Hamadou interrogea avec la même douceur :

— Parles-tu arabe ?

— Un peu, maître !

— *Maître ?* Appelle-moi père, car c'est cela que je devrai être pour toi...

Mohammed avait toujours associé la piété à l'arrogance, la connaissance au manque d'indulgence pour les faiblesses d'autrui. Comme cet homme était différent de son père ! Etait-ce là le chef dont on redoutait les armées dans le Bambouk, le Kaarta, le Mandé, sans parler de Ségou ? Il ne portait d'autre arme que son chapelet. Mohammed tomba à genoux :

— Père, qu'Allah fasse que je ne déçoive jamais ton affection...

A ce moment, Abdoulaye, fils cadet de Cheikou Hamadou, entra dans la pièce et son père se tourna vers lui :

— Prends bien soin de ce garçon. Son père fait resplendir le nom d'Allah chez les infidèles de Ségou... Sans son œuvre, ce royaume serait, en vérité, celui des Ténèbres...

Puis il signifia que l'entretien était terminé.

Il n'en fallait pas davantage pour que les larmes sèchent sur les joues de Mohammed et qu'il envisage l'avenir avec sérénité. Pour la

4. « Au nom de Dieu ! »

première fois, il réalisait qu'il était le fils d'un homme important et il se reprochait de l'avoir beaucoup plus craint qu'aimé. Son père était un saint et il ne le savait pas.

Cependant Abdoulaye le conduisait jusqu'à la partie ouest de la concession où logeaient les élèves. Une quarantaine de garçons de onze à quinze ans environ se tenaient dans une sorte de dortoir, tous affligés d'une extrême maigreur avec ce brillant de la peau, tendue à craquer, qui accompagne la mauvaise alimentation. Leurs boubous étaient haillonneux et sales, leurs pieds nus. Ce qui frappa encore Mohammed, c'étaient les égratignures et les cicatrices qui couturaient leurs jambes, leurs bras, leurs mains comme s'ils avaient enduré des épidémies de variole et de gale. D'un coup les propos des voyageurs lui revinrent en mémoire et son inquiétude renaquit. Abdoulaye le présenta brièvement :

— Voilà votre frère Mohammed Traoré. Il vient de Ségou...

Puis il se retira. Quand il eut disparu et qu'on pouvait le supposer à bonne distance, ce fut un tollé général, l'imitation des cris d'animaux les plus divers, les danses et les pirouettes les plus effrénées. On ne se serait pas cru dans un lieu réservé à l'enseignement de la parole de Dieu. Un garçon vint cabrioler de façon obscène devant Mohammed répétant :

— Traoré de Ségou. C'est un Bambara, mangeur de chiens et de viandes impures, buveur et fornicateur...

Que faire ? Déclarer qu'il n'était pas entièrement bambara, mais à moitié peul et apparenté au sultan de Sokoto ? Cela revenait à renier son père et il ne le pouvait. Se battre ? Il était frêle, habitué à toujours avoir le dessous. Il fit dignement :

— Un Bambara ? Allah connaît-il donc les races ? Je suis un musulman, votre frère en Lui.

Il y eut un silence qui indiquait qu'il avait marqué un point. Au bout d'un moment, un garçon de sa taille s'approcha de lui et se présenta :

— Je m'appelle Alfa Guidado...

La finesse de traits d'Alfa était telle qu'on se demandait s'il n'était pas une fille qui, par quelque caprice s'étant coupé les cheveux, portait un habit masculin. Le teint aussi clair qu'un Maure, les cheveux bouclés, les yeux obliques et pleins de feu, les lèvres rouges et charnues, ornées au coin gauche d'un grain de beauté. Son père était l'un des sept marabouts chargés d'assurer la police de la ville, homme si pieux qu'il s'était affranchi du besoin de manger plusieurs fois par jour, se contentant d'un bol de lait caillé par semaine.

Alfa Guidado interrogea :

— Es-tu le fils de Modibo Oumar Traoré ?

Mohammed fut ébloui. Ainsi, la renommée de son père était-elle si grande ? Alfa poursuivit :

— Bori Hamsala n'est pas un mauvais bougre bien qu'il soit moqueur. Il est toujours prêt à partager la nourriture qu'on lui donne…

La nourriture qu'on lui donne ? Mohammed dressa l'oreille. Est-ce vrai ce qu'on racontait ? Alfa le regarda avec une sorte de pitié :

— Ne sais-tu pas que tant que nous cherchons Dieu, nous devons vivre de mendicité quelle que soit la richesse de nos parents ? Ah, mon cher, fini le temps où ta mère t'apportait un bol de dègué, où tu couchais sur une natte bien propre, sous une épaisse couverture. Adieu douceurs, joies, délices ! Notre calvaire commence. Mais quel calvaire ! Et pour quelle cause !

Cependant Hamdallay était en émoi pour la venue d'un visiteur qui n'était certes pas Mohammed Traoré. Il s'agissait d'El-Hadj Omar Saïdou Tall, Toucouleur du Toro. Totalement inconnu cinq ans plus tôt, il arrivait paré d'une extraordinaire réputation de sainteté et de connaissance du Coran. Il avait effectué plusieurs pèlerinages à La Mecque, séjourné à Sokoto, vécu quelques années au Caire, visité en Palestine les tombeaux des prophètes Abraham et Jésus, effectuant tout au long de ses voyages des guérisons miraculeuses. Que venait-il faire à Hamdallay ? Sans doute la renommée de Cheikou Hamadou l'attirait-elle ? Sans doute avait-il entendu vanter l'organisation administrative, fiscale et militaire du Macina et entendait-il rendre hommage à un frère en Allah ? Néanmoins, l'entourage de Cheikou Hamadou n'était pas rassuré. On disait que de nombreux prophètes avaient prédit qu'El-Hadj Omar parviendrait à réaliser un empire qui engloberait Nioro, Médine, Ségou, Hamdallay et d'autres cités à présent libres et orgueilleuses. L'Almami[5] du Fouta n'avait-il pas déclaré à son sujet :

— Il construira à lui seul plus de mosquées que vos esprits ne peuvent imaginer… ?

Cheikou Hamadou lui-même était serein. Il pensait qu'El-Hadj Omar venait se recueillir sur la tombe du saint Abd el-Karim, mort l'année précédente au cours de sa visite à Hamdallay. D'ailleurs un homme de Dieu tel que lui n'avait jamais l'esprit troublé.

Peu après l'arrivée d'El-Hadj Omar, Mohammed et Alfa men-

5. Chef religieux peul.

diaient devant la clôture de tiges de mil de la concession de Bouréma Khalilou, membre du Grand Conseil, chargé de la direction du Macina et haute autorité en tous les domaines. Les servantes déversèrent dans leurs calebasses des reliefs copieux de tatiri masina[6] qui changeait du son de mil qu'ils recevaient généralement des maisons les plus pieuses ! Mohammed allait se jeter avec voracité sur cette nourriture inespérée quand Alfa lui ordonna :

— Laisse ! Ne sais-tu pas que tu dois porter cela au réfectoire et tout partager avec les autres ?

Depuis des semaines qu'il était à Hamdallay, Mohammed n'était plus qu'un ventre. Affamé. Perpétuellement vide. Gargouillant de vers. La faim l'empêchait de penser. La faim l'empêchait de prier. La faim l'empêchait de dormir. Quand il fermait les yeux, c'était pour rêver de ces plats savoureux et chauds que préparaient les femmes de la concession à Ségou. Ah, il ne savait pas son bonheur alors ! Sa bouche s'emplissait d'une salive amère qui coulait sur son menton et se mêlait à ses larmes. Cent fois, il avait été tenté de fuir. De retourner à Ségou. De retrouver l'abri tiède des bras de Maryem et les jeux avec les jeunes frères ! Pourquoi souffrait-il ainsi ? Un midi, il était tombé, terrassé par le soleil et la faim, et il avait souhaité mourir là, comme un chien, loin des siens. Que dirait Tiékoro si on venait lui annoncer : « Ton fils aîné a passé ? » Prendrait-il conscience de sa dureté et de son injustice ?

Le malheur, pour Mohammed, c'était d'avoir Alfa Guidado pour ami. Il se serait lié de la même manière avec Bori Hamsala, Alkayda Sanfo ou Samba Boubakari, dont les journées n'étaient que réflexions sur les voies et moyens de se procurer à manger, que tout aurait été différent. Mais Alfa était aussi pur que beau. C'était comme un onguent de musc dont le parfum ne se dissipe pas. Un don de Dieu. Les maîtres devaient corriger sa tendance à l'exaltation et au mysticisme, mais Cheikou Hamadou l'aimait et, souvent, il le faisait paraître devant lui pour s'entretenir de sujets relatifs à la foi. Par son seul regard, Alfa faisait honte à Mohammed d'être empêtré dans la chair, d'avoir un estomac, un ventre, des viscères, d'être pareil à ces chiens auxquels on interdisait l'accès de la ville, leur assignant le soin des troupeaux. Parfois il tendait à Mohammed sa calebasse à moitié pleine en disant :

— Tiens, je n'en ai pas besoin…

Mais, dans sa bouche, ces mots n'étaient empreints d'aucune arrogance. Il faisait simplement un constat.

---

6. Plat préparé avec du riz, du poisson et du beurre frais.

Un hangar avait été édifié derrière la concession de Cheikou Hamadou et faisait fonction de réfectoire. Une fois la quête terminée, les disciples s'y rendirent, en passant devant la mosquée.

La mosquée de Hamdallay ne comportait ni minaret ni ornement architectural. Les murs étaient hauts de sept coudées et délimitaient un espace couvert précédé d'une cour de belles dimensions où avaient lieu les ablutions rituelles. On comptait douze rangées de piliers délimitant des travées réservées aux lecteurs du Coran, aux copistes penchés sur les ouvrages rares et aux fabricants de linceuls, chargés de rappeler par cette tâche que la mort s'inscrit au centre de la vie.

A Ségou, il n'y avait pas de pareils monuments. Certes, les mosquées étaient de plus en plus nombreuses. Mais elles demeuraient discrètes comme si Allah acceptait de s'abaisser pour vaincre. Aussi, à chaque fois que Mohammed passait devant cet édifice orgueilleux, son cœur battait plus vite, empli de peur et de respect.

Les disciples se réunirent dans leur réfectoire et, une fois le partage fait, Mohammed considéra tristement ce qui lui restait à avaler. Une fois de plus, il se remplirait le ventre d'eau. Il portait tristement la dernière bouchée de riz à sa bouche quand Abdoulaye, qui était son mentor, parut et lui ordonna : « Dépêche-toi. El-Hadj Omar veut te voir... », il se fit un silence stupéfié. Comment un pareil visiteur prêtait-il attention à une vermine comme le petit Mohammed Traoré de Ségou ? Sans le respect dû à Abdoulaye, on l'aurait cru devenu fou !

Mohammed se leva vivement, alla se laver les mains et suivit Abdoulaye. Il n'osait pas le questionner et le tam-tam de son sang l'assourdissait. Ils entrèrent dans la concession, traversèrent la salle où était rangée la fabuleuse collection de manuscrits de Cheikou Hamadou, puis pénétrèrent dans la salle du Grand Conseil que l'on appelait encore salle aux Sept Portes parce qu'elle avait trois ouvertures au nord, trois au sud et une à l'ouest. Cette salle du Grand Conseil était magnifique. Elle était percée de très petites ouvertures de manière à laisser pénétrer peu de lumière et à assurer une ventilation parfaite. Sa voûte était réalisée au moyen d'arcs en bois prenant naissance au tiers de la pièce, selon une technique empruntée au pays haoussa.

Cheikou Hamadou était assis au milieu de plusieurs hommes. Mais on ne pouvait se tromper sur l'identité de celui qui était El-Hadj Omar, car il se signalait immédiatement à l'attention. C'était un fort bel homme d'une quarantaine d'années, vêtu avec une munificence qui contrastait avec l'extrême simplicité de mise de son hôte et rappela à Mohammed les goûts vestimentaires de son père. Il portait une blouse blanche brodée, un burnous arabe de drap bleu ciel, garni de passementeries d'argent et un lourd turban noir qui soulignait la dignité hiératique de ses traits. Mohammed ne put détacher son regard du sabre à large fourreau de cuir repoussé accroché à sa taille. Il lui sembla que c'était le symbole même de cet homme pieux, mais conquérant, qui faisait la guerre au nom de Dieu. Cheikou Oumar sourit :

— Voici notre fils Mohammed Traoré...

El-Hadj Omar sourit à son tour. Un sourire où entrait à la fois la courtoisie, voire l'affabilité, une légère raillerie et comme la supputation heureuse du carnassier. Il fit d'une voix bien timbrée :

— Approche, n'aie pas peur !

Mohammed franchit l'espace interminable qui le séparait du grand marabout, les yeux fixés sur les revers de ses bottes de peau souple comme un tissu. Puis il releva la tête et manqua défaillir sous le regard scrutateur qui se posait sur lui. Il eut l'impression que cet homme pouvait lire en lui, déchiffrer la géographie secrète de pensées et d'instincts qu'il ne se connaissait pas lui-même. El-Hadj Omar interrogea :

— Pourquoi me crains-tu ?

Mohammed parvint à articuler :

— Je ne te crains pas, maître...

A peine eut-il prononcé cette phrase qu'il s'en repentit. Quelle audace ! Quelle impudence ! Oui, il devait craindre un esprit si considérable, lui poussière à la surface de la terre, et son éclat devrait l'éblouir ! Il chercha désespérément à réparer cette gaffe mais El-Hadj Omar reprenait déjà :

— Je tiens à te dire que j'ai la plus grande estime pour ton père Modibo Oumar Traoré qui possède les pleines lumières de la religion et les répand autour de lui. En signe de mon amitié, c'est chez lui que je logerai à Ségou où je me rends en quittant Hamdallay. Aucune demeure ne saurait me convenir aussi bien que la sienne...

Mohammed était naïf. Pourtant il n'ignorait pas la controverse qui faisait rage autour de son père, et il réalisa l'effet que la présence d'un tel hôte chez lui produirait dans Ségou. Sûrement on en parlerait jusqu'au palais du Mansa ! Mais, quel honneur pour leur famille ! Un homme qui avait été reçu par les souverains les plus illustres ! Un saint ! Un prophète ! Dans sa confusion, il ne trouva rien à dire et se retira avec l'impression d'avoir été malgracieux et stupide pendant tout l'entretien.

Ce fut tout à fait par hasard que Mohammed fit la connaissance de sa famille du Macina. Tiékoro lui avait bien parlé de sa grand-mère

Sira. Mais, depuis son arrivée, il avait été trop occupé à s'accommoder de cette ville glaciale où même le chant des griots était interdit, à s'accoutumer aux sonorités de la langue peule du Macina, si différente de celle de Sokoto que parlait sa mère, à approfondir sa connaissance de l'arabe et à lutter contre son corps, que cette histoire lui était complètement sortie de l'esprit.

Il mendiait avec Alfa devant une concession située non loin de la porte Damal Fakala. Depuis quelques jours, un vent sournois soufflait dans les rues de Hamdallay, déjà humide puisqu'elle était située dans une ancienne zone d'inondation. Aussi entre chaque litanie, une quinte de toux lui déchirait la poitrine. Brusquement une femme sortit d'un enclos, le saisit par le bras et dit d'un ton de révolte :

— Non, Dieu ne demande pas que les enfants des femmes meurent pour lui !

Malgré ses protestations, elle l'entraîna à l'intérieur. Mohammed avait trop faim et trop froid pour refuser une calebasse de bouillie de mil bien chaude, puis du lait caillé aromatisé. Un peu honteux tout de même, il remercia la femme et elle l'interrogea :

— Tu n'es pas un Peul, toi ?

Il secoua la tête :

— Non, je suis un Bambara de Ségou.

Le visage de la femme se décomposa tandis qu'elle soufflait :

— De Ségou ? Alors tu as peut-être entendu parler de Malobali Traoré, le fils de Dousika ?

— C'était mon père...

La femme fondit en larmes. Quelques instants plus tard, Mohammed et Alfa se trouvaient devant la famille au grand complet.

Sira n'avait pas eu la vie facile. D'abord, elle n'avait jamais pu se consoler de Ségou qu'elle avait quitté pourtant de son plein gré. Ensuite, elle n'avait jamais aimé son mari Amadou Tassirou, même si elle l'avait servi fidèlement et lui avait fait quatre enfants. Quelque chose lui répugnait dans cet homme toujours occupé à rouler les grains d'un chapelet et la bouche pleine du nom de Dieu, qui la nuit venue se jetait avidement sur son corps et à qui il fallait des concubines toujours plus jeunes comme s'il entendait par elles rendre vigueur au sang de ses artères. A sa mort, elle avait refusé d'être donnée à son cadet et, pour éviter le scandale, elle était partie pour Hamdallay avec ses enfants et quelques vaches que la famille de son mari lui réclamait encore. C'est grâce à leur lait qu'elle avait élevé ses enfants, s'installant avant toutes les autres femmes sur le marché et y vendant le meilleur koddè. Les années qui passaient lui enlevaient sa beauté, mais non son courage et sa détermination. Il semblait que les dieux avaient fait la paix avec elle, quand Tiékoro était venu lui apprendre la mort de Malobali en pays lointain.

Mort au loin ! Ah, mauvaise mort ! Qu'est-ce que Malobali recherchait sur les chemins du monde ? Sa mère.

Sa mère au sein plus aride que la gousse du baobab ! Elle l'avait tué, aussi sûrement que si elle lui avait attaché trois pierres au cou avant de le jeter dans le puits.

Sira délira des jours et des nuits. Puis elle guérit, car on ne peut forcer la mort. Elle guérit, mais elle ne fut plus qu'une vieille femme silencieuse, absente, tâtonnant pour allumer le feu ou traire une vache, s'entaillant les mains en hachant les feuilles de baobab. Sa fille aînée, M'Pènè, la prit avec elle et, chose qu'on n'attendait pas, jamais grand-mère ne fut plus douce à apaiser un nourrisson ou à le baigner. Elle fixa Mohammed de ses yeux que la douleur avait blanchis et fit doucement :

— Olubunmi ? C'est toi, Olubunmi ?

M'Pènè et tous ceux qui assistaient à la scène comprirent que tout se mélangeait dans sa vieille tête.

Quel baume sur le cœur de Mohammed que de retrouver des parents ! Si Sira l'effrayait un peu, il regardait M'Pènè et revoyait les traits de son père. Qu'il est beau, le sang ! C'est comme un fleuve qui irrigue des terres lointaines et qui pourtant n'oublie jamais sa source !

Mohammed accablait M'Pènè de reproches :

— Pourquoi n'es-tu jamais venue nous voir à Ségou ?

— Notre mère ne l'aurait pas permis…

— Bon, à présent, c'est moi qui t'y conduirai et te présenterai à toute la famille…

Les fils de Sira, Tidjani et Karim, regardaient cela avec amusement. Cette partie de la vie de leur mère ne les concernait pas. Ils étaient des Peuls, quant à eux, des Peuls du Macina. Néanmoins, ils se prirent de sympathie pour ce petit parent. Ma foi, on l'aurait pris pour un « bimi », comme disaient les Bambaras. La petite Ayisha, quant à elle, fille aînée de Tidjani, avait le cœur serré, car elle avait vu une plaie suppurante à la cheville de Mohammed, hâtivement couverte par un mauvais emplâtre de feuilles.

# 3

— Fa, fa ! Tu ne peux permettre qu'il reçoive ce marabout toucouleur chez nous. Tu n'ignores pas que Peuls et Toucouleurs sont parents et qu'il vient de Hamdallay. Qui sait s'il n'a pas comploté avec Cheikou Hamadou contre Ségou ? Même s'il n'en a rien fait, c'est ce que tout le monde croira !

Mais Diémogo n'était plus qu'un vieillard sans force. Il hocha la tête :

— Je n'y peux rien. Nya a persuadé tout le monde que c'est le suprême honneur pour notre famille !

Tiéfolo se releva. Plus de temps à perdre auprès de la natte de ce vieillard ! Il convenait d'agir. Aller trouver à nouveau le Mansa ? Tiéfolo n'avait pas apprécié la manière tiède dont il avait été reçu quelques mois plus tôt et les paroles prudentes du souverain : « Laisse partir l'enfant. Nous ferons le reste... »

Qu'avaient-ils fait ? Voilà que Tiékoro imposait à la famille la présence de ce marabout ! Tous ceux qui avaient entendu parler de lui affirmaient qu'il était plus fanatique que Cheikou Hamadou, car il appartenait à une autre confrérie qui considérait comme un devoir de tuer les infidèles et de chasser du pouvoir les rois idolâtres. La famille ne comptait-elle que des aveugles ? Personne ne voyait donc le danger ?

Tiéfolo, revenu de la chasse pour apprendre de Ténègbè ce qui se préparait, n'avait même pas pensé à dépecer son gibier et à faire les parts rituelles.

Il fallait passer auprès de tous les hommes de la famille et susciter une réunion du conseil qui mettrait Nya et son fils en minorité. Si cela échouait ? Eh bien, il faudrait retourner auprès du Mansa.

Tiéfolo commença par Siga qui était à sa tannerie. Elle semblait ce matin-là connaître un regain d'activité. Des esclaves, torse nu, les reins ceints d'un haillon couraient d'une fosse à l'autre tandis que des garankè écoutaient Siga qui, tout en parlant, traçait du doigt des modèles dans le sable. Tiéfolo s'étonna :

— Eh bien, il y a du nouveau ! Qui t'a passé commande ?

Siga baissa les yeux et fit d'un ton embarrassé :

— Est-ce que je pouvais refuser ? Je n'ai pas travaillé depuis des mois.

Pendant un moment, Tiéfolo ne comprit pas. Puis il murmura avec incrédulité :

— Le marabout toucouleur !

Siga inclina la tête :

— Quarante paires de babouches et quarante paires de bottes pour lui et ses compagnons. Autant pour ses fils et les fils de ses compagnons. Il a payé d'avance, la moitié en or, la moitié en cauris. Pouvais-je dire non ?

Tiéfolo se détourna. Il n'était pas un violent et pourtant, il sentait naître en lui une terrible colère qui, s'il ne la maîtrisait pas, le ferait se jeter sur son frère comme une de ces bêtes qu'il défiait dans la brousse. Qu'est-ce que l'homme s'il ne sait résister à l'attrait des biens matériels ? Pour une poignée d'or et quelques cauris de plus, Siga s'était vendu. Il était prêt à rallier le camp de ceux qui se prosterneraient devant le marabout et applaudiraient aux initiatives de Tiékoro. Après la colère, le dégoût, la nausée emplirent Tiéfolo. Puis des larmes lui vinrent aux yeux. Siga murmura :

— Sois réaliste, Tiéfolo. Il s'agit d'un homme considérable devant lequel tous les souverains se sont inclinés...

— Cela lui donne-t-il mission de détrôner le Mansa ?

Siga haussa les épaules :

— Détrôner ? Qui parle de détrôner ? Le Mansa peut se convertir...

C'en était trop ! Tiéfolo préféra s'éloigner.

Comme il allait à grands pas à travers les rues de Ségou, il rencontra Soumaworo, le forgeron-féticheur dont il affectionnait les services à chaque départ pour la chasse et à tout moment important de sa vie. Soumaworo l'attira près d'un mur et souffla :

— J'allais te voir. Ce matin, je remerciais Sanéné [1] de t'avoir

1. Génie protecteur des chasseurs.

ramené sain et sauf de la brousse, quand il m'a révélé quelque chose...

Soumaworo baissa encore la voix :

— La mort est sur votre famille...

Tiéfolo se retint de hausser les épaules. Diémogo était au plus bas, cela tout Ségou le savait. Soumaworo fit doucement .

— Il ne s'agit pas de ce que tu penses, car la mort d'un vieillard n'est pas surprenante. Sanéné est formel : il s'agit de ton frère Tiékoro...

Tiéfolo frissonna. N'étaient-ce pas les mauvaises pensées qu'il nourrissait qui se transformaient en poison contre son frère ?

— Soumaworo, qu'est-ce que tu me racontes là ?

L'autre le tint sous le feu de son regard rougeâtre où la cornée se distinguait à peine de la prunelle :

— J'ignore les circonstances de cette mort, Sanéné ne me les a pas révélées. Veux-tu que je l'interroge et que je tente de la détourner ?

Tiéfolo resta un long moment silencieux. Il semblait fixer les murs des cases. En réalité, il ne voyait rien et tout son sang bouillonnait à l'intérieur de son corps. Il lui semblait qu'il ne tenait pas seulement entre ses mains le sort du clan, mais l'avenir de Ségou dont la survie dépendait de sa réponse. Cette responsabilité l'effrayait, le paralysait littéralement. Tiékoro disparu, l'islam n'aurait plus de propagateur ni dans la concession ni même dans le royaume. Les frictions s'apaiseraient. L'unité serait retrouvée. Le respect dû à la foi des ancêtres serait restauré. Il regarda le fleuve, serpent étincelant au détour d'une ruelle, et murmura très bas :

— Laisse la volonté des dieux s'accomplir.

Puis comme s'il avait honte de regarder Soumaworo dans les yeux, il lui tourna le dos et s'éloigna rapidement. Brusquement, une grande paix l'envahissait comme s'il était à présent délivré, rendu à la liberté de flâner. Il entra dans le marché aux bestiaux et admira des chevaux du Macina, qui piaffaient en broutant. Il adorait les chevaux, ces bêtes si différentes de celles qu'il traquait dans la brousse, qui savaient établir avec l'homme d'étranges rapports faits d'apparente soumission, de totale indépendance et de respect réciproque. Il interrogea le marchand, un jeune Sarakolé :

— Combien en veux-tu ?

Le garçon secoua la tête :

— Trop tard. Un envoyé du marabout toucouleur m'a retenu tout le lot. Il aura besoin de chevaux supplémentaires en quittant Ségou et il s'y prend à l'avance...

Tiéfolo étouffa la fureur qui renaissait en lui :

— Des chevaux supplémentaires ?

— Est-ce que tu oublies tous ceux qui décident de partir avec lui et de devenir ses disciples ? Il paraît qu'ils sont déjà plus de huit cents personnes à sa suite...

Tiéfolo explosa :

— Tu sais, Ségou n'est pas le Macina. Tu verras l'accueil que nous lui réserverons à ton marabout !

En quittant le marché aux bestiaux, il se heurta à un de ses esclaves qui se jeta par terre devant lui :

— Maître, nous sommes une demi-douzaine à te chercher. Le Mansa t'appelle de toute urgence au palais. Hâte-toi, car il est, semble-t-il, dans une grande colère...

En effet, le Mansa était pareil à un lion qui entre en fureur dans la brousse. Ses esclaves, ses conseillers et même ses griots se tenaient à une distance respectueuse pendant qu'abandonnant tout souci de dignité, il invectivait Tiéfolo :

— Est-ce que je ne devrais pas te faire jeter aux fers ? Ah, Traoré, vous êtes tous une race de fourbes et de traîtres. Ton frère s'apprête à recevoir dans votre concession le marabout toucouleur et tu ne te précipites pas pour m'en avertir ?

Tiéfolo, prosterné devant le Mansa, parvint à placer quelques mots :

— Maître du monde, je suis revenu hier seulement de la chasse. Tu vois, je n'ai même pas pris le temps de dépecer mes bêtes...

— Que le gibier que tu poursuis te rende impuissant, stérile ou te donne une hernie ! Tu viens me parler de chasse quand mon trône est en jeu ?

La malédiction que venait de prononcer le souverain était telle que le silence déjà pesant s'alourdit encore. Makan Diabaté osa poser sur son maître un regard de reproche. Puis, le Mansa Tiéfolo se calma. Un esclave se précipita pour lui offrir sa tabatière, un autre pour l'éventer, un troisième pour éponger la sueur qui coulait de son front. Makan Diabaté fit signe à Tiéfolo qu'il pouvait s'expliquer et ce dernier se redressa légèrement :

— Maître du monde, il y a quelques mois quand je suis venu te trouver, que m'as-tu répondu : « Laisse partir l'enfant. Nous nous occuperons du reste ! » Est-ce que je pouvais prévoir que tu ne ferais rien pour t'opposer aux projets de mon frère et de ses amis ?

Il y avait dans ces propos une critique implicite et les conseillers regardèrent avec inquiétude ce fou qui apparemment ne savait plus ce qu'il disait. Cependant la dignité de Tiéfolo était telle que le Mansa ne protesta pas. Il semblait au contraire prendre la mesure de l'homme agenouillé devant lui, encore vêtu de ses habits de chasse, le bonnet à pointes recouvert de gris-gris, la tunique bouffante resserrée à la taille par une haute ceinture incrustée de cauris au-dessus du pantalon court qui découvrait de beaux mollets griffés par les épineux de la brousse. Oui, Tiéfolo avait raison de lui en faire reproche. Il ne l'avait pas très bien accueilli lors de sa dernière visite, lui signifiant subtilement qu'il se méfiait des motifs de sa démarche. A présent, le Mansa était convaincu qu'El-Hadj Omar et Cheikou Hamadou s'étaient mis d'accord pour le détruire et s'appuyaient sur des complicités intérieures. On lui avait rapporté des propos d'El-Hadj Omar tenus à Hamdallay qui donnaient à croire qu'une opération était en préparation contre lui. Il fit :

— Mon père, le grand Monzon, disait toujours que le chemin de la ruse est plus sûr que celui de la force. Le marabout toucouleur entrera dans Ségou et ira loger chez ton frère. Je ne m'y opposerai pas. Je le recevrai dans mon palais. Mais une fois qu'il y sera rentré, les dieux savent quand il en ressortira et comment. Rentre chez toi, Tiéfolo. Je veux que tu me rapportes chaque soir les moindres paroles que le Toucouleur aura échangées avec ton frère.

Tiéfolo se retira.

En traversant les cours, il se faisait horreur. Le frère doit-il trahir le frère ? Epier ses paroles ? Les répéter ? Lui, un noble, voilà qu'il se comportait comme un esclave, obligé d'user des armes les plus viles pour essayer de s'élever au-dessus de sa condition. Puis il se rappelait les propos de Soumaworo et alors qu'ils l'avaient apaisé quelques instants plus tôt, maintenant ils l'emplissaient d'angoisse. Les ancêtres fassent qu'il n'ait rien à voir à cette mort ! Comme des griots se précipitaient vers lui, il les écarta avec une brutalité dont il était peu coutumier, car il aimait qu'on lui rappelle ses exploits dans la brousse et le lion qu'il avait tué à dix ans. Les hommes obéirent, mais il entendit derrière son dos leurs chants goguenards :

*Chasseur, chasseur*
*Si tu es vantard, je ne vais pas te louer*
*N'est-ce pas toi qui extermines l'éléphant*
*Poursuis le buffle*
*Et fais disparaître la girafe*
*Au pelage couleur de soleil ?*
*Chasseur, chasseur, si je ne te chante pas*
*Qui seras-tu ?*
*N'est-ce pas la parole qui fait l'homme ?*

A la hauteur de la mosquée de la Pointe des Somonos, Tiéfolo se trouva devant Tiékoro et, dans son embarras, il faillit rebrousser chemin. Il scruta le visage de son frère pour déceler cette ombre dont avait parlé Soumaworo, mais il ne vit rien que les traits d'un homme en apparence orgueilleux et satisfait du cours de sa vie. Quant à Tiékoro, il avait toujours considéré Tiéfolo comme un rustre qui se couvrait le corps de gris-gris pour traquer des bêtes qui ne lui avaient rien fait. Sa réputation de bravoure équivalait presque pour lui à une réputation de stupidité. Mais c'était le fils aîné du frère cadet de son père. Il devait s'en accommoder et il lui sourit courtoisement :

— La bara muso t'a-t-elle dit que je te cherchais hier ?

Tiéfolo baissa les yeux et fixa la poussière de la rue :

— Je sais ce que tu avais à me dire...

La froideur du ton était perceptible. Tiékoro fit avec douceur comme s'il s'adressait à un enfant obtus :

— Tiè, je sais ce que tu penses. Mais tu dois l'accepter, il n'y a de dieu que Dieu. Allah s'imposera comme un soleil aveuglant à toute cette région et notre famille sera bénie pour avoir favorisé cet avènement...

Tiéfolo fit brutalement, désignant la mosquée toute proche :

— Si tu veux prêcher, entre là-dedans !

Tiékoro demeura un instant immobile regardant s'éloigner son frère, puis avec un soupir il entra dans la cour de la mosquée.

Si les Bambaras de Ségou se refusaient de toutes leurs forces à l'islam, il n'en était pas de même des Somonos de la ville, en relation étroite avec de grandes familles maraboutiques de Tombouctou, en particulier celle des Kounta. Tiékoro tenait donc à organiser l'accueil d'El-Hadj Omar en collaboration avec eux. Or au lieu de l'empressement qu'il escomptait, Alfa Kane, l'imam de la mosquée qui prenait du thé vert avec Ali Akbar, son assistant, lui opposa un visage maussade, puis interrogea :

— Sais-tu que cet El-Hadj Omar est un adepte de la Tidjaniya ?

Tiékoro haussa les épaules :

— Qu'importe Qadriya, Tidjaniya, Suhrawardiya, Shadiliya... Ne sommes-nous pas tous des musulmans ?

— C'est toi qui le dis...

Il y eut un silence. Comme l'heure de zohour, deuxième prière de la journée, approchait, un à un ou par petits groupes, les fidèles commençaient d'arriver, ôtant leurs babouches et les rangeant soigneusement contre le mur. Puis la voix du muezzin déchira l'air. Tiékoro n'entendait jamais cet appel sans un émoi de tout son être. Il se rappelait la première fois qu'il avait entendu ce cri retentir au-dessus des murs de Ségou et senti que Dieu lui parlait, à lui, misérable vermine, les yeux scellés par des écailles. Il eut un frisson et songea :

— Qu'il me tarde, ô Dieu, de te rejoindre !

Mais Alfa Kane le ramena sur terre :

— Je ne veux rien avoir à faire avec l'arrivée du Toucouleur. Je te le dis, à cause de lui, le frère affrontera le frère, le musulman fera couler le sang du musulman. Vous redoutiez Cheikou Oumar ? Vous aviez tort, c'est celui-là qu'il faut craindre. Là-dessus, resserrant autour de lui les plis de son boubou d'une blancheur immaculée, Alfa Kane entra dans la mosquée.

Que faire ? Le suivre et le forcer à s'expliquer ? Au fond de lui-même Tiékoro n'était pas mécontent d'être seul à recevoir et à entourer le grand marabout. On verrait ainsi de quoi un Traoré était capable. Il ne manquait ni d'or, ni de cauris, ni de bêtes de selle. Les moutons, la volaille emplissaient les enclos. Le mil débordait des greniers. On ne savait plus où emmagasiner les tubercules de patates douces. Eh bien, l'arrivée d'El-Hadj Omar serait l'apothéose de sa vie de croyant !

A l'origine, tout séparait Maryem, la première épouse de Tiékoro, de Fatima, l'épouse de Siga. La première apparentée à un sultan, fondateur d'un empire, était née dans l'enceinte d'un palais, entourée d'esclaves attentives à ses désirs. La seconde était la fille d'une marieuse de Fès, profession rentable mais sans prestige réel. La première était énergique, habituée à commander et à être obéie. La seconde était indolente, un peu geignarde. La première était l'épouse d'un homme dont la réputation commençait de dépasser les limites de Ségou, l'autre d'un mauvais fils dont certains membres de la famille refusaient de prononcer le nom.

Et pourtant, elles étaient amies au point de ne pouvoir passer un jour sans se voir. Toute la journée, c'était entre elles un va-et-vient d'esclaves apportant de petits plats ou d'enfants chargés de messages et de présents.

Ce qui les soudait l'une à l'autre, c'était la haine de Ségou, le mépris des Bambaras, de leur religion et de leurs coutumes ainsi que le besoin de se le répéter constamment. Fatima était guérie de la folle inclination qu'elle avait eue pour Tiékoro en entendant sa femme décrire les moindres détails de son comportement avec une haine dont l'emportement ressemblait à celui de l'amour. Elle-même ne haïssait pas Siga, même si elle avait l'impression d'avoir été flouée. Totalement flouée. Comme un orpailleur découvrant que ses pépites ne sont que glaise. Elle se consolait en pensant à ses dix enfants plus beaux les uns que les autres, affectueux et tendres. La pauvreté de son mari l'empêchant d'avoir un grand nombre d'esclaves elle en prenait soin elle-même. Aussi sa vie n'était-elle que tétées, bouillies, rages de dents, accès de fièvre, diarrhées et premiers balbutiements. Comme Siga ne la reprenait sur rien, elle les avait élevés dans la croyance en Allah, les envoyant dès qu'ils en avaient l'âge à une école coranique pour enfants maures, de l'autre côté du fleuve.

L'annonce de la visite d'El-Hadj Omar réconcilia ces deux femmes avec Ségou. Elles commencèrent de harceler des couturières pour se faire confectionner des boubous. Le frère de Fatima lui avait envoyé de Fès des coupons de soie mêlée de fils d'or dont jusqu'alors elle n'avait pas fait usage. Maryem possédait des bijoux richement ciselés qui d'habitude dormaient dans des calebasses dans sa case. Un seul point la chagrinait : Tiékoro ferait-il venir Mohammed dans la suite du Toucouleur et aurait-elle son fils auprès d'elle ? Fatima tenta de la raisonner :

— Il n'est pas bon que pendant son service il revienne à la maison...

— Service ? Tu parles comme s'il s'agissait d'un soldat...

Fatima fit doucement :

— N'est-ce pas un soldat de Dieu ?

Maryem avait honte de se faire réprimander ainsi. Pourtant la foi est une chose, l'amour maternel une autre. Mohammed était son seul garçon. La pensée qu'il mendiait dans cette ville où, lui avait-on dit, les femmes allaient voilées, où les veuves devaient rester enfermées pour ne pas éveiller la concupiscence des vieillards la torturait. Elle refusa d'un geste des dattes fourrées que lui proposait Fatima. Elle n'avait aucun goût pour ces sucreries, la seule douceur à Sokoto étant le miel qu'on mélangeait au lait caillé. Fatima mordit dans la pâte brun et vert, puis déclara :

— Il paraît que tout va mal entre Cheikou Hamadou et le marabout toucouleur. Ce dernier avait l'intention de rester à Hamdallay jusqu'à la fin de la saison sèche. En fait, il a dû écourter son séjour...

Maryem écarquilla les yeux :

— Qui t'a dit cela ?

— Les Maures de l'école coranique de mes garçons. Ils ont reçu l'ordre des Kounta de Tombouctou de ne pas aller l'accueillir à son arrivée à Ségou.

— Mais pourquoi ?

Fatima haussa les épaules :

— Est-ce que je sais, moi ! Querelles de confréries, querelles de pouvoir, de prestige, querelles d'hommes, quoi !

Maryem se promit d'interroger Tiékoro à ce sujet. Pourtant

affairé qu'il était à préparer la réception du marabout, à faire recrépir les cases qui devaient l'abriter avec sa suite, à couvrir les sols de tapis marocains, à faire brûler des essences odorantes destinées à parfumer l'air, à amasser des présents qui ne semblent pas dérisoires après ceux qu'El-Hadj Omar avait reçus de souverains, à vérifier les provisions de mil et de riz, à compter la volaille, bien chanceuse si elle pourrait avoir un moment d'intimité avec lui. Cela encore crucifiait Maryem — comme d'ailleurs les autres épouses de Tiékoro ! Pour cette réception, il ne prenait conseil que de sa mère ! Tous deux s'entretenaient des heures durant dans la case de Nya qui ensuite donnait des ordres, contrôlait, chicanait, grondait ! Après tout, Maryem, qui avait grandi dans le palais d'un sultan qui recevait la moitié de l'univers, aurait pu être de bon conseil ! Cette vieille Bambara qui n'avait jamais franchi le Joliba, saurait-elle traiter un moqaddem ?

Le vent rabattit vers elles la puanteur de la tannerie de Siga. Fatima leva les yeux vers sa compagne :

— Au moins tout cela aura servi à lui donner du travail !

Elle avait une expression de mépris et Maryem hocha la tête :

— Si je te dis que tout fétichiste qu'il est, j'ai beaucoup d'estime pour Siga ? C'est un incompris, voilà tout. Trop honnête, incapable de ruser, de calculer, de faire le geste qui sera payé en retour.

De toute évidence, elle pensait par comparaison à Tiékoro. Fatima protesta :

— Tu es injuste. Je crois que Tiékoro aime sincèrement Dieu et travaille à sa plus grande gloire. T'a-t-il raconté comment il s'est converti, tout seul, grâce à sa propre intuition ? Comment il a imposé sa vocation à la famille ?

Maryem prit un air excédé :

— Je n'entends que cela depuis des années.

Elle accepta le thé qu'apportait une esclave.

Tout va mal, entre le marabout toucouleur et Cheikou Hamadou, avait dit Fatima. Ne devrait-elle pas avertir Tiékoro et lui demander d'être prudent ? Leur fils était à Hamdallay. Il ne fallait pas qu'il soit victime de conflits dont ils étaient peu informés à Ségou. Mais Tiékoro l'écouterait-elle ? Il était décidé à œuvrer à la plus grande gloire de Dieu, du marabout toucouleur. Et accessoirement à la sienne !

# 4

Fétichiste ou pas, le bon peuple de Ségou se massa sur le bord des rues pour regarder le cortège d'El-Hadj Omar. Il lui apparaissait comme un magicien qui avait réalisé des prodiges extraordinaires. Ne disait-on pas qu'il avait fait revenir l'eau dans un puits à sec ? Pleuvoir sur une ville assiégée qui manquait d'eau et ainsi risquait de se rendre ? De même, n'avait-il pas guéri des malades, ramené à la vie des mourants par simple imposition des mains et énoncé de quelques paroles ? On comparait ces miracles à ceux des forgerons-féticheurs de Ségou, et les esprits les plus rétifs devaient reconnaître qu'ils les surpassaient. Les femmes stériles, croyant que ses regards leur permettraient d'enfanter, jouaient des coudes avec les estropiés, les scrofuleux et les incurables pour se placer au premier rang. Les aveugles se glissaient sous les pieds de la foule en psalmodiant des complaintes destinées à s'assurer l'indulgence, tandis que des petits malins proposaient des calebasses d'eau à un cauri, car la chaleur était intense. Les tondyons quadrillaient les artères, mais le Mansa leur avait demandé de ne pas intervenir, de laisser agir les innombrables espions disséminés çà et là.

Tiékoro, ayant informé le Mansa de la venue de cet hôte illustre, était parti l'accueillir à Sansanding avec une petite cohorte d'esclaves et de coreligionnaires soninkés puisqu'il n'avait pu fléchir la réserve des Somonos. Ces derniers avaient même reçu une lettre du cheikh El-Bekkay de Tombouctou, qui disait :

« Sous couleur de rénover l'islam, cet homme sera cause de la mort de beaucoup d'innocents. » Soudain, le Joliba se noircit de pirogues, de chevaux crinière au vent, de radeaux chargés de vaches, de moutons, de paniers de volailles, d'hommes et de femmes. La foule massée à l'extérieur des murs de la ville poussa un grand cri :

— Ils arrivent !

Du coup, tous ceux qui étaient restés à l'intérieur se précipitèrent pour voir les arrivants et les tondyons eurent bien du mal à les contenir.

Le cortège d'El-Hadj Omar comptait un millier de personnes, élèves, partisans, serviteurs, femmes, enfants. Il était précédé par un détachement de lanciers du Macina que Cheikou Hamadou lui avait donné pour l'escorter, protégés par des cottes de mailles, chaussés de hautes bottes souples et la tête entourée d'énormes turbans de soie noire. Mais les tondyons s'opposèrent à ce que ces ennemis entrent dans Ségou-Sikoro, et ils descendirent de leurs chevaux pour camper sur les bords du fleuve. Il était pratiquement impossible d'apercevoir El-Hadj Omar lui-même. D'abord parce que ceux qui l'entouraient étaient trop nombreux et aussi parce qu'ils lui faisaient volontairement écran. Dans cette ville impie, dans ce repaire d'idolâtres, qui savait d'où viendrait le danger ? Une flèche était vite partie du faîte d'un toit. Une balle d'un fusil à deux coups qu'on retrouverait abandonné dans la poussière. Aussi les habitants de Ségou en étaient-ils réduits à se tordre le cou et, à la vue du moindre visage altier sous un turban volumineux, et du moindre burnous à passementerie, à s'interroger : « Est-ce que c'est lui ? Est-ce que c'est lui ? »

L'élégance et la beauté des femmes, dont on disait que certaines étaient des princesses de la Syrie, de l'Egypte et de l'Arabie coupait le souffle. On admirait leurs longs cheveux noirs, véritables coulées de soie sous les voiles, la couleur de leur peau, moins blafarde et plus chaude que celle des Maures. Les femmes toucouleurs ne se distinguaient des peules dont elles avaient l'élégance gracile que par la parure, colliers à boules oblongues enfilées sur un cordonnet de coton, bijoux de tempe apparaissant sous des mouchoirs de tête et, tout le long des bras, bracelets d'or fin allié à du cuivre, ajourés et filigranés. C'était indéniable ! Ce cortège avait bien plus d'allure que celui du Mansa Tiéfolo quand il sortait du palais. Les vieilles gens en profitaient pour radoter que, depuis Monzon, fils de Makoro, il n'y avait plus de beaux hommes à Ségou. Tous des gringalets, comme ces bimi que l'on ne parvenait pas à vaincre entièrement.

Tiékoro galopait à côté du grand marabout. Sous la pression des sentiments qui l'habitaient, il lui semblait que son cœur allait éclater. Bonheur, fierté, reconnaissance à Dieu qui lui avait permis de vivre un tel jour. Comme il quittait le Macina, Amirou Mangal, le chef de guerre de la région de Djenné, octogénaire respecté à travers le royaume, avait demandé à El-Hadj Omar de lui accorder une faveur : dire sur lui la prière des morts. Alors il s'était enveloppé d'un linceul, s'était fait rouler dans une natte comme un cadavre, afin que le marabout puisse accomplir ce geste suprême. Ah, comme Tiékoro aurait souhaité l'imiter ! Ne plus voir le soleil se lever après ce jour, qu'aucun autre n'égalerait en félicité. Il ne lui manquait qu'une chose : la présence de Nadié ! Comme elle aurait été heureuse, elle aussi ! Quel chemin parcouru depuis la cour puante où il l'avait chevauchée comme une bête ! Depuis le triste bouge de Djenné ! Il espérait bien que le séjour d'El-Hadj Omar sous son toit ne s'achèverait pas sans que ce dernier le pare d'un titre qui consacrerait sa réputation. Il était déjà El-Hadj [1]. Alors, alim [2] ? Halifa [3] ? Il est vrai qu'il n'était pas adepte de la voie tidjani. Comme tous ceux qui avaient fait leurs études à Tombouctou, il appartenait à la Qadriya Kounta. Devait-il s'initier à la Tidjaniya ? Oui, mais, s'il le faisait, ne risquait-il pas de déplaire à Cheikou Hamadou ? Il soupira, enfonça son éperon dans les flancs de son cheval qui se laissait distancer.

Brusquement des éclairs traversèrent le ciel, bleu vif comme celui de toute matinée de saison sèche, suivis de grondements de tonnerre, si violents que les murs de plusieurs concessions s'écroulèrent tandis qu'une brèche s'ouvrait dans la face nord du palais du Mansa. Un cri de stupeur fusa de la foule. Mille visages se levèrent pour scruter la voûte impassible d'où tombait à présent, brûlante et précipitée, une pluie rouge comme le sang d'un blessé. Cela dura quelques minutes et les habitants de Ségou auraient pu croire qu'ils avaient rêvé, s'ils ne portaient sur leurs corps et leurs vêtements des traces bien visibles. Point n'était besoin d'être un forgeron-féticheur, familier de l'occulte, pour interpréter ces signes. Le marabout toucouleur ferait couler le sang à Ségou. Quand ? Comment ? En désordre, la foule refluait devant les chevaux, dont les sabots résonnaient comme des tam-tams de victoire. L'admiration faisait place à la terreur et on n'était pas loin de blâmer le Mansa d'avoir permis l'entrée d'El-Hadj Omar dans la ville. Tiékoro regarda avec détresse son burnous taché de rouge. Il avait beau s'être détaché des superstitions de son peuple, il sentait bien que c'étaient les ancêtres qui s'étaient manifestés. Soudain, il avait peur, regardant les rues désertées. A ce moment, El-Hadj Omar se détourna pour lui sourire et, pour la première fois, il remarqua la cruauté de ce beau visage, tout en angles aigus et en obliques. Cet homme était certainement

1. Titre donné à celui qui a été à La Mecque.
2. Savant.
3. Représentant officiel de l'islam.

une lumière que Dieu destinait à jouer un grand rôle dans l'islam. Mais à quel prix ? Combien de cadavres ? Combien de lamentations funèbres ?

On arrivait devant la concession des Traoré. Des esclaves se précipitèrent pour se saisir des chevaux, prendre le bagage des arrivants et soulager les femmes des enfants qu'elles portaient au dos ou sur la hanche. Pendant ce temps, d'autres mettaient la dernière main aux grands plats de couscous qui allaient être servis avec des friandises et des boissons aux fruits puisque l'islam interdisait toute fermentation. Les jarres d'eau étaient parfumées de feuilles de menthe ou d'écorce de gingembre. Les noix de kola blanches ou rouges s'offraient dans de petits paniers. Rien ne manquait à la perfection de cet accueil, et pourtant Tiékoro se sentait angoissé, mécontent comme l'épouse du conte que son compagnon terrifie soudain. Il se rappela la conversation que Maryem avait entreprise d'avoir avec lui. Elle tentait de le mettre en garde. Mais voilà, il n'écoutait jamais cette femme, trop belle et trop bien née qui, s'il lui en avait laissé le loisir, aurait tout dominé, y compris lui-même. Il faudrait qu'il l'interroge sans tarder. Pourtant la compagnie du marabout lui en laisserait-elle le temps ?

— Modibo Oumar Traoré, il y a deux sortes d'infidèles : ceux qui adorent les idoles et les divinités païennes à la place du vrai Dieu, mais aussi ceux qui mélangent les pratiques infidèles avec celles de l'islam. Es-tu sûr de ne pas être non des premiers, mais des seconds ?

Tiékoro suffoqua et le marabout toucouleur poursuivit avec une bienveillance qui contrastait avec la gravité de ses paroles :

— Pas directement, bien sûr ! Mais en permettant à ceux qui vivent sous ton toit de faire ainsi ? Tu connais la parole : « L'islam, s'il est mêlé au polythéisme, ne peut être pris en considération. » Peux-tu me jurer que tes frères, leurs femmes, leurs fils et leurs filles n'adorent pas d'idoles ? Et même les jeunes gens que tu instruis dans ta zaouïa ?

Tiékoro baissa la tête. Que répondre ? Il savait bien que l'islam dans sa famille, chez ses disciples mêmes, était superficiel. Mais il pensait qu'il irait s'approfondissant, prenant insidieusement racines et modifiant radicalement les cœurs. Le marabout martela :

— Quiconque pratique la muwalat [4] avec les infidèles devient à son tour un infidèle !

4. Liens de solidarité et d'amitié.

Tiékoro tomba à genoux :

— Maître, que dois-je faire ?

El-Hadj Omar ne répondit pas directement à sa question :

— Est-ce que tu sais que Cheikou Hamadou n'est pas ce qu'il t'en semble ? Dans le Macina, il a pris les biens des tidjanistes par un acte d'injustice et d'agression. Le royaume n'est rempli que de querelles de clans et d'intrigues de toutes sortes... C'est la dégénérescence de l'islam.

Il y eut un silence. Le sol d'une grande case au toit de feuillage était recouvert d'un tapis marocain, les murs de tentures brochées, faites de plusieurs lés de cinquante centimètres de largeur, figurant des arcades alternativement rouges et vertes, chargés d'inscriptions en caractères cursifs. Des bougies de stéarine mêlaient leur lueur à celle des lampes au beurre de karité, posées sur des escabeaux, décorés de pièces brodées monochromes. L'odeur de l'encens et des aromates dominait celui du thé à la menthe que des esclaves, vêtus pour la circonstance de boubous de soie blanche, servaient sur des plateaux en cuivre ciselé. El-Hadj Omar reprit :

— Oumar Traoré, as-tu lu le *Djawahira el-Maani ?*

Tiékoro dut avouer que non.

— Lis-le avec attention. Pénètre-toi de son enseignement. Ensuite viens me trouver.

— Où cela, maître ?

— Je te le ferai savoir en temps utile.

Tiékoro était effondré. Ces instants qu'il avait attendus avec tant d'exaltation tournaient à sa déconfiture. Le marabout toucouleur ne rendait pas hommage à ce qu'il avait accompli tout seul parmi un peuple païen. Au contraire, il lui reprochait son laxisme et sa tolérance. Que voulait-il ? Qu'au nom du jihad, il assassinât ses frères, ses sœurs, son père, sa mère ? Ah, la chose était entendue. Non seulement, il ne lui conférerait aucun titre, mais encore il le traitait comme un élève à l'école ! Tiékoro aurait pu se défendre, énumérer tout ce qu'il avait réalisé, mais il se sentait las, amer, déçu une fois de plus. Pourquoi la vie n'est-elle qu'une passerelle menant de désillusion en désillusion ? Pour lui-même, il murmura avec ferveur :

— Rappelle-moi à toi, ô Dieu ! Que je sois enveloppé de sept pièces de vêtements, d'un linceul, roulé dans une natte et enterré, couché sur le côté droit. Pourquoi me refuses-tu cela ?

C'était l'heure de la prière de l'entrée de la nuit, et tout le monde sortit pour se prosterner en direction de La Mecque. Dans la cour, Tiékoro remarqua la silhouette de Tiéfolo, debout, les bras croisés, entouré de ses fils et de ses jeunes frères. Il comprit que ce n'était pas là un hasard et qu'ils venaient manifester publiquement leur opposition à la présence du marabout toucouleur sous leur toit. El-Hadj Omar se tourna vers Tiékoro, murmurant avec son sourire inimitable :

— Je te l'ai dit, Oumar, celui qui pratique la muwalat avec les infidèles devient à son tour un infidèle...

Comme Tiékoro mettait un genou en terre, un esclave lui toucha le bras. Dans son exaspération, son malaise et sa douleur, il allait apostropher le malheureux et certainement le battre, quand celui-ci s'exclama :

— Pardonne-moi, maître, mais il y a là des envoyés du Mansa !

Du Mansa ?

Une véritable délégation attendait dans la première cour. Des griots royaux en tuniques de velours vert doublées de soie rouge ou d'indigo bleu foncé. Des membres du Conseil, vêtus de blanc, une canne d'apparat à la main. Des esclaves, torse nu, les bras chargés de présents. Ce qui frappa Tiékoro, ce fut la profusion de gris-gris et d'amulettes qu'ils portaient aux bras, aux jambes, au cou, à la taille, comme s'ils entendaient afficher à quel camp ils appartenaient et pour qu'aucune équivoque ne soit possible. Ségou refusait l'islam. Ce fut le conseiller Mandé Diarra qui prit la parole :

— Voici des présents que le Mansa envoie à ton hôte. Il désire le recevoir demain au palais. En ta compagnie, bien sûr.

Tiékoro fut encore plus troublé. Etant donné l'humeur intransigeante qui semblait la sienne, le marabout toucouleur accepterait-il de rencontrer un souverain idolâtre et surtout de lui manifester le respect qu'on lui croyait dû ? Il balbutia :

— El-Hadj Omar est en prière, je ne puis l'interrompre. Je te ferai parvenir sa réponse demain matin.

Mandé Diarra regarda ceux qui l'accompagnaient comme pour les prendre à témoin :

— Traoré, as-tu perdu l'esprit ? Ton souverain t'appelle et tu rechignes à obéir ?

Trop d'événements s'étaient enchaînés depuis le matin. Tiékoro était hors de lui, incapable de diplomatie. Il répondit brutalement :

— Je n'ai d'autre souverain qu'Allah !

Il se fit un silence terrifié. Tiékoro aurait profané un culte, rompu un interdit ou un serment que cela n'aurait pas été aussi grave qu'affirmer publiquement qu'il n'était point soumis à son Mansa. Mandé Diarra, qui avait toujours considéré l'adhésion à l'islam comme une manifestation de folie, eut pitié de lui et souffla :

— Demande pardon de tes paroles, Tiékoro Traoré ! J'ai assez d'estime pour ta famille pour me persuader que je ne les ai pas entendues...

Mais Tiéfolo, ses fils, les frères et les fils des frères s'étaient approchés. Cela devenait une affaire d'honneur. Sans mot dire, Tiékoro, après avoir promené un regard orgueilleux sur l'assistance, rejoignit ses coreligionnaires en prière.

Appuyant son front sur le sable fin et soigneusement balayé, une fois de plus, il souhaita mourir. Quelle vie que la sienne ! Réussie peut-être au-dehors, tissée de regrets et de frustrations en réalité ! Que signifient des femmes, des fils, des filles, des greniers pleins, des animaux domestiques si l'esprit est amer comme l'écorce du cailcédrat ? Et peut-il en être autrement tant qu'il traîne avec lui son enveloppe charnelle ? Tiékoro se répéta :

— Libère-moi, mon Dieu ! Qu'enfin je te rejoigne et connaisse la béatitude !

Il avait cru que l'islam serait la terre de refuge qui le délivrerait de toutes ces pratiques qui lui faisaient horreur dans la religion de ses pères. Or voilà que les hommes s'apprêtaient à le gâter à son tour, tels les enfants malfaisants qui détruisent tout ce qu'ils touchent ! Qadriya, Suhrawardiya, Shadiliya, Tidjaniya, Mewlewi... Allah n'avait-il pas dit : « Laisse les hommes à leurs jeux vains ? »

Cependant les compagnons du marabout avaient fini de réciter un ensemble d'oraisons propres au wird[5] tidjaniste. Comme Tiékoro demeurait prostré par terre, El-Hadj Omar crut qu'il méditait sur la conversation qu'ils venaient d'avoir et, sans le déranger, rejoignit sa case. Relevant la tête, Tiékoro distingua une forme dans l'ombre d'un des arbres de la concession. Etait-ce la mort ? Enfin ! Mais l'ombre se déplaça : ce n'était que Siga. Toute la mauvaise humeur de Tiékoro revint et il fit sèchement :

— Est-ce maintenant que tu arrives ? Tu es donc un apostat ?

Siga dit d'un ton pressant :

— Tiékoro, prends garde. Un complot se prépare contre toi. Demain, si tu te rends au palais avec le marabout, le Mansa va vous faire arrêter. Vous avez encore le temps de vous enfuir. Si vous quittez Ségou immédiatement, à l'aube, vous pouvez être à l'abri dans le Macina.

En parlant ainsi, Siga savait qu'il perdait son temps. Tiékoro était trop orgueilleux pour fuir le danger. Cela l'exalterait au contraire. Tiékoro passa le bras sous celui de son frère et ce geste, tout d'amicale simplicité, surprit Siga :

---

5. Le wird : oraisons composées d'extraits du Coran.

— Marche avec moi, veux-tu ?

La nuit avait verrouillé Ségou, mais laissait fuser tous les bruits. Derrière chaque mur des voix chuchotaient le récit des événements extraordinaires de cette journée. On attendait le pire. Un prodige extraordinaire du marabout réduisant la ville en cendres, gonflant les eaux du Joliba qui emporteraient au fil du courant les cases, les habitants et les bêtes. Siga sentit la détresse de son frère et, ne sachant que dire, proposa :

— Viens boire avec moi chez Yankadi ! Musulman ou pas, parfois un homme a besoin de prendre un coup...

Tiékoro, s'appuyant plus lourdement sur le bras de Siga, murmura :

— Si quelque chose m'arrive, épouse Maryem, puisqu'elle s'entend si bien avec Fatima et surtout veille sur Mohammed. Je sens qu'il est comme moi : il ne sera jamais heureux.

Siga chercha en vain des mots de réconfort. Il le savait, son frère courait les pires dangers. Ils arrivèrent devant le Joliba, ruban noirâtre entre les barques endormies des pêcheurs somonos. On apercevait, sur l'autre rive du fleuve, la lueur des feux de camp des lanciers du Macina transformant la brousse en un décor irréel. Siga soupira :

— Crois-tu que ton Allah en vaille la peine ?

Tiékoro répondit sans colère :

— Ne blasphème pas !

— Ce n'est pas un blasphème. Est-ce qu'il ne t'arrive jamais de douter ?

Dans l'ombre, Tiékoro secoua négativement la tête. Siga crut qu'une fois de plus il cédait à l'orgueil. Or, Tiékoro ne mentait pas. Si quelque chose existait en lui, c'était la foi. Evidemment elle ne l'avait jamais empêché d'être un misérable pécheur, mais elle l'inondait, comme son sang ses artères. C'est elle qui faisait battre son cœur, mouvoir ses jambes et ses bras. Depuis le jour où il avait entendu, au détour d'une rue, l'appel du muezzin des Maures et où, intrigué, il était entré dans la mosquée pour se trouver face à un vieillard traçant sur une planchette des versets du Coran, il avait su qu'Allah est le seul vrai Dieu. Tiékoro s'assit sur une barque et reprit avec calme et détachement :

— Oui, épouse Maryem. Pour Adam et Yankadi, laisse la famille décider, mais insiste et prends celle-là. Je partirai en paix si je sais qu'elle est avec toi...

Siga fut ému aux larmes de cette marque d'estime, pourtant bien tardive. Il regarda son frère. Au moment où celui-ci approchait peut-être de la fin de sa vie, il réalisait qu'autrefois Koumaré avait dit vrai.

Le destin de Tiékoro était inséparable du sien, comme le jour l'est de la nuit. Comme le soleil de la lune, puisque ces astres contribuent à baigner de lumière les contours de la terre et à entretenir la vie. Tiékoro avait été comblé d'honneurs mais aussi victime de grands chagrins. Il avait été, quant à lui, le tâcheron patient de la quotidienneté, amassant petits déboires et petites joies. Mais, à présent, ils se retrouvaient tous deux les mains vides. Vaincus.

Vaincus ? Tiékoro était-il vaincu ? Siga regarda les feux des lanciers du Macina de l'autre côté du Joliba et cela lui sembla un symbole. Le feu de l'islam propagé par les Peuls, et par les Toucouleurs, finirait par embraser Ségou. Cette conviction donnait à Tiékoro son assurance et son orgueil. Avant les autres, il avait vu juste.

Les deux frères rentrèrent dans Ségou. Des cabarets sortaient les buveurs de dolo, amplifiant dans les fumées de l'ivresse les événements du jour. Ils multipliaient par quatre le chiffre de l'escorte du marabout, par dix celui de ses talibés et de sa suite, par cent celui de ses femmes. A les en croire, c'était toute une aile du palais royal qui s'était effondrée et des caillots de sang qui étaient tombés du ciel. Leur imagination, leur besoin de rêver, d'être surpris, d'être effrayés trouvaient les aliments les plus appropriés dans cette journée particulière.

# 5

La ville et le royaume apprirent l'arrestation d'El-Hadj Omar, de quelques musulmans de sa suite et de Tiékoro Traoré par le Mansa Tiéfolo. Du coup, ce dernier, qui n'avait jamais été aimé, connut un regain de popularité. Cela rappelait les grands jours des règnes précédents, quand les tondyons accumulaient les victoires et rentraient chargés de butin, des files de captifs titubant derrière leurs chevaux. D'un même élan, la foule se porta sur la place du palais. Mais rien ne filtrait à l'extérieur des murailles. Tout semblait comme à l'accoutumée. Déjà les maçons réparaient la brèche faite la veille par le tonnerre. Les esclaves portaient l'eau ou les victuailles, les marchands, les artisans allaient et venaient sous les voûtes des portes.

Personne ne savait exactement ce qui s'était passé. Les uns disaient que le Mansa avait invité le marabout toucouleur et son hôte à se présenter au palais. Ceux-ci ayant refusé de s'exécuter, il les avait fait venir de force et les avait fait jeter aux fers. Les autres affirmaient qu'ils s'étaient rendus au palais de leur plein gré, mais que, une fois là, le souverain avait donné l'ordre de les emprisonner. Quel crime avaient-ils commis ? Ils complotaient le renversement du Mansa, bien sûr. A un moment jugé favorable, l'escadron de lanciers du Macina devait faire appel à d'autres soldats dissimulés au-delà du fleuve. Ensuite, un à un, tous les habitants de Ségou devraient faire l'horrible profession de foi : « Il n'est de dieu que Dieu ! » Sinon, clac, on leur coupait la tête !

Lorsque la nouvelle fut connue, Nya, laissant les femmes hurler et se rouler dans la poussière, entra dans sa case. Elle se vêtit avec le plus grand soin de pagnes d'indigo rigides et sombres, enroula autour de son cou des colliers d'ambre et de perles, fixa un diadème dans ses cheveux grisonnants. Quand elle ressortit dans la cour, chacun se rappela qu'elle avait été la plus belle femme de sa génération, la plus majestueuse aussi. La vieillesse avait beau l'attaquer et la cerner, elle ne parvenait qu'à creuser des rides dérisoires ici et là, à ramollir ses chairs, à distendre la peau de son cou autrefois pur comme celui de l'impala [1]. Ses plus jeunes fils tentèrent de l'arrêter. Elle les écarta avec douceur.

Nya se dirigea vers le palais royal. Au fur et à mesure qu'elle avançait, les gens sortaient des concessions et, paradoxalement, même ceux qui haïssaient Tiékoro avaient les larmes aux yeux en voyant passer sa mère. Bientôt, le bruit se répandit que Nya Coulibali, fille de Falè Coulibali, épouse de feu Dousika Traoré, allait demander des comptes au Mansa. Aussitôt des griots qui connaissaient la généalogie des deux familles, chantant les exploits de leurs ancêtres, formèrent un cortège que grossit une foule de femmes, d'hommes, d'enfants hésitant entre la curiosité et le chagrin.

On vint prévenir le Mansa que la mère de Tiékoro Traoré avançait vers le palais. Que faire ? Refuser de la recevoir ? C'était impossible, elle était d'âge à être sa mère ! La laisser entrer ? Elle allait se mettre à pleurer ou à le supplier et comment résister à ces larmes ?

Après mille conciliabules, le griot Makan Diabaté eut une idée :

— Maître, fais-lui dire que tu es souffrant et demande à tes femmes de l'entretenir.

En réalité, Nya ne venait ni pleurer ni supplier. Elle venait demander à voir son fils. La nuit précédente, Dousika l'avait prévenue en songe que Tiékoro allait bientôt le rejoindre. Alors, elle voulait le serrer une dernière fois contre elle. Malheureuse mère qui enterre ses fils ! C'est lui qui aurait dû l'enrouler dans la natte funéraire, mais voilà, les ancêtres en avaient décidé autrement. En remontant les rues, au milieu d'un vacarme de musique, de récitations, d'exclamations de sympathie et de paroles de réconfort, Nya n'entendait rien. Elle repassait dans sa tête toute la vie de Tiékoro. Depuis sa naissance. Qu'il est doux le premier vagissement du premier enfant ! Encore labourée du souvenir de sa douleur, elle regardait la matrone laver le petit être sanguinolent et malgracieux qui devait faire son orgueil. Ensuite, celle-ci le lui avait remis et ils avaient échangé leur premier regard qui scellait aussi un pacte :

1. Gazelle.

— Tu prendras bien des femmes dans tes bras. Tu serreras la main de bien des hommes. Tu feras du chemin avec les uns et les autres. Tu t'éloigneras de moi et, pourtant, rien ne comptera. Que moi. Ta mère...

Après le nourrisson, le petit garçon, précoce, qui la pressait de questions :

— Ba, qu'est-ce qui tient la lune fixée dans le ciel ?

— Ba, pourquoi ceux-ci sont-ils des esclaves, et nous des nobles ?

— Ba, pourquoi les dieux aiment-ils le sang des poulets ?

Déroutée, effrayée par ces interrogations, Nya cachait son ignorance sous un air serein :

— Tiékoro, les ancêtres ont dit...

Elle commençait toutes ses phrases ainsi pour s'abriter derrière une autorité plus haute que la sienne. Et, à force de questionner, de mettre en doute, de s'essayer à des explications personnelles, il s'était engagé dans une voie dangereuse. Pourtant, Nya ne songeait pas à blâmer Tiékoro. Elle n'était point là pour le juger, mais pour l'aimer.

Comme elle atteignait le premier vestibule, la bara muso, suivie de trois ou quatre coépouses et de griots, s'avança vers elle et s'inclina :

— Mère de fils, tu es fatiguée, viens te reposer...

Nya les suivit jusqu'aux appartements des femmes. A part les soldats chargés de les protéger et les griots de les chanter, les hommes n'étaient pas admis dans cette partie du palais. Elle était protégée par un mur hérissé de piquets de bois dur, percé d'une unique porte en bois de cailcédrat que fermait un énorme châssis. Dans une première cour s'élevaient des cases au toit de paille. A côté d'elles, des arbres étendaient leur ombre sur des nattes, des tapis, des coussins posés à même le sol et des lits de bambou recouverts d'épaisses couvertures de coton. La bara muso désigna une de ces couches à Nya et à peine celle-ci fut-elle assise que des esclaves s'affairèrent autour d'elle, lui offrant des calebasses d'eau fraîche, lui massant les pieds et les chevilles ou lui éventant le front. Nya se laissa faire courtoisement. Au bout d'un moment, elle interrogea :

— Dis-moi, pourquoi ton époux ne me reçoit-il pas ?

La bara muso baissa les yeux :

— Il est malade, notre mère ! Après son repas, il a été pris de nausées et de vomissements.

Nya se rendit compte qu'elle mentait, mais ne voulut pas la désobliger et murmura :

— Que les ancêtres lui assurent une prompte guérison ! Lui a-t-on donné de la bouillie de farine de pain de singe ?

La bara muso assura que six médecins étaient auprès de lui. Nya tourna la tête vers elle :

— Ma fille, as-tu des fils ?

Or, la bara muso redoutait de s'engager dans une conversation de ce genre et cherchait à faire diversion quand Nya reprit :

— Quel terrible rôle que le nôtre ! Si nos filles ne nous apportent que richesses, joies et petits-enfants, nos fils ne sont qu'angoisses, tortures et afflictions. Ils cherchent la mort dans des guerres. Quand ils ne la trouvent pas de cette manière, ils courent les routes du monde à sa poursuite, et, un matin, un étranger vient nous annoncer qu'ils ne sont plus. Ou bien, ils se mêlent de défaire ce que nos pères ont fait et irritent les ancêtres. Parfois, je me demande s'ils pensent à nous. Qu'en dis-tu ?

La bara muso retint ses larmes :

— Mère, je te promets que si c'est en mon pouvoir, on ne touchera pas à ton fils...

Nya eut un rire de dérision, indulgent cependant :

— Si c'est en ton pouvoir ? Nous n'avons aucun pouvoir, ma fille !

Pendant ce temps, le Mansa, ses conseillers et ses griots siégeaient en conclave. Les féticheurs royaux étaient formels, il ne fallait pas porter la main sur le marabout toucouleur. Mais le libérer au plus vite. Ils conseillaient de le reconduire sous bonne escorte jusqu'aux frontières du royaume. Là, on lui signifierait de ne plus y remettre les pieds. Le Mansa, lui, aurait au contraire aimé donner une leçon éclatante à ces musulmans en faisant exécuter ce faux prophète. Qu'avait-il à craindre en agissant ainsi ?

Ses espions lui avaient appris que rien n'allait plus entre El-Hadj Omar et Cheikou Hamadou, même s'ils ignoraient les raisons de cette brouille. Ainsi donc, le Macina ne bougerait pas si l'on assassinait le Toucouleur. Alors pourquoi le retenait-on d'agir ? On voulait donner à El-Hadj Omar le temps d'amasser des forces et de revenir attaquer Ségou ? C'était cela ?

Le conseiller Mandé Diarra s'arma de courage :

— Maître, il suffit de détruire les ennemis de l'intérieur, tous ceux qui dans Ségou travaillent à l'avènement de l'islam et à ton renversement. Ce Tiékoro, par exemple, sois sans pitié avec lui. Pour les ennemis de l'extérieur, est-ce que Ségou n'a pas toujours su se défendre ? Si le Toucouleur revient, eh bien, il connaîtra le sort du vacher du Fittouga...

A l'aube donc, alors que les habitants de Ségou dormaient encore, des détachements de tondyons escortèrent le marabout toucouleur et sa suite aux frontières du royaume, en direction de Kankan. Les lanciers du Macina, qui avaient reçu de leur commandement l'ordre exprès de ne pas s'affronter aux Bambaras, remontèrent sur leurs chevaux et refluèrent vers leur base. Quelques heures plus tard, pour faire bonne mesure, des tondyons entrèrent dans les maisons de Bambaras convertis à l'islam et les entraînèrent vers les prisons du palais. Ils ne touchèrent ni aux Soninkés ni aux Somonos musulmans, d'abord parce qu'ils ne s'étaient pas associés à l'accueil d'El-Hadj Omar et surtout parce qu'ils payaient des taxes importantes au Mansa par le biais du commerce.

Cependant l'opération la plus spectaculaire fut la destruction de la zaouïa de Tiékoro. Des soldats émiettèrent ses murs, renversèrent ses cases-dortoirs, sa case-réfectoire, ainsi que les auvents sous lesquels avaient lieu les cours et les méditations. Puis ils empilèrent du bois sec et y mirent le feu. Ils jetèrent également dans les flammes la collection de manuscrits de Tiékoro, non sans en avoir déchiré des pages qu'ils glissaient dans leurs habits pour servir de gris-gris.

Tiékoro suivait tous ces événements grâce aux récits de ses gardes avec lesquels il s'était lié d'amitié. Généralement, la prison libère la bête qui est en l'homme. Il marche en rond, vocifère, hurle, injurie ou cherche à mettre fin à ses jours de la manière la plus sommaire. Tiékoro n'en fit rien. Il passait son temps en prière, roulant les grains de son chapelet et portant sur le visage une telle expression que les soldats étaient convaincus qu'il était en communication avec des génies. Ils en profitèrent pour lui demander, qui un avancement dans sa carrière, qui le retour de sa femme réfugiée dans sa famille depuis la dernière raclée, qui enfin la naissance d'un fils. Tiékoro riait :

— Frères, je ne peux que prier pour vous. Je ne pratique pas la magie !

Il était parfaitement apaisé depuis la visite de Nya. Il avait posé la tête sur ses genoux. Elle avait caressé son crâne rasé comme elle le faisait quand il était enfant. Baignant dans son odeur et retrouvant la béatitude du temps où il était dans son ventre, il avait murmuré :

— Veille à ce que Maryem soit donnée à Siga. Pour le reste, fais au mieux.

Nya avait soupiré :

— Crois-tu que Maryem acceptera cela ? Ah ! Tiékoro, je prévois de grands troubles dans la famille !

Ce fut là son seul reproche tacite et il le blessa cruellement.

A présent, Tiékoro attendait la mort comme on attend la promise dont on n'a jamais vu les traits, mais dont la réputation de beauté est grande. Il s'efforçait d'oublier les reproches d'El-Hadj Omar pour n'avoir à l'esprit que les paroles de Moustapha al-Rammasi dans sa *Hasiya*[2] :

— Dieu — qu'il soit loué et exalté ! — a voulu que la foi s'accompagne toujours d'une conséquence immuable, et cette conséquence, c'est la félicité éternelle.

Bientôt, il serait face à face avec son Dieu. Les gardes qui défendaient l'accès de sa cellule s'appelaient Séba et Bo. C'était le premier qui lui avait demandé le retour de sa femme, et le second la naissance d'un fils. Or il se trouva que, rentrant chez lui, Séba trouva assise dans la cour, apparemment soumise et repentante, l'épouse en fuite. Quant à Bo, on vint lui annoncer qu'enfin après dix filles, pour la première fois, un enfant mâle lui était né. Il n'en fallut pas plus pour que les deux hommes crient au miracle, et voient là l'effet du commerce privilégié de Tiékoro avec les esprits. Bientôt, tout Ségou sut que Tiékoro Traoré était un magicien qui dépassait en puissance les plus grands féticheurs. Siga et Bo ne tarissaient pas de descriptions sur ces étranges séances :

— Il travaille avec sa tête seulement. Il ne te donne rien à boire ou à frotter sur ton corps. Sa tête seulement...

Les deux hommes se laissèrent convaincre — moyennant quelques cauris ou quelques mesures de mil — de transmettre des requêtes à Tiékoro, tant et si bien que cela vint aux oreilles des espions du Mansa.

Depuis la visite de Nya, à la suite des pressions de la bara muso, le Mansa hésitait à condamner Tiékoro à mort. Parfois, il songeait à le laisser moisir quelques années dans son cachot avant de le rendre, assagi, à sa famille. Parfois, il songeait à lui demander de renoncer publiquement à l'islam, mais cet orgueilleux accepterait-il ? Parfois il songeait à l'assigner à résidence dans la lointaine région de Bagoé. Quand il apprit que, même enfermé, Tiékoro continuait à propager l'islam — et de la façon la plus spectaculaire et propre à frapper les imaginations populaires —, il se rendit aux avis de ses conseillers.

La date de son exécution fut décidée.

Une force tenait Nya debout, une seule : son amour pour Tiékoro. Quand elle sut qu'il allait mourir, ce fut comme si sa vie devenait inutile. A quoi bon admirer un soleil qu'il ne verrait plus, s'asseoir devant un feu qui ne le réchaufferait plus, porter à sa bouche

---

2. Un des livres les plus importants de l'islam.

des aliments qu'il ne savourerait plus ? Si Dousika avait été vivant, peut-être aurait-elle pu s'accrocher à la compagnie de son vieil époux. Mais Dousika n'était plus. A ses côtés, il n'y avait que Diémogo, presque sénile et dont on se demandait quand la mort voudrait bien le prendre.

Alors Nya tomba de tout son haut. Comme un arbre rongé intérieurement par les termites et les poux de bois. Les féticheurs consultés en hâte savaient qu'il n'y avait rien à faire, mais ils allaient et venaient dans tous les sens pour donner à la famille l'illusion qu'ils pouvaient encore ramener vers le corps les forces spirituelles qui étaient en train de le déserter. Elle était étendue sur sa natte, immobile, le souffle court, la tête légèrement tournée vers la porte de sa case comme si elle écoutait les alliés de la famille qui s'y étaient réunis dès l'annonce de son mal et qui répétaient pour l'encourager à vivre :

« Nya, fille de Falè, tes ancêtres ont courbé le monde comme une faucille. Ils l'ont redressé comme un chemin net. Nya, ressaisis-toi. »

A un moment, elle sortit de sa torpeur et souffla :

— Je veux voir Kosa...

Kosa était son dernier fils, né de son remariage avec Diémogo. Un bel enfant turbulent et robuste, comme ceux qui naissent de parents trop vieux. Kosa s'avança, effrayé, vaguement rebuté par l'odeur des fumigations qui ne masquait pas celle de la mort toute proche. Que lui voulait-on ? Il s'assit à contrecœur sur la natte de sa mère.

— Quand tu ne me verras plus, je serai là, partout avec toi. Encore plus proche que si tu me voyais...

Comme tout le monde pleurait, Kosa éclata en sanglots.

Ensuite Nya fit appeler Tiéfolo.

Elle n'avait pas la preuve qu'il avait trempé dans le complot contre Tiékoro. Néanmoins, elle savait que, plusieurs soirs de suite, il s'était rendu au palais royal pour s'entretenir avec le Mansa.

Tiéfolo entra, aussi réticent que le petit Kosa, mais pour d'autres raisons. Ce n'était pas l'appareil funèbre de la mort qui le terrifiait, mais le sentiment de sa responsabilité. Il avait cru agir pour le bien de la famille, écarter Tiékoro comme on écarte une force dangereuse, un principe de désordre. Et voilà qu'il allait avoir du sang sur ses mains.

Il murmura :

— Mère, tu m'as demandé ?

— Comment va ton père Diémogo ?

— Il ne passera pas la nuit...

Nya soupira :

— Eh bien, c'est ensemble que nos esprits partiront...

— Mère, ne parle pas de cela...

Nya ne sembla pas prêter attention à cette interruption. Toute la lucidité était revenue dans ses yeux, à peine obscurcis par le chagrin :

— Ecoute, il faut penser à la direction de la famille. Quand le conseil se réunira, veille à ce qu'il choisisse Siga comme fa...

Tiéfolo s'exclama :

— Siga ! Siga ! Mais c'est le fils d'une esclave...

Nya lui prit la main :

— Qui avait subi un grand préjudice ! Est-ce que tu ne sais pas comment elle est morte ? Et puis, Siga n'a pas été bien heureux dans sa vie. Donnons-lui ce bonheur...

Tiéfolo regarda le vieux visage. Quelle ruse préparait-elle encore ? N'était-elle pas simplement en train de venger son fils favori ? Tiéfolo n'était pas ambitieux. Il n'était pas orgueilleux. Mais il tenait à ce que les règles soient respectées. Fils aîné du dernier frère survivant, le titre et la responsabilité de fa lui revenaient. En même temps, il était envahi d'un tel sentiment de culpabilité vis-à-vis de Nya qu'il était prêt à tout pour lui plaire. Il s'inclina :

— Pars en paix, mère. Je proposerai Siga au conseil de famille. Il est en effet plus digne que moi...

En prononçant ces derniers mots, il ne pouvait empêcher sa voix d'exprimer une certaine amertume.

Puis il sortit.

A bien réfléchir, la proposition de Nya lui convenait. Ainsi, on ne pourrait pas dire qu'il avait écarté Tiékoro pour assouvir des visées personnelles. Il appuya son front contre le dubale de la cour, se blessant aux aspérités du tronc et éprouvant une volupté dans cette légère douleur. Les ancêtres et les dieux le savaient, il n'avait pas souhaité la mort de son frère. Il espérait seulement que le Mansa le bannirait dans quelque province ou l'obligerait à rompre tout contact avec les musulmans du Macina et d'ailleurs. Quand Tiékoro atteindrait l'au-delà, il saurait bien qu'il était innocent et il ne pourrait pas le poursuivre de sa vengeance. Il n'avait rien fait. Rien fait. Il avait vu la famille divisée par l'islam, les fils élevés chez les ennemis du royaume, les allégeances rompues, les valeurs ancestrales foulées au pied. Il s'entendit pleurer et la violence de ses sanglots le surprit. Depuis des jours, il avait les yeux secs et maintenant le flot de ses larmes était tel qu'il pourrait bien alimenter le Joliba. Il n'avait pas pleuré ainsi depuis la disparition de Naba. Naba dont, à sa manière, il avait aussi causé la mort, l'entraînant dans cette chasse d'où il n'était pas revenu. Il avait les mains sales. Sales. Sales.

Il ploya les genoux, s'enfonçant dans la terre meuble entre les énormes racines. Au-dessus de sa tête, il entendait les cris aigus des chauves-souris qui semblaient railler sa douleur et son remords. Pourquoi la vie est-elle ce marécage dans lequel on est entraîné malgré soi et dont on sort souillé, les mains gluantes ? S'il n'avait tenu qu'à lui, il n'aurait été qu'un chasseur, un karamoko, défiant les bêtes dans des combats loyaux faits d'estime et de respect mutuels. Ah, que les hommes n'ont-ils la pureté des animaux de proie !

Tiéfolo pleura longtemps.

Puis il sortit de la concession et se dirigea chez Siga. Comme il approchait de la maison de son frère, il se demanda si cet honneur tardif n'était pas le dernier piège qui se refermait autour de Siga. La défaite en forme de victoire. Car il devrait quitter sa maison, réintégrer la concession avec Fatima et les enfants, renoncer à ce métier de tanneur qui irritait si fort la famille et semblerait tout à fait indigne d'un fa. C'est-à-dire mettre le point final à son échec.

Tiékoro allait mourir, et Siga vivant semblait prendre sa revanche sur celui qui l'avait toujours éclipsé. Mais quelle triste revanche au goût de cendres !

## 6

Mohammed revenait vers le réfectoire, quand on vint lui annoncer que sa mère l'attendait chez Cheikou Hamadou. Quelques jours auparavant, il avait appris l'exécution publique de son père. Mais il n'avait pas versé une larme. Au contraire, son cœur s'était enflé d'orgueil. Son père était mort en croyant, en martyr de la vraie foi. Cheikou Hamadou s'étant engagé à faire connaître ses hauts faits, bientôt sa tombe deviendrait un lieu de pèlerinage pour les musulmans. Mêlant sa voix légère à celles des adultes qui l'entouraient, il avait récité :

— Dieu le bénisse et lui accorde le salut parfait et durable jusqu'au jour du Jugement, ainsi qu'à ses successeurs dans sa communauté tout entière !

En apprenant que Maryem était là, il redevint un enfant, impatient et spontané et se mit à courir. Alfa le rattrapa et le retint par le bras, murmurant :

— Rappelle-toi qu'elle n'est que la mère de ton corps.

Alors, en traversant les cours, il retrouva l'allure qui convenait.

Quand Maryem vit son fils bien-aimé, elle pleura. L'enfant avait beaucoup grandi, atteignant presque une taille d'adulte. Il était d'une maigreur indescriptible, la peau sur les os, les bras et les jambes pareils à des baguettes sèches de fromager. En même temps, comme il était beau ! Une spiritualité nouvelle affinait ses traits, emplissait d'un éclat presque insoutenable ses yeux marron clair entre des cils très sombres, épais et fournis. Ses cheveux, qu'il ne rasait pas à la manière de certains disciples de Cheikou Hamadou qui se réclamait de l'obédience au Prophète, bouclaient serrés et la grâce de ses gestes rappelait celle d'un berger peul. Mohammed aurait bien voulu courir, se jeter dans les bras de sa mère, et essuyer ces larmes qui inondaient ses joues, mais il n'osait pas. Il savait que cette conduite était indigne d'un homme.

Cheikou Hamadou, qui était assis sur une natte au centre de la salle du Grand Conseil, dit doucement :

— Ta mère nous entretient des derniers instants de ton père. Il est bon que tu sois présent pour apprendre, après lui, comment on doit mourir.

Maryem parvint à réprimer ses sanglots :

— Alors lui, un noble, ils lui ont attaché les coudes derrière le dos et ils l'ont flagellé. Le sang coulait de son dos. Je criais « Assez ! Assez ! » Mais personne ne m'entendait. Puis, ils l'ont fait monter sur une estrade qu'ils avaient édifiée devant le palais. Il regardait de tous côtés avec un grand calme, un sourire aux lèvres. Le bourreau, une de ces brutes comme n'en produisent que les Bambaras, avec une figure bestiale et un œil féroce, s'est avancé par-derrière et d'un seul coup de sabre lui a fait voler la tête. Son corps est tombé en avant. Deux longs jets de sang se sont élancés de son col...

Il y eut un silence.

— Ensuite, sur la prière de Nya, sa mère, ils nous ont rendu son cadavre. Mais, est-ce que ce n'est pas là le pire ? La famille a voulu lui faire une cérémonie fétichiste. Ils ont, ils ont...

Comme les sanglots l'étouffaient, Cheikou Hamadou intervint :

— Rappelle-toi, notre fille, qu'il ne s'agissait plus que de son corps dépouillé de son âme ! Alors, qu'importe !

Puis, se levant, il improvisa une de ces élégies dont il avait le secret. Mohammed se demandait quand on lui permettrait d'aller embrasser sa mère. Hélas ! personne ne semblait y songer. Maryem, qui était prostrée, se releva au bout d'un instant et se tourna à nouveau vers Cheikou Hamadou :

— Si tu me vois devant toi, père, ce n'est pas seulement pour te parler de cette mort. Le conseil de famille s'est réuni et a décidé que je sois donnée à Siga, le frère de mon défunt compagnon. Je ne m'élève pas contre cette coutume, je sais qu'elle est bonne et excellente. Mais Siga est un fétichiste, pis, un apostat puisque, durant ses années d'apprentissage à Fès, il avait embrasé l'islam. Peut-on me contraindre à vivre avec un fétichiste et un apostat ?

En s'exprimant ainsi, son visage fier s'illuminait du feu de la colère. Son voile blanc retombait en arrière et entourait son cou annelé entre les lourds colliers d'argent. Mohammed aurait voulu crier son admiration, qu'il croyait partagée par l'assistance tout entière. Mais il rencontra le regard de Cheikou Hamadou et comprit que celui-ci était embarrassé. Il fixait les membres du Grand Conseil comme s'il attendait leurs propositions. Finalement, ce fut Bouréma Khalilou qui prit la parole :

— Il est certain que tu nous poses un sérieux problème, Maryem ! Tu l'as dit, il est bon et juste qu'une femme revienne au frère cadet de son mari. Mais un apostat ! Que suggères-tu toi-même ?

— Donnez-moi une escorte que je retourne chez mon père !

Les membres du Grand Conseil se consultèrent du regard. Après tout, c'était une chose faisable. Une excellente manière, même, d'obliger le sultan de Sokoto qui ne supporterait pas de savoir sa fille entre les bras d'un apostat. Maryem eut le tort d'ajouter :

— J'ai emmené mes filles avec moi. Il ne me manque que mon fils !

Malgré la réserve que l'islam imposait au comportement et aux paroles, ce fut un tollé. Depuis quand un fils appartenait-il à sa mère ? Oui, mais le père était mort et la famille paternelle était fétichiste ! Alors à qui le confier ? Les droits de la famille et ceux de l'islam pour la première fois peut-être étaient en contradiction. Et on avait beau passer en revue les ouvrages des savants éminents, depuis le *Sahîh* d'Al-Buhari, jusqu'au *Alfiyyat al-Siyar*[1] d'Al-Ughari, aucune indication n'était donnée concernant ce cas précis. Cheikou Hamadou se leva et frappa dans ses mains :

— Laisse-nous, Maryem ! Nous allons réfléchir et te faire part de notre décision.

Maryem se retirait déjà, n'osant protester, quand il parut se ressouvenir de la présence de Mohammed. Alors il lui signifia gentiment de la suivre !

Quel enfant séparé de sa mère pendant près d'une année n'est pas transporté de bonheur en la retrouvant ? Mohammed couvrait de baisers sa peau fine et douce, fleurant le parfum haoussa. Il se roulait sur ses genoux, froissant ses voiles et ses pagnes. Maryem riait, oubliant presque les terribles heures qu'elle venait de traverser :

— Allons, tiens-toi tranquille ! Tu n'es plus un bébé...

Puis Mohammed se précipitait sur ses sœurs. Comme la petite Aïda, un nourrisson quand il avait quitté Ségou, était adorable ! Elle marchait, parlait un peu et, effrayée par ce frère inconnu, s'accrochait au pagne de ses sœurs.

Entre deux baisers, Mohammed s'informait des nouvelles de la famille :

---

1. Livres de saints musulmans.

— Et ma mère Adam ?

— Et ma mère Fatima ?

— Et mon père Siga ?

— Et mon père Tiéfolo ?

Là, le visage de Maryem devint terrible.

— Ne prononce plus jamais ce nom, il a pactisé avec les ennemis de ton père !

La mort de Tiékoro avait provoqué un véritable revirement chez Maryem. Elle qui avait toujours mis en doute la profondeur de sa foi et qui avait cru flairer dans chacun de ses actes un fort relent de narcissisme comprenait qu'elle avait méconnu un saint et se mettait tardivement à vénérer un esprit hors du commun.

Après le déjeuner, toute la famille partit chez M'Pènè saluer la grand-mère Sira. Celle-ci ne prêtait plus attention à grand-chose. Mais Maryem et M'Pènè se jetèrent dans les bras l'une de l'autre. Elles en vinrent très vite à parler de leurs vies. M'Pènè regrettait Tenenkou où elle avait grandi. Hamdallay était si austère que le cheikh El-Bekkay de Tombouctou était venu faire des remontrances à Cheikou Hamadou. Mais Maryem hochait la tête. Tout valait mieux que Ségou.

— Des fétichistes ! Toujours occupés à se nuire les uns les autres ou bien à chercher celui qui leur a nui…

Puis elles en vinrent à parler de la mystérieuse brouille entre El-Hadj Omar et Cheikou Hamadou. Entre deux musulmans ! Etait-ce possible ? Que s'était-il passé exactement ? M'Pènè n'était guère informée. Querelle de confréries, disait-on. Tidjaniya contre Quadriya. Mais était-ce seulement cela ? On chuchotait qu'El-Hadj Omar avait des visées commerciales et politiques sur la région.

M'Pènè offrit des galettes de riz cuites au beurre de karité et de petits pains de haricot mélangés de miel.

Quand Maryem et les enfants reprirent le chemin du retour, il commençait de faire sombre. Maryem frissonnait dans cette ville glaciale où chaque rue contenait une école coranique, pleine d'enfants souffreteux. A chaque carrefour, des illuminés clamaient le nom d'Allah. Sur une place on flagellait un condamné. Devant pareils spectacles, elle en venait presque à regretter Ségou. Elle s'engouffra dans la concession de Cheikou Hamadou.

Apparemment, le Grand Conseil avait eu de la peine à prendre une décision puisqu'il avait siégé toute la matinée, et s'était à nouveau réuni une partie de l'après-midi. Enfin il avait rendu son verdict. Une escorte et des présents seraient donnés à Maryem afin qu'elle retourne à Sokoto de la manière qui convenait à son rang. Quant à Mohammed, il devrait rester à Hamdallay. C'était son père lui-même qui l'avait confié à Cheikou Hamadou et ne pouvait-on pas considérer cela comme la dernière volonté d'un mourant ?

En entendant ce verdict, Mohammed manqua défaillir. Son corps fut parcouru d'ondes tour à tour glacées et brûlantes. Un voile passa devant ses yeux au travers duquel il apercevait sa mère et ses sœurs comme des îles féeriques dont il était à jamais séparé. Pourquoi, pourquoi ? Au nom de quel dieu ? Il était tenté de hurler et de blasphémer. Pourtant, son comportement extérieur ne trahit rien de ce tumulte et chacun s'accorda à reconnaître qu'il était le digne fils de son père.

A la fin de l'hivernage, Mohammed tomba malade. Sans doute avait-il intériorisé trop d'événements douloureux : la mort de son père, la séparation d'avec Maryem. Toujours est-il qu'un matin, alors que les disciples enfilaient leurs boubous, se précipitaient au-dehors pour les ablutions et couraient vers la mosquée, son corps lui refusa tout service. Il pria Alfa de lui apporter une calebasse d'eau, mais, après l'avoir bue, il la vomit en entier. Puis il lui sembla qu'une main le plongeait dans un puits d'où elle le tirait pour l'affronter à une lumière aveuglante et blafarde. Comme cela durait depuis plusieurs jours M'Pènè, alertée par Alfa, envoya Karim, son mari, et Tidjani, l'aîné de ses frères, demander à Cheikou Hamadou de leur confier l'enfant. Cheikou Hamadou accepta. Le fait était exceptionnel. Généralement, quand un disciple était souffrant, personne n'intervenait dans ce combat entre vie et mort. Des deux, la plus forte gagnait. Karim et Tidjani placèrent Mohammed dans un hamac dont ils attachèrent les extrémités à une perche qu'ils placèrent sur leurs épaules. Chacun de leurs pas lui imprimait un balancement qui arrachait à Mohammed des râles de douleur.

Pendant plusieurs jours, Mohammed sembla inconscient. En réalité, derrière ses paupières closes, il revivait l'exécution de son père, dont, tout à la joie de retrouver sa mère, le récit ne l'avait pas, croyait-il, impressionné.

« Ils l'ont fait monter sur une sorte d'estrade qu'ils avaient édifiée devant le palais du Mansa. Il regardait de tous côtés avec un grand calme, le sourire aux lèvres. Le bourreau s'est avancé par-derrière et, d'un seul coup de sabre, lui a fait voler la tête. Son corps est tombé en avant. Deux longs jets de sang se sont élancés de son col... »

Ah, ce sang, ce sang ! Il fallait le venger. Et comment ? En faisant triompher l'islam dans cette terre du fétichisme. En même temps et paradoxalement Mohammed en venait à revendiquer Ségou, que l'éducation de sa mère lui avait fait mépriser. Ségou lui appartenait. Il était un Bambara. C'étaient ses mains qui accrocheraient le croissant au faîte des minarets de ses mosquées. Dans son agitation, il se tournait et se retournait sur sa couche.

Inquiète, M'Pènè alla consulter un guérisseur qui, avec quelques autres, se dissimulait dans l'enceinte sacrée d'Hamdallay. L'homme aux cornes de bouc prescrivit des décoctions de racines et des bains de feuillage et assura que le corps du jeune patient se remettrait.

Personne n'aidait M'Pènè à soigner Mohammed avec plus de dévotion que la petite Ayisha, fille aînée de Tidjani. On n'aurait pu rêver fillette plus exquise ! Quand elle courait porter le repas à ses frères qui gardaient les vaches à l'extérieur de la ville, les gens hochaient la tête à son passage et souriaient :

— Une vraie Peule !

Aussi claire qu'une Mauresque, les cheveux longs et lisses, entremêlés de fils de couleurs, les pieds ravissants dans des sandales de cuir de chèvre et faisant dans leur vélocité tinter des bracelets d'argent finement travaillé. Quand Mohammed ouvrit les yeux, l'esprit encore embrumé, il la vit à son chevet et murmura :

— Qui es-tu ?

— Eh bien, tu ne me reconnais plus ? Je suis ta sœur Ayisha...

La mémoire lui revenant, Mohammed secoua vivement la tête :

— Tu n'es pas ma sœur. Tu es la fille de Tidjani...

Fondant en larmes, Ayisha s'enfuit au-dehors. Mohammed n'avait nullement voulu être blessant. D'instinct, sans comprendre pourquoi, il se défendait contre une parenté qui devrait imprimer une direction à leurs rapports. Tidjani était certes le fils de sa grand-mère Sira, mais avec Amadou Tassirou, non avec son grand-père Dousika. Pas une goutte de sang entre eux ! Se levant pour la première fois depuis longtemps, il poursuivit Ayisha dans la cour. Elle était appuyée à la margelle du puits et sanglotait à fendre l'âme. Dans son vêtement blanc, elle se détachait contre le vert des claies de clôture et un vent léger agitait le voile de sa tête. Pour la première fois, Mohammed découvrit la beauté féminine. Jusqu'à présent, la seule belle femme à ses yeux était sa mère. Brusquement, elle avait une rivale.

Son regard émerveillé prenait la mesure de l'extraordinaire perfection d'un corps de femme. L'arrondi des épaules, la courbe du dos et le méandre des fesses. Le surplomb des seins. Le délicat modelé du ventre.

Il marcha jusqu'à Ayisha, la prit dans ses bras et la couvrit de baisers. Mais elle le repoussait, protestant :

— Laisse-moi, tu m'as fait trop de peine !

Au bout d'un moment, elle le laissa faire. Puis comme il n'arrêtait pas de l'embrasser, elle eut l'intuition d'un danger et se dégagea. Ensuite, ils restèrent là à se regarder. Mohammed n'était pas entièrement innocent. Il savait ce qui se passait la nuit entre un homme et ses épouses et pourquoi le ventre de ces dernières enflait de si belle façon. Pourtant il ne s'était jamais imaginé lui-même en pareille situation. Un jour viendrait, bien sûr, où il aurait des épouses. Mais ce jour était loin. Distant. L'autre rive d'un fleuve qu'il n'avait cure de traverser. L'impatience et l'exaltation le saisirent soudain, fauchant ses jambes encore faibles, et il tomba, assis au milieu de la cour, effrayant les poules qui s'éparpillèrent en piaillant. Ayisha pouffa de rire :

— Tu as l'air bien malin, à présent !

Elle l'aida à se relever et, s'appuyant contre elle, il revint à l'intérieur de la maison. Il s'allongea sur sa natte. Comme elle le recouvrait d'un pagne de coton, il saisit sa main et la pressa contre sa bouche :

— Ne dis jamais que tu es ma sœur. Jamais, tu m'entends ? Jamais.

Désormais, sa guérison fit des progrès rapides. En même temps, cependant, son caractère se modifiait. Lui qui avait été le plus accommodant des garçons, tout occupé à plaire et à servir Dieu, devint secret, tourmenté, en proie à des colères inexplicables. Seule la compagnie d'Ayisha semblait lui plaire. Il passait des heures la tête sur ses genoux tandis qu'elle lui racontait des contes, malgré les remontrances de M'Pènè qui répétait que les contes ne doivent se dire que le soir à la veillée. Quand il repartit pour la concession de Cheikou Hamadou, il lui donna un étroit bracelet d'argent qu'il portait au poignet.

Peu après, une lettre de Siga parvint à Cheikou Hamadou dont il donna lecture à Mohammed. L'écriture en était parfaite ainsi que la syntaxe et il était évident qu'il avait fait appel à quelque scribe, bien au fait des complexités de la langue arabe :

« Très honorable et vénéré Cheikou Hamadou,

« Je pourrais t'en tenir rigueur d'avoir recueilli l'épouse fugitive de mon défunt frère qui selon des lois en vigueur dans ton peuple comme dans le mien me revenait pour le plus grand bien de notre famille. Je pourrais te blâmer de lui avoir offert une escorte et des présents pour regagner le toit de son père, qui m'a écrit pour m'annoncer qu'elle ne reviendrait jamais à Ségou.

« En agissant ainsi, tu obéis à ta vérité puisque tu nous crois les ennemis de Dieu. As-tu parfois songé que chaque peuple possède ses dieux, comme il possède sa langue et ses ancêtres ?

« Cependant essayer de te convaincre du droit que nous avons à refuser l'islam, qui n'est pas la religion de nos pères, n'est pas le but de ma lettre. Je viens te parler de notre fils Mohammed que tu retiens à Hamdallay. Notre famille a connu la tristesse de voir ses fils dispersés à travers le monde. L'un d'entre eux a été emmené en esclavage au Brésil. Un autre a trouvé la mort au royaume du Dahomey. Chacun d'eux a laissé des fils dans ces terres étrangères. Devenu le chef de la famille, je n'aurai de cesse que je ne réunisse sous le même toit tous ces enfants épars afin que nos ancêtres éprouvent satisfaction et réconfort. Je te le dis, où qu'ils soient à présent, nos enfants reprendront la route qui mène à Ségou. Avant de prendre contre toi les mesures que j'estimerai nécessaires, je viens te demander de nous rendre de bon gré notre enfant. Il nous appartient. Son diamou est traoré. Son totem est “ la grue couronnée ”.

« Je t'envoie mon salut de paix et de respect. »

Cheikou Hamadou regarda Mohammed et fit d'un ton circonspect :

— Qu'en dis-tu ?

Mohammed se rappela son père Siga, un homme affable, qui avait toujours un bon mot pour chacun. Ainsi donc la famille ne l'avait pas oublié. Elle tenait à lui. Elle entendait le réintégrer dans son sein et une onde de bonheur le parcourut cependant qu'il se répétait : « D'où qu'ils soient à présent, nos enfants reprendront le chemin de Ségou ! » Quelle belle phrase ! Et comme elle était signifiante ! Oui, il reprendrait la route qui mène à Ségou, terre aride peut-être mais que le sang de son père avait fertilisée ! Il y ferait pousser l'islam, plante vivace qui ne connaît ni hivernage ni saison sèche, dont les racines vont chercher l'eau et tout ce qui est nécessaire à la vie au plus profond des sols. Il sourit à Cheikou Hamadou :

— Mon père, que vas-tu lui répondre ?

Cheikou Hamadou lui posa une question que nombre de gens n'auraient pas manqué de trouver choquante, car on ne consulte jamais les enfants :

— Que veux-tu que je lui réponde ?

— Que je l'aime, que je le respecte et que je reviendrai…

L'enfant et le vieillard échangèrent un regard de totale confiance, de totale compréhension. Puis Cheikou Hamadou renvoya Mohammed et se remit à rouler les grains de son chapelet. Mohammed revint vers la salle d'enseignement et de méditation. Il prit place à côté d'Alfa, qui lui glissa, car tout bavardage était interdit entre les récitations des sourates :

— Qu'est-ce que le maître t'a dit ?

Mohammed ne l'entendit même pas. A ses oreilles lancinait la phrase de Siga : « Je n'aurai de cesse que je ne réunisse sous le même toit tous nos enfants épars ! »

# 7

— Eucaristus da Cunha ! Comment un nègre peut-il porter un nom pareil ?

Le révérend Williams haussa les épaules :

— C'est le descendant d'un esclave affranchi du Brésil. Son père avait pris le nom de son maître…

— Mais c'est illégal !

Williams leva les yeux au ciel :

— Illégal ? Pourquoi ? Ces pauvres diables perdaient toute identité en traversant l'Atlantique. Il fallait bien leur en donner une.

Le révérend Jenkins continuait de fixer le jeune homme à distance :

— Quel âge a-t-il ?

Williams rit. Ces questions trahissaient l'ignorance de son interlocuteur en toute matière relative à l'Afrique :

— Vous savez, l'état civil et les nègres ! D'après un passeport établi pour sa mère et dont j'ai vu la copie, il est né vers 1810. Jenkins, ce garçon est un trésor. Il a fait des études au collège de Fourah Bay en Sierra Leone et le révérend Kissling assure que, avec Samuel Ajayi Crowther, il est un de nos plus grands espoirs en cette terre de barbarie…

Jenkins ne pouvait vaincre ou raisonner son antipathie. Il demanda :

— Pourquoi Crowther lui a-t-il été préféré pour l'expédition sur le fleuve ?

— Est-ce que je sais, moi ? Je ne suis pas dans les secrets de la

Société pour la Civilisation de l'Afrique. Crowther est plus robuste et parle parfaitement yoruba...

Jenkins coupa :

— Je crois surtout qu'il est moins arrogant.

Puis il jeta une dernière question :

— Pourquoi n'est-il pas marié ?

Il fit un rapide calcul, ajoutant :

— Il en a largement l'âge. Près de trente ans...

Le révérend Williams choisit de rire :

— Posez-lui la question...

Le révérend Williams était le premier missionnaire anglican à mettre le pied à Lagos, où, à cause du climat malsain, on ne lui donnait pas une année à vivre. Or il était là depuis trois ans, et sans aucune aide il avait bâti la première case où s'était célébrée la messe. La première année, il n'avait pas dix fidèles. Mais depuis peu, il se produisait un afflux de familles de « Brésiliens [1] » et de « Saros » immigrants en provenance de Sierra Leone, tous impatients d'envoyer leurs enfants à l'école. Ils s'ajoutaient aux Européens qui malgré l'interdiction de la Traite continuaient de faire le commerce des esclaves et, comme en Côte-de-l'Or, celui fort lucratif de l'huile de palme. Aussi, depuis quelques semaines, la société des missions à Londres lui avait envoyé un compagnon en la personne de Jenkins. Hélas ! Cet Anglais qui n'avait jamais été plus loin que le village de Chelsea s'offusquait de tout. Des manières relâchées des Européens. De la nudité des Noirs païens. Du grand nombre de métis nés d'illicites rencontres entre Blancs et femmes noires. Pour couronner le tout, voilà qu'il avait pris Eucaristus en grippe !

Or Eucaristus était un véritable trésor. A Abéokuta où il résidait avec son oncle maternel, son intelligence avait frappé les missionnaires anglicans qui avaient obtenu une bourse de leur maison mère et l'avaient envoyé à Fourah Bay College dont il avait été un des premiers élèves.

C'est vrai qu'Eucaristus n'était pas toujours facile ! Mais le révérend Williams, qui lisait en lui comme dans un livre, savait qu'il n'était pas arrogant, mais timide et angoissé. Il ne parvenait pas à se remettre de la mort de ses parents et il était hanté par un désir totalement irrationnel : retrouver le berceau de sa famille paternelle, quelque part au Soudan, à Ségou.

Le révérend Williams n'avait qu'un désir : voir Eucaristus embrasser le sacerdoce. Or, il ne savait pas pourquoi celui-ci s'y

1. Les « Brésiliens » sont, comme les Agoudas, d'anciens esclaves revenus du Brésil ou de Cuba.

refusait. Sans doute était-il là encore victime de son perfectionnisme. Mais l'homme est une créature toute pétrie de faiblesse que seule la miséricorde divine conduit au salut éternel.

D'où il était, Eucaristus sentait peser sur lui le regard des deux prêtres et savait qu'ils parlaient de lui. L'inimitié du révérend Williams ne le gênait en rien. Au contraire, il s'émerveillait de cette capacité du nouveau venu à déceler ce qu'il s'efforçait de cacher à tous. Son goût pour les femmes. L'alcool. Même le jeu. N'avait-il pas un soir perdu dans un bouge le salaire d'une livre par mois que lui payait la mission ? Et surtout son orgueil ! Son incommensurable orgueil. C'est ainsi qu'au lieu d'habiter avec les autres « Brésiliens » le quartier de Popo Agouda, encore dénommé « Portuguese Town », il avait choisi de demeurer à la Marina, parmi les commerçants européens et métis. C'est qu'il se croyait d'une espèce supérieure et plus fine. Et pourquoi, en vérité ?

Il ferma son livre de cantiques et frappa dans ses mains pour signifier aux enfants que la leçon était terminée. Ceux-ci s'égaillèrent en riant. Sitôt franchie l'enceinte de la mission, ils ne disaient plus un mot d'anglais et n'utilisaient plus que le portugais ou le yoruba. Eucaristus lui-même parlait le portugais et le yoruba, langues de sa mère, l'anglais, langue de l'enseignement à Fourah Bay College, un peu de français et tout cela mêlé pour former le pidgin qui était la *lingua franca* de la côte. Cette confusion de langues, qui faisait penser à celle de la tour de Babel, lui semblait à l'image de sa propre identité. Qu'était-il lui-même ? Un animal composite, incapable de se définir.

Il donna un tour de clé à son pupitre, puis remonta vers la maison. Les deux prêtres assis sur la véranda s'éventaient avec de larges feuilles de pandanus, car la chaleur était torride. Le révérend Williams supportait assez bien la chaleur. Mais son compagnon, perpétuellement en nage, avait les traits tirés et les yeux bordés de rouge. Une fois de plus, Eucaristus se demanda ce que ces hommes faisaient si loin de chez eux.

Quand il les eut salués, le révérend Williams lui tendit un pli :

— Tiens, c'est pour toi...

Ce pli venait de son unique ami, Samuel Ajayi Crowther, qu'il avait laissé à Freetown.

Si la vie d'Eucaristus contenait nombre d'éléments de nature à frapper l'imagination, celle de Samuel Ajayi Crowther était un véritable roman. A treize ans, il avait été capturé par des marchands d'esclaves dans son village natal en pays yoruba, emmené à Lagos et, là, embarqué sur un navire qui faisait voile vers le Brésil. L'escadre britannique de surveillance des côtes l'avait libéré en mer et débarqué à Freetown où il avait été baptisé. Quand Eucaristus l'avait connu à Fourah Bay, il revenait de faire ses classes à Islington, en Angleterre, où il avait ébloui ses maîtres par son intelligence. C'était un esprit aussi serein que celui d'Eucaristus était tourmenté et qui croyait fermement à sa mission de civiliser l'Afrique.

« Mon bien cher ami,

« Il faut d'abord que je vous dise que ma femme Susan et moi sommes en bonne santé et guéris de ces fièvres par un médicament miraculeux qui vient d'Angleterre. Nos enfants, Samuel, Abigail et Susan, se portent également très bien et si Dieu le veut nous aurons bientôt un quatrième petit chrétien sous notre toit.

« Je dois ensuite vous faire part du bonheur qui m'a été fait. J'ai été choisi pour accompagner l'expédition britannique qui, d'ici douze ou quatorze mois, ira explorer le fleuve Niger dans l'espoir d'établir une ferme modèle à Lokoja à la confluence de la Bénoué. Elle a pour but le commerce, mais aussi l'évangélisation de nos frères noirs. Ces deux objectifs n'en font qu'un. " La charrue et la Bible ", voilà la nouvelle ligne politique qui inspire les missions. Ah, cher ami, quelle tâche exaltante que la nôtre ! C'est grâce à nos efforts que notre chère patrie connaîtra le vrai Dieu. Non, ce ne sera pas l'œuvre d'étrangers... »

Eucaristus replia la missive et l'enfouit dans son vêtement. Etait-il jaloux de voir son ami choisi pour cette mission ? Oui. Pourtant, ce n'était pas le plus important. Il était jaloux du calme et de l'ordre de sa vie. De sa foi. Sa foi tranquille. Civiliser l'Afrique en la christianisant. Qu'est-ce que cela signifiait ? Tout peuple ne possède-t-il pas sa propre civilisation que sous-tend la croyance en ses dieux ? Et en christianisant l'Afrique, que faisait-on sinon lui imposer une civilisation étrangère ?

Eucaristus suivit ses compagnons à l'intérieur de la maison et récita avec eux le bénédicité. Comme il enfonçait sa cuiller dans de la purée d'igname, le révérend William dit d'un ton moqueur :

— Sais-tu quelle question le révérend Jenkins m'a posée à ton sujet ? Il m'a demandé pourquoi tu n'étais pas marié.

Eucaristus sursauta. Le révérend Jenkins savait-il quelque chose ? Mais il eut beau le dévisager, il ne discerna sur ses traits que la malveillance commune à certains Européens, prêtres ou pas, qui haïssaient les Noirs. Il baissa les yeux sur son assiette, murmurant :

— Simplement, je n'ai pas encore trouvé la compagne chrétienne qui me conviendrait.

Eugenia de Carvalho était certainement la plus jolie métisse de Lagos. Son père était un riche commerçant portugais qui vendait de tout, des esclaves, de l'huile de palme, des épices, de l'ivoire, du bois. On disait qu'il avait tué un homme dans son pays et ne pouvait plus y retourner, mais on disait cela de tous les Européens dont la fortune était considérable et qui aimaient l'Afrique au point de souhaiter y être enterrés. La mère d'Eugenia était une Yoruba qui appartenait à la famille royale du Bénin et souvent, quand elle était lasse de l'ivrognerie et du sadisme de son compagnon, elle retournait dans le palais de l'Oba.

Ce monde habitait un sobrado[2] bâti par des maçons « brésiliens ». C'était une énorme bâtisse de forme rectangulaire, haute d'un étage et surmontée d'une mansarde. Sur trois façades, elle était percée de cinq fenêtres en ogive et de deux portes dont la partie supérieure était décorée de petits vitraux bleus, rouges et verts qui diffusaient dans la galerie circulaire une lumière doucement confuse qui respectait les coins d'ombre. Derrière s'étendait une grande cour plantée de papayers, d'orangers et de goyaviers, où babillait un peuple d'esclaves logé dans des communs dissimulés par une haie vive. Le soir venu, on suspendait des lanternes sur cette énorme façade afin que les habitants et les visiteurs de la maison puissent éviter les détritus de toute sorte qui en jonchaient les alentours, mêlés à des flaques d'eau usée et malodorante.

Eucaristus était entré dans cette famille pour donner des leçons d'anglais à Jaime de Carvalho junior, l'héritier, un garçon d'une douzaine d'années au teint sale, déjà occupé à culbuter les esclaves de sa famille. Car Jaime senior, tout débauché qu'il était, était un homme d'éducation, qui éprouvait une admiration éperdue pour les Anglais :

— Ce sont des seigneurs. Comparez-les à ces bâtards de Latins, Portugais, Espagnols, Français. Bientôt, ils gouverneront toute cette côte et cet énorme arrière-pays. Pour l'instant, ils hésitent, ils se contentent de faire du commerce, de remonter les fleuves, de placer leurs pions. Mais bientôt leur pavillon flottera sur les palais des Obas, des Alafins et des sultans... Parler anglais est pour un homme le privilège suprême !

En se rendant chez les de Carvalho pour sa leçon quotidienne, Eucaristus se rappelait les paroles de Malobali, comparant Ouidah à Ségou :

— Tu n'as jamais vu de villes pareilles à celles-là. Les villes par

2. Maison de ville brésilienne, par opposition à la fazenda.

ici sont des créations des Blancs. Elles sont nées du trafic de la chair des hommes. Elles ne sont que de vastes entrepôts...

Ah, comme il haïssait Lagos et son odeur de vice et de boue ! Comme il serait heureux de la quitter ! Mais pour aller où ? Cela il l'ignorait et n'arrivait pas à prendre de décision. En vérité, depuis qu'il avait fait la connaissance d'Eugenia de Carvalho, il était moins impatient de s'en aller. Car il s'était pris pour la jeune fille d'un amour d'autant plus violent qu'il le savait impossible. S'il arrivait à impressionner des Africains qui n'avaient jamais vu un livre de près et allaient demi-nus, il n'était que bénin, dérisoire devant une créature alliée d'une part à une famille royale autochtone et d'autre part à un Blanc. Pour certains, les Blancs n'étaient-ils pas les nouveaux seigneurs ? Ils parlaient d'égal à égal avec les plus puissants souverains noirs. Ils les réprimandaient, voulant à tout prix leur prouver la fausseté de leurs croyances et, peu à peu, leur loi s'imposait. Une fois de plus, la haine envahit le cœur d'Eucaristus, haine fort illogique, car n'était-il pas lui-même une créature des Blancs, un de « leurs plus sûrs espoirs dans cette terre de barbarie », comme le répétait le révérend Williams ? Comme il avait l'esprit ailleurs, Eucaristus mit le pied dans une flaque d'eau et considéra avec rage son soulier et le bas de son pantalon de drap noir tout crottés. C'est donc en proie à un malaise plus violent encore qu'à l'accoutumée qu'il entra dans la maison. Eugenia était assise sur un escabeau et se faisait coiffer. Sa chevelure plus crépue que véritablement bouclée couvrait tout son dos, atteignant le haut de ses fesses et il s'en dégageait une odeur acide comme celle du pelage de certaines bêtes, agréable cependant. Comme elle se penchait en avant pour permettre à ses esclaves de la peigner, sa robe de chambre de soie fleurie s'écartait et on voyait ses seins petits, ronds, presque blancs, décorés de mamelons couleur aubergine. Eucaristus frémit. Elle releva la tête vers lui et sourit :

— Ah, bonjour ! Monsieur Eucaristus da Cunha...

Elle ne prononçait jamais son nom sans une intonation de profonde raillerie, comme pour lui souligner l'incongruité qu'il y avait pour un Africain à s'appeler ainsi. Il fit, d'un ton rogue :

— Je vous ai déjà dit que vous pouviez m'appeler Babatundé si vous vouliez. C'est mon prénom yoruba.

Elle se mit à rire :

— Babatundé da Cunha ?

Les esclaves se mirent à rire à leur tour comme si elles comprenaient quelque chose à cet échange. En fait, Eucaristus connaissait également son patronyme paternel, puisque Malobali le lui avait révélé. Mais, à chaque fois qu'il voulait le prononcer, quelque chose l'arrêtait, lui révélant toute la réalité de son aliénation. Babatundé Traoré, non, jamais ! Il choisit de fuir et interrogea :

— Où est Jaime junior ?

— Je crois qu'il a fini de faire l'amour avec Bolanlé. Vous pouvez l'avoir tout à vous...

Profondément choqué, presque terrifié, Eucaristus se tourna vers l'extrémité de la galerie comme s'il s'attendait à voir surgir le père de la jeune fille et protesta :

— Mademoiselle de Carvalho ?

Elle rit à nouveau de son joli rire de gorge :

— Et vous, Monsieur da Cunha, faites-vous l'amour ?

C'en était trop pour Eucaristus ! Battant en retraite, il entra dans le salon où trônait un énorme billard, ce jeu étant la passion de Jaime senior, et courut presque vers le bureau où, chose inhabituelle, Jaime junior l'attendait déjà.

— Et vous, Monsieur da Cunha, faites-vous l'amour ?

Cette diabolique fille avait mis le doigt sur la plaie.

Eucaristus était un élève des missions. Il avait appris à leur contact que l'acte d'amour hors des liens sacrés du mariage est le plus grave des péchés et que la pureté est la principale vertu. Sans doute Malobali lui avait-il tenu un tout autre discours. Mais il n'était alors qu'un enfant et Malobali était mort. Alors à présent comment accepter son corps ? Ces désirs violents qui le secouaient ? Cette ondée blanche qui souillait ses cuisses ? Cette main, la sienne, qui cherchait son sexe et les cris de bête qu'il poussait alors ? Et, surtout depuis quelque temps, ces rencontres dans le plus horrible des bouges avec une catin que Portugais et Anglais avaient chevauchée tour à tour ?

Jaime junior ânonnait :

— « L'Eternel répondit à Moïse : " Passe devant le peuple et amène avec toi quelques anciens d'Israël. Prends dans ta main le bâton dont tu as frappé le fleuve et marche. Je vais me tenir devant toi..." »

Le silence de son maître, d'habitude pointilleux et tatillon, toujours à le reprendre et à lui faire répéter des phrases entières, le surprenait et il l'épiait à la dérobée. Eucaristus était beau avec son front haut, ses yeux brillants et le délicat modelé de ses joues. Mais pour Jaime junior, habitué à valoriser la seule couleur de la peau, il était affreux avec son teint très noir et ses cheveux en grains de poivre. Derrière son dos, il se tordait de rire avec Eugenia, imitant ses manières pompeuses et guindées. Ah, qu'un Noir est laid quand il singe un Blanc ! Eucaristus regarda son élève et lui dit avec une gentillesse surprenante :

— Très bien, Jaime ! Vous faites des progrès surprenants...

La voix, les yeux trahissaient un trouble extraordinaire. Jaime décida de porter un grand coup :

— Est-ce que vous savez qu'Eugenia se marie ? Mon père a finalement accepté Jeronimo Medeiros. Vous savez que c'est un quarteron ? Son père est un Portugais, et sa mère une mulâtresse...

Eucaristus resta d'abord pétrifié. Il savait bien qu'Eugenia ne serait jamais à lui. Pourtant d'apprendre ainsi qu'elle allait appartenir à un autre ! Puis il se précipita sur Jaime et le saisit aux épaules, le secouant comme un arbre fruitier :

— Ce n'est pas vrai ! Vous mentez, vous mentez !

L'enfant parvint à se dégager et fit le tour du bureau, cherchant refuge derrière de lourds fauteuils. Quand il fut à l'abri de toute attaque, il se mit à crier :

— C'est vrai, c'est vrai, elle va se marier ! Est-ce que vous croyez que nous n'avons pas vu comment vous la reluquiez ? Mais elle n'est pas pour vous ! Sale nègre, cannibale, tu pues, tu manges de la chair humaine. Sale nègre ! Fous le camp... Retourne à ta brousse...

— Et dire que ces gens-là sortent du ventre d'une femme noire ! Est-ce qu'ils l'oublient ?

Eucaristus avait beau se répéter cette phrase, elle ne l'apaisait pas. La douleur, la colère, l'humiliation se mêlaient en lui au désir éperdu d'être consolé comme un enfant. Ah, Romana ! Pourquoi avait-elle abandonné ses enfants pour suivre Malobali même dans la mort ? Où trouver un sein qui ait pareille douceur ? Eucaristus ne pensait jamais à sa mère sans qu'un sentiment de rancune se mêle à sa piété filiale. Doit-on mourir quand on a quatre fils, dès lors désarmés dans ce combat de la vie ? Bénies soient celles qui sont plus mères qu'épouses ! N'est-ce pas le cas de la Très Sainte Vierge Marie ?

A défaut d'un sein de femme, Eucaristus se rabattit sur ce qui y ressemblait le plus : un verre d'alcool. Mais, quand il en eut ingurgité un grand nombre, son désir charnel ne fit que s'exacerber et il se retrouva, saoul et titubant, sur le chemin d'Ebute-Metta.

Une honte, ce quartier d'Ebute-Metta ! Un amas de cases où les marins descendus des négriers venaient se défouler auprès de femmes, métisses pour la plupart. L'année précédente, une épidémie de variole et une épidémie d'influenza décuplée par une saison des pluies torrentielles avaient fait leur plein de cadavres. Néanmoins, les catins étaient déjà nombreuses, comme si elles se reproduisaient aussi rapidement que les insectes et les rats qui infestaient la région. On pataugeait dans la boue, au milieu de laquelle, imperturbables, des femmes vendaient des acaraje [3] et des tranches de plantain frites dans l'huile de palme.

Eucaristus poussa la porte du Flor do Porto, un bordel où les catins étaient les moins chères de Lagos. Souvent elles se faisaient payer d'un mouchoir rouge et d'un collier de verroterie. C'est dire qu'elles n'étaient ni de première beauté ni de première fraîcheur. Pourtant Filisberta était jolie. Elle avait certainement du sang européen, car elle était très claire, toujours vêtue à la brésilienne de larges jupes d'indienne rouge, de chemises de coton blanc, et la tête couverte d'un turban à carreaux. Les marins des négriers ne la recherchaient pas parce qu'elle avait la triste habitude de pleurer après l'amour et qu'avaient-ils à faire de ses larmes ? Mais Eucaristus, lui, la préférait à toute autre. Avec stupeur, elle dévisagea le jeune homme, qui s'il buvait sec comme tous ceux qui pénétraient au Flor do Porto se saoulait rarement, et s'enquit :

— Mais qu'est-ce qui t'est arrivé ?

— Je viens de me faire traiter de sale nègre par un fumier de métis...

Filisberta haussa les épaules pour signifier que ces choses-là arrivaient tous les jours. Les métis étaient bien plus arrogants que les Blancs car ils voulaient faire oublier leur moitié de sang noir. Quant aux « Saros » et aux « Brésiliens », les premiers calquaient leur comportement sur celui des Anglais et méprisaient les seconds à cause de leur ancien état servile. Mais les deux groupes abominaient les autochtones de la même manière et avaient partie liée avec les métis et les Blancs. Voilà le monde tel qu'il était ! Saleté d'époque !

Eucaristus suivit Filisberta. Une passerelle de planches zigzaguait à travers la gadoue et menait à un baraquement divisé en cellules, où les filles recevaient leurs clients. Aussi, à travers les cloisons, chacun avait les oreilles remplies du tumulte obscène de l'autre.

Il y a des moments où un homme a sa vie en horreur. Elle est debout là à le regarder dans les yeux, avec sa face grêlée et ses dents avariées dans la lie violette des gencives. Alors, il se dit : « Non, je n'en peux plus. Il faut que cela change ! » Telles furent les pensées d'Eucaristus dans la pièce à odeur aigre au moment précis où Filisberta faisait glisser sa blouse par-dessus sa tête.

Il se vit instituteur d'une école de mission, sans statut défini, incapable de s'imposer à la société qui l'impressionnait, obligé de partager le lit d'une catin. Il fallait en sortir. Et quelle était l'issue ?

3. Beignets de haricots.

La seule issue possible ? Partir à Londres pour étudier la théologie et devenir un prêtre. Les prêtres n'étaient-ils pas les héraults de la nouvelle civilisation qui s'avançait conquérante ?

Oui, mais son corps ? Eh bien, il le vaincrait. Il ferait de sa triste enveloppe charnelle un temple digne de son créateur. Quelle tâche exaltante ! Se vaincre soi-même ! Jésus n'avait-il pas dit : « Efforcez-vous d'entrer par la porte étroite ? »

Pendant ce temps, Filisberta, nue, allongée sur la couche, s'impatientait :

— Mais qu'est-ce que tu attends ?

Eucaristus ramassa ses vêtements qu'il avait à moitié enlevés, puis la fixa dans les yeux, martelant :

— Tu ne me reverras plus. Je ne reviendrai jamais plus ici, tu m'entends ?

## 8

La réception battait son plein.

La mariée dansait avec plus d'emportement peut-être qu'il ne sied à une jeune fille de bonne famille. Elle portait une robe de soie blanche souple, ornée de fleurs d'oranger avec une traîne de cour en velours de soie blanc, et posait ses mains gantées sur les épaules d'un grand garçon un peu massif, très clair, les cheveux ramenés en boucles lustrées de pommade sur les tempes, les favoris longs tombant sur un col rabattu, vêtu d'un habit de drap gris clair sur un pantalon noir. Autour du couple, les autres danseurs se tenaient à distance comme pour respecter ce bonheur naissant et c'était une débauche de garnitures de dentelles, de broches, de bracelets à médaillon, de couronnes de fleurs presque inconnues sous ces climats. Des enfants se faufilaient entre les jupes bouffantes des cavalières et se précipitaient vers la table décorée de feuillage sur laquelle traînaient les reliefs du repas de noces parmi les candélabres et les cristaux à facettes. Ils trempaient les doigts dans les verres de vins d'Espagne, de rhum, d'eau-de-vie et déchiquetaient les dernières tranches de viande froide enrobées d'une gélatine couleur d'ambre.

L'air de valse s'arrêta et dans le silence qui suivit, vite troublé par les rires suraigus des femmes, ceux plus graves des hommes et le cliquetis des plateaux d'argent que portaient des domestiques en habit rouge, Jaime de Carvalho senior frappa dans ses mains pour annoncer qu'il allait prendre la parole.

Eucaristus se haïssait d'être là, parmi cette foule de curieux éperdus d'admiration et d'envie devant ce beau monde. Et qu'avaient-ils fait, tous ceux-là, pour s'enrichir ? Ils avaient vendu leurs semblables ! Ce n'était que des marchands de chair humaine ! Pourtant ils paradaient ! Pourtant ils prétendaient former une aristocratie ! Et, plus grave encore, tout le monde, acceptant ces prétentions, pliait l'échine devant eux. D'où il était, Eucaristus ne pouvait entendre Jaime. Il voyait seulement un pantin au teint olivâtre, aux cheveux graisseux et aux yeux pénétrants, aiguisés par la pratique de toutes les roueries du monde. Eucaristus devait s'avouer qu'il souffrait. Dans son orgueil. Dans sa chair. Dans son cœur aussi, car il désirait et aimait Eugenia. Qu'avait-il de plus que lui, ce Jeronimo Medeiros ? Il était aux trois quarts blanc, voilà tout. Derrière son dos, les badauds chuchotaient que Jaime de Carvalho avait commandé pour le mariage de sa fille six coffrets d'argenterie, valant chacun sept cents livres sterling, de la vaisselle d'argent et des centaines de cigares fins de La Havane. Ce murmure d'adulation, entrecoupé d'exclamations, lui donna la nausée et il trouva la force de s'éloigner.

Il pleuvait. Il pleuvait toujours à Lagos. Une pluie lourde, qui favorisait la pousse de toutes sortes d'arbres et d'arbustes dans le moindre espace de terre. Aussi, on avait l'impression d'avancer à travers une forêt sournoise, comme un reptile qui cherche à vous enserrer dans ses anneaux. Quand il ne pleuvait pas, il suintait de l'air une brume nauséabonde, litière de mauvaises fièvres. Tout le long de la côte, les marins chantaient :

*Méfie-toi et prends bien garde*
*Dans le golfe de Bénin,*
*Car pour un seul qui en sort*
*Il en est entré quarante*[1].

La Marina, où habitait Eucaristus, était composée d'un mélange de factoreries fortifiées, pour décourager toute attaque, et de maisons de briques de terre. Le jour, le spectacle de la lagune avec ses eaux claires et ses bateaux de pêche était assez agréable. La nuit, on ne distinguait que des formes sinistres. Eucaristus monta rapidement les marches menant à la galerie entourant les deux pièces de sa maison, puis s'arrêta surpris. Une lumière brillait à l'intérieur et le révérend Williams lisait sa Bible, les jambes croisées en tailleur sur une natte. Eucaristus qui était loin d'avoir la conscience tranquille tressaillit, mais le prêtre leva un regard bienveillant vers lui :

— Eh bien, est-ce que c'était une belle noce ?

1. Chanson anglaise de l'époque : *Beware of the Bight of Benin.*

— Je suppose... Il y avait là tout ce que Lagos compte de Blancs, de quarterons et de mulâtres...

Il y avait dans sa voix une amertume qui n'échappa pas au révérend Williams, mais qu'il choisit de ne pas remarquer :

— Je ne suis pas venu te parler de ces trafiquants de sang ! Nous avons reçu une réponse de Londres. La Société des missions demande que tu te rendes à Freetown où le révérend Schonn s'entretiendra avec toi. Ensuite tu pourrais partir pour l'Angleterre...

Il y avait trop de précautions et de réticences dans cette réponse à un moment où la Société des missions traquait et même suscitait des vocations chez les Africains, car elle était convaincue que la parole de Dieu ne pouvait être mieux propagée à travers le continent noir que par des Africains eux-mêmes. Eucaristus regarda le révérend Williams avec surprise, et celui-ci expliqua avec un peu d'embarras :

— Dans ma demande, j'ai dû tenir compte des réserves du révérend Jenkins à ton sujet. Il ne croit pas à ta vocation. Il te trouve orgueilleux, têtu, sans chaleur de l'âme.

— Ne me reproche-t-il pas tout simplement d'être noir ?

Le révérend Williams ne voulait pas se laisser entraîner à discuter de la nature des rapports de certains Blancs avec les Noirs. Les commerçants, puis les colons blancs avaient dégradé des Noirs en les vendant comme des bêtes et en les faisant travailler dans leurs plantations. Alors ils avaient fait naître en eux des comportements qui étaient inconnus de l'ensemble de leurs peuples. Williams en était convaincu. Il n'y avait rien de commun entre les nègres de la côte, dégénérés par le trafic de leurs semblables, ivrognes, prêts à tout pour acquérir les objets des Européens, et les Noirs de l'intérieur, purs, chaleureux, pleins de sagesse qu'il suffisait seulement d'amener au vrai Dieu. Et cette tâche, c'était à des esprits comme celui d'Eucaristus qu'elle revenait. A ceux d'Africains supérieurs. Les Blancs qui comme Jenkins généralisaient, disant : « Les Noirs sont comme ceci, les Noirs sont comme cela » l'exaspéraient. Il se dirigea vers la porte :

— Dès demain, nous irons au port. Le brigantin *Thistle* lève l'ancre bientôt...

Eucaristus gagna sa chambre et se dévêtit, posant avec soin ses habits sur un escabeau à côté de sa natte. Tous les événements de la journée repassaient dans sa tête. Ah, Eugenia qui ne serait jamais à lui ! Qui enfanterait des octorons en se réjouissant de la couleur de leur peau ! Ce n'était certes pas l'épouse modeste et vertueuse qu'un chrétien doit rechercher, mais comme ses baisers devaient être savoureux ! Son corps, plein de délices !

A ce moment, on frappa à la porte et Eucaristus, pensant que ce devait être le révérend Williams revenant réparer quelque oubli, se précipita pour ouvrir. C'était Filisberta.

Il ne l'avait pas revue depuis sa crise de conscience au Flor do Porto et Satan en personne aurait surgi devant lui qu'il n'aurait pas été plus effrayé. Elle se glissa vivement à l'intérieur et il faillit se jeter sur elle pour la faire sortir :

— Qu'est-ce que tu viens chercher ici ?

Elle rit :

— Il paraît que tu veux partir pour l'Angleterre ?...

Mon Dieu, avec quelle rapidité les nouvelles circulaient à Lagos, à croire que chacun vivait l'oreille collée au trou de la serrure de l'autre !

— Pour devenir prêtre ?

Il y avait une terrible ironie dans sa voix. Elle entra dans la deuxième pièce comme si elle y avait été invitée et son assurance confondait Eucaristus. Elle commença à ôter ses vêtements. D'abord sa jupe rouge à la brésilienne. Puis, son court pagne yoruba. Eucaristus tonna :

— Qu'est-ce que tu fais ?

Elle continua à se dévêtir, puis elle s'allongea sur la natte, se croisant les mains derrière la nuque :

— Je vais quitter Lagos, je n'en peux plus. Tu vois, mon père est un fumier de Blanc, Portugais, Anglais, Hollandais, je ne l'ai jamais su. Et ma mère non plus, peut-être. Le salaud qui l'a violée n'a pas décliné son identité. Mais elle vient de Dada où se trouve toute notre famille. Je vais retourner là-bas...

Eucaristus ne croyait pas un mot de toute cette histoire. Il fit sauvagement :

— Eh bien, retournes-y. Qu'est-ce que tu veux que cela me foute ?

— Je n'ai besoin que de deux livres...

Il s'assit près d'elle, apeuré, sentant se dessiner un chantage et balbutia :

— Où veux-tu que je trouve deux livres ? Tu me prends pour un marchand d'esclaves ?

Elle rit :

— C'est ton problème, *darling,* pas le mien !

En même temps, elle promenait sa main dont il connaissait l'habileté le long de sa cuisse, tout près de son sexe, déjà lourd et rigide comme un sac de pierres, à sa propre surprise.

— Crois-tu que tes révérends seraient heureux d'apprendre que l'enfant que je porte est de toi ?

Il bégaya :

— Dieu soit loué, les putains comme toi sont stériles...

Elle rit tandis que ses caresses se faisaient plus précises :

— C'est toi qui le dis... Deux livres ou, demain, je suis à la mission avec ma petite histoire. Deux livres, ce n'est pas payer bien cher le royaume de Dieu n'est-ce pas ?

Elle l'attira contre elle et il ne songea même pas à protester. Comme il se perdait en elle, une sorte de rage contre Dieu le prenait, surprenante chez un homme qui envisageait de se destiner à la prêtrise. Pourquoi avait-il créé le sexe pour en restreindre l'usage au triste lit conjugal ? Pourquoi lui donner ce relent d'ordure, ce goût de péché ? L'acte de chair n'était-il pas le plus naturel et peut-être le plus beau ? Puisqu'il était à l'origine de la vie.

— Ce qui peut arriver de mieux à notre malheureux continent, c'est que les nations européennes, en particulier l'Angleterre et la France, se chargent de son gouvernement et détrônent nos rois ignorants et fétichistes !

Eucaristus ne put en entendre davantage :

— Samuel, ne parlez pas ainsi ! Vous croyez que les Anglais, car je ne connais rien aux Français, sont de généreux idéalistes. Moi, je vous dis qu'ils n'ont en tête que le commerce. Nous inonder de leur alcool, de leur pacotille. Nous forcer à cultiver pour eux le cacao, le coton, à produire de l'huile de palme pour leurs machines...

Cependant, tout en parlant, Eucaristus se reprochait de céder à la colère et d'entreprendre une discussion dont il connaissait l'inanité. A cause des circonstances particulières de sa vie, Samuel Crowther avait une dévotion éperdue pour l'Angleterre. C'était tout à la fois son père et sa mère, la grande nation qui l'avait arraché à l'esclavage. Samuel reprit :

— N'ont-ils pas les premiers aboli la Traite ? Et à présent ne viennent-ils pas d'abolir l'esclavage dans leurs possessions des Antilles ?

Eucaristus éclata de rire.

— Mon ami, je viens de Lagos. Savez-vous combien de vaisseaux négriers se pressaient dans le port ?

— Bien sûr, les patrouilles britanniques ne peuvent pas tout faire contre les nations esclavagistes d'Europe, la France, l'Espagne...

Avec un soupir, Eucaristus prit la main de son ami :

— Parlons d'autre chose, voulez-vous ?...

Samuel alla chercher une carafe de vin de Porto et deux verres et les posa sur la table :

— Parlons de votre vocation peut-être. Tout cela n'est-il pas bien rapide ? Moi que le révérend Schonn presse de devenir prêtre, je ne m'y suis pas encore décidé...

Embarrassé, Eucaristus emplit son verre et le vida très vite, fixant un beau portrait à l'huile de Samuel, accroché au mur :

— J'ai peur de perdre mon âme si je ne bâtis pas autour d'elle les garde-fous les plus infranchissables...

Samuel le regarda avec bonté :

— Vous aimez trop les femmes, c'est tout ! C'est là la bête qui est en vous. Aussi ai-je décidé de vous aider...

Il prit un air mystérieux :

— Je vais vous présenter une jeune fille qui est la perfection même...

Eucaristus éprouva un désir absurde de le choquer et l'interrompit railleusement :

— De quelle perfection parlez-vous ? Celle des seins, des fesses, des cuisses ? Savez-vous si elle sera chaude au lit ?

Samuel ne sembla pas du tout irrité. Se levant, il prit son chapeau sur un siège et fit signe à Eucaristus de le suivre.

Le site de Freetown, que l'on appelait également le Liverpool de l'Afrique à cause de sa grande activité commerciale, était grandiose. Eucaristus, qui avait vécu deux ans dans la touffeur de Lagos, retrouvait avec ivresse ces collines couvertes de fourrés verdoyants, cet enchaînement de criques plantées de cocotiers gracieusement alignés sur le sable, cette profusion de fleurs et d'arbustes : frangipaniers, magnolias, lauriers-roses. Le territoire de Freetown étant colonie de la Couronne britannique depuis 1808, la ville ne manquait pas d'édifices imposants. En particulier la cathédrale Saint-Georges.

Tout en parlant, les deux amis cheminèrent lentement. Ainsi que la plupart des villes africaines dont elle avait respecté le schéma, Freetown se divisait en quartiers où la population se regroupait selon l'origine ethnique. Celui des Akus, c'est-à-dire des affranchis d'origine yoruba, des Peuls reconnaissables à leur grand boubou musulman, celui des Ibos, celui des Marrons. Les Marrons étaient les descendants des célèbres esclaves révoltés, amenés de la Jamaïque après avoir longtemps mis à genoux les armées britanniques les mieux entraînées. Ces dernières n'étaient parvenues à les vaincre qu'en s'aidant de dogues de Cuba, dressés à dévorer des Nègres. Eucaristus interrogea :

— Où allons-nous ?

Samuel sourit :

— Pas de question...

Le charme le plus grand de Freetown était, de l'avis de tous, l'extrême occidentalisation de sa population. Les esclaves libérés en mer par les patrouilles anglaises, les affranchis venus des îles britanniques des Antilles, les « poor Blacks » rapatriés de Londres avaient souvent perdu jusqu'au souvenir de leur langue maternelle, de leur religion, de leurs traditions et adoptaient avec enthousiasme les mœurs des Blancs. Seule exception, les Marrons, murés dans une haine et une méfiance des Anglais qui résistaient au temps. C'est pourquoi Eucaristus manifesta un vif étonnement quand ils prirent la direction de leur quartier :

— Vous fréquentez des Marrons à présent ?

— Les filles ne sont pas toujours pareilles à leur père. Je vous répète qu'Emma est la perfection même. Si vous l'entendiez chanter à la cathédrale !...

A présent, des hommes et des femmes aux visages assez farouches sortaient des maisons de bois à véranda pour les examiner. Brusquement Samuel s'exclama :

— Ah, j'allais oublier ! Vous vous rappelez cette histoire dont vous m'avez rebattu les oreilles, celle d'un Blanc qui se trouvait aux portes de Ségou le jour de la naissance de votre père ? Eh bien, je sais qui c'est...

Eucaristus demeura interdit :

— Vous savez qui c'est ?

Samuel prit son air de prêcheur :

— Oui et c'est bien là la preuve du caractère maladif de l'imagination de nos peuples, tout encombrée de superstitions. Ce n'était pas un mauvais génie, un albinos, que sais-je encore ? C'était un Ecossais du nom de Mungo Park...

Eucaristus lui prit le bras. Cette histoire que Malobali lui avait contée tant de fois et qui lui paraissait aussi fantaisiste que celle de Souroukou et Badéni était donc vraie.

— Comment l'avez-vous découvert ?

— Tout simplement parce qu'il a écrit un livre sur lequel je suis tombé par hasard... Vous feriez bien de le lire !

Ils étaient arrivés devant une vaste bâtisse assez mal entretenue, une peinture jaune couvrant les murs et contrastant avec le vert épinard des volets des fenêtres. La véranda était encombrée d'instruments aratoires qui ne devaient pas être utilisés souvent, car le jardin potager était envahi de mauvaises herbes qui étouffaient les patates douces, les ignames, le manioc... Un homme très noir et très farouche, un vrai Marron, fendait des noix de coco à grands coups de machette et sans répondre au salut de Samuel il lui fit signe d'entrer dans la maison. Eucaristus aurait voulu presser son ami de questions et maudissait cette visite intempestive. Un livre relatant cette visite à Ségou ! Alors ce n'était pas un conte tout entremêlé de magie ?

A l'intérieur de la maison, un piano occupait une place de choix près d'une fenêtre et deux garçons crasseux jouaient à quatre mains en ponctuant chaque accord de grands éclats de rire. A la vue des deux hommes, ils s'interrompirent avec un bel ensemble et hurlèrent :

— Maman...

Une petite femme boulotte apparut en bondissant et s'excusa avec volubilité de l'état de sa maison. Avec tous ces enfants, les siens, ceux du premier mariage de son mari, ceux du frère de son mari qui venait de trépasser, comment garder des lieux propres et ordonnés ? Etait-ce l'ami dont M. Crowther avait annoncé l'arrivée ? Il venait de Lagos ? Elle avait de la famille à Abéokuta. Non, elle n'était pas yoruba. Cent pour cent jamaïquaine. Eucaristus se demandait comment il allait supporter plus longtemps cet assommant bavardage quand il vit entrer une petite personne, remarquablement bien proportionnée, les extrémités parfaites. Elle portait un corsage de dentelle étroitement ajusté et une large jupe à carreaux bleus et blancs. En entrant, elle baissait légèrement la tête et, quand elle la releva, Eucaristus reçut en plein visage l'extraordinaire regard de deux yeux gris, tellement inattendus dans ce visage noir qu'il manqua crier de surprise. Ils accompagnaient un nez délicat et une belle bouche charnue, un peu mauve, ouvertement sensuelle. Tant de beauté et de distinction chez une fille de Marron ! Abasourdi, Eucaristus se tourna vers son ami et lut sur ses traits une expression de triomphe qui signifiait : « Voici la perle que je vous ai trouvée ! Chrétienne et vertueuse. En même temps, jolie à ravir ! C'est là l'épouse qu'il faut à un être tel que vous. Elle vous empêchera de reluquer d'autres femmes tout en vous donnant de beaux enfants que vous élèverez dans le respect de la parole de Dieu... »

Cependant la mère bavardait à nouveau. Comme elle avait remarqué la surprise d'Eucaristus, elle expliquait que ces yeux gris étaient fréquents chez les Trelawny. Ils venaient de l'aïeule Nanny qui avait dirigé la guérilla contre les Anglais dans les Blue Mountains de la Jamaïque. Ah, Nanny ! Elle avait obligé les Anglais à signer un traité qui divisait l'île et garantissait la liberté des Marrons. Par la suite, bien sûr, il s'était trouvé des traîtres pour conduire les Anglais jusqu'à leurs places fortes... Et tout cela s'était terminé par l'exil. D'abord en Nouvelle-Ecosse. Puis à Freetown.

Eucaristus l'écoutait à peine. Il regardait la jeune Emma qui à présent servait le thé dans de fines tasses de porcelaine de Wedgewood. Quelles mains délicates et quels mouvements gracieux !

Comme pour rappeler à ceux qui seraient tentés de l'oublier de qui elle était la fille, le père Trelawny, qui avait fini de sabrer ses noix de coco, entra, traversa la pièce, laissant les empreintes de ses gros pieds en ligne régulière, et vint prendre un banjo posé sur une chaise. Puis il refit, toujours sans un mot, le chemin inverse. Tout en fixant d'un air de martyr les traces de boue laissées par son mari, M^me^ Trelawny expliqua que la famille était très musicienne. Tous les enfants jouaient du piano. En outre, Emmeline jouait de la harpe. Samuel, de la flûte. Jérémie, du violon alto. Quant à Emma, elle chantait ! Sa voix était aussi mélodieuse que celle du keskedee, le rossignol de la Jamaïque.

Au moment où elle se penchait vers lui pour remplir à nouveau sa tasse, Emma regarda Eucaristus dans les yeux. Il reçut en pleine face, en plein cœur, l'impact de ses prunelles lumineuses, mystérieuses, lourdes de secrets comme les flots de la mer. Il eut aussitôt l'intuition qu'Emma jouait un jeu, s'entourait d'une gangue protectrice. Mais pourquoi ? Ce corps charmant renfermait une personnalité hors pair qu'elle avait choisi, pour des raisons connues d'elle seule, de dissimuler. Elle n'était pas seulement jolie, bien faite, vertueuse, bonne chanteuse, capable de ravir les fidèles à la cathédrale le dimanche. Elle était tout autre chose. Mais quoi ? Eucaristus sentait confusément qu'il devrait se lever, s'enfuir, signifier à ce pauvre Samuel qui croyait bien faire, qu'il se trompait du tout au tout sur la nature de la marchandise. Hélas, il ne le pouvait pas ! Il était déjà fasciné...

L'entretien avec le révérend Schonn se passa assez mal, car il était visiblement prévenu contre Eucaristus. Certaines de ses réponses le mirent en rage.

— Da Cunha ? Cela veut dire que vous êtes descendant de Brésiliens. Comment n'êtes-vous pas catholique ?

— Quand le frère de ma mère m'a emmené avec lui à Abéokuta, la seule école était celle de missionnaires anglicans... J'y suis allé !

Devenant ouvertement agressif, le prêtre poursuivit :

— Vous avez près de trente ans. Vous n'êtes pas marié. Ne savez-vous pas qu'il n'est pas bon que l'homme soit seul ?

C'était le point sensible d'Eucaristus qui craignait toujours qu'on ne découvre les désordres de sa vie. Il remercia sa peau noire qui lui interdisait de changer de couleur et bégaya :

— J'espère parvenir à convaincre une jeune chrétienne de devenir ma femme... C'est Samuel Crowther qui me l'a présentée.

Eucaristus employait le nom de Samuel comme un talisman car il savait l'estime que Schonn lui portait et il produisit l'effet escompté. Schonn se radoucit :

— Samuel vous aime et dit le plus grand bien de vous. Je crains seulement que vos qualités d'intelligence ne l'emportent sur vos qualités de cœur.

Eucaristus bouillait de colère : de quel droit le jugeait-il ? Que savait-il de son cœur et de son intelligence ? Néanmoins, il se contint et l'entrevue arriva à ses fins.

Quand ils avaient créé le collège de Fourah Bay, les Anglais ne songeaient guère à y former que des artisans bien au fait des techniques européennes de menuiserie, de maçonnerie ou de métallurgie et des assistants pour les tâches d'administration de la colonie. Mais, très vite, la soif d'apprendre de leurs élèves les avait submergés comme une lame de fond et ils s'étaient mis à former des prêtres et des enseignants qu'ils envoyaient dans leurs missions en Côte-de-l'Or et depuis peu à Lagos, Abéokuta, Badagry, Calabar dans le golfe du Bénin. Fourah Bay était devenu une pépinière de talents, l'usine à fabriquer les « nègres en pantalons[2] » qui allaient propager avec la parole de Dieu, la civilisation occidentale. Le collège abritait ses locaux dans une jolie bâtisse, entourée de grandes pelouses bien ratissées et les étudiants tout de noir vêtus, sous le soleil, arpentaient les allées, le nez plongé dans leurs livres de classe. Quelques années auparavant, Eucaristus avait fait partie de ces groupes studieux. Pourtant, il retrouvait le lieu sans plaisir, même avec un certain malaise. Etait-ce le nouveau visage de l'Afrique qui se dessinait là ? Ah, qu'il était peu plaisant ! Trahison et mépris des valeurs des ancêtres !

Il se retrouva dans la rue principale.

Le père Trelawny possédait une menuiserie-ébénisterie à l'angle de la rue Wilberforce et de l'avis de tous c'étaient de véritables œuvres d'art qui sortaient de ses mains. Cet homme farouche, taciturne, qui avait fait dix enfants à ses deux femmes sans leur dire un mot, était amoureux du bois et celui-ci, sensible à ces sentiments, se pliait à sa volonté, donnant le meilleur de lui-même. Armoires, tables, commodes, bahuts, fauteuils, tout était digne de figurer dans un musée comme d'authentiques pièces de collection. Le père Trelawny se faisait aider de deux de ses fils qu'il avait initiés à contrecœur à ses secrets.

Emma, elle, aidait à l'atelier, prenant les commandes sur un gros cahier, car elle avait une jolie écriture ronde. Elle accueillit Eucaris-

2. L'expression est de Mary Kingsley, voyageuse anglaise.

tus avec cette impassibilité gracieuse qui le déconcertait tant. Pourtant au bout d'un moment, elle pria un de ses jeunes frères de la remplacer et se leva, faisant tournoyer sa jupe d'indienne sur des bottines qui n'auraient pas déparé une Londonienne. Ils sortirent dans l'arrière-cour où le père Trelawny et ses fils travaillaient tête baissée. Emma s'assit sur une souche d'arbre :

— Le mariage est affaire sérieuse, Eucaristus. Il est important que les deux partenaires partagent le même point de vue en tout...

Eucaristus se permit un sourire :

— Ce n'est pas le cas dans votre famille, dirait-on ! On ne peut imaginer deux êtres plus différents que votre père et votre mère !

— C'est vrai. Aussi, toute notre enfance, nous avons été tiraillés entre des modèles contradictoires, empêchés de choisir par l'affection que nous portions à l'un comme à l'autre... Aussi je dois absolument savoir qui vous êtes...

Eucaristus, que ce genre de propos terrifiait toujours, bégaya :

— Mais, mais...

Emma poursuivit :

— Vous semblez tellement fier de votre nom, par exemple. Or c'est un nom d'esclave !

Blessé, Eucaristus eut la force de protester :

— Et le vôtre ?

— Trelawny ? C'est un nom d'hommes et de femmes qui n'ont jamais accepté la servitude. A peine mes ancêtres avaient-ils été débarqués en Jamaïque qu'ils fuyaient vers la liberté, vers la montagne... Ce n'est pas tout...

— Quoi encore ?

Elle regarda ses jolies mains, croisées sur sa jupe, pesant visiblement ses mots :

— Vous êtes tellement amoureux de l'Angleterre et des Anglais. Vous croyez que les Blancs sont nos amis et qu'il faut les imiter en tout...

Eucaristus protesta vivement :

— Là, vous vous trompez sur mon compte, Emma, et vous confondez mes sentiments avec ceux d'un Samuel, par exemple. Si vous saviez toutes les questions qui tournent et retournent dans ma tête... La civilisation des Blancs vaut-elle mieux que celle de nos ancêtres ?

Elle l'écoutait avec l'attention critique d'un maître jugeant un élève et l'interrompit :

— Alors pourquoi êtes-vous si impatient d'aller étudier en Angleterre ?

Quelle réponse donner à cette question ? Il choisit d'être sincère :

— C'est comme un pari ! Je crois que, malgré nous, les modèles des Blancs viendront à s'imposer. Bientôt, le monde n'appartiendra plus qu'à ceux qui sont capables de s'en servir…

Comme il terminait sa phrase, elle eut un geste inattendu, contrastant avec la réserve qu'elle avait observée jusqu'alors et elle lui caressa la joue. Puis elle fit, avec une extrême douceur :

— Je vous épouserai, Eucaristus. Je l'avais tout de suite compris. Sous vos airs fanfarons, vous êtes tellement seul et tourmenté…

Il tomba à ses pieds et ses deux jeunes frères, qui jouaient au cerf-volant dans l'arrière-cour, se tordirent de rire :

— Est-ce que vous m'épouserez avant mon départ pour l'Angleterre, si finalement je pars ?

Elle eut un signe de tête affirmatif, avec une expression à la fois moqueuse et tendre comme pour signifier que, sur ce point aussi, elle voyait clair en lui. Il croyait l'enchaîner par une cérémonie officielle, comme si les seules chaînes qu'elle acceptait n'étaient pas celles que lui forgeaient sa volonté et sa détermination.

# 9

D'Afrique, Eucaristus n'avait aucun moyen de comprendre le monde. Il se doutait vaguement qu'il était composé de pays avec des gouvernements, des politiques et des ambitions qui dégénéraient en guerres et déterminaient des alliances. En arrivant à Londres à la fin de l'hiver de 1840, il le découvrit dans sa complexité. Le monde, c'était l'Europe. Mais aussi les Etats-Unis d'Amérique, le Brésil, le Mexique et, plus loin encore, l'Inde, le Japon, la Chine. Il s'aperçut très vite qu'il se divisait en deux camps. D'une part, des nations aventureuses et prédatrices qui équipaient leurs flottes et armaient leurs soldats pour conquérir des trésors qui ne leur appartenaient pas. D'autre part des nations plus passives, repliées sur elle-mêmes. C'était comme la jungle, le monde ! Deux nations le fascinèrent. L'Angleterre d'abord ! Elle était sur tous les fronts comme un artisan qui ne ménage pas sa peine. Chine, Inde, Nouvelle-Zélande, Canada. Que cherchait-elle ainsi à travers les mers ? Quelle énergie ! Quelle passion ! L'Espagne ensuite. Eucaristus se plongea dans la lecture des exploits des conquistadores. Colomb, le premier. Magellan, Pizarro, Valdivia, Almagro. Et surtout Cortés. Hernán Cortés. Cortés et Montezuma. Le conquistador et le dernier empereur aztèque. L'Européen et l'Indien. Deux civilisations face à face. La première détruisant inexorablement la seconde. Etait-ce le sort qui attendait l'Afrique ?

L'Afrique ! Pour l'heure, elle ne comptait pas sur la carte du monde. On l'appelait « the Dark Continent ». On niait son histoire et ses valeurs. On savait à peine dessiner ses contours. La France et l'Angleterre tiraient de l'obscurité où elle semblait plongée des lambeaux de territoires. Les premiers autour de l'embouchure du fleuve Sénégal et au Gabon. Les seconds infatigables, après avoir suivi les côtes, repéraient le cours des fleuves Niger, Congo, Zambèze et tentaient de nouer des alliances avec les souverains de l'intérieur.

A part cela, Eucaristus souffrait beaucoup de la curiosité dont il était l'objet dès qu'il quittait le séminaire d'Islington. Dans les rues, dans les cafés, toutes les conversations s'arrêtaient tandis que des centaines de paires d'yeux gris, bleus, verts, à l'éclat insoutenable se posaient sur lui. On touchait sa peau pour voir si elle n'était pas enduite de peinture. On touchait ses cheveux. On s'écriait, dès qu'il ouvrait la bouche :

— C'est qu'il parle ! Et il parle anglais !

Etait-ce là le comportement d'hommes civilisés ? Eucaristus se rappelait la courtoisie avec laquelle on accueillait les Blancs au royaume de Dahomey, où il avait grandi. On les traitait comme des seigneurs. Pourquoi le considérait-on comme un animal d'une espèce singulière ? Après tout, la présence de Noirs n'était pas chose nouvelle en Angleterre. A la fin du siècle précédent, il y en avait tant que le Parlement avait dû passer une loi pour les rapatrier en Sierra Leone. Mais sans doute n'était-ce que des gueux, végétant dans des quartiers où la bonne société ne s'aventurait jamais. Eucaristus surprenait, car il osait s'écarter de ces quartiers réservés. Dès son arrivée à Londres, il s'était pris de haine pour cette ville, se vautrant dans une odeur de crottin comme une catin dans un lit sale. La circulation le terrifiait. Haquets, charrettes, petits omnibus, fiacres, chevaux de selle, calèches et cabriolets et, de temps à autre, carrosses, le cocher juché sur une housse éclatante, deux laquais tressautant à l'arrière. Aux carrefours, le crottin des bêtes était ramassé par des balayeurs en guenilles, en majorité des Indiens à la peau aussi noire que la sienne, mais étrangement distants. La saleté le repoussait. A deux pas du Strand, bordé de magasins de luxe, on butait sur des ruelles, et des passages jonchés d'immondices et d'excréments humains conduisant à des taudis où s'entassaient des épaves humaines, dormant et s'accouplant sur des bottes de paille et des amas de chiffons grouillant de vermine. En voyant cela, Eucaristus se posait à chaque fois la même question. Pourquoi les Anglais couraient-ils propager leur foi et leur mode de vie à l'autre bout du monde quand ils avaient tant à faire chez eux ? C'est qu'en réalité leur but devait être tout autre. Commercer. Commercer afin que les riches deviennent encore plus riches. Eucaristus baissait les yeux quand il traversait les quartiers où vivaient les prostituées. Des femmes et même des fillettes emplissaient rues et venelles. A la lueur des réverbères à gaz, leur peau blafarde était plus livide encore, et leurs cheveux semblables à de la paille, malsaine comme une litière jamais ensoleillée.

Bien sûr, il y avait les monuments. La cathédrale Saint Paul. Westminster Abbey. Buckingham Palace où habitait la reine Victoria. Pourtant, comment se soucier de constructions de pierres quand la plus belle construction, le corps de l'homme, réceptacle de son âme, est pareillement dégradée ?

Au nord de la cathédrale Saint Paul, intrigué par le bruit et la puanteur, il était arrivé un jour jusqu'à l'ouverture d'un abattoir souterrain. Dans un quadrilatère de murs encroûtés de sang et de graisse, des hommes (mais étaient-ce des hommes ?) égorgeaient et éviscéraient des moutons. Quand il sortit de l'infâme boyau, Eucaristus fut pris de nausées. Il était si troublé qu'il n'entendit même pas les railleries d'une poignée de *costermongers*[1], jeunes délurés aux manteaux de drap et aux pantalons galonnés épousant le mollet, vendant à la criée des fruits et des légumes volés au marché de Covent Garden.

Quand il n'assistait pas à ses cours au séminaire d'Islington, pour lutter contre la solitude et ces sentiments de doute et de haine, bien peu compatibles avec la prêtrise, qui ne le quittaient plus, Eucaristus avait pris l'habitude de se réfugier dans une librairie située au 20, Charles Street, dans Westminter. Elle appartenait à William Sancho. William Sancho était l'un des fils d'Ignatius Sancho qui avait été le Noir le plus célèbre de sa génération, l'ami de Sterne, auteur de *Tristram Shandy,* le modèle favori du peintre Gainsborough. Ignatius, arrivé en Angleterre à l'âge de deux ans, avait grandi dans diverses familles aristocratiques dont celle de John, deuxième duc de Montagu, qui, ébloui par son intelligence, lui avait donné toutes facilités pour écrire. Il s'était marié à une Antillaise et en avait eu six enfants. C'est dans cet espace resserré, tout en buvant d'innombrables tasses de thé, qu'Eucaristus lisait ses chers récits de voyage et de découvertes. Mais aussi les romans de Laurence Sterne, Charles Dickens, Jane Austen, William Thackeray...

Ah oui ! Il faudrait qu'un jour tous les enfants d'Afrique apprennent à lire et à écrire afin qu'ils communiquent par-delà le temps et la distance avec les esprits supérieurs qui habitaient d'autres parties du monde. Eucaristus était en plein désarroi. Ces Européens qu'il haïssait la minute précédente, voilà qu'il se mettait à les admirer

1. Vendeurs de primeurs.

éperdument parce qu'ils avaient produit ces objets merveilleux, magiques, qui fixent et organisent la pensée : les livres !

Evidemment Eucaristus, qui n'était jamais entièrement maître de ses sens, fréquentait aussi Charles Street car il y reluquait la femme de William. Peut-être parce ce qu'elle était aussi jamaïquaine, il lui semblait qu'elle ressemblait à Emma, l'épouse tant désirée, dont il avait à peine savouré le corps. Elle en avait la vivacité d'esprit et le non-conformisme, glissant à l'oreille d'Eucaristus dès qu'elle était loin de son mari :

— Tu sais, cet Ignatius Sancho, quel imbécile ! Si tu lis sa correspondance, il se prenait pour un Anglais parce que quelques lords lui tapaient sur l'épaule...

Chaque fois qu'il entrait dans cette librairie, peu fréquentée, à dire vrai, Eucaristus posait à William, la même question :

— Est-ce que tu as enfin mon livre ?

Il s'agissait du *Voyage dans l'intérieur de l'Afrique, sous la direction et le patronage de l'African Association au cours des années 1795, 1796 et 1797, par Mungo Park, chirurgien* dont lui avait parlé Samuel.

Mais l'ouvrage paru en 1799 semblait devenu introuvable.

Comme Eucaristus terminait son repas au réfectoire, il vit arriver vers lui un mulâtre très clair. Depuis ses mésaventures avec Eugenia de Carvalho, Eucaristus n'aimait pas les mûlatres. Pourtant le sourire de l'autre était chaleureux. Sa main, largement offerte. Il était beau avec ses favoris roux et bouclés !

— J'ai appris que votre femme était de la Jamaïque. J'en suis originaire moi aussi. Et en plus, je suis de Port Antonio dans le même district que Nanny Town, le berceau des Trelawny. Je m'appelle George Davis.

Bien qu'Emma lui ait longuement conté l'histoire des Trelawny, Eucaristus n'y avait pas attaché plus d'importance qu'à ces récits fantaisistes et glorificateurs dont toute famille entoure ses origines. En particulier, cette grand-mère Nanny aux yeux gris qui par le fer et la magie avait massacré tant d'Anglais lui avait paru aussi peu réelle que la déesse Sakpata ou le dieu Shango. Elle avait donc vraiment existé ? Il pria le missionnaire de prendre place à ses côtés et George s'assit avec empressement :

— Je suis ici avec une délégation de missionnaires jamaïquains de toutes dénominations : méthodistes, baptistes, wesleyens, anglicans... Nous venons voir lord Howick, le sous-secrétaire d'Etat aux Affaires coloniales. Car tout va mal à la Jamaïque...

Eucaristus, dont le père était mort en esclavage dans des circonstances tragiques, ne s'était pourtant jamais ému de ce qui se passait dans les plantations du Nouveau Monde. Peut-être parce que les Agoudas semblaient considérer leurs années de servitude au Brésil comme un séjour en paradis. Il fit, d'un ton vague :

— Mais pourquoi cela ? Est-ce que l'esclavage n'y est pas aboli depuis près de dix ans ?

George Davis hocha tristement la tête :

— A quoi sert d'abolir l'esclavage si on ne donne pas aux nègres les moyens de vivre ? Il faut à présent une réforme agraire. Enlever la terre des mains des planteurs blancs, la donner à ceux qui la cultivent…

Eucaristus osa poser une question :

— Croyez-vous que tout cela risque d'arriver un jour en Afrique ? Je veux dire que les Blancs s'emparent des terres de nos ancêtres ?

— Mon pauvre ami, je ne connais pas l'Afrique. Pourtant je le crains fort…

Eucaristus aurait voulu retenir George pour poursuivre cet entretien, mais l'autre se levait, promettant de le revoir le lendemain. Ah, comme ce Jamaïquain disait vrai. Eucaristus l'avait toujours senti, les Blancs étaient un danger. Du pont de leurs navires, ils achetaient et vendaient. Puis ils partaient. Parfois, certains d'entre eux s'installaient à deux ou à trois dans une case misérable et parlaient de leur Dieu. Mais ces commerçants, ces missionnaires n'étaient que des avant-coureurs. Des armées les suivraient, des hommes désireux de conquérir, de commander. Que faire pour prévenir leur invasion ? Il se sentait comme un féticheur doué du don de seconde vue, mais incapable de changer des événements qu'il ne percevait que trop bien.

Dans son trouble, il sortit. Dehors, le froid le mordit comme une bête, tapie au-delà des murs de pierre. Il passa devant la façade noire d'un asile et, empruntant un chemin familier, il se trouva devant la Tamise. On venait d'inaugurer un service de bateaux à vapeur et c'était un spectacle extraordinaire. Crachant une fumée noire qui épaississait encore le ciel de la ville, sans rames ni voiles, les bateaux montaient et descendaient le fleuve dont l'eau s'écartait secouée de remous. Pourtant ce spectacle, qui d'habitude l'enchantait, laissait Eucaristus indifférent cet après-midi-là. A son aversion pour Londres se greffait une réelle peur. Comme s'il se trouvait dans l'antre de Satan. Cette force, cette énergie, admirable en soi, du peuple anglais étaient dirigées contre lui et les siens. Comment se défendre ?

Comme il appuyait ses coudes sur le parapet de pierre, il entendit une voix :

— Sir !

Il se retourna et se trouva nez à nez avec un laquais de grande maison en livrée aubergine à boutons de cuivre étincelants. Celui-ci lui tendit un pli non cacheté dont le parfum effaça pour un temps l'odeur de crottin de la rue.

— On aimerait faire plus ample connaissance avec vous. Pouvez-vous vous rendre à 20 heures, au 2, Belgrave Square ?

Eucaristus regarda le valet avec stupeur. Celui-ci, avec le décorum particulier à ceux de sa classe, tourna légèrement la tête vers un carrosse à l'arrêt de l'autre côté du pont. Prenant sa vie dans ses mains, Eucaristus, que cet exercice effrayait toujours, se décida à traverser la chaussée, presque sous les pas des chevaux qui venaient de toute part. Hélas, comme il atteignait au but, le cocher fouetta son équipage et le carrosse disparut. Eucaristus resta planté là, inconscient des quolibets qui pleuvaient sur lui :

— Hé, négro ! Tu veux donc retourner à l'enfer d'où tu sors ?

Il n'envisagea pas un instant d'ignorer cette curieuse invitation puisque, le parfum et l'écriture en faisaient foi, il s'agissait d'une femme ! Eucaristus avait d'abord éprouvé une sorte d'horreur pour les Anglaises : ces teints de blanc-manger, ces cheveux pareils à des algues, ces yeux qui rappelaient ceux des prédateurs la nuit quand l'obscurité les élargit. Puis, peu à peu, sa curiosité vite changée en désir avait rôdé autour d'elle. Comment étaient les mamelons de leurs seins ? Et la forêt couvrant leur pubis ? William Sancho, qui affirmait en avoir fréquenté, prétendait qu'elles criaient pendant l'amour. Bientôt, seule la pensée d'Emma qu'il aimait et respectait profondément l'empêcha de suivre une prostituée dans Haymarket. Que faire en attendant 20 heures ? Aller à la librairie de William ? Non, il ne saurait cacher son impatience devant l'aventure qui s'offrait et se trahirait. Il poussa la porte d'un café.

La mode du café était tellement répandue à Londres qu'on ne demandait plus l'adresse de ceux que l'on souhaitait rencontrer, mais le nom du café qu'ils fréquentaient. Là, les gentlemen en haute cravate de soie blanche et en habit de drap sombre lisaient leurs journaux, discutaient des nouvelles du monde, critiquaient la politique internationale et exprimaient leur foi en Angleterre, la patrie bénie à laquelle ils avaient le bonheur d'appartenir. Les premiers temps, l'apparition d'Eucaristus dans ces lieux semait la confusion. Avec une exquise courtoisie, on l'accablait de questions. Etait-il né avec cette couleur de peau ? Ou bien était-ce l'effet d'une triste maladie ? Etait-elle contagieuse ? Comment parlait-il l'anglais avec cette perfection ? Et Eucaristus n'en revenait pas de cette ignorance dans un pays où le combat abolitionniste avait fait rage. Mais peut-être n'était-ce que l'affaire d'intellectuels et de politiciens à moitié inconnus du grand public. Finalement, Eucaristus était devenu un habitué du Will's. Là au moins il rencontrait des gens cultivés au courant aussi bien des explorations anglaises en Afrique, des révoltes d'esclaves aux Antilles que des difficultés de Louis-Philippe 1er, le roi des Français. Oui, d'habitude il aimait se trouver au Will's. Pour un penny, il jouissait d'un bon feu, d'une tasse d'un délicieux breuvage et surtout du sentiment d'appartenir au cercle supérieur de l'humanité. Mais franchement, cet après-midi-là, il n'eut pas l'esprit à savourer de tels plaisirs, et ne jeta même pas un coup d'œil à la *London Gazette.*

A 20 heures sonnantes, il se trouva à Belgrave Square.

Lady Jane, marquise de Beresford, atteignait l'âge où le charme d'une femme est au zénith. Encore quelques années et inexorablement viendrait le moment où sa chair commencerait de se détendre, avachissant l'ovale du visage et l'aigu des seins. Où la luminosité de ses dents, perles serties dans les gencives, s'obscurcirait avec l'éclat de ses yeux bleus entre des cils noirs. Mais, pour l'heure, elle était parfaite ! Elle était vêtue d'une robe de moire à manches à gigot, à demi étendue sur un divan Louis XV comme tout l'ameublement de la pièce, exception faite de quelques magnifiques Chippendale en bois de mahogani espagnol.

— Aimez-vous le vin des Canaries ?

Eucaristus parvint à murmurer que oui. Il faisait chaud. Un feu allègre brûlait dans la cheminée, et une fois de plus il se demanda s'il était bien éveillé. C'était la première fois qu'il pénétrait dans la demeure d'aristocrates anglais et il se voyait brutalement précipité dans un univers de luxe et de beauté dont il n'avait jamais eu connaissance auparavant. Par peur de paraître naïvement émerveillé, il n'osait contempler les tableaux et les tentures qui couvraient les murs, déchiffrer le dessin des paravents japonais ou caresser de l'œil les bibelots répandus à profusion sur les meubles. Lady Jane pencha gracieusement la tête :

— Parlez-moi de vous. Que faites-vous à Londres ? J'ai toujours cru que les nègres se trouvaient dans les champs de canne à sucre des Antilles...

Eucaristus avala sa salive et tenta de répondre avec esprit :

— Parfois, ils se mêlent comme moi d'étudier la théologie...

Lady Jane eut un rire de gorge :

— La théologie ? Venez m'expliquer cela de plus près...

Comme Eucaristus hésitait, elle insista, tapotant le divan à côté d'elle :

— Allons, venez...

Eucaristus obéit, écrasé d'embarras. Il n'avait connu pareille situation que la première fois où il avait fait l'amour. La fille était une esclave de son oncle et elle l'avait raillé au sortir de l'école.

— On dit que les prêtres t'ont défendu de te servir de ton bourgeon de palmier...

Alors, il s'était jeté sur elle et s'était vengé. Par-delà les années, en dépit de la différence de statut, c'était bien là ce que cherchait aussi cette femelle, Eucaristus le sentait de tout son instinct de mâle. Pourtant était-ce possible ?

Il s'arma de courage et expliqua :

— Mon histoire débute, bien sûr, avant ma naissance. Par celle de mon père, un noble bambara...

Lady Jane rit à nouveau et l'interrompit :

— Il y a donc des nobles chez vous ?

En regardant son interlocutrice, Eucaristus se convainquit que tout ce qu'il pourrait lui dire ne l'intéresserait pas. Il avala trois gorgées de vin des Canaries et interrogea :

— Madame, pourquoi m'avez-vous fait venir chez vous ?

Ensuite tout se passa très vite. Avec cette rapidité des rêves, quand événements et gestes s'accélèrent dans la plus extraordinaire confusion. Par la suite, Eucaristus ne sut plus s'il s'était jeté sur elle. Si elle l'avait attiré vers elle. Si leurs corps impatients s'étaient rencontrés à mi-chemin. Toujours est-il qu'il se trouva aux prises avec de la soie, de la mousseline, de la dentelle, des boutons de nacre dans une odeur capiteuse d'œillet. Quand sa main toucha la chair nue et tiède, il eut un recul parce qu'il pensa brusquement à Emma. Ne lui avait-il pas juré fidélité ? Pourtant comme il se dégageait, il vit toute proche la blancheur de cette peau qu'ombrait par endroits un léger duvet et les paroles du Cantique des Cantiques lui vinrent à l'esprit :

*Tes deux seins sont comme deux faons*
*jumeaux d'une gazelle*
*Qui paissent au milieu des lys...*

Ah, si l'amour était damnation, qu'il soit damné !

William Sancho avait raison. Elles criaient, ces bougresses, et elles griffaient et elles se tordaient comme des serpents saisis par la queue ! A chaque fois qu'Eucaristus, épuisé, se rejetait sur les coussins, lady Jane d'une main brûlante le remettait en selle et il avait l'impression de chevaucher une jument à travers un fleuve en crue.

Puis la jument elle-même perdait pied. Les eaux tumultueuses le recouvraient. « Je meurs, ma mère. Pitié, je me noie ! »

Eucaristus reprit conscience dans le luxueux boudoir, envahi par l'ombre, car les bougies des chandeliers avaient fondu. Le corps ému, reconnaissant de tant de plaisirs, il voulut couvrir de baisers la chair blanche de sa partenaire. Elle le repoussa, soufflant :

— Allez-vous-en à présent. Mon mari...

— Quand vous reverrai-je ?

— Mais demain même heure.

Sur le trottoir, le froid le dégrisa. Il regarda la haute façade de l'hôtel particulier et il n'aurait pas été surpris de le voir disparaître, s'émietter comme ces constructions de l'imaginaire qui ne résistent pas à l'état de veille. Brusquement une joie extraordinaire l'envahissait. En ce moment, il ne pensait pas à Emma qu'il venait d'offenser si cruellement. Mais à Eugenia de Carvalho. Ah, elle l'avait raillé, méprisé, traité de « sale nègre » par l'intermédiaire de son avorton de frère Jaime junior ! Eh bien, sa maîtresse était blanche et aristocrate. Non seulement blanche, mais aristocrate !

Sautant et bondissant littéralement, il arriva à Leicester Square. Dans les bars brillamment éclairés au gaz, des buveurs vidaient des grogs tandis que des musiciens français en veste rouge jouaient des airs de valse. Des couche-tard arrivaient des casinos où polkas et quadrilles faisaient tournoyer les danseurs et leurs rires résonnaient, portés au loin par la nuit et le froid. Cette vie nocturne qui avait toujours effrayé Eucaristus, non parce qu'elle était pleine de péché, mais parce qu'il croyait n'y avoir point de place, lui semblait accessible. Il en jouirait, lui aussi. Comme il avait joui de l'autre. Dans le tumulte. Comme ces instants s'étaient écoulés vite ! Comme il prendrait sa revanche le lendemain, car l'amour ne se savoure véritablement qu'à la seconde fois.

La nuit passa comme un rêve, Eucaristus revivant chaque instant de sa rencontre avec lady Jane. Au matin, on frappa à sa porte. C'était George Davis qui s'exclama :

— Mon Dieu, comme vous avez mauvaise mine ! Couvrez-vous bien, ces climats sont traîtres. Voulez-vous venir avec moi ? Nous avons rendez-vous avec sir Fowell Buxton. C'est lui-même qui va présenter notre requête à lord Howick...

Eucaristus prétendit qu'il avait une dissertation à terminer. Au diable les abolitionnistes et les nègres des Antilles ! Sa maîtresse était blanche et aristocrate ! A 20 heures sonnantes, il se présenta à Belgrave Square. L'imposant valet de pied qui l'avait introduit la veille lui ouvrit la porte et le fit entrer dans le hall, mais avant qu'il ait pu placer un mot, il prit sur une commode Boulle un pli cacheté. Eucaristus hasarda :

— Madame la marquise n'est donc pas là ?

Sant mot dire, le mastodonte le reconduisit vers la porte cependant que deux escogriffes de même calibre apparaissaient comme par enchantement entre les plantes en pot. Dehors, à la lueur blafarde du gaz, Eucaristus déchiffra la missive.

« Bravo ! je vous donne plusieurs points de mieux que Kangourou. Adieu. »

— Kangourou ? C'est un animal, qu'est-ce que tu veux que je te dise ?

— Pas avec un K majuscule...

— Pas avec un K majuscule ?

William Sancho se gratta la tête. Il n'avait jamais compris Eucaristus, qu'il jugeait fantasque. Ce matin-là, en le tirant du lit pour lui demander la signification d'un mot, il dépassait les bornes. Comme M^me^ Sancho paraissait dans la boutique, le corsage un peu de travers, car elle venait d'allaiter son dernier-né, il l'interrogea :

— Ma bonne, tu sais qui est Kangourou ?

M^me^ Sancho leva les yeux au ciel. Mon Dieu, que les hommes étaient obtus :

— Tu sais bien, c'est ce nègre acrobate à Haymarket...

Peut-on dépeindre les sentiments d'Eucaristus ?

Il songea d'abord à retourner à Belgrave Square. Allons donc, les valets le jetteraient à la rue comme un manant. A se rendre à Argyll Rooms où Kangourou se produisait et à voir à qui on le comparait ? A quoi bon ?

En même temps, en y réfléchissant, il ne comprenait pas. Pour le blesser et l'humilier si gratuitement, lady Jane devait le haïr. Or, elle avait trop peu écouté ses propos pour se faire une idée de lui et il ne lui avait procuré que du plaisir. C'était donc sa race qu'elle visait ? Pourquoi ? Les êtres à peau blanche haïssaient-ils donc naturellement les êtres à peau noire ? Que leur reprochaient-ils ? Quel mal ces derniers avaient-ils fait en naissant ?

Quand il ne se révoltait pas, un véritable désespoir le prenait. Il pensait à la chair si douce de sa maîtresse d'un soir. Ah, île à laquelle il n'aborderait plus. Terre de lait et de miel dérobée aussitôt qu'atteinte. Coupe arrondie pleine de vin parfumé. Meule de froment couronnée de lys. Tour d'ivoire. Sanglotant presque, il entra au séminaire et le portier qui le vit passer comme une ombre se promit de le signaler au supérieur. Si ce nègre-là se piquait de devenir prêtre, il ferait mieux de surveiller sa conduite !

Sur le triangle de tapis, au seuil de sa porte, Eucaristus trouva une lettre et un paquet. Les deux venaient d'Emma. Il décacheta la lettre.

« Mon pauvre Babatundé,

« Quand je vous imagine dans l'enfer de Londres, je tremble et les larmes me viennent aux yeux. Vous si sensible, si fragile, accessible à toutes les tentations... »

Comme elle le connaissait bien ! Qu'il aurait aimé se réfugier dans ses bras ! Ah, pourquoi l'avait-on humilié et blessé si gratuitement ?

Au bout d'un moment, il reprit sa lecture.

« Votre ami Samuel est parti avec le révérend Schonn et cent quarante-cinq Anglais afin de remonter le fleuve Niger. Vous savez déjà leur plan : établir une ferme modèle où on cultiverait du coton et d'autres plantes, afin d'inciter nos populations à se tourner vers une agriculture qui porte du profit... Il paraît que cette idée ne vient pas des missionnaires eux-mêmes, qui n'auraient pas les moyens de financer pareille expédition, mais de politiciens. Avez-vous eu l'occasion de rencontrer M. Fowell Buxton ? On dit qu'il aime sincèrement ceux de notre race... »

Là, Eucaristus ricana. Aucun Anglais n'aimait les Noirs. Il ne fallait surtout pas tomber dans pareil piège. Les sourires les plus séduisants, les paroles les plus douces cachaient des armes meurtrières.

Femelle traîtresse !

« Vous ne me croirez pas, mais, à force de recherches, je vous ai trouvé le livre dont vous rêviez. Il était tout simplement dans la bibliothèque de Fourah Bay College.

Le livre dont il rêvait ? Eucaristus déchira l'emballage du paquet. *Voyage dans l'intérieur de l'Afrique, réalisé sous la direction et le patronage de l'African Association au cours des années 1795, 1796 et 1797, par Mungo Park, chirurgien.*

La main attentionnée d'Emma avait mis un signet au chapitre XV :

« La capitale du Bambara, Ségou, où j'arrivais alors, consiste proprement en quatre villes distinctes ; deux desquelles sont situées sur la rive septentrionale du fleuve et s'appellent Ségou Korro et Ségou Bou. Les deux autres sont sur la rive méridionale et portent les noms de Ségou Sou Korro et Ségou See Koro. Toutes sont entourées de grands murs de terre. Les maisons sont construites en argile ; elles sont carrées et leurs toits sont plats ; quelques-unes ont deux étages, plusieurs sont blanchies… »

En même temps que ses yeux parcouraient la page, Eucaristus croyait entendre la voix, les paroles de Malobali :

« Un jour, tu viendras à Ségou. Tu n'as jamais vu de villes pareilles à celle-là. Les villes par ici sont des créations des Blancs. Elles sont nées du trafic de la chair des hommes. Elles ne sont que de vastes entrepôts. Mais Ségou ! C'est comme une femme que tu ne peux posséder que par violence… »

Sanglotant de honte, de remords et de douleur, Eucaristus s'abattit sur sa couche.

Sur quoi pleurait-il ?

Sur lui-même et son humiliation récente. Mais aussi sur cette pureté de ses ancêtres de Ségou qu'il avait à jamais perdue. Ségou, monde clos sur lui-même. Imprenable. Refusant son accès à l'homme blanc, condamné à errer au pied de ses murailles. Jamais il ne se baignerait dans les eaux du Joliba pour y puiser force et vigueur. Jamais il ne retrouverait l'orgueilleuse assurance de ce temps-là.

Peu à peu, ses larmes séchèrent et il se rassit sur son lit. Dans quelques mois, il serait ordonné prêtre. Il savait déjà que sa mission le ramènerait à Lagos. Christianiser et civiliser l'Afrique, c'était son lot.

Christianiser et civiliser l'Afrique. C'est-à-dire la pervertir ?

*Cinquième partie*

# LES FETICHES ONT TREMBLE

# 1

Depuis quelques années, Siga souffrait d'un éléphantiasis. Cette maladie l'humiliait. Après les désillusions et les déboires de sa vie, elle lui semblait la suprême trahison puisqu'elle était celle de son corps lui-même. Sa jambe gauche enflait à partir du genou pour atteindre à la cheville la circonférence d'un tronc de goyavier. La peau se craquelait, se boursouflait, se couvrait par places d'un eczéma souvent purulent. Pour haler ce poids, il devait s'appuyer sur une canne que lui avait sculptée son fils aîné. Une fois assis, il ne se levait pas sans aide. Quand il était couché, c'était bien pire ! De même il avait perdu une bonne partie de ses dents au point qu'il ne pouvait plus croquer le kola. Yassa, la jeune esclave, devait le râper avant de le lui tendre dans une écuelle de terre. Siga se demandait ce qu'il avait fait à son corps pour qu'il le lâche ainsi à bonne distance encore du tombeau. Il n'avait pas commis d'excès. En tout cas, pas plus que les autres hommes, pas plus que Tiéfolo, toujours droit comme un rônier et capable de couvrir des kilomètres à la poursuite du gibier.

En vérité, c'était dans sa vieillesse qu'il se prenait de désirs. Manière sans doute de lutter contre la peur qui accompagne la fin de toute vie. Dans le petit matin, il caressa le corps de Yassa étendue contre lui. Elle eut d'abord cet instinctif mouvement de recul qu'il était trop sensible pour ne pas remarquer. Puis elle ouvrit les yeux et murmura :

— Qu'est-ce que tu veux, maître ?

— Rien, rien...

Il lui flatta le flanc. Elle était déjà réveillée et se leva souplement. Siga, étendu, regarda les branches entrecroisées qui soutenaient le toit. La journée qui s'annonçait serait inexorablement pareille aux autres. Il mangerait sa première bouillie après s'être lavé la bouche à l'eau tiède. Il écouterait les doléances des uns et des autres. Cela le conduirait jusqu'à l'heure de son bain. Ensuite, il prendrait place sous le dubale et écouterait les doléances des uns et des autres en mâchant un cure-dents.

Yassa revint, accompagné d'un autre esclave, portant une calebasse d'eau chaude et, plus surprenant, un pli cacheté. La fille plia le genou :

— C'est arrivé dans la nuit, maître. Un Peul qui arrivait de Hamdallay l'a porté...

Siga tourna et retourna le pli. Les rudiments d'arabe qu'il était parvenu à acquérir s'étaient depuis longtemps estompés dans sa tête. Il ne savait plus ni lire ni écrire. Il ordonna :

— Va me chercher Mustapha...

Mustapha était son sixième fils, le seul qui donnait du goût à la paternité. Tous les autres enfants étaient trop attachés à Fatima et prenaient fait et cause pour cette épouse acariâtre et vieillissante. En attendant Mustapha, Siga se leva avec l'aide de Yassa et sortit dans la cour. C'était l'aube. Des mosquées de Ségou sortait l'infernal vacarme des muezzins. Car rien à faire, l'islam se répandait comme une maladie sournoise dont on n'aperçoit les progrès que trop tard. C'était à croire que la mort spectaculaire et tragique de Tiékoro avait suscité des vocations, même au sein de la famille. Sans doute qu'en le voyant périr de cette façon certains, pleins de stupeur et d'envie, s'étaient interrogés : « Quel est cette foi pour laquelle on accepte de perdre la vie ? » Et ils avaient marché sur ses traces. Comme pour découvrir un trésor.

Le ciel était zébré de traînées noires allant d'est en ouest, et Siga se demanda avec lassitude s'il verrait la fin de cet hivernage-là. Puis le début et la fin de combien d'autres encore ? Il se lava la bouche, cracha l'eau de droite et de gauche, remit la calebasse à Yassa qui attendait derrière lui, puis il cria :

— Eh bien, où est Mustapha ?

Elle s'en alla en courant et revint bientôt avec le garçon. Mustapha cassa habilement le sceau de cire. Ses yeux parcoururent la page et Siga cria à nouveau, non parce qu'il était exaspéré de sa lenteur, mais parce qu'il jouait son rôle de vieillard quinteux.

— Qu'est-ce que tu attends ?

— Elle vient de Mohammed, fa, le fils de mon père Tiékoro.

— Que dit-il ? Tu veux donc que je t'étripe ?

Mustapha feignit de se hâter :

« Mon père,

« Mon temps d'étude s'est achevé et j'ai obtenu le titre de hāfiz kar[1]. Je pourrais si je le désirais aller étudier le droit ou la théologie à l'université, mais cela, je ne suis pas sûr de le désirer. Du moins en ce moment. D'autre part, Cheikou Hamadou, mon maître, était le seul lien qui me retenait à Hamdallay. Depuis qu'il a disparu, tout a changé. Son fils Amadou Cheikou qui lui a succédé n'est pas fait de même matière. Bien qu'après son intronisation il ait déclaré : " Je n'ai pas l'intention de changer quoi que ce soit à l'ordre des choses ", rien n'est plus pareil. Les intrigues pour le pouvoir politique et la possession des biens matériels ont remplacé la foi et le souci de Dieu. Bref, Hamdallay n'est plus dans Hamdallay et moi, je n'ai plus rien à y faire. Tout cela donc pour t'informer qu'au moment où tu recevras cette lettre je serai déjà en route pour Ségou.

« Reçois mon salut de respect et de paix. Ton fils aimant. »

Mustapha se tut et regarda son père, attendant que celui-ci lui signifie de s'en aller. Mais Siga n'y songeait pas, partagé entre une joie immense et une profonde angoisse. Le fils de Tiékoro revenait au bercail. Alors qu'il aurait pu choisir le royaume de Sokoto où demeuraient sa mère et ses sœurs. Ah, les voies des ancêtres sont impénétrables. En même temps, c'était un musulman convaincu, ayant grandi dans une ville sainte ou qui se voulait telle. Les querelles religieuses latentes au sein de la famille n'allaient-elles pas flamber ? Dans sa perplexité, Siga trouva des victimes en Mustapha et Yassa qui restaient plantés à le regarder :

— Qu'est-ce que tu attends pour me porter ma bouillie ? Et toi, fous-moi le camp…

Puis il s'assit avec beaucoup de difficulté sur un petit siège de bois, essayant d'étendre sa jambe devant lui. Il fallait réunir le conseil de famille et le mettre au courant de cette arrivée. Auparavant pourtant, ne fallait-il pas s'entretenir avec Tiéfolo ? Mohammed savait-il le rôle que celui-ci avait joué dans l'arrestation et la mort de son père ? N'avait-il pas le cœur plein de désirs de vengeance ? Voilà qu'une fois de plus cette paix fragile qu'il s'efforçait de maintenir entre tous les membres de la famille était menacée !

Il préparait mentalement le petit discours qu'il devrait tenir à Tiéfolo quand Yassa réapparut. Elle n'était pas seule et la venue si matinale d'un visiteur irrita Siga. L'étranger portait un manteau de soie rouge et jaune sur une blouse de soie bleue brochée. Par-dessus son bonnet de drap vert de la forme ordinaire des bonnets mandin-

1. Grade couronnant l'élève qui a appris par cœur tout le Coran.

gues, il avait enroulé un turban de soie du Levant broché d'or. C'était à n'en pas douter un personnage considérable.

— *As salam aleykum...*

Siga grommela :

— *Wa aleyka salam...*

Ces satanées salutations musulmanes s'étaient imposées, même aux non-croyants ! Puis, sa courtoisie naturelle reprenant le dessus, il invita l'inconnu à s'asseoir et lui tendit une noix de kola que Yassa était allée chercher en vitesse. Après un instant, le visiteur se présenta :

— Je m'appelle Cheikh Hamidou Magassa. Je viens de Bakel. Je ne suis pas tidjani...

Siga eut un geste qui signifiait qu'il ne connaissait rien à ces querelles de confréries et l'autre poursuivit :

— Je suis venu te dire que le tombeau de ton frère Oumar nous appartient et qu'il doit être vénéré comme un lieu de pèlerinage. Or nous savons que conformément à vos traditions, il est situé dans votre concession. Aussi, très humblement, nous te prions de nous y donner accès... Tu n'as pas le droit de refuser. Pour nous, Modibo Oumar Traoré est un martyr de la vraie foi.

La proposition était tellement extravagante que d'abord Siga faillit éclater de rire. Puis une réelle exaspération l'envahit. Ainsi même mort, Tiékoro continuait de diviser les esprits et surtout de monopoliser l'attention. Lui, un saint et un martyr ! En même temps, il était vaguement flatté. Penser que cet homme avait voyagé des jours et des nuits pour présenter cette requête ! Penser que la concession des Traoré aurait bientôt réputation de lieu saint ! Alors, le prestige de la famille qui s'était évanoui renaîtrait. A ce point de ses pensées, Siga se livra à son occupation favorite : l'autocritique. C'était de sa faute si ce prestige s'était évanoui ! Certes les terres des Traoré étaient toujours étendues et fertiles, cultivées par des centaines d'esclaves. Leurs greniers étaient pleins de grains. Leurs enclos, trop petits pour abriter moutons, chèvres, volaille et bêtes de selle à robe luisante. Pourtant, qui dans Ségou pouvait oublier que leur fa avait un temps imité les garankè ? Taillé des bottes et des sandales ? Quand Siga se reprenait à se remémorer les rêves de sa jeunesse, il ne les comprenait plus lui-même. Il reporta son regard sur le visage de son hôte. Un visage grave, marqué par la maturité et l'expérience. Cet homme-là et ceux de son pays étaient convaincus que Tiékoro était un saint. Qu'est-ce donc qu'un saint ? Peut-être simplement un mortel pareil aux autres, somme de qualités et de défauts, mais habité d'une idée force à laquelle il subordonne tout ?

Il fit lentement :

— Chez nous, tout se décide collectivement. Je vais parler de ta requête aux membres de la famille. Pourtant tu sais bien que nous ne partageons pas ta foi ?

Cheikh Hamidou Magassa eut un sourire bienveillant :

— Tout est en train de changer, Traoré. Est-ce que tu ne le sais pas ? Est-ce que tu n'es pas à l'écoute de ce qui se passe autour de toi ? Bientôt Ségou cherchera par tous les moyens à donner des preuves de son islamisation…

« Ségou cherchera par tous les moyens à donner la preuve de son islamisation. » Qu'est-ce que cela signifiait ?

En sortant de sa case d'eau où il s'était longuement récuré avec le secret espoir d'arrêter la pourriture qui le rongeait, la phrase hantait Siga. Confronté à deux problèmes importants, il sentait qu'il fallait, avant d'affronter la famille, prendre le conseil d'esprits supérieurs. C'était vrai que le monde changeait. Autrefois, un homme n'avait besoin que de poigne pour tenir épouses, enfants, frères cadets esclaves. La vie était un chemin tracé droit, qui allait du ventre d'une femme au ventre de la terre. Si on se battait derrière un souverain, c'était simplement pour avoir plus de femmes, plus d'esclaves ou plus d'or. A présent, partout rôdait le danger d'idées et de valeurs nouvelles. Dans son désarroi, Siga décida d'aller trouver le Maure Awlad Mbarak qui dirigeait l'école coranique que Fatima faisait fréquenter aux enfants.

A cause de son éléphantiasis, il ne pouvait aller qu'à petits pas. Pourtant cela ne l'incommodait pas. Il était devenu comme un promeneur forcé de contempler des paysages qu'autrement il aurait traversés sans les voir. Ségou n'en finissait pas de changer. Des maisons neuves avec leurs terrasses et leurs tourelles à créneaux triangulaires. De rares toits de paille. Partout, des enfants emprisonnés dans les cages des écoles coraniques. Illogique, à leur vue Siga eut un regret. Que n'avait-il poussé plus loin ses études alors qu'il était à Fès ? Mais alors ce savoir qui ne se dissociait pas de la foi islamique le rebutait.

Awlad Mbarak était drapé dans des mètres de coton indigo froissé et chaussé de babouches jaune clair, du modèle même que Siga avait rêvé de produire. En vrai Maure, il buvait du thé à la menthe et entre chaque tasse se fichait entre les dents une tige d'argent pleine de tabac à priser. Il avait vu défiler dans sa cour les dix enfants de Siga, partagé le couscous des fêtes avec Fatima et se sentait presque un parent. Il s'enquit tout d'abord :

— Comment va ta jambe ?

Siga soupira :

— N'en parlons pas, veux-tu ?

— Il paraît que les Blancs ont des poudres et des onguents merveilleux pour ces choses-là...

— Les Blancs ?

Awlad Mbarak hocha la tête :

— Ils ne fabriquent pas que des armes et des alcools, tu sais ? Je suis allé chez un de mes parents qui est installé à Saint-Louis sur le fleuve Sénégal. C'est là que j'ai vu les Français à l'œuvre. Je te dis que ces gens-là font des merveilles... Ils font sortir de terre des plantes que tu ne peux même pas imaginer. Ils ont des médicaments pour tout : maux de ventre, de tête, plaies, fièvres...

Siga écoutait tout cela bouche bée. S'il avait aperçu des Espagnols quand il était à Fès, des Français, il n'en avait jamais vu. Il interrogea :

— A quoi ils ressemblent, les Français ?

Awlad Mbarak haussa les épaules :

— Pour moi un Blanc ressemble à un autre.

Siga en vint à l'objet de sa visite :

— Awlad, mon père a vécu plus longtemps que moi. Pourtant il me semble que je suis plus vieux que lui et que je ne comprends rien à rien. Ce matin, un homme de Bakel est venu me voir. Il pense que mon frère Tiékoro est un saint...

— Et c'est la vérité !

Siga négligea l'interruption :

— Il veut faire de son tombeau un lieu de pèlerinage. Mais surtout il m'a dit ceci : « Bientôt Ségou cherchera par tous les moyens à donner les preuves de son islamisation. » Qu'est-ce que cela peut bien signifier ?

Awlad attisa le feu de son réchaud et, au bout d'un instant, servit deux tasses de thé, dont il sirota l'une. Siga n'osait le brusquer.

— Tu vois, pendant longtemps, ici à Ségou vous avez cru que Cheikou Hamadou du Macina était votre ennemi le plus féroce. Vous avez levé vos armées contre lui. Vous l'avez combattu sans relâche. Or voilà qu'à présent apparaît un ennemi plus redoutable, assoiffé de pouvoir politique. C'est le marabout toucouleur qui avait dans le temps logé chez vous...

— El-Hadj Omar ?

Awlad inclina la tête :

— L'histoire serait trop longue et je n'en connais pas moi-même toutes les finesses. Ce que je sais, c'est que le marabout toucouleur qui est devenu très puissant convoite Ségou et que Ségou pour se défendre doit faire alliance avec le Macina...

Abasourdi, Siga fixa Awlad Mbarak :

— Des musulmans s'allieraient à des non-musulmans contre des musulmans ?

— C'est cela même. Ne me demande pas pourquoi, c'est là que tout devient trop compliqué...

Pour ponctuer ces surprenantes nouvelles, les nuages crevèrent et les deux hommes se réfugièrent à l'intérieur de la case d'Awlad. Une échelle de bois composée de deux morceaux torses en travers desquels étaient attachés des bâtons avec des lanières de cuir non tanné servait à monter sur la terrasse pendant la belle saison. Dans la pièce principale étaient disposés des divans en cannes de mil sur lesquels Siga et Awlad s'étendirent. Siga haïssait la saison des pluies qui ne convient pas aux vieillards. Ce n'était pas seulement parce que mille douleurs se disputaient son corps dont les jointures et les articulations craquaient comme celles d'une pirogue malmenée sur le Joliba. Mais parce que ce murmure incessant de l'eau semblait celui du métier d'un tisserand s'affairant sur un linceul. Et pourtant il la désirait, la mort. Il la désirait en la redoutant. Quel était son visage ? Quel sourire aurait-elle en se penchant au-dessus de sa natte ?

Il accepta la troisième tasse de thé que lui offrait Awlad et interrogea :

— Est-ce que tu comprends la séduction de l'islam ? Pourquoi tant des nôtres se frottent-ils à présent le front dans la poussière ?

Awlad rit :

— Tu interroges un croyant. Que veux-tu que je te réponde ? Pour moi, la séduction de l'islam est simplement celle du vrai Dieu...

Eh oui, la question était idiote. La foi ne se discute pas. Siga se leva à grand-peine. Les réponses d'Awlad à ses questions n'avaient rien éclairci. Au contraire, elles avaient épaissi le mystère. Pour justifier l'alliance contre le Toucouleur, le Macina exigerait-il donc de Ségou qu'elle « donne les preuves de son islamisation » ?

La pluie n'avait pas entièrement vidé les rues. Des enfants en cache-sexe ou entièrement nus jouaient dans les flaques d'eau, sous les gouttières en bambou. Au passage de Siga traînant son éléphantiasis, ils interrompaient leurs jeux. Silencieux, presque effrayés, ils le suivaient des yeux.

Entrant dans la concession, Siga vit Fatima surgir de la cour des femmes aussi vite que le lui permettait son embonpoint. Si l'âge avait été cruel avec Siga, ne lui laissant rien de son ancienne beauté, il n'avait pas été clément non plus avec Fatima. Que restait-il de l'adolescente qui avait écrit hardiment : « Es-tu aveugle ? Ne vois-tu pas que je t'aime ? » sans savoir que ce mot « amour » la condamnait à un interminable exil loin des siens ?

De beaux yeux dans un visage bouffi de graisse. Une chevelure soyeuse, hélas toujours dissimulée sous des mouchoirs de tête noués à la va-vite. Dix enfants vivants, trois morts en bas âge, avaient distendu son ventre et transformé ses seins en outres flasques. Mais, alors que Siga avait craint le pire, une fois élevée au rang de bara muso du chef de famille, Fatima avait semblé faire la paix avec Ségou et accepter les Bambaras comme siens. Présente à tous les baptêmes, mariages, décès, nul ne savait mieux qu'elle régaler une assemblée avec un grand plat de couscous, un mouton cuit tout entier à la broche, le ventre rempli d'aromates. Comme elle savait un peu lire et écrire l'arabe, elle jouissait d'un grand prestige parmi les femmes de la concession et du voisinage qui la consultaient sur tout. Fatima apostropha Siga avec fureur :

— Eh bien, il paraît que le fils de Tiékoro revient, et naturellement je suis la dernière à le savoir ?

Avant que Siga ait pu s'expliquer, elle poursuivit :

— Où va-t-il loger ? As-tu pensé à cela ?

Siga entra dans le vestibule de sa case, attira un tabouret à lui et interrogea :

— Qu'en penses-tu toi-même ?

Fatima, qui adorait qu'on lui demande son avis, se calma et prit son air important :

— Elevé à Hamdallay, c'est un vrai musulman. Il ne supportera pas de vivre parmi des fétichistes.

Siga grommela :

— Fétichistes, fétichistes !

Pourtant il protestait pour la forme, sachant Fatima bien plus capable que lui de résoudre les situations délicates. Comme le vieil âge rapproche et distend tout à la fois ! Plus de désir du corps. Plus d'élan du cœur. Mais aussi, plus de besoin de dominer, d'humilier, de faire mal. Une solide complicité. Depuis des années, Siga n'avait plus possédé Fatima physiquement. Quand elle passait la nuit dans sa case, ils bavardaient comme ils ne l'avaient jamais fait dans leur jeunesse. Ils parlaient des jours d'autrefois à Fès. Ils parlaient de Tiékoro, comme si le bref amour que Fatima avait eu pour lui était un secret qui les rapprochait encore. Ils parlaient de l'islam, Fatima tentant de vaincre l'opposition irréductible de son mari à Allah. Sur ce point, toutes leurs discussions se terminaient par un haussement d'épaules de Fatima :

— De toute façon, l'islam vaincra...

Et Siga enviait la foi tranquille de ces croyants.

Fatima reprit après un silence :

— Fais recrépir notre maison, dans laquelle souris et rats font bombance. Donne-lui quelques esclaves chargés de le servir...

Siga faillit interroger :

— Ne se sentira-t-il pas exclu ?

Puis il se retint, car l'islam ne portait-il pas en lui sa propre exclusion ? Quand Fatima se fut retirée, il sortit sur le seuil de sa case, fixant le dubale, et il s'adressa à Tiékoro :

— Aide-moi. Que dois-je faire ? Cette nuit, en rêve, fais-moi connaître ta volonté...

Depuis que Tiékoro n'était plus, il ne quittait pas son frère et Siga se trouvait comme un nouveau-né envahi par l'esprit d'un défunt. Il ne prenait pas une décision sans se demander : « Qu'aurait-il fait à ma place ? »

Il ne portait pas un aliment à sa bouche sans lui offrir une petite part en la posant sur le sol. Il n'éprouvait pas une joie sans vouloir la partager avec l'absent.

Plongé qu'il était dans ses pensées, il n'entendit pas Yassa s'approcher et ne s'aperçut de sa présence qu'au moment où elle lui tendait sa pâte de noix de kola. Yassa n'était pas une esclave de case. Elle venait du royaume du Bélédougou, avec lequel une fois de plus Ségou avait eu maille à partir. Elle était donc arrivée dans une file de captifs, demi nue, le visage baigné de larmes, et Tiéfolo, désireux d'offrir des présents à sa cinquième femme, l'avait achetée dans un lot.

Sans trop savoir pourquoi, la rencontrant quelques jours plus tard dans la concession, le vieux corps de Siga s'était ému. Son sexe flétri qui ne lui donnait plus d'usage s'était gonflé de sève dans son large pantalon bouffant, tendant la toile souple. Un peu honteux, il s'était approché de Tiéfolo pour négocier la cession de la fille.

Comme il faisait rouler sur sa langue la petite boule de pâte amère et bienfaisante, Yassa s'approcha et fit doucement :

— Maître, je suis enceinte...

La joie et l'orgueil inondèrent Siga. Ainsi tout vieux et décati qu'il était, il était encore capable de donner la vie ? Néanmoins, il cacha ses sentiments comme il se devait et dit avec désinvolture :

— Bon, les ancêtres fassent que ce soit un garçon !

Yassa resta prosternée devant lui, et il avait sous les yeux les jolies rosaces de ses tresses. Elle poursuivit, très bas :

— Maître, quand tu ne seras plus là, qu'adviendra-t-il de moi et de mon enfant ?

Cette interrogation stupéfia Siga. Depuis quand une esclave

questionne-t-elle son maître ? Mais avant qu'il ait pu exprimer son courroux, Yassa reprit :

— Tu as dix enfants de notre mère Fatima. Autant de tes deux concubines. Que restera-t-il à mon enfant ? Pense à cela, maître, pense à cela...

Là-dessus, comme effrayée de sa propre audace, elle se retira. Heureusement, car déjà Siga cherchait sa canne pour la rouer de coups. Impudente, insolente créature ! Pour qui se prenait-elle ? Est-ce parce qu'elle avait partagé sa couche ? Quel droit cela lui donnait-il ?

En même temps, Siga pensait à sa propre mère. Celle-qui-s'était-jetée-dans-le-puits. Pourquoi l'avait-elle fait ? N'était-ce pas parce qu'on avait disposé d'elle ? Et lui, n'en avait-il pas été marqué à vie ? Ah, les femmes ! Que fallait-il en faire ? Que voulaient-elles ? Que cachaient leur beauté et leur docilité, autant de pièges pour enchaîner l'homme ?

Tout avait commencé par Sira qui, un beau matin, était repartie pour le Macina, brisant le cœur de Dousika. Puis Maryem, qui avait rassemblé ses enfants et s'en était allée, refusant l'époux que la tradition lui donnait. A présent, Yassa réclamait des droits pour son enfant. A croire qu'elles se donnaient le mot pour se rebeller, chacune à sa manière... Pour se rebeller ? Mais contre quoi ? Ne leur suffisait-il pas de savoir qu'aucun homme n'est grand devant celle qui l'a porté ? Que, par-delà le jeu consenti des apparences, aucun n'est puissant devant celle qu'il aime et qu'il désire ?

Comme l'ombre s'épaississait, Siga hurla pour avoir de la lumière. Est-ce qu'on l'oubliait ? Est-ce qu'il était déjà mort ? Est-ce qu'il n'était plus le maître ? Un jeune esclave entra en hâte pour allumer la lampe au beurre et, pour se soulager, Siga l'attrapa par le bras. Cependant au moment où il s'apprêtait à le frapper, il vit le visage de l'enfant, résigné et presque empreint de pitié devant cette fureur sénile. Alors il eut honte de lui-même et le laissa aller.

Tous les événements de la journée repassaient dans sa tête. L'annonce du retour de Mohammed. La surprenante requête de Cheikh Hamidou Magassa. Les propos d'Awlad Mbarak. Et pour finir la grossesse de Yassa. Que de responsabilités ! Que de décisions à prendre !

Le plus important cependant était de bien accueillir le fils de Tiékoro. Il croyait entendre la voix de son frère la veille de son arrestation :

— Surtout veille sur Mohammed. Je sens qu'il est comme moi, il ne sera jamais heureux.

Qui est heureux sur cette terre ?

Oui, il ferait de son mieux et protégerait Mohammed contre ceux que le souvenir de son père indisposait encore. Ce ne serait pas toujours facile. La suggestion de Fatima était-elle bonne et fallait-il le loger hors de la concession familiale ?

Siga soupira, prit une pincée de pâte de kola dans l'écuelle et se leva péniblement pour aller voir Tiéfolo. Comme il ramenait vers lui sa jambe, raclant le sable de la case et s'appuyant lourdement sur sa canne, une douleur fulgurante lui traversa le côté tandis que la nuit se faisait autour de lui. Il eut tout juste le temps de voir le visage de Tiékoro, souriant, penché au-dessus du sien, avant de retomber en arrière. Affolé comme une bête prisonnière, son esprit se mit à tournoyer. Etait-ce la mort ?

Pas encore, pas encore ! Il lui restait tant de choses à régler !

# 2

Le cheval de Mohammed allait au pas, dressant l'oreille, tressaillant au moindre bruit, sentant dans l'ombre l'odeur des troupeaux de buffles et d'antilopes dérangés dans leur retraite et s'enfuyant à l'abri des fourrés.

Mohammed lui-même, tressautant légèrement en suivant les mouvements de sa monture, égrenait sans discontinuer son chapelet. Ce n'était point parce qu'il avait peur et voulait se garder des esprits malfaisants qui rôdent la nuit. C'était simplement parce que la prière était l'état naturel de son être.

Quelques mois auparavant, il aurait été dangereux de suivre ce chemin allant de Hamdallay à Ségou en se dirigeant vers le gué de Thio. Les méharistes touaregs, deux par deux à dos de leurs dromadaires, profitaient de l'obscurité pour foncer sur les villages des Peuls en représailles contre leur domination sur Tombouctou. Espérant profiter de ces tracasseries entre « singes rouges », les Bambaras de la rive gauche du Joliba galopaient jusqu'à Tenenkou pour razzier des bœufs et tuer des bergers peuls. Attaqués sur deux fronts, les Peuls, quant à eux, ne demeuraient pas inactifs et lançaient leurs javelots sur tout ce qui bougeait.

Or depuis peu le calme et l'unité se faisaient dans la région. Touaregs, Peuls et Bambaras pansaient leurs blessures et s'apprêtaient à se liguer contre El-Hadj Omar qui levait des armées de convertis et de captifs enrôlés de force, dans des buts que l'on ignorait encore, mais que l'on redoutait déjà.

Ce renversement d'alliances décidé par les politiciens et les religieux laissait les peuples sans voix. Pendant des générations, on leur avait appris à se haïr et à se mépriser les uns les autres. Brusquement on leur demandait d'apprendre à vivre ensemble et on leur désignait un nouvel ennemi, les Toucouleurs. Mohammed avait eu connaissance d'une lettre adressée au successeur de Cheikou Hamadou par le cheikh El-Bekkay de Tombouctou, autrefois ennemi irréductible du Macina, et qui disait :

« Ne permets pas que Ségou tombe entre les mains d'El-Hadj Omar. S'il en prenait possession et s'emparait de toute sa puissance, chevaux, hommes, or, cauris, que ferais-tu alors ? Assurément, tu ne peux croire qu'il te laisserait tranquille même si tu ne le menaçais pas. Sans l'ombre d'un doute, ce qui arriverait, c'est que le peuple de ton pays passerait de son côté. »

Toutes ces tractations l'écœuraient. Il s'en apercevait, le souci de l'islam était secondaire. Il s'agissait surtout de luttes pour le pouvoir et le contrôle de terres.

Brusquement, le cheval buta sur une racine. La bête était fatiguée. Il fallait lui permettre de se reposer. On s'arrêterait donc au premier village.

Mohammed avait vingt ans. Il était noble. Et pourtant son cœur n'était que douleur. La veille, les paroles de Tidjani étaient tombées, sifflantes comme la lame d'un cimeterre tranchant le cou d'un condamné :

— Ne parle plus de cela. C'est impossible. Tu n'épouseras jamais Ayisha.

Il la pressentait, cette réponse. Pourtant en l'entendant, il lui avait semblé que des pelletées de terre l'ensevelissaient dans la nuit de la terre. Il avait bégayé :

— Mais, père, il n'y a pas de sang entre nous.

L'autre s'était levé, en grande fureur :

— Ne parle plus de cela…

Mohammed était prêt à admettre qu'il avait bousculé les procédures d'usage. C'est un fait : il aurait dû rentrer à Ségou. Informer la famille et par l'intermédiaire de griots chargés de présents contacter Tidjani. Pourtant ne pouvait-on pardonner son impatience alors qu'il s'engageait dans un périlleux voyage ? Il ne voulait pas s'avouer qu'il avait voulu forcer la main d'Ayisha elle-même. L'obliger à se prononcer. A exprimer enfin ses propres sentiments. Hélas ! le calcul avait été faux de bout en bout. Après son entrevue avec Tidjani, il était allé la trouver sous l'auvent où elle sucrait au miel le lait caillé. Elle avait seulement dit :

— Mon père a parlé, Mohammed.

Est-ce que cela signifiait qu'elle ne l'aimait pas ? Alors autant mourir. Oter son burnous et ses vêtements. Entrer dans l'eau noire du Joliba. Dériver au gré du courant. Un jour, des pêcheurs somonos découvriraient son cadavre. Mohammed aperçut les formes sombres des cases d'un village et flatta le flanc de sa monture afin qu'elle se hâte.

C'était un village sarakolé, reconnaissable à la forme de ses cases, flanquées de leurs greniers à mil, juchées sur des pattes de bois grêles et groupées autour d'une belle mosquée de terre. Mohammed entra dans la première cour et frappa dans ses mains. Au bout d'un moment, une silhouette sortit sur la véranda au sol fait de bouse de vache battue, en s'éclairant d'une lampe au beurre. Mohammed cria :

— *As salam aleykum.* Je suis un musulman comme toi. Peux-tu m'abriter pour la nuit ?

— Est-ce que tu es un bimi ?

Mohammed rit et s'avança, distinguant à présent le contour du visage de l'homme jeune, méfiant, avec de gros sourcils emmêlés comme la tignasse qui couvrait le crâne.

— Moitié bimi. Moitié n'ko[1]... Beau mélange n'est-ce pas ?

L'homme hésitait visiblement, partagé entre les traditions d'hospitalité et le souvenir de tant de brimades et d'exactions excercées contre les paysans. Combien de fois des guerriers de toute race, peuls comme sarakolés, n'avaient-ils pas pris prétexte du Coran pour faire main basse sur leurs récoltes, s'emparer de leurs femmes et les menacer de leurs armes ? Mohammed leva comiquement les mains au-dessus de sa tête :

— Vois, je n'ai qu'un chapelet !

L'homme finit par lui faire signe d'approcher.

— Attache ton cheval près de la case des poules. J'espère qu'il ne leur fera pas peur...

Mohammed obéit, puis suivit son hôte. Déjà, sa femme s'était levée et sans attendre des ordres sortait sur la véranda pour réchauffer du couscous de mil. A chacun de ses pas, les rangées de perles de ses hanches dissimulées sous le lâche pagne de nuit tressautaient et cette douce musique rappelait à Mohammed celle des bracelets d'argent torsadé qu'Ayisha portait aux chevilles. Oui, si Ayisha ne l'aimait pas, autant mourir tout de suite. Mais comment ne l'aimerait-elle pas ? Est-ce que son amour à lui pouvait manquer de l'atteindre et de la parcourir, inondant son cœur, montant jusqu'à ses lèvres et obscurcissant toutes les pensées de sa tête ? Pourtant il

---

1. N'ko : surnom donné par les Peuls aux Bambaras ; le mot signifie « je dis ».

n'avait jamais été capable de lire dans ses regards autre chose que la tendresse due à un frère.

La femme de son hôte lui présentant une calebasse d'eau, Mohammed sortit de sa rêverie et la remercia d'un sourire. A en juger par l'ameublement de la case, il s'agissait d'un paysan prospère. Le lit, fait de deux murettes en terre surmontées de nattes épaisses en nervures de feuilles de palmier, était recouvert d'une couverture européenne. De même, de petits tapis jonchaient le sol entre les corbeilles à habits et, luxe des luxes, des bougies, non allumées cependant, étaient plantées dans des chandeliers de métal. Ce mélange d'objets traditionnels et d'objets de traite venus de la côte, à partir de Freetown qui concurrençait Saint-Louis du Sénégal, bien que fascinant, ne retenait nullement l'attention de Mohammed absorbé par son idée fixe.

Une fois rendu à Ségou, il presserait son père Siga de faire la demande en mariage auprès de Tidjani et celui-ci finirait bien par se laisser convaincre. Autrement... Autrement ? Mohammed n'osait aller jusqu'au bout de sa pensée.

— Il paraît que le Mansa Demba de Ségou va se convertir à l'islam :

Relevant la tête vers son hôte, Mohammed sourit :

— Ou peut-être simplement faire semblant. C'est là tout ce que lui demande Amadou Cheikou...

Pendant un instant, on n'entendit que le léger bruit de mastication de Mohammed. Puis, l'homme insista :

— Est-ce que tout cela ne te dégoûte pas ? Pour garder leurs empires, ils font n'importe quoi. Ils changent de religion. Ils se font des présents après s'être fait la guerre. Ils se traitent de frères, après n'avoir songé qu'à s'égorger...

Mohammed se lava les mains :

— Que veux-tu ? C'est le monde des puissants. Un monde à côté duquel celui des bêtes dans la brousse est harmonieux et pacifique.

Mohammed reprit la route avant le lever du soleil, car il avait hâte d'arriver à Ségou. Si la nuit appartient aux esprits et fait se terrer hommes et animaux, au petit matin ces derniers prennent leur revanche. Des pintades sauvages et des perdrix couraient sous les pas du cheval. Campés sur les rochers, des singes cynocéphales à crinière de lionceau aboyaient furieusement au passage de cet humain trop hardi tandis que des hordes d'abeilles bourdonnaient au-dessus de sa tête. Çà et là, on apercevait les empreintes laissées par les hyènes somnolant à présent sous quelque buisson. Soudain la brousse fut en feu et, dans la lueur des flammes qui l'emportait encore sur celle du jour, Mohammed vit bondir pêle-mêle gazelles, sangliers, buffles... Le vent ne parvenait pas à dissiper les épais nuages, aussi noirs que ceux de la pluie qui heureusement s'amassait et allait mettre bon ordre à tout cela.

Dans un panier, la femme de son hôte avait placé des poules blanches, des œufs et un petit sac de haricots, présents de paix et d'amitié, outre des provisions de bouche. Mohammed avait dormi dans la case réservée aux visiteurs de passage. Il s'était à peine étendu sur le lit qu'une jeune esclave était entrée, car le paysan et sa femme entendaient l'honorer.

La fille était à peine pubère, les tresses ornées de perles de verre et de bijoux de cornaline tandis qu'à son nez brillait un petit anneau de métal. On sentait qu'elle avait été réveillée en hâte, sommée de se laver et de se parfumer avant de se livrer au plaisir de cet inconnu. Mohammed l'avait interrogée :

— Comment t'appelles-tu ?

Elle avait fait, d'une voix presque inaudible :

— Assa...

Alors il s'était approché d'elle :

— Retourne d'où tu viens, Assa. Je ne te souillerai pas...

Eperdue, hésitant entre la crainte d'encourir la colère de ses maîtres et le bonheur de n'avoir pas à livrer son corps, elle avait obéi. Au matin, le paysan avait dévisagé Mohammed à la dérobée, brûlant de lui poser des questions. Or, Mohammed était pur, son amour pour Ayisha lui ayant interdit de jeter les yeux sur toute autre femme.

Le cheval se mit à trotter. Soudain heureux de vivre, car le soleil s'était levé. La grosse boule rouge commençait à se vautrer dans le ciel luttant comme elle le pouvait contre les vapeurs de la pluie. Mohammed traversa Sansanging sans s'arrêter. C'était une importante cité où se côtoyaient librement musulmans et non-musulmans. Les premiers avaient édifié quelques-unes des plus belles mosquées de la région grâce aux dons de commençants dont les caravanes résistaient bien à l'invasion des produits de traite. Apparemment, ils ne s'offusquaient pas des cases-fétiches des seconds qui, souvent, s'élevaient près des marchés et aux carrefours. Mohammed le savait, cette tolérance, cet islam complaisant avec les infidèles faisaient horreur à El-Hadj Omar. Avait-il raison ? Dans cette grande querelle qui commençait d'agiter les esprits, Mohammed n'avait pas d'opinion définie. La générosité de son cœur lui soufflait que tous les hommes sont frères quel que soit le nom de leur dieu. Etait-ce une pensée hérétique ? Cela ne revenait-il pas à pardonner à ceux qui avaient assassiné son père ?

Au sortir de Sansanding, Mohammed dirigea son cheval vers la berge du fleuve incrustée de gros coquillages, puis chercha un coin sec près d'un bosquet de graminées et de cram-cram[2]. Au loin, une barque tournoyait, sa voile de raphia gonflée par le vent, maintenue tant bien que mal par des cordages. Il pria longuement, effectuant des rekkat surérogatoires[3]. Quand il se releva enfin, il s'aperçut que des femmes étaient apparues, portant sur leurs têtes des calebasses de linge à laver. Mohammed avait appris à redouter l'effet qu'il produisait sur les femmes. Tant qu'il avait été un adolescent, mendiant à Hamdallay, elles s'étaient bornées à remplir sa calebasse de morceaux de poulet, de riz et de douceurs. Au fur et à mesure qu'il grandissait, leurs regards s'étaient chargés d'autres désirs que celui de le combler de nourriture. Et Mohammed en éprouvait une réelle horreur. C'était comme s'il avait vu Maryem, la mère lointaine et bien-aimée, ou Ayisha, la princesse interdite, dévisager un homme de cette manière. Une femme doit-elle éprouver du désir ? Non, elle doit accepter celui de l'homme que son amour pour elle purifie.

Les femmes déballèrent leur linge et, l'ayant trempé dans l'eau, commencèrent de le frotter avec du savon de séné. En même temps, leurs yeux, brillants, agrandis de kohol, ne lâchaient pas leur proie. Ce n'étaient pas des musulmanes. Leur religion ne leur imposait pas un comportement plein de retenue devant l'homme. Au contraire, elles étaient accoutumées à le railler, à le plaisanter dans des échanges aux sous-entendus chargés de sexualité auxquels Mohammed, grandi à Hamdallay, n'était pas habitué.

Que faire ? Ramasser ses effets et partir ? Il y songeait déjà quand les femmes entonnèrent une petite chanson à la fois ironique et tendre :

*Le vent soufflait et la pluie menaçait.*
*Le bimi vint s'asseoir sous un arbre,*
*Pauvre bimi !*
*Il n'a pas de mère pour lui apporter du lait,*
*Pas de femme pour moudre son grain,*
*Pauvre bimi !*

Mohammed s'arma de courage et s'approcha d'elles :

— D'abord, je ne suis pas un bimi. Je suis un n'ko comme vous et je rentre dans ma famille où, dès ce soir, j'aurai quelqu'un pour m'apporter du lait et me moudre du grain...

---

2. Plantes épineuses de la région.
3. Prières supplémentaires, autres que les cinq prières canoniques obligatoires.

L'une d'entre elles était particulièrement jolie avec ses seins pareils à des mangues et son ventre bombé entouré de plusieurs rangs de perles. Elle fit hardiment :

— Tu es marié, toi ?

Mohammed s'accroupit sur ses talons :

— Non, celle que j'aime ne peut pas être à moi !

Les femmes rirent de plus belle. Il était évident qu'elles ne pouvaient entendre un tel langage. Un homme n'est-il pas force, virilité, voire brutalité ? Et celle qu'il convoite, ne doit-il pas s'en emparer ? Or Mohammed ne sentait en lui que faiblesse et douceur. Il n'avait à l'esprit nul rêve de gloire et de conquête. Il ne voulait qu'être aimé.

Une autre femme interrogea :

— Pourquoi parles-tu comme un bimi si tu es un n'ko ?

Mohammed sourit :

— Est-ce que tu ne sais pas que bientôt, il n'y aura plus ni bimi ni n'ko ? Tous unis contre le Toucouleur…

Puis il se leva et retourna vers son cheval qui broutait sans entrain quelques brindilles sur la berge. Il entra dans Ségou avant la nuit.

Après avoir vécu huit ans dans le calme austère de Hamdallay, dont les seuls bruits étaient les appels des muezzins, Ségou effraya presque Mohammed par sa turbulence. Quand il était enfant, la ville se résumait pour lui à la concession des Traoré, à la zaouïa de son père, au palais du Mansa dont il allait admirer les gardes et leurs fusils. Brusquement, il comprenait pourquoi, après les Peuls, les Toucouleurs rêvaient de s'en emparer. C'était cette richesse, cette prospérité qui débordaient sur les marchés, sur les étals des artisans, qui s'affichaient dans les façades des lourdes maisons hérissées de tourelles, touchant les basses branches des cailcédrats. Une foule de femmes et d'hommes aux vêtements faits d'épaisses bandes de coton, sous des burnous ou des boubous de soie, allait et venait, s'arrêtant pour écouter des musiciens ou regarder les bouffons dans leurs postures acrobatiques. Des tondyons en habit jaune, le fusil sur l'épaule, se dirigeaient vers les cabarets déjà pleins de buveurs de dolo, bavards et rieurs. Mohammed fut surpris, car il y avait des mosquées partout ! Autrefois, les seules mosquées étaient celles des quartiers somonos ou maures. A présent, le croissant ornait une infinité de minarets, dressés comme des houlettes de bergers.

Bien des regards se levaient vers Mohammed. A quelle famille appartenait-il ? On s'arrêtait pour épier le chemin que son cheval allait emprunter. Tiens, il dépassait le marché aux bestiaux où de jeunes Peuls tentaient de discipliner leurs troupeaux avant de les reconduire hors des murs à côté des dromadaires des Touaregs ? Est-ce qu'il se dirigeait vers la pointe des Somonos ? Non, il continuait à descendre les rues, les sabots de sa bête martelant la terre molle.

Mohammed eut un coup au cœur. Car à l'endroit où s'étendait autrefois la zaouïa de son père, il n'y avait plus qu'une étendue de terre, à présent boueuse. Les femmes l'avaient plantée de nosikū, plante qui demande le pardon aux ancêtres pour les fautes commises. Quant à la concession elle-même, elle lui parut encore plus imposante. Il descendit de cheval, attacha sa monture à un anneau fixé sur une façade et, frappant entre ses mains, entra dans la première cour.

Il y régnait une agitation extraordinaire. Des esclaves couraient dans tous les sens. Des féticheurs faisaient brûler des plantes ou interrogeaient des cauris. Des enfants étaient livrés à eux-mêmes. Personne ne lui prêta attention. Il entra dans la deuxième cour et avisa un jeune homme, guère plus âgé que lui :

— Je suis un fils de cette maison. Mon nom est Mohammed...

Le jeune homme le prit dans ses bras :

— Ah, Mohammed, je suis ton frère Olubunmi. On craignait que tu n'arrives trop tard. Père Siga est au plus mal...

Retrouver un être alors qu'il est engagé dans l'inexorable voyage de la mort. Alors que son esprit est déjà au loin. Ses yeux obscurcis. Sa parole inaudible.

La case était envahie par les fumigations et Mohammed aurait voulu chasser tous ces guérisseurs. Car seule la prière convient aux derniers instants. En même temps, une ritournelle obsédante trottait dans sa tête : « Faites qu'il me regarde ! Faites qu'il sache que je suis là ! »

Il lui semblait que son harmonieuse réinsertion dans la famille était liée à cette reconnaissance. Qu'il n'avait d'autre soutien que ce vieillard agonisant.

Olubunmi le toucha à l'épaule :

— Notre père Tiéfolo te demande...

Mohammed rangea son chapelet dans la poche de son burnous

Si les années avaient défait Siga, elles avaient respecté la belle stature de Tiéfolo, l'ampleur de son torse, le modelé de ses jambes. Seuls ses cheveux, qu'il portait encore longs et tressés, avaient consenti à blanchir. Tiéfolo était partagé entre des sentiments paternels et le souvenir du rôle que Tiékoro avait joué dans la famille. Aussi son comportement était-il totalement incohérent.

Quand Mohammed parut, de le voir si jeune, si ouvertement

vulnérable, son cœur s'émut. Le serrant étroitement contre lui, il fit :

— Quel triste retour nos dieux t'ont-ils préparé ! Une maison en pleurs...

Malgré lui cependant, il ne pouvait s'empêcher de prononcer « nos dieux » avec agressivité, comme pour bien signifier qu'ils n'étaient pas ceux de Mohammed. Celui-ci répondit :

— Père, seul le mécréant pleure les morts. Car il oublie le bonheur de l'âme, lampe du corps... enfin réunie au divin.

Le mot « mécréant » était certainement malheureux, mais Mohammed était trop troublé par les circonstances de son retour et la confrontation avec ce père dont il savait, d'après les paroles de sa mère Maryem, « qu'il avait joué un rôle dans la mort de Tiékoro », pour faire preuve de diplomatie. Il irrita Tiéfolo en lui rappelant les propos sentencieux et le ton supérieur de son frère défunt. Aussi, il fit brutalement :

— Accepteras-tu de demeurer parmi des « mécréants », comme tu nous appelles ?

Mohammed tenta tant bien que mal de réparer sa gaffe :

— Le sang, le sang n'est-il pas plus fort que tout ?

En fait, il aurait suffi d'un rien pour que Tiéfolo et Mohammed parviennent à s'aimer en dépit du passé. Car bien des choses les rapprochaient qui avaient nom timidité, sensibilité, manque de confiance en soi-même et par-dessus tout sens de la famille. Pourtant ils n'en eurent pas conscience. Tiéfolo crut Mohammed prévenu contre lui par des rumeurs et des ragots, qui amplifiaient le rôle qu'il avait joué dans l'arrestation de Tiékoro. Mohammed s'imagina indésirable.

Brusquement, les hurlements des femmes éclatèrent, immédiatement suivis de chants rythmés par des battements de mains :

*J'irai au marigot, ma mère !*
*Un mauvais oiseau m'a adressé son chant !*
*J'irai au marigot, mes mères !*
*Un mauvais oiseau m'a adressé son chant !*
*Les femmes pleurent,*
*Les femmes se lamentent,*
*Car leur grand cultivateur s'est couché !*

Tiéfolo se leva en vitesse, imité par Mohammed. Comme ils se dirigeaient vers la case de Siga, ils virent adossée à un mur une toute jeune fille, secouée de sanglots, le visage inondé de larmes. Il était évident qu'il ne s'agissait pas là de pleurs de circonstance plus ou moins rituels, mais d'un désespoir personnel, navrant et solitaire. Tiéfolo répondit à l'interrogation silencieuse de Mohammed :

— C'est Yassa, la dernière concubine de ton père Siga...

Mohammed s'éloigna, emportant la vision d'un visage jeune, infiniment défait, infiniment troublant.

## 3

La mort qui frappe par surprise est mauvaise. Bien sûr, elle ne bat jamais le tam-tam, la mort. Pourtant elle laisse à certains le loisir de disposer de leurs femmes, de leurs biens et de donner des directives à leurs successeurs. Dans le cas de Siga, rien de cela ne fut possible. Aussi, une fois ses funérailles terminées, Tiéfolo, qui prit la direction de la famille, se trouva face à une multitude de problèmes, jusque-là masqués par le consensus d'affection apitoyée qui s'était fait autour du défunt, et rendus brutalement urgents.

Donner une réponse à Cheikh Hamidou Magassa qui attendait patiemment dans une case de passage. Faire cohabiter non-musulmans et musulmans toujours plus nombreux dans la concession. Obliger les veuves qui s'abritaient derrière des prétextes religieux à accepter les époux désignés par la famille. Et surtout accueillir Mohammed. Empêcher qu'il ne s'impose comme un héritier d'une nature particulière, comme le flambeau de l'islam qui rallierait les convertis et les indisciplinés. A vrai dire, le garçon était charmant. Facile à vivre. Respectueux. Courtois jusqu'à l'effacement. Pourtant Tiéfolo croyait flairer, dans ces qualités mêmes, un danger possible. Trop d'idéalisme. Trop de générosité. Une sorte de refus de tout ce qui est censé faire l'homme. Aussi, chaque fois qu'il était en sa présence, Tiéfolo hésitait entre le désir de le réconforter comme un enfant peureux et de le brutaliser. Il l'interrogea :

— Pourquoi n'es-tu pas allé étudier dans une de vos universités ?

Mohammed se tenait la tête baissée et, cette fois encore, Tiéfolo fut frappé, presque rebuté, par la perfection de ses traits. Cette beauté féminine, elle aussi, était dangereuse. Mohammed sembla s'armer de courage et bégaya :

— Père, il faut que vous sachiez ce que j'ai sur le cœur. Je sais bien qu'un fils respectueux prend l'épouse que la famille lui donne. Mais moi... j'aime... une jeune fille et si je ne l'ai pas... je mourrai...

Tiéfolo le regarda avec stupeur, presque avec effroi. Mourir pour une femme ? Etait-ce là ce qu'enseignait l'islam ? Pas étonnant d'une religion qui interdisait l'alcool et châtrait les hommes, les transformant en moutons broutant l'herbe l'un à côté de l'autre. N'était-ce pas aussi à cause d'elle que Mohammed dormait seul chaque nuit alors qu'il ne manquait pas d'esclaves pour le satisfaire ?

Il se contint et fit :

— Une Peule du Macina ?

Très vite, Mohammed se mit à parler d'Ayisha, mais Tiéfolo l'interrompit, sourcils froncés :

— Tu dis que c'est la petite-fille de ta grand-mère Sira ? C'est donc ta sœur ?

Mohammed entama ce discours qui n'avait pas su convaincre Tidjani :

— Père, ma grand-mère Sira s'est remariée à un Peul du Macina. Quelle parenté cette descendance a-t-elle avec notre famille ?

Tiéfolo continua de réfléchir, se perdant visiblement dans le labyrinthe des généalogies. Puis il conclut, d'un air choqué :

— Cela ne se peut pas, Mohammed. C'est ta sœur...

Comme Mohammed se préparait à insister, il lui signifia avec sa fermeté coutumière que l'entretien était terminé. La mort dans l'âme, Mohammed s'en alla. Quelle conception obtuse et absurde de la géographie du sang ! Fallait-il s'incliner et renoncer à Ayisha ? Jamais ! Jamais ! Pour la millième fois, il se répéta son infaillible argumentation qui n'avait que le tort de ne convaincre personne. Lui qui n'avait jamais désobéi aurait bien passé outre et serait remonté sur son cheval pour aller enlever Ayisha. Mais se prêterait-elle à ce rapt ?

« Mon père a parlé, Mohammed ! »

Est-ce que ce sont là les paroles d'une femme amoureuse ?

Mohammed regagna sa case non loin de l'enceinte où se trouvaient les tombes des défunts de la famille. Celle de Tiékoro était placée un peu en retrait comme pour symboliser son destin particulier. Dans son désespoir, Mohammed s'assit près d'elle. Ah, si son père avait vécu, il aurait su le comprendre et vaincre les ridicules répugnances des deux familles. Mais voilà, il était seul. Sa mère au loin et tous ceux qui auraient pu le défendre à des pieds sous terre.

Puis il eut honte de ce désespoir. Pourtant comment commander à son cœur ? S'il n'avait pas Ayisha, il ne désirait rien de la vie.

Comme il demeurait là, Olubunmi s'approcha de lui. Seul fils vivant d'un fils mort au loin, Olubunmi, que la famille appelait Fanko[1], avait été couvé comme un enfant miraculé. Cela n'était point parvenu à lui gâter le caractère et ceux qui guettaient en lui l'héritage de Malobali s'accordaient à dire que le fils était bien différent du père. Mohammed s'était pris d'une vive affection pour ce frère qui s'était trouvé symboliquement là pour l'accueillir le jour de son retour. Il se désespérait seulement de faire de lui un musulman. Olubunmi opposait à toutes ses tentatives de conversion un scepticisme souriant.

— Tous les dieux se valent. Pourquoi vouloir en imposer un seul au-dessus des autres ?

Olubunmi s'assit près de Mohammed en prenant soin cependant de se tenir à quelque distance de la tombe :

— Un messager du Mansa vient d'entrer chez notre père Tiéfolo. Il paraît que cela te concerne…

— Comment cela ?

Olubunmi ne résista pas au plaisir de jouer à l'important :

— Il paraît que le Mansa va envoyer une délégation dans le Macina et il désire que tu serves d'interprète…

— Moi ?

Il est certain que l'idée était saugrenue. Mêler à une délégation du royaume un garçon d'à peine vingt ans qui ne s'était distingué nulle part ! Olubunmi prit un air finaud alors qu'il ne faisait que répéter ce qu'il avait entendu :

— Il est évident que le temps de l'islam est venu à Ségou et crois-moi, on va l'utiliser, le sang de notre père. Tiékow…

Une fois de plus Mohammed fut écœuré. Oui, l'islam se fanait jusqu'à ressembler à un vêtement décoloré. Après la mort de Cheikou Hamadou, très vite les soucis temporels étaient venus vicier la foi. Ce saint que tout le monde révérait n'avait-il pas, bousculant toutes les règles, préparé la succession de son fils Amadou Cheikou ? Et celui-ci ne préparait-il pas déjà l'avènement de son fils Amadou Cheikou, au détriment de ses propres frères ? Quels sont les moteurs du cœur de l'homme ?

Ce que Mohammed ignorait, c'était que, sous son calme apparent, la tête d'Olubunmi était pleine de rêves de voyages et d'aventures. Ceux qui croyaient qu'il n'était pas le digne fils de

---

1. Fanko : mot bambara qui signifie « né après le père ».

Malobali se trompaient. En réalité, la même impatience bouillonnait en lui. Le même désir d'action. Il était de ceux qui s'assemblaient près des marchés pour écouter les récits de ceux, de plus en plus nombreux, qui avaient vécu sur la côte, vu des Blancs, parlé leurs langues et manié leurs armes. Ainsi le vieux Samba lui avait-il décrit Freetown où il avait passé de longues années, son port et ses bateaux aux ventres chargés de billots de bois qui cinglaient vers l'Europe. C'est par lui qu'il avait appris que les Blancs avaient une autre écriture que celle des Arabes et que, autant que les fétichistes, ils haïssaient l'islam. Il lui avait même appris à dessiner quelques lettres qui mises bout à bout formaient son nom : Samba. Comment s'écrivait Olubunmi ? Cela, le vieux Samba l'ignorait.

Passant devant la case de Tiéfolo, ils le virent assis dans le vestibule, en grande conversation avec le messager du Mansa et Cheikh Hamidou Magassa. Sûrement d'importantes décisions allaient être prises… Dans quel sens ?

Mohammed ne savait trop que penser. Ainsi, il allait peut-être retourner à Hamdallay ? Certes il s'était juré de n'y revenir que pour obtenir la main d'Ayisha. Mais, du moins, pendant quelques jours il allait la voir et surtout découvrir ses véritables sentiments à son endroit.

« Mon père a parlé, Mohammed ! »

Est-ce que ce sont là les paroles d'une femme amoureuse ?

Ce fut le soir après le repas que Tiéfolo informa les hommes de la famille des décisions qu'il avait dû prendre sous la pression du Mansa. Des pèlerinages de musulmans seraient autorisés sur la tombe de Tiékoro. Mohammed ferait partie d'une délégation de réconciliation qui se rendrait bientôt dans le Macina.

C'est avec un haussement d'épaules blasé que les bonnes gens de Ségou apprirent que le Mansa Demba et le souverain du Macina s'apprêtaient à faire ami-ami. Ils s'assemblèrent près des portes pour voir partir, en direction de Hamdallay, le cortège des notables précédés de leurs griots, montés sur des bêtes magnifiques et suivis d'esclaves ployant sous le poids des présents. On leur avait dit que les agissements du Toucouleur rendaient cette réconciliation nécessaire, ce qui ne les surprenait pas outre mesure. Le nom d'El-Hadj Omar était devenu synonyme de malfaisance. Les événements de son passage à Ségou avaient été amplifiés. On parlait de pluie, de sang et de cendres tombée du ciel, de tremblement de terre qui avait englouti le palais du Mansa, puis d'une terrible sécheresse qui avait transformé en amas de croûtes pierreuses les berges du Joliba. Les gens bien informés savaient qu'El-Hadj Omar résidait pour l'heure à Dinguirayé dans le Fouta Djallon où ils n'avaient jamais mis les pieds, quelque part non loin du Joliba, mais beaucoup plus au sud. Des voyageurs racontaient que cette ville était devenue une place forte imprenable et un lieu de prières, encore plus ferventes qu'à Hamdallay. Dans chaque rue des mosquées. Au centre une forteresse dont les murs avaient dix mètres de hauteur, à l'intérieur de laquelle El-Hadj Omar résidait avec ses femmes, ses enfants et ses hommes de confiance. Les voyageurs racontaient aussi que les disciples obligeaient à prononcer la fameuse phrase : « Il n'y a de dieu que Dieu... » Sinon, clic-clac, ils coupaient les têtes.

A ceux qui les comparaient aux Peuls de Cheikou Hamadou quelques années plus tôt, les voyageurs soutenaient que les gens du Macina étaient des êtres doux et tolérants, comparés aux hordes d'El-Hadj Omar.

Une fois la poussière retombée sous les pas des chevaux, Olubunmi retourna tristement vers la concession. Mohammed était parti au milieu d'adultes qui l'entretenaient comme un pair, vu sa connaissance des choses de l'islam et de la vie à Hamdallay. Quelles aventures l'attendaient ? Peut-être aurait-il l'occasion de se faire un nom glorieux ? En tout cas, il échappait à la routine de la vie à Ségou. C'était déjà enviable !

Olubunmi avait suivi quelques années d'enseignement coranique, tout en recevant l'enseignement initiatique des sociétés secrètes. C'est dire qu'il portait des gris-gris autour de sa taille, auxquels étaient mêlés des rectangles de parchemins portant des versets du Coran dont, d'ailleurs, il était capable de réciter quelques sourates. Il se vêtait à la musulmane, mais portait les cheveux longs et tressés. En un mot, il incarnait l'époque de transition que connaissait Ségou. En outre, il ne parvenait pas à oublier le sang étranger qu'il portait en lui. Une mère Agouda du Bénin ? Qui à Ségou pouvait se vanter de pareille originalité ? Un père qui était descendu jusqu'à la côte alors que la plupart des Bambaras n'avaient jamais franchi le Joliba !

Olubunmi éprouvait des sentiments fort contradictoires à l'endroit de ce père. Il l'admirait et l'enviait puisqu'il avait effectué ces voyages dont il rêvait lui-même. D'autre part, mort au loin, sans recevoir de sépulture parmi les siens, il était sans doute devenu un de ces esprits sans bienveillance qui désespèrent de se réincarner et rôdent dans l'invisible. Aussi, parfois le soir, croyait-il entendre ses plaintes dans le souffle du vent, le piétinement de la pluie ou le crépitement du beurre de la lampe. Fidèlement, il n'oubliait jamais d'offrir des sacrifices à sa mémoire, même si Mohammed lui répétait la parole du Prophète : « Ni leur chair ni leur sang n'auront quelque effet. Seule ta piété y parviendra... »

Olubunmi entra chez le vieux Samba qu'il trouva assis sur son lit de bambou. Samba grimaça :

— Eh bien, ton frère est parti ?

Le cœur un peu gros en songeant à Mohammed qui galopait sur sa belle monture, Olubunmi haussa les épaules :

— Oui, le barbouilleur de planchettes est parti... Samba, parle-moi de tes voyages...

Le vieux Samba fit la coquette :

— Je t'ai déjà parlé de cela des dizaines de fois. Que veux-tu encore entendre ?

Puis il bourra cette pipe qui achevait de lui donner grand prestige auprès d'Olubunmi, car elle était faite de bruyère d'Ecosse et venait d'un pays de Blancs, et commença :

— Vous autres, vous ne pouvez pas vous imaginer ce que c'est que la mer. Le Debo vous étonne déjà. Et pourtant, on en voit la rive. Des îlots flottent à sa surface. Vos barques zigzaguent entre les roseaux. La mer, c'est comme un grand ciel qui serait toujours en mouvement. Elle ne s'entend pas avec le vent et quand il se lève, elle se fâche, elle fait le gros dos comme une panthère furieuse et tant pis pour les bateaux à sa surface. Moi j'ai été un laptot[2] pendant trois années. Tu vois, quand j'étais petit, des Maures m'ont enlevé à mes parents et emmené dans le Cayor. C'est là que j'ai rencontré des Français...

— Comment sont-ils, les Français ?

Le vieux Samba n'aimait pas les interruptions. Il feignit de ne pas entendre cette question directe :

— C'est M. Richard qui m'a employé. Cet homme-là faisait venir toutes sortes de plantes de son pays et les expérimentait. Et puis, il en inventait d'autres. Si tu savais ce que sa main faisait sortir de terre ! Coton, indigo, oignon de Gambie, bananier, papayer, soump, séné, arachide... Il disait que nos pays sont des jardins ! Puis, un jour, j'en ai eu assez de me pencher sur la terre et je suis parti droit devant moi. C'est comme ça que je suis arrivé à Freetown. Là, attention, ce sont d'autres Blancs, des Anglais...

— Parle-moi de Freetown, Samba !

Une fois encore, Samba ignora la question et poursuivit :

— Moi, je n'ai jamais travaillé avec les Anglais puisque je

2. Aide-marin africain.

connaissais déjà la langue des Français et c'est comme ça que je suis monté sur leurs bateaux. Je suis descendu jusqu'à Cape Coast…

— Mon père est allé là-bas, lui aussi !

Le vieux Samba cracha un jus noirâtre :

— Peut-être, mais ce n'était pas un laptot, lui !

Olubunmi dut en convenir et insista :

— Parle-moi de Freetown…

— Mais que veux-tu que je te dise ? Tu n'as jamais vu la mer. Tu ne sais pas ce qu'est un brick, une goélette, un brigantin, une felouque. Tu ne connais que les pirogues des Somonos…

Olubunmi baissa le nez, tout honteux. Le vieux Samuel reprit :

— On m'a dit qu'à présent les Blancs font marcher leurs bateaux avec de la vapeur…

— De la vapeur !

Pour éviter que son jeune interlocuteur ne lui pose des questions sur ce sujet qu'il possédait mal, Samba changea de conversation :

— Avec les Blancs, on peut aussi devenir soldat. Un fusil double, un pantalon rouge avec des galons, et voilà…

— Qu'est-ce qu'on fait quand on est soldat ?

— On se bat, pardi…

— Mais contre qui ?

Ni le vieillard ni le jeune homme ne pouvaient répondre à cette interrogation. Les Blancs n'avaient pas besoin de se battre pour se procurer des esclaves puisqu'on leur en apportait jusqu'à la côte. Que visaient-ils donc avec leurs fusils ? Olubunmi n'osait pas penser que le vieillard se trompait, mais cela lui paraissait bien invraisemblable. Des soldats ? Peut-être alors s'en allaient-ils au pays des Blancs pour se battre contre leurs ennemis ?

Perplexe, Olubunmi reprit le chemin de la concession. Dire que Mohammed galopait dans son beau boubou bleu ciel, alors qu'il était là à s'ennuyer et traîner les pieds dans cette terre molle de fin d'hivernage ! Une foule considérable se tenait devant l'entrée de la concession, tandis que dans les cours régnait un silence de mort. A croire que les enfants eux-mêmes avaient renoncé à leurs jeux et à leur turbulence. Debout parmi les adultes ils demeuraient comme figés sur place. Olubunmi baissa la voix :

— Qu'est-ce qu'il y a ?

— C'est Yassa. Elle a avalé les poisons de fa Tiéfolo…

Il y avait tant d'horreur contenue dans cette brève information que Olubunmi resta sans voix. Avalé des poisons de chasse ! Si, l'âge et les charges aidant, Tiéfolo avait réduit le nombre de ses expéditions en brousse, il n'en demeurait pas moins un des grands karamoko de Ségou, présent à tous les Foutoutèguè[3]. Il gardait ses carquois de flèches dans une petite case où il faisait également macérer des poisons, ces mélanges de strophantus et de pourriture cadavérique. L'année précédente, des moutons, qui avaient rompu leurs liens et goûté, curieux, à ces breuvages, étaient tombés foudroyés, le museau couvert d'écume. Olubunmi bégaya :

— Elle est morte ?...

— On lui fait boire des décoctions de tiliba...

Olubunmi n'avait jamais prêté grande attention à Yassa. Ce n'était qu'une esclave, attachée, il le savait, à son père Siga. Brusquement ce geste forcené la dotait d'une individualité. Pourquoi avait-elle agi ainsi ? Il regardait la case où Yassa agonisait peut-être comme un temple où étaient à l'œuvre des forces mystérieuses. Se donner à soi-même la mort ! Quel acte terrible ! Et peut-on à ce point braver les ancêtres !

Une femme sortit dans la cour et chassa ces curieux et ces enfants, debout là les bras ballants. Une autre suivit, portant une calebasse recouverte d'un linge d'où se dégageait une odeur fétide...

Cependant, à l'intérieur de la case, la mort n'avait pas voulu de Yassa. Après l'avoir flairée, après avoir joué avec elle comme un fauve avec sa proie, elle l'avait laissée aller. Mais, suite à ce terrible face à face, le corps de Yassa s'était ouvert, expulsant avant l'heure le fruit qu'il portait. Un enfant était né, boule de membranes et de glaires.

Moussokoro, l'accoucheuse que l'on avait fait chercher, prit le petit corps et se dirigea vers le seuil de la case pour y voir plus clair. Etait-ce un mort-né ? C'est-à-dire un être ayant perdu ses composantes spirituelles et dont il faudrait patiemment rechercher l'esprit là où il s'était enfui, avant de le mettre en terre ? Moussokoro sentit une faible palpitation sous ses doigts. Non, c'était un vivant ! Elle ordonna donc à une femme de lui apporter de la bière de mil mêlée d'eau afin de le purifier à l'issue de son terrible voyage. Puis elle distingua un bourgeon fragile comme une pousse d'arbuste. Son cœur s'emplit de joie. Elle se tourna vers une de ses aides :

— Va prévenir fa Tiéfolo que la famille compte un bilakoro de plus !

Déjà, apprenant que mère et enfant étaient en vie, Fatima, la veuve de Siga, qui devait donc se comporter comme la sœur aînée de Yassa, entra précipitamment. Fatima n'avait jamais haï Yassa, qu'elle considérait comme la dernière jouissance offerte à un homme

3. Cérémonie anniversaire de la mort d'un chasseur.

qui en avait eu très peu. Elle s'agenouilla auprès de Yassa, encore inerte, les yeux clos, et murmura sans trop de sévérité cependant :

— Allah te pardonne ton péché !

Puis elle alla regarder le nouveau-né qu'à présent Moussokoro baignait dans la bière de mil avant de l'oindre de beurre de karité. Il était si petit, à peine plus gros qu'une poignée de poussins, qu'on ne distinguait pas encore ses traits. Pourtant Fatima crut reconnaître le grand front de Siga, la courbe de son menton. Son cœur s'émut. En elle-même, elle dit :

— Bonne arrivée, Fanko !

Car elle le savait, né après la mort de son père, on l'appellerait ainsi.

Tiéfolo et le féticheur Soumaworo entraient à leur tour. Il y avait naissance, donc joie. Soumaworo s'accroupit pour égorger un coq rouge dont il laissa couler le sang afin d'en badigeonner le sexe et le front de l'enfant. Tout en faisant ce sacrifice, il le scrutait du regard. De quel défunt était-il la réincarnation ? On mit l'enfant dans les bras de Yassa. Si faible. Si fragile. Les paupières pareilles à de minuscules coquillages recouvrant les yeux, le nez pas plus épais qu'une tige de mil, la bouche, tomate naissante, ronde et un peu froissée. Yassa regardait cette merveille. Qu'est-ce qui l'avait créée ? Son corps qui rechignait au plaisir de Siga, rebuté par son odeur de maladie et de mort ? Celui de ce vieillard qui soufflait en la pénétrant ? Non, les dieux s'étaient accouplés pour donner pareil prodige. Les dieux, qu'il fallait remercier.

Elle serra le petit être tout neuf contre elle. Avec une avidité qui étonnait, venant d'un corps si dérisoire, il se passait la langue sur les lèvres comme pour savourer les dernières gouttes de lait de chèvre dont on les avait humectées. Ce geste trahissait la force de vie qui était en lui et dont elle avait failli le priver à jamais. Ah, elle n'aurait pas assez de tous les jours de son existence pour expier à force d'amour, de soins, de tendresse le crime qu'elle avait tenté de commettre ! Elle souffla tout contre son oreille :

— Bienvenue, Fanko, dans le monde des vivants où, désormais, tu as ta place. Avec moi...

# 4

Alhadji Guidado, l'un des sept marabouts qui assuraient la police à Hamdallay, faisait aussi partie du Grand Conseil, sans lequel aucune décision n'était prise à travers le Macina, et était donc un des hommes les plus influents du royaume.

Le Grand Conseil se composait de quarante membres, tous docteurs en droit et en théologie, dont trente-huit siégeaient dans la salle aux Sept Portes qui ouvrait sur le tombeau de Cheikou Hamadou, devenu lieu de pèlerinage pour les musulmans de la région. Alhadji Guidado était de ceux qui s'opposaient à toute alliance avec Ségou, rappelant que l'islam, s'il s'allie au polythéisme, n'est plus l'islam. Hélas ! pour la première fois, ses conseils n'avaient pas été écoutés et il avait été mis en minorité avec ses partisans. Il sut taire son chagrin et sa colère et fit seulement :

— Fasse Allah que nous ne regrettions pas les décisions que nous avons prises aujourd'hui. Mais, je le répète, se préparer à rassembler des troupes pour aider des infidèles contre des musulmans et considérer qu'il est permis de combattre ceux-ci n'est pas compatible avec la foi.

Tous les yeux se tournèrent vers Amadou Cheikou, qui se tenait là où autrefois son père siégeait. Mais, depuis bientôt trois mois, Amadou Cheikou était affaibli par une maladie contre laquelle les médecins et les prières étaient impuissants. Aussi, il se laissait complètement manipuler par le cheikh El-Bekkay, venu de Tombouctou et convaincu, quant à lui, de la nécessité d'une alliance avec le Mansa de Ségou. Ces relations entre les deux hommes étaient d'autant plus surprenantes qu'autrefois le cheikh El-Bekkay n'avait pas caché son hostilité au Macina qui tenait Tombouctou en vassalité et lui imposait son ordre. Mais c'était le signe des temps ! Les amis de la veille devenaient les ennemis du jour. Les ennemis, les amis.

Amadou Cheikou ne dit mot, exposant à tous son visage au teint cireux et au regard déjà absent, lointain, conversant avec l'invisible. Alhadji Guidado enfila ses babouches qu'il avait laissées près de la porte et reprit :

— Permettez-moi de me retirer. Vous le savez, aujourd'hui je marie mon troisième fils, Alfa...

L'assemblée murmura les phrases de bénédiction rituelle tandis qu'Amadou Cheikou interrogeait avec bonté, toujours sans tenir compte de l'esprit de rébellion du marabout :

— A qui le maries-tu donc, Alhadji ?

— A Ayisha, la fille de Tidjani Barri, dont le père Modibo Amadou Tassirou vivait à Tenenkou...

Amadou Cheikou hocha la tête pour signifier que cette généalogie le satisfaisait. Puis il fit :

— Tout à l'heure, je viendrai partager les prières des jeunes époux...

C'étaient là paroles de politesse : l'on savait qu'il ne se déplaçait plus au-dehors. Là-dessus, Alhadji se retira. Quittant la salle aux Sept Portes, il passa près du tombeau du maître et son cœur s'emplit de douleur. Ah, s'il avait vécu, ce saint, il n'aurait jamais cédé à ces considérations politiciennes. Lui qui toute sa vie avait combattu les infidèles de Ségou ! Heureusement, les fils ne ressemblent pas aux pères. Aussi, qui sait si les décisions qu'avait prises Amadou Cheikou ne seraient pas défaites à leur tour par son fils Amadou Amadou ? Un faible espoir envahit Alhadji, puis il s'efforça de ne penser qu'au mariage de son fils. A vrai dire, cette union ne le satisfaisait pas. Oui, Ayisha était jolie, parfaite, mais la famille à laquelle elle appartenait se composait de musulmans médiocres, gens qui récitaient tout juste quelques sourates et n'avaient jamais lu un texte religieux. Même, Alhadji les soupçonnait de porter des gris-gris sous leurs vêtements et d'offrir de temps à autre des sacrifices à des « fétiches ». Mais, apparemment, Alfa s'était entiché de la fille et la jeunesse d'aujourd'hui se piquait d'aimer sans se soucier uniquement du choix des parents. Si Alhadji s'était laissé convaincre, c'est qu'Alfa, d'une certaine manière, lui donnait du souci. C'était un excellent fils. Il venait de terminer sa première éducation religieuse, faisant l'admiration de tous ses maîtres pour la profondeur de son esprit. Mais précisément, si on ne le corrigeait pas, il risquait d'être gâté par un goût pour le monachisme.

C'est ainsi qu'il allait sans cesse répétant la sourate du Très-Haut : « Mais vous préférez la vie dans ce monde. Et cependant la vie future est meilleure et perpétuelle. En vérité, cela est dans les livres anciens d'Abraham et de Moïse. » Ce mariage, plaise à Allah, le ramènerait peut-être sur terre. Car il n'est pas bon que l'homme devienne un ennuque, incapable de brûler pour un corps de femme.

La concession d'Alhadji Guidado faisait face à la mosquée. Alors que de nombreux Peuls du Macina faisaient bâtir, à la manière des Bambaras ou des habitants de Djenné, de grandes maisons en terre avec des toitures en terrasses, Alhadji s'était fait un point d'honneur de conserver les usages de son ethnie. Sa concession se composait de cases de forme circulaire, aux parois de paille tressée. Au centre de la cour s'élevait un hangar soutenu par des piliers faits de troncs d'arbres accolés. C'est là que se tenait la foule entourant les futurs époux. Des gamins tenaient par les cornes des moutons à laine soyeuse du Fermagha, qui allaient être sacrifiés. Les femmes faisaient circuler des bassines de lait caillé, mêlé de dattes et de feuilles de menthe, tandis que des cuisines s'élevait l'odorant fumet du tatiré Macina.

Qu'Ayisha était belle ! Elle portait une robe d'une seule pièce d'un tissu de soie venu de Tombouctou. Pourtant, ce qui retenait tous les regards, c'était sa coiffure. Un haut cimier central tendu à la perfection et flanqué de grosses tresses entremêlées de fils d'or et d'argent. Pour l'occasion, sa mère et les femmes de la famille lui avaient suspendu aux oreilles des boucles d'or torsadées qui avaient bien six centimètres de diamètre, si légères cependant qu'elles se balançaient au souffle de l'air. A part cela, on ne pouvait compter ses bracelets, ses bagues, les colliers à ses poignets et à ses chevilles. Alfa était vêtu avec sa coutumière simplicité d'un boubou de toile fine. Alors qu'il aurait dû être transporté au faîte du bonheur et de l'orgueil, c'est sans ivresse qu'il regardait Ayisha. S'il avait suivi la pente naturelle de ses inclinations, il ne se serait jamais marié ! Mais Ayisha l'aimait tant qu'elle l'avait conquis ! C'était comme un feu auquel il avait été exposé par surprise et qui l'avait fasciné par son éclat. Alfa regrettait l'absence de Mohammed. Comme son ami l'aurait raillé !

— Eh bien, toi aussi, tu succombes à l'attrait de la femme ?

A vrai dire, Mohammed, même absent, avait beaucoup compté dans cette union. Ayisha n'était-elle pas sa sœur ? Et n'était-ce pas un moyen de se rapprocher encore de lui ? Pourtant à chaque fois qu'il avait voulu aborder ce sujet avec sa promise, elle s'était dérobée avec une étrange répugnance.

En attendant l'arrivée de l'imam, qui était aussi le frère

d'Alhadji Guidado, les conversations allaient bon train. Elles tournaient toutes autour de Ségou. Les guetteurs avaient annoncé que la délégation avait traversé Sansanding et était déjà entrée dans Diafarabé.

Certains s'accommodaient de la réconciliation avec Ségou. Ils demandaient seulement qu'Amadou Cheikou envoie des hommes de confiance voir ce qui s'y passait du point de vue religieux. Si les Bambaras étaient sincères, alors qu'ils brisent leurs cases-fétiches et multiplient l'édification des mosquées…

D'autres s'y refusaient absolument. Aussi ils souhaitaient que le Macina revienne à la règle de succession collatérale dont il s'était écarté à la mort de Cheikou Hamadou. Alors Ba Lobbo, frère du cheikh et chef suprême de l'armée, monterait sur le trône. Il n'y avait pas musulman plus intransigeant que celui-là, on verrait bien quel serait son camp !

D'autres encore n'osaient pas avouer qu'ils étaient tentés par la voie tidjani. Ils avaient lu *Ar-Rimah*[1] l'œuvre maîtresse de El-Hadj Omar, et cet islam intransigeant, semblable à celui d'Hamdallay autrefois, qui récapitulait d'une certaine manière les vertus des tourouq[2] antérieures, les séduisait. Ils répétaient onze ou douze fois la *Djawharatul-Kamal*[3] :

*O dieu, répands tes grâces et ta paix*
*Sur la source de la miséricorde divine, étincelante comme*
*Le diamant, certaine dans sa vérité, embrassant*
*Le centre des intelligences et des significations…*

Tout ce bavardage cessa avec l'apparition de l'imam. On recouvrit la tête d'Ayisha d'un voile blanc. La cérémonie du mariage commença.

Au même instant la délégation de Ségou entrait dans Hamdallay. Selon une pompe bannie dans cette cité musulmane, les griots venaient en tête. Le son ample du dounoumba alternait avec celui des tamani et s'interrompait par instants pour permettre aux joueurs de flûte et de violon de se faire entendre à leur tour. Des cavaliers en habit jaune tiraient des coups de fusil et l'on respirait une odeur de poudre que depuis longtemps Hamdallay avait oubliée. Les habitants sortaient en hâte de leurs concessions et se tenaient devant les kakka[4]

1. *Les Lances*.
2. Confréries de l'islam.
3. « La Perle de la perfection », prière de bénédiction.
4. Clôtures, en peul.

de tiges de mil, partagés entre l'admiration que causait un si beau spectacle et le mépris que leur inspiraient ces fétichistes.

Mohammed venait lentement presque en queue de délégation, juste devant les esclaves qui portaient les présents que le Mansa Demba envoyait au souverain. Depuis plusieurs nuits, il était torturé par un rêve. Toujours le même. Il entrait dans la concession d'Ayisha. Elle reposait sur sa natte, les yeux clos, la tête tournée vers le sud, les pieds vers le nord. La famille était en pleurs autour d'elle et, comme éperdu, ne croyant plus à la vertu de ses yeux, il s'approchait de sa dépouille, une voix lui soufflait : « Tu vois bien qu'elle ne t'était pas destinée. A présent, elle est perdue à jamais. » Alors, il se réveillait, trempé de sueur, grelottant comme s'il était atteint de souma[5].

La délégation de Ségou atteignit la mosquée et la concession d'Amadou Cheikou qui lui faisait face. Curieux, les talibés en sortaient en désordre pour regarder les Bambaras et s'étonnaient de les voir grands, beaux, nobles de visage, alors qu'on les avait dépeints comme des diables à l'haleine empestée et aux dents noircies par le tabac dont l'usage était interdit à Hamdallay. La foule considérable, rassemblée devant la concession d'Alhadji Guidado pour regarder le mariage d'Alfa et d'Ayisha, se précipita, elle aussi, pour dévisager les Bambaras. D'aucuns reconnurent Mohammed qui avait passé tant d'années parmi eux. Ce furent des rires, des salutations, des bénédictions. Quelqu'un lança joyeusement :

— On peut dire que tu arrives bien. Juste pour le mariage de ton ami...

— Alfa Guidado ?

Mohammed ne dit rien de plus. Une terrible intuition, vite changée en certitude, l'envahissait. Si Alfa Guidado cédait — enfin — aux charmes d'une femme, ce ne pouvait être que celle qu'il aimait. Alfa n'était-il pas un autre lui-même ? Il descendit de cheval et franchit le seuil de la concession. Son aspect était tel qu'au fur et à mesure qu'il avançait, les bruits s'éteignaient, faisant place à un silence lourd de stupeur. Ayisha de son côté, depuis des nuits, faisait le même rêve. L'imam venait de prononcer les bénédictions rituelles. Sa main reposait dans celle d'Alfa, tandis que, renversant la tête en arrière, le poète Amadou Sandji entamait une de ses plus belles compositions. C'est alors que Mohammed faisait son apparition, brandissant un tilak touareg au-dessus de sa tête.

Aussi, quand Mohammed surgit en vacillant entre les musiciens,

5. Paludisme.

soudain terrorisés, elle crut que c'était la réalisation de son rêve. Elle eut un geste instinctif pour se protéger.

Ce qu'elle avait oublié, c'est que Mohammed n'était pas un violent. S'il marchait sur elle, ce n'était pas pour la menacer ou la blesser. C'était simplement pour l'étreindre et tomber à ses pieds, en pleurant.

— Pourquoi ne m'as-tu jamais dit que tu voulais l'épouser ?

Mohammed détourna la tête. Comment l'expliquer ? C'est qu'il avait honte, tout simplement. Alfa était si pur. Il allait la tête pleine du souci de Dieu. Il ne voyait pas la terre. Il ne voyait pas les humains. Pour lui, la beauté d'une femme n'existait pas. Alors, comment lui parler d'émois du cœur, d'avidité du corps ? Comment lui décrire ce désir de ne faire qu'un avec Ayisha ? Il s'exclamerait :

— La créature ne doit aspirer qu'à être réunie avec son créateur !

Alfa fixa Mohammed :

— Est-ce qu'elle savait, elle, que tu l'aimais ?

Mohammed était incapable de mentir. Alfa se leva en grande colère :

— Femelle impure et rouée !

Mohammed protesta malgré sa faiblesse :

— Ne l'injurie pas ! Comment peux-tu comprendre à quoi l'amour nous conduit ? Toi, tu ne sais songer qu'à Dieu...

Qu'à Dieu ? L'énormité du blasphème était telle qu'Alfa se demanda si Satan ne s'était pas emparé de l'esprit de son ami.

Après son esclandre, on avait emporté Mohammed à demi inconscient jusqu'à une case de passage. Par délicatesse, on avait feint de mettre sa conduite au compte de la fatigue d'une longue marche sous le soleil. Pourtant personne n'était dupe et Ayisha serait à jamais celle dont un amour coupable avait souillé les noces. Alfa marcha jusqu'à la porte de la case. La fête continuait. D'où il était, il entendait la voix du poète Amadou Sandji accompagné par le chant modulé de la flûte :

*Plein les ventres, la paix à moi me comble.*
*O mes femmes nombreuses, mes fils nombreux*
*Moi, j'ai campements nombreux*
*Et nombreux villages serviles !*

Alfa ne pouvait s'attarder plus longtemps auprès de son ami sans manquer de courtoisie vis-à-vis de ses parents et de ses invités. Il fallait au contraire paraître, jouer le jeu du naturel. Heureusement, selon la règle, trois jours se passeraient sans qu'il soit seul avec

Ayisha, car il semblerait indécent que leur mariage se consommât trop hâtivement. Il aurait donc le temps de se composer une attitude en face d'elle. Pour l'heure, incapable de la regarder en face, il passa près d'elle et rejoignit son père qui s'entretenait avec l'imam de la mosquée qui venait de célébrer le mariage.

Les deux vieillards parlaient d'El-Hadj Omar, qui avait quitté Dinguiraye, sa capitale, et marchait sur le Kaarta. Alhadji Guidado répétait sa position : pas d'alliance avec Ségou. Pas d'alliance avec les fétichistes ! A l'en croire, c'étaient des renforts qu'Amadou Cheikou aurait dû envoyer au Toucouleur pour l'aider dans sa grande œuvre ! Le Prophète n'a-t-il pas dit : « Le croyant et l'infidèle, leurs feux ne se rencontrent pas ! »

L'esprit ailleurs, Alfa écoutait cette conversation. Il souffrait. Non point tant de la trahison d'Ayisha — la femme n'est-elle pas faite pour semer le trouble autour d'elle ? — que du comportement de son ami. Ainsi, Mohammed lui avait caché quelque chose. Lui qu'il croyait si proche. Lui avec qui il partageait tout. Il pensait que leurs âmes étaient faites de la même matière, leur poitrine animée d'un même souffle. Hélas, l'autre n'avait au ventre que l'envie de la fornication !

Ayisha, quant à elle, dissimulait son visage sous son voile blanc. Ce jour dont elle attendait tant de joie se terminait dans la honte et le chagrin. Elle savait qu'Alfa ne lui pardonnerait jamais d'avoir fait du mal à son ami. Et pourtant était-elle coupable ? De quoi ? D'être belle ? D'inspirer des sentiments qu'elle ne partageait pas ? Coupable. Coupable. La femme est toujours coupable. Quand avait-elle commencé d'aimer Alfa Guidado ? Il lui semblait qu'il avait toujours été présent dans son cœur. Le matin, elle guettait le son de sa voix plus fervente quand, avec ses compagnons, il mendiait sa nourriture à la porte des concessions. Chaque soir, elle gardait des restes de repas à son intention et elle courait les placer dans sa calebasse. A côté de lui, les autres talibés, Mohammed lui-même, semblaient vulgaires, faits d'une argile grossière comme celle de certains champs. L'amour ne peut se confondre avec un autre sentiment. Mohammed était un frère, tendrement chéri. Alfa était le maître qu'elle s'était choisi.

Amadou Sandji chantait un chant traditionnel d'épousée :

*Il a bien raison, le roi, de nous battre.*
*Il bat le tambour royal pour nous en faire entendre le son,*
*Il enveloppe pour nous des femmes à la peau claire*
*Et les fait entrer dans les chambres nuptiales,*
*Il achète des noix de kola pour nous les faire croquer,*
*Il achète des destriers pour nous les faire chevaucher...*

Les femmes reprenaient en chœur le refrain :

*Il a raison de nous battre, le roi.*

Brusquement un talibé entra en courant dans la cour, se précipita vers Alhadji Guidado et lui glissa quelques mots à l'oreille. Aussitôt le marabout frappa dans ses mains fines. La nouvelle était d'importance. Amadou Cheikou venait d'être pris d'un grave malaise et exigeait la présence de tous auprès de lui.

Cette nouvelle qui aurait dû gâter la fête donna un dérivatif au malaise général. Les marabouts s'en allèrent pour prier à haute voix. L'imam, pour diriger une récitation publique du Coran. Les curieux, pour aller rôder autour de la concession du souverain. On sentait que Hamdallay allait vivre des jours tissés d'intrigues et de tractations. Qui succéderait à Amadou Cheikou ? Qui recevrait son bonnet, son turban, son sabre et son chapelet, symboles de suzeraineté ? Son fils Amadou Amadou ? Son frère puîné ? Ou un des frères cadets de son père ? On disait que, quelques mois auparavant, Amadou Amadou avait déjà été désigné par son père comme successeur.

Bref, la fête se termina plus tôt que prévu et les femmes demeurèrent avec leurs bassines à moitié pleines de tatiré macina, leurs écuelles de dattes fraîches, leurs jattes de lait caillé mêlé de farine de mil.

Alfa revint jusqu'à la case de passage où il avait laissé Mohammed. Elle était vide. Il eut beau interroger anxieusement les esclaves et les femmes. Personne ne savait ce qu'il était devenu.

Mohammed arriva devant la mare d'Amba. En cette saison, les eaux étaient hautes, agitées d'un impatient mouvement de va-et-vient qui creusait leur centre en cuvette. Des vols de dyi kono, oiseaux de l'hivernage, rasaient la surface et plongeaient leur bec à la recherche de quelque poisson ou d'une tige grasse de bourgou. Mohammed descendit de son cheval et le frappa de la main afin qu'il s'éloigne et ne reste pas là à le regarder. Mais l'animal hennit et refusa de lui obéir.

Mohammed avait galopé d'une traite depuis Hamdallay. Il n'avait qu'une idée : en finir. Non, il ne fallait pas vivre ! Il ne fallait pas accepter que sa douleur s'apaise, devienne vaguement importune comme une épouse qu'on n'aime plus mais avec laquelle mille liens sont noués. Il ne voulait pas devenir semblable à tous ces hommes qui vivent sans vrai désir ni vraie joie, parce qu'ils n'ont pas le courage de se déprendre de la quotidienneté. Mourir à vingt ans. C'est-à-dire refuser l'existence avec une autre qu'Ayisha. Méthodiquement, Mohammed se débarrassa de ses vêtements. D'abord son caftan de soie blanche à encolure bordée de broderies à la haoussa. Ensuite sa tunique mi-longue. Puis, sa blouse de coton sans manches. Enfin la petite calotte qui emboîtait son crâne et il demeura là dans son pantalon bouffant, frissonnant dans l'air frais. Sous ses pieds, la terre gorgée d'eau était molle. Il se décida à avancer.

Comme il atteignait presque la rive rongée de nénuphars, Mohammed vit surgir un berger peul sur sa gauche. Drapé d'un pagne en laine noire, sous son chapeau conique, il se tenait en héron, sur une jambe, la seconde repliée à hauteur du genou, parfaitement immobile. L'apparition le surprit, car il lui avait semblé à son arrivée que les abords de la mare étaient déserts. Et puis que faisait ce berger sans troupeau dans la nuit naissante ? Il faillit battre en retraite, puis il eut honte de ce mouvement d'effroi, indigne d'un croyant. Néanmoins il sortit son chapelet de sa poche et se mit à l'égrener. Que faire à présent ? Se jeter à l'eau sous les yeux d'un témoin ? Mohammed, demi-nu, resta là à frissonner quand brutalement le vent se leva. Les eaux de la mare clapotèrent furieusement tandis qu'une nuée de crabes au corps translucide sortaient en désordre de leurs refuges. Un grand serpent noir et blanc apparut sur un lit de nénuphars et se mit à balancer sa tête plate, aux yeux couleur d'ambre, de droite et de gauche. Ces choses n'étaient pas naturelles. Mohammed battait en retraite quand il entendit appeler son nom. C'était la voix de Tiékoro. La voix de son père qu'il n'avait pas entendue depuis des années et dont les accents faisaient de lui à nouveau un petit garçon tremblant et traçant d'une main malhabile des lettres sur sa tablette. Il tomba à genoux :

— Père, où es-tu ?

Le berger peul laissa tomber son chapeau, découvrant son visage empreint de douleur. Des larmes ruisselaient le long de ses joues. Mohammed balbutia :

— Père, pourquoi pleures-tu ?

Pourtant ne savait-il pas la réponse ? Son père pleurait parce qu'il se condamnait au feu éternel, détruisant délibérément le temple de son corps. Et pour quoi ? Pour l'amour d'une femme. Toute l'horreur de sa résolution lui apparut. Il fallait vivre au contraire. Vivre. Vivre, purifié de désirs et d'émotions frivoles. Ah, qu'il était heureux qu'Ayisha n'ait pas partagé ses sentiments, puisqu'il aurait vécu enchaîné à son corps. Tandis qu'à présent, il était seul. Seul avec Dieu. Il balbutia :

— Père, pardonne-moi...

Comme il se précipitait vers la forme immobile pour l'étreindre et lui signifier son repentir, le berger peul disparut. Ce fut si soudain que Mohammed crut avoir été victime d'une illusion. Impossible ! Il entendait encore résonner son nom. Il sentait encore sur son visage le feu d'un regard. Alors il comprit que, par amour pour lui, Tiékoro avait quitté un instant le féerique Djanna, lieu d'asile de ceux qui ont su préserver leur cœur de passions. Une force nouvelle l'envahit. Oui, il allait vivre. Se battre. Désormais il serait un soldat d'Allah. Il enfila hâtivement ses habits, prit par la bride son cheval qui demeurait immobile, comme pétrifié par l'apparition et le flatta de la voix :

— Allons, ma belle ! Rentrons à présent !

Comme il atteignait la porte de Damal Fakala au sud de la ville, des lanciers l'arrêtèrent. Amadou Cheikou était mort.

Des quatre coins de Hamdallay, des lamentations s'élevaient :

*Il est mort, Amadou, le père des pauvres et leur soutien.*
*Il est mort, Amadou, qui fut toujours soumis à Allah*
*Et qui recourut tant de fois*
*A l'indulgence alors qu'il avait la possibilité se sévir.*
*Il est mort, Amadou, qui a porté si haut le nom des Peuls...*

Malgré la nuit, la foule était massée aux carrefours, les femmes, le visage voilé, se dissimulant dans l'ombre de leurs frères ou de leurs maris. Les esprits étaient inquiets. On se répétait la prédiction du cheikh El-Bekkay : « Un ouragan sera causé par la mort d'Amadou Cheikou. Le pays ne finira pas de compter un nombre d'années égal à celui des doigts des deux mains qu'un cataclysme venant de l'ouest s'abattra sur Hamdallay et alors nous grincerons des dents. »

Depuis des années, les Peuls faisaient la loi dans la région. Même les Bambaras en étaient venus à les craindre, évitant de les affronter ouvertement. Cette paix, cette sécurité allaient-elles être à nouveau menacées ? Le temps où on razziait leur bétail, où on distribuait à des étrangers leurs femmes et leurs enfants, où on exécutait leurs hommes allait-il revenir ? Mohammed rejoignit les Bambaras dans la grande maison à étage où on les avait logés. On commençait de s'inquiéter de sa disparition, Alfa Guidado étant venu s'enquérir de lui alors qu'on le croyait au mariage. Mandé Diarra, le chef de la délégation, craignait que la mort du souverain ne les retienne davantage dans cette ville qu'il haïssait déjà. D'autres se demandaient si le futur maître du Macina serait dans les mêmes dispositions qu'Amadou Cheikou et si, au lieu de rechercher l'alliance avec Ségou, il ne déciderait pas de s'allier au Toucouleur pour lui faire la guerre.

Mohammed prit place dans l'assemblée, assise en rond sur des tapis de haute laine, décorés de motifs de fleurs venus du Maroc. Jusqu'alors, étant donné son âge devant ces adultes, pères de famille, souvent couverts d'exploits à la guerre ou à la chasse, il n'avait droit qu'au silence quand on ne lui demandait pas de lire ou de traduire quelque texte. Contrairement à cette habitude, il prit la parole :

— Pourquoi se lamenter avant l'heure... C'est comme une pleureuse qui commencerait ses chants quand l'âme anime encore le corps...

Les gens se regardèrent avec surprise. Qu'arrivait-il au fils de Tiékoro Traoré ?

# 5

Mandé Diarra avait raison, la mort subite d'Amadou Cheikou obligea la délégation de Ségou à demeurer près de trois mois à Hamdallay.

Il y eut d'abord le deuil officiel pendant lequel aucune réunion du Conseil ne fut tenue. Puis la dépouille d'Amadou Cheikou enveloppée des sept pièces de vêtement, le pantalon, le bonnet, le turban dont l'extrémité était ramenée vers le visage, les couvertures formant capuchon, fut mise en terre à côté de celle de son père à l'intérieur de la concession où ils avaient vécu.

Après cette inhumation à laquelle n'assistaient que les parents et les membres influents du royaume, des lettres furent envoyées à travers le Macina et aux pays amis afin de les convier à l'intronisation du nouveau souverain, Amadou Amadou.

Amadou Amadou était encore très jeune. Il avait été gâté, couvé par sa mère et sa grand-mère et, de ce fait, il était incapable de prendre une décision. Aussi, il fut une proie parfaite entre les mains du cheikh El-Bekkay qui n'eut aucune peine à lui faire adopter la même politique que son père. On sut bientôt qu'il lui avait fait signer une charte en dix points dont le premier répétait la nécessité de l'alliance avec Ségou contre El-Hadj Omar.

Les Bambaras se rongeaient le sang. A leurs yeux, Hamdallay était une ville horrible, retranchée derrière ses murs comme une femme prude dans sa case. Les jours y étaient monotones, entrecoupés des sempiternels appels des muezzins après lesquels les hommes s'agloméraient comme des moutons qui bêlent vers l'est. Les soirées y étaient plus éprouvantes encore, sans veillées autour du feu, sans contes, sans danses en commun. Parfois la voix grêle d'un dimadio[1] s'élevait, accompagnée d'un ridicule instrument aussi peu mélodieux qu'elle. Les funérailles d'Amadou Cheikou les choquèrent profondément. Cela, des funérailles royales ? Où étaient les offrandes ? Où étaient les sacrifices ? Les chants et la musique ? La récitation des généalogies et des hauts faits de la famille du défunt ? Ils comparaient cette cérémonie hâtive et sans grandeur à celles qui accompagnaient la disparition des Mansa à Ségou

Un matin, Amadou Amadou les fit convoquer. Un vrai bimi que celui-là ! Le teint très clair, les cheveux bouclés comme ceux d'un Maure, vêtu avec une extrême simplicité d'un caftan blanc sans broderies et cependant subtilement arrogant. Il était entouré des membres du Grand Conseil au complet. Même ceux qui résidaient dans l'arrière-pays du Fakala ou sur les bords du lac Debo étaient présents ainsi que les amirabe[2] des différentes régions du royaume. On commença par réciter les prières. Ces prières qui exaspéraient les Bambaras :

— « O Dieu, bénis notre seigneur Mohammed, celui qui a ouvert ce qui était fermé, qui a clos ce qui a précédé, qui soutient la vérité par la vérité... »

Enfin on put s'asseoir.

Amadou Amadou prit la parole et annonça sobrement :

— Le Kaarta est aux mains d'El-Hadj Omar. Le Mansa Mamadi Kandian accepte de se convertir à l'islam. Cette lettre que le Toucouleur m'a adressée le confirme.

Le Kaarta ! Le royaume bambara du Kaarta ! Celui-là même qu'avait fondé Niangolo Coulibali alors que son frère s'installait à Ségou ! Certes les querelles entre les deux royaumes bambaras n'avaient pas manqué. Pourtant à l'annonce de cette nouvelle, elles furent oubliées. Il n'y eut de place que pour le chagrin, et le désir de revanche. Amadou Amadou tendit à Mohammed, seul membre de la délégation bambara capable de lire, un parchemin qu'authentifiait un sceau circulaire. Il portait l'écriture d'El-Hadj Omar. Mohammed le parcourut des yeux avant d'en donner connaissance aux siens.

« Les infidèles du Kaarta sont soumis. Ce pays est effacé de la carte. Telle a été la volonté de Dieu. Je ne veux que réformer autant que je puis. Mon assistance n'est qu'en Allah. Formons un seul groupe contre ses ennemis, contre nos ennemis et les ennemis de nos

1. Esclave peul.
2. Chefs militaires peul

pères, les polythéistes ! Les seuls sentiments qui conviennent entre nous, ce sont l'amour, l'affection, le respect et la considération... »

Le silence se fit dans la salle. Les Bambaras étaient terrifiés. Si le Kaarta était défait, si Mamadi Kandian s'était converti, tout pouvait arriver.

Amadou Amadou reprit la parole :

— Je ne vous cacherai pas que je n'ai pas avec moi l'unanimité du Grand Conseil. Je dirai même que j'ai dû forcer la volonté d'hommes plus sages et plus expérimentés que moi. Néanmoins voici la décision que j'ai prise. Sous la conduite d'Alhadji Guidado et de Hambarké Samatata, un groupe va vous accompagner à Ségou pour briser vos cases-fétiches et prendre acte de la conversion de votre Mansa...

Mohammed lui-même fut atterré. Il ne partageait plus la religion des ancêtres. Mais de là à briser les cases-fétiches ! Le peuple de Ségou ne s'y prêterait jamais ! Dans toutes les concessions, ce serait la révolte. Le royaume vacillerait ! Amadou Amadou poursuivit :

— Si vous acceptez, alors je ferai parvenir une lettre à El-Hadj Omar l'informant que Ségou est entrée dans mon allégeance. Ainsi, il ne pourra plus vous attaquer et la paix sera respectée...

« Ségou est entrée dans mon allégeance ! » Paroles inacceptables ! Emporté par la fureur, Mandé Diarra se leva dans l'intention évidente de souffleter ce Peul. On dut le retenir. La délégation bambara se retira dans le plus grand désordre.

Au sortir de la salle aux Sept Portes où se tenait le Conseil, Mohammed se heurta à Alfa Guidado. Alors qu'il aurait pu profiter de la retraite qui suit les noces et pendant laquelle l'épousée est toute au souci de son compagnon, Alfa quittait sa maison chaque soir pour visiter son ami et restait avec lui fort avant dans la nuit. Les deux garçons ne parlaient jamais d'Ayisha. Au début, Mohammed avait bien été tenté de lui demander comment il se comportait avec sa femme, s'il lui avait pardonné et même s'il avait consommé son mariage. Puis il s'était retenu. Puisqu'il faisait l'effort de rayer de ses pensées une femme qui avait failli le pousser au plus grave des péchés, pourquoi s'en enquérir ? Alors, Alfa et Mohammed discutaient interminablement des hadith, de l'avenir du Macina et de Ségou et surtout de l'apparition surnaturelle de Tiékoro. Cette dernière ne surprenait pas Alfa :

— Tu sais, quand un homme possède les pleines lumières de la religion au-dedans, il peut tout. Ton père était un saint. Il a pu venir à toi... Et je ne serais pas étonné s'il revenait à tous les grands moments de ta vie...

Alfa passa le bras sous celui de Mohammed :

— Goré[3], quand tu repartiras pour Ségou, je t'y accompagnerai. J'ai obtenu de mon père l'autorisation de faire partie de la délégation du Macina...

Mohammed se dégagea avec une violence qui le surprit lui-même et s'écria :

— Ne sois pas si sûr de toi ! Nous n'avons pas encore décidé d'accepter vos propositions.

Alfa le fixa avec tristesse et dit d'un ton de commisération :

— Vous n'avez pas le choix...

Pour la première fois, les deux garçons s'opposaient, car, pour la première fois, Mohammed se pensait en Bambara et non en musulman. Il n'avait jamais oublié la leçon que lui avait faite son père en lui annonçant son départ pour Hamdallay : « Les croyants, même s'ils sont éloignés par la parenté et la distance, sont " frères " parce que, par la religion, ils remontent à une même origine, la foi. »

En outre, il avait grandi à côté d'Alfa Guidado, forgeant à l'écoute des mêmes maîtres son intelligence et sa sensibilité. Et voilà que soudain il se trouvait retranché de lui, prêt à assumer un héritage qu'il ne connaissait même pas entièrement et que, d'une certaine manière, il avait appris à mépriser. Ségou était en lui. Il la revendiquait.

Avec ses cases-fétiches. Avec ses sacrifices sanglants. Avec ses pratiques sombres et mystérieuses.

Hamdallay généralement si calme était en émoi. La mort d'Amadou Cheikou, l'installation du nouveau souverain, l'annonce de la chute du Kaarta, c'est-à-dire de l'entrée d'El-Hadj Omar dans une région que seul le Macina se croyait chargé de convertir, tous ces événements avaient fini par briser la réserve imposée à la fois par l'islam et par l'éducation peule. On voyait même des femmes attroupées aux carrefours, à l'écoute des nouvelles qui circulaient, venues on ne savait d'où. Les maîtres désertaient les écoles coraniques et les enfants retrouvaient la joie, les rires, le chahut. De grands bœufs sans surveillance broutaient les tiges de mil des kakka entourant les maisons. Alfa et Mohammed se séparèrent devant la demeure où étaient logés les Bambaras. Pour la première fois, ils n'éprouvaient pas le désir d'être ensemble.

Et pourtant Alfa avait raison. Ségou ne pouvait pas refuser les propositions d'Amadou Amadou. Il fallait accepter l'alliance. El-

3. Ami, frère, en peul.

Hadj Omar était trop puissant. Ses armées, animées d'une force trop redoutable.

A Guémou-Banka, il avait fait tuer tous les hommes.

A Baroumba, il avait fait passer toute la population au fil de l'épée.

A Sirimana, il avait fait exécuter six cents hommes et emmener en captivité des milliers de prisonniers.

A Nioro du Kaarta, sa conduite avait été particulièrement sanguinaire. Il avait d'abord épargné le Mansa, qui assurait vouloir se convertir à l'islam. Puis, revenant sur sa décision, il l'avait fait décapiter devant ses femmes et ses enfants avant d'exécuter ceux-ci un à un. Ensuite il avait permis à ses disciples de massacrer la population d'abord à l'arme blanche, puis au fusil. Les morts ne se comptaient plus.

On finissait par se demander si El-Hadj Omar était un homme né d'une femme. Est-ce que ce n'était pas l'instrument d'une terrible fureur des dieux et des ancêtres ? Pourtant, quels crimes pouvaient les irriter à ce point ? Aussi Mandé Diarra, après réflexion, prit une décision sage. Retourner à Ségou avec la délégation du Macina. Soumettre ses propositions au Mansa.

Quelle douleur que de découvrir un ennemi en celui que l'on aimait comme un autre soi-même ! Mohammed faisait cette expérience en cheminant à côté d'Alfa.

En apparence, rien n'était changé entre eux. Et pourtant rien n'était plus comme avant. Alfa était un Peul du Macina dont Ségou allait peut-être subir la loi.

Alors ils traversaient sans parler des pays que l'hivernage rendait aussi sombres que leur humeur. Evitant le Joliba en crue, ils prirent la route de Tayawal, franchissant le Bani à des jours de marche de Djenné. Pas un homme en vue. Les paysans se terraient dans leurs villages qu'ils avaient hâtivement fortifiés. Des troupeaux de buffles venaient regarder les chevaux tandis que le chant des griots bambaras qui accompagnaient leurs maîtres faisait fuir les gazelles, taches fauves au pied des arbres à karité.

Les hommes passèrent la nuit dans un camp édifié par les esclaves peuls habitués par les anciennes traditions nomades à se protéger partout contre la nature. Ceux-ci coupaient de jeunes branches aux arbres à karité, les fichaient en terre et enroulaient autour d'elles de grandes nattes en secco[4] maintenues par des tiges de mil. Ils arrivèrent à Ségou avant le milieu du jour.

4. Paille séchée de palmier-doum.

Mohammed ne s'était jamais demandé s'il aimait Ségou. Quand il y était revenu, après ses études, il avait éprouvé beaucoup de joie à la retrouver. C'était un lieu où il avait été un enfant, gâté par sa mère et ses sœurs. Un lieu de souvenirs personnels, intimes. Brusquement, il découvrait la ville avec d'autres yeux.

Les murailles de terre s'élevaient au-dessus de l'eau grise du Joliba. Mais, au lieu de l'habituelle cohue des femmes, des enfants et des pêcheurs, il y avait tout autour un entassement de cases de paille, de tentes de peau, d'abris rudimentaires et pathétiques.

C'étaient ceux des Bambaras rescapés du sac de Nioro qui avaient rejoint le royaume de Ségou dans l'espoir d'y trouver protection. Visages creusés. Corps ravagés. Les hommes avaient vu violer leurs femmes et leurs filles. Les femmes avaient vu éventrer leurs maris. Les enfants avaient perdu père et mère et ne devaient d'être en vie qu'à la puissante solidarité des femmes, chaque mère accrochant deux bébés à ses seins, attachant deux enfants à son dos. Debout sur un monticule de terre, un griot chantait. Les disciples d'El-Hadj Omar avaient massacré ses trois fils et s'étaient partagé ses femmes qui avaient le malheur d'être belles. Alors il ne pouvait plus que chanter :

*La guerre est bonne puisqu'elle enrichit nos rois.*
*Femmes, captifs, bétail, elle leur procure tout cela.*
*La guerre est sainte puisqu'elle fait de nous des musulmans.*
*La guerre est sainte et bonne,*
*Qu'elle embrase donc nos ciels*
*De Dinguiraye à Tombouctou,*
*De Guémou à Djenné...*

En entendant ce chant, Mohammed ne put retenir ses larmes. Certes, El-Hadj Omar faisait la guerre au nom d'Allah, le seul vrai Dieu ! C'était le jihad ! Pourtant ce peuple était le sien. Ses plaies les siennes, et il se surprenait à haïr un Dieu qui se manifestait ainsi par le fer et le feu ! Il arrêta son cheval devant le griot, véritable épouvantail humain avec sa mitre de cuir constellée de cauris en lambeaux, son corps presque nu dissimulé tant bien que mal dans une peau de chèvre, ses plaies ouvertes et suppurantes.

— Comment t'appelles-tu ?

L'homme le fixa de ses yeux noircis par toute la souffrance du monde :

— Faraman Kouyaté, maître !

— Suis-moi !

Claudiquant sur ses pieds blessés, enveloppés de feuilles de baobab, l'homme le suivit. Et toujours il chantait :

*Ah oui, la guerre est sainte et bonne,*
*Qu'elle embrase donc nos ciels...*

La délégation du Macina entra dans le palais du Mansa, où elle devait être logée, accompagnée des dignitaires bambaras. Mohammed prit le chemin de la concession familiale, ralentissant le trot de son cheval afin de ne pas trop distancer Faraman. Il était heureux d'être séparé d'Alfa. En d'autres temps, il n'aurait pas manqué de le loger chez lui, de partager avec lui une case, de le présenter aux siens, en particulier à Olubunmi. A présent, en agissant ainsi, il aurait l'impression d'être un traître. N'était-il pas tout simplement un mauvais musulman ? Déjà, l'amour d'une femme l'avait emporté dans son cœur sur l'amour de Dieu. A présent, l'attachement pour ceux de son peuple l'emportait sur la fraternité de l'islam. Il pensa à son père. Lui qui avait reçu El-Hadj Omar. Créé une zaouïa. Tenu tête à un roi. Un sentiment d'indignité l'envahit. Jamais il n'égalerait ce modèle.

Olubunmi, qui avait entendu annoncer l'arrivée de la délégation, se tenait à l'entrée de la concession avec Mustapha, le petit Kosa et d'autres frères. Les deux garçons se jetèrent dans les bras l'un de l'autre et s'étreignirent.

Par jeu, Olubunmi railla :

— Eh bien, le bimi est de retour...

Le bimi ? C'est vrai qu'il avait du sang peul par sa mère. Mohammed s'aperçut qu'il l'avait oublié. Passant le bras sous celui d'Olubunmi, il entra dans la concession, retrouvant avec bonheur le solide alignement des cases, le dubale central, l'odeur des fumigations de mākalanikama qui favorise l'unité de la famille.

Olubunmi, tout heureux de retrouver son compagnon favori, bavardait sans arrêt :

— Est-ce que tu sais que Yassa a accouché d'un fils ? On l'a baptisé Fanko... C'est donc mon homonyme et j'en prends grand soin. Alors tout le monde se moque de moi et me demande si je suis devenu femme.

Mohammed s'aperçut alors que Faraman n'avait pas cessé de le suivre sans mot dire, attendant qu'il daigne se soucier de lui. Il eut un peu honte de sa légèreté. Prenant le griot par la main, il le conduisit à la cour où habitait la bara muso de Tiéfolo afin qu'elle lui donne le vivre et le couvert.

Le Mansa Demba accepta les propositions d'Amadou Amadou transmises par la délégation du Macina.

Sous la supervision des Peuls, de petits groupes de tondyons entrèrent dans chaque maison de Ségou, traversant l'enfilade des cours jusqu'aux cases où s'abritaient les pembélé et les boli. Ils les ramenèrent au jour, puis les portèrent sur la place du Palais où avait lieu l'autodafé auquel présidaient Alhajdi Guidado et Hambarké Samatata, flanqués des marabouts royaux. Un feu crépitant rongea les poils, les écorces, les racines, les billots, les queues d'animaux qui les composaient. De tous les coins de la ville, les tondyons ramenaient des moissons d'objets sacrés, brisant les pierres rouges qui représentaient les ancêtres et ne pouvaient brûler. Puis ils s'attaquèrent au quartier des forgerons-féticheurs adossé à la muraille non loin de la porte Mougou Sousou. Les outils des grands ancêtres cachés dans des trous du sol, rappel des anciennes habitations souterraines des forgerons à Gwonna, furent tirés de leurs sanctuaires. Comme on ne pouvait enflammer le fer des houes, des pioches et des haches que l'on trouvait dans les forges, on arracha le bois des manches, puis on traîna ces hommes saints sur la place où on les dépouilla des colliers de cornes d'animaux, de dents, de plumes et de feuilles qu'ils portaient autour du cou, ainsi que de leurs ceintures d'objets magiques. Ensuite on les força de s'agenouiller afin qu'un barbier rase leurs têtes vénérables. A chaque mèche de cheveux qui tombait, la foule massée sur l'esplanade du palais faisait entendre un gémissement de douleur et de colère. Dans l'excès de son zèle, un tondyon déchira le vêtement fait de fibres végétales d'un grand prêtre du Komo et le vieillard resta là stupéfait, exposant aux regards son corps noueux, ravagé par l'âge.

Quel était le calcul du Mansa ? Les gens ne comprenaient pas. Comment espérait-il, en tournant le dos aux dieux de Ségou et en insultant les ancêtres qui l'avaient protégé, préserver sa puissance ? Aveuglement, folie ! Après pareils crimes, le nom de Ségou disparaîtrait de la surface de la terre. Ou alors, il deviendrait celui d'une misérable bourgade végétant au bord de son fleuve dont le monde ne saurait rien. Les gens diraient : « Ségou, mais où est-ce ? »

Les hommes hésitaient. Fallait-il s'élancer et défendre les fétiches ? Attention, les tondyons avaient des fusils et ces salauds n'hésiteraient pas à tirer. Alors demeurer là, les bras croisés ? N'était-ce pas se rendre complice, prendre sur ses épaules une part du forfait et de la punition qui s'ensuivrait ?

Parallèlement à cet autodafé, d'autres tondyons et d'autres Peuls parcouraient la ville et prenaient note de l'emplacement des mosquées. Ils ne prenaient pas en compte les mosquées des Somonos et des Maures, puisqu'il s'agissait de communautés traditionnellement islamisées. Ils ne s'estimaient satisfaits que si l'iman, le muezzin, les fidèles étaient des Bambaras. Aussi, supercherie des supercheries, le Mansa avait dépêché des gens en robe longue et le crâne rasé qui psalmodiaient en chœur :

— *Al hamdu lillahi*[5] !

— *La ilaha ill' Allah*[6] !

Et autres phrases obscènes. De même, ils dénombraient les écoles coraniques, interrogeant les maîtres sur le nombre d'élèves et le niveau d'études. Parfois ils leur posaient des colles :

— En quoi consiste l'ihsan[7] ?

— Quel est l'enseignement caché de la shahada ?

Dûment chapitrés, les pseudo-maîtres d'école répondaient à la perfection.

Qui avait organisé cette mascarade, c'était la question que Mohammed se posait. Les Peuls du Macina savaient bien qu'ils n'avaient point affaire à de véritables musulmans, que les grands fétiches royaux demeuraient intacts à l'abri des cases aux autels du palais, où l'on détenait aussi quelques albinos qui pourraient être rituellement offerts à Faro si besoin en était. Ils n'ignoraient pas que ces conversions ostentatoires ne signifiaient rien et n'avaient aucun effet sur la masse des habitants, qui n'auraient rien de plus pressé que de demander aux féticheurs de refaire des boli ou des pembélé en redoublant de sacrifices pour tenter d'apaiser les dieux. Quelle honteuse alliance se tramait, et autour de quoi ? Dans quel but ? Le mépris et la colère se disputaient dans son cœur.

Suivi de Faraman Kouyaté qui ne le quittait guère, Mohammed était là sur la place du Palais quand un homme s'approcha de lui :

— Est-ce que tu n'es pas un Traoré, toi, fils de Tiékoro Traoré, petit-fils de Dousika ?

Mohammed acquiesça. L'homme eut un geste vif :

— Alors, hâte-toi. Le malheur vient d'entrer chez toi.

Mohammed prit ses jambes à son cou.

---

5. Loué soit Dieu.
6. Il n'y a de dieu que Dieu. C'est la shahada.
7. Comportement parfait.

# 6

Quand, quittant la place du Palais, Alhadji Guidado se dirigea vers la concession des Traoré, il était chargé d'une mission de grande importance. Chacun le savait, ce qu'El-Hadj Omar haïssait le plus, c'était la tolérance de l'islam vis-à-vis du fétichisme, le mélange de l'islam et des rites fétichistes. Or il y avait un bon moyen de lui prouver que le Macina ne tolérait pas plus que lui pareille pratique et ne prenait pas les choses à la légère. Tiékoro Traoré avait été un saint, un martyr de la vraie foi. A présent son tombeau se trouvait au milieu d'une concession d'incroyants, à deux pas de cases aux autels inondés de sang, dans les vapeurs délétères de plantes aux pouvoirs magiques. On disait qu'un musulman venu de Bakel pour demander d'en faire un lieu de pèlerinage pour les croyants avait attendu pendant plus de six mois une réponse mitigée. Eh bien, tout cela allait changer ! Dans un grand déploiement de forces, on allait briser les cases aux autels et établir la tombe de Tiékoro Traoré dans la prééminence qu'elle aurait toujours dû avoir. S'il fallait abattre des cases autour d'elle afin qu'elle se détache comme un lys dans une broussaille d'orties, les tondyons s'en chargeraient.

En même temps, Alhadji Guidado haïssait cette mission. Hypocrisie des hypocrisies ! Voilà que le Macina d'Amadou Amadou pratiquait la muwalat avec le royaume du Mansa Demba pour avoir accès à la fortune qu'il possédait. Aussi le verset du Très-Haut le condamnait tout spécialement : « O vous qui croyez, ne prenez point pour affilié un peuple contre lequel Allah est courroucé... »

O Amadou Amadou, indigne fils de son père Amadou Cheikou, ennemi des mécréants, ami d'Allah, qui craint Allah !

Alhadji Guidado se trouva devant la concession des Traoré et, impressionné malgré lui, admira la façade décorée de nervures en relief, mise en valeur par l'alternance des décorations murales colorées de rouge ou de blanc de kaolin. Ah, ils savaient bâtir, ces gens-là !

Alhadji Guidado entra dans la première cour, suivi de son fils, de quelques dignitaires peuls et de nombreux tondyons, et se trouva nez à nez avec un beau vieillard qui se présenta avec détermination :

— Je suis Tiéfolo Traoré, fa de cette demeure !

Tiéfolo portait une courte chemise faite de deux bandes de coton teintes en rouge, attachée sur les côtés par trois cordelettes, un cache-sexe de cuir décoré de cauris, une haute coiffure à armature de peaux de bêtes entièrement recouverte de cauris et de gris-gris de toutes sortes. Le plus frappant, c'étaient les colliers et la ceinture de queues de bêtes qui agrémentaient sa poitrine et ses bras tandis qu'un arc et un énorme carquois rempli de flèches étaient suspendus à son épaule gauche. Alhadji Guidado regarda tout cela avec dégoût. Il se doutait bien que Tiéfolo ne s'était pas vêtu ainsi par hasard et qu'un tel étalage de gris-gris n'était pas gratuit. Il dit sèchement :

— Je suis envoyé par Allah. Laisse-moi faire mon devoir…

— Qui est Allah ?

Certes Alhadji détestait la mission dont il était chargé. Néanmoins, il était un musulman austère et convaincu. Il n'allait pas laisser mettre en dérision le nom de Dieu, surtout que des femmes, des enfants et des hommes étaient sortis en foule des cours intérieures pour regarder son affrontement avec le fa. La tranquille impertinence de ce dernier, qui feignait d'ignorer le nom d'Allah, le mit en rage. Il marcha sur lui et l'apostropha :

— Impie, courbe-toi devant le seul vrai Dieu !

Ce qui se passa ensuite n'est pas clair. Les Traoré prétendirent qu'Alfa Guidado accompagna ces mots d'une forte bourrade. Tiéfolo, se sentant insulté, mit la main à son carquois. Alors les tondyons se jetèrent sur lui et le renversèrent. Les Peuls affirmèrent au contraire que Tiéfolo cracha au visage d'Alhadji qui, ne pouvant supporter cette offense, donna l'ordre aux tondyons de s'emparer de son adversaire qui, tentant de se dégager, tomba par terre. Toujours est-il que pendant quelques instants Tiéfolo resta cloué sur le sol en faisant pour se relever des mouvements que la fureur rendait plus malhabiles encore. Il parvint à s'agenouiller et à étreindre les pans du caftan de soie blanche d'Alhadji. En même temps, ses lèvres s'écartèrent comme s'il allait parler. Mais il ne prononça aucun son et retomba par terre. Inanimé.

Un silence total régna pendant quelques instants. Ni les membres de la famille Traoré, ni les Peuls de Macina, ni les marabouts royaux et les tondyons qui les accompagnaient n'osèrent bouger. Puis la bara muso de Tiéfolo s'approcha de son mari. Il était tombé sur le côté, la face dans la boue de la concession. Elle le retourna et l'on vit son visage crispé, un peu de bave moussant à ses lèvres, aussi rouges que si on les avait teintes au ngalama. La bara muso hurla :

— Allah a tué mon mari !

Le cri galvanisa tous les hommes de la famille. Même ceux qui secrètement s'étaient convertis à l'islam ou envisageaient de le faire, car ils avaient envie d'être admirés des femmes en écrivant à leur tour sur des tablettes, prirent des armes improvisées, gourdins, pierres, flèches. Cela pouvait-il tenir en échec les tondyons armés de fusils ? En un rien de temps, ils furent alignés contre le mur des cases cependant que des gueules noires et circulaires se pointaient sur eux. Sans un regard pour le cadavre de Tiéfolo, Alhadji Guidado et quelques dignitaires peuls marchèrent vers la dernière cour où, ils le savaient à présent, se trouvaient les cases aux autels. Ils déchiquetèrent les boli, renversèrent le pembélé, dispersèrent les pierres rouges, brisèrent les poteries qui contenaient le souffle des défunts de la famille, attendant la naissance d'enfants qui leur permettraient de se réincarner. Puis, ils libérèrent la volaille blanche que l'on tenait enfermée dans un enclos en vue de sacrifices au dieu Faro.

Alfa Guidado restait effondré à côté du corps de Tiéfolo. Pas un instant auparavant, il n'avait mis en doute sa foi. Il n'avait jamais vécu que pour Allah et par Allah. Il était capable de rester quarante-huit heures sans manger ni boire. Il considérait cet acte de chair auquel le condamnait sa condition d'homme marié, puisqu'il n'avait pas répudié Ayisha comme une souillure et priait dès qu'il ouvrait les yeux. Et pourtant ce cri : « Allah a tué mon mari ! » résonnait dans sa tête. Brusquement il comprenait qu'il n'y a point de dieu universel, que chaque homme a le droit d'adorer qui lui plaît et qu'ôter à un homme sa foi, pierre angulaire de sa vie, est le condamner à la mort. Pourquoi Allah valait-il mieux que Faro ou Pemba ? Qui en avait décidé ainsi ?

Des larmes ruisselèrent sur son visage. Il appuyait son front sur le torse de Tiéfolo comme si lui aussi avait été privé de père, pareil aux orphelins de la concession qui commençaient de réaliser leur malheur. Olubunmi qui par extraordinaire n'avait pas accompagné Mohammed sur la place du Palais vint s'agenouiller à côté de lui. Puis à deux, en pleurant, ils soulevèrent le corps et le portèrent dans sa case.

Tiékoro ressemblait à un arbre tombé alors que la sève l'irrigue encore, que son feuillage ne manque pas d'éclat et que son panache s'étend orgueilleusement. Peu à peu, la paix de la mort s'était posée sur ses traits. Il ne restait plus sur ses lèvres qu'une croûte blanche que bientôt les femmes procédant à la toilette mortuaire laveraient avec de l'eau chaude aromatisée de basilic. Tiéfolo ayant été un des plus grands chasseurs de sa génération, les esclaves couraient aux quatre coins de Ségou pour annoncer son décès à toutes les confréries de chasseurs. Des karamoko et des élèves, avertis de la nouvelle, et surtout des circonstances de cette mort, arrivaient en hâte, déchargeant leurs fusils en attendant de les tourner contre les Peuls, coupables de tout le mal. Les femmes de la famille et du voisinage, hormis les épouses de Tiéfolo, avaient commencé de hurler. Déjà s'organisait le vacarme de la mort.

Mohammed entra comme un fou dans la concession au moment où Olubunmi et Alfa sortaient de la case de Tiéfolo. Sans un mot, les trois jeunes gens s'étreignirent. Mohammed et Alfa se retrouvaient. Ils se serraient l'un contre l'autre comme un couple d'amoureux qui a failli se perdre. Ils avaient appris en peu de temps toute l'horreur du fanatisme religieux avec celle des tractations pour le pouvoir qui souvent se dissimulent derrière lui. Il semblait à Alfa que la vision de son père profanant les autels des Traoré ne s'effacerait jamais de son esprit. Dieu est amour. Dieu est respect de chacun. Ah non, Alhadji Guidado ne servait pas Dieu. Il n'était que l'instrument de l'ambition terrestre d'Amadou Amadou et cela, il ne le savait pas.

Pendant ce temps, le conseil de famille se réunissait. Certes, il était trop tôt pour désigner le successeur de Tiéfolo à la responsabilité de fa, même si on savait que ce rôle incomberait à son frère cadet. Mais il importait de venger sa mort et de présenter des revendications au Mansa. Il fallait exiger réparation de ces Peuls qui étaient entrés dans la concession comme en pays conquis. Certains hésitaient. Fallait-il attendre l'inhumation de Tiéfolo ? N'était-ce pas lui manquer de respect que de distraire le temps qui était dû aux cérémonies funéraires ? D'autres affirmaient au contraire qu'il fallait agir sur-le-champ. Ces derniers l'emportèrent. Un cortège quitta donc la concession qui comprenait des frères du défunt, les aînés de ses fils, des maîtres chasseurs de ses amis. Mohammed, Olubunmi et Alfa fermaient la marche. Ce n'était pas sans mal qu'ils avaient fait accepter leur présence : on les trouvait trop jeunes.

Cependant, quand tout le monde atteignit la place du Palais sur laquelle fumaient encore les derniers boli, on entendit résonner le grand tabala royal. Le Mansa Demba était mort.

Généralement, à la mort du Mansa, le royaume est orphelin. Ce ne sont que chants funèbres, lamentations, pleurs. Outre les grandes cérémonies publiques, chacun égorge un chevreau avant d'aller défiler devant la dépouille exposée dans le premier vestibule du palais. C'est la désolation.

La mort de Demba fit une exception à cette règle et eut presque un caractère de réjouissance populaire. Pour tous les Segoukaw, c'était le signe que, offensés, les dieux avaient frappé vite et fort, qu'Allah était vaincu. On racontait que Demba, qui se portait comme un charme, avait été pris de mystérieuses douleurs alors qu'il s'entretenait avec les Peuls du Macina. Un flot de sang jaillissant de sa bouche avait interrompu leurs conversations. Puis son corps, son visage en particulier, s'était couvert de pustules. Quelques minutes après, il était mort, et tout de suite son cadavre avait exhalé une terrible puanteur.

Joie, bonheur ! Comme par peur des tondyons, on n'osait pas manifester ces sentiments ouvertement, les gens dansaient derrière les murs des concessions et, de temps à autre, on entendait fuser des éclats de rire. Une chanson circulait :

*Pemba, tu es le constructeur des choses,*
*Faro, toutes les choses de l'univers*
*Sont en ton pouvoir.*
*Celui-qui-s'assied-sur-la-peau-de-bœuf*[1]
*Avait oublié cela !*

Elle fut vite interdite. Mais comment empêcher une chanson de courir d'une bouche à l'autre ? De fleurir là où on ne l'attend pas ? Une chanson, c'est insaisissable comme l'air. Et les femmes faisant tomber leurs pilons dans les mortiers fredonnaient en chœur :

*Celui-qui-s'assied-sur-la-peau-de-bœuf*
*Avait oublié cela.*

Plus que tout autre, malgré leur deuil récent, les Traoré nageaient dans la joie. A quoi bon chercher une réparation individuelle quand la vengeance éclate ? La vengeance divine ? La famille avait partagé les femmes de Tiéfolo, désigné un nouveau fa, Ben,

1. Expression qui désigne le Mansa.

frère cadet du défunt, paisible cultivateur qui ne dédaignait pas de donner un coup de daba[2] à côté des esclaves et qui avait vis-à-vis de l'islam une attitude plus conciliante que son aîné puisqu'il avait envoyé trois de ses fils à l'école coranique des Maures.

Alors que les Peuls du Macina étaient retenus au palais à cause du deuil officiel en attendant la nomination d'un nouveau Mansa, Alfa Guidado avait quitté son père et la compagnie de ces dignitaires. Il partageait la case de Mohammed et d'Olubunmi et il savourait avec eux le bonheur d'être jeune, sans souci ni responsabilité immédiate. Lui qui n'avait pas su quelle suite donner à son mariage avait l'impression que Dieu en avait disposé au mieux. Depuis des semaines, loin d'Ayisha, il demeurait à Ségou où il avait retrouvé son ami et découvert un autre compagnon. L'esprit d'Olubunmi l'enchantait comme il enchantait Mohammed. Cette curiosité qu'il ne possédait pas lui-même. Ce désir de vérifier de quoi le monde est fait au-delà du Joliba, de la Bagoé, du désert aux portes de Tombouctou. Olubunmi les avait entraînés chez le vieux Samba qui leur avait conté ses habituelles histoires de bateaux et de Blancs :

— Est-ce que vous ne savez pas que les Blancs eux-mêmes ont peur d'El-Hadj Omar ? Les Toubabs[3] ont bâti un fort sur le fleuve Sénégal et El-Hadj Omar veut les chasser de là...

Cela donnait lieu à des discussions interminables. Pourquoi les Toubabs avaient-ils bâti un fort sur le fleuve ? El-Hadj Omar n'avait-il pas raison de vouloir les en déloger ? Les jeunes gens ne partageaient pas l'admiration du vieux Samba pour les Blancs, leurs fusils et leurs médicaments. Ces intrus à peau d'albinos n'avaient rien à faire dans la région. Ceux-là étaient de vrais infidèles, à la fois buveurs d'alcool, mangeurs de chairs immondes et parlant un informe jargon que nul ne comprenait.

Il n'y avait que deux points sur lesquels Mohammed et Alfa ne s'accordaient pas avec Olubunmi. Ceux de l'alcool et des femmes. Olubunmi ne répugnait jamais à entrer dans un cabaret pour s'emplir le ventre de dolo. De même il ne se passait guère de nuit sans qu'il n'ait commerce avec quelque esclave de la concession. Il raillait ses amis, Mohammed surtout, qui n'avait jamais connu de femmes :

— Vos verges, si vous n'y faites pas attention, vont vous pourrir entre les cuisses...

Et c'est ainsi que Mohammed et Alfa en vinrent à parler enfin d'Ayisha. Ils étaient seuls dans leur case à la tombée de la nuit, savourant la paix de l'heure et la paix de ce temps sachant comment

2. Houe.
3. Les Blancs.

elle était fragile et comment la menace d'El-Hadj Omar continuait de gronder au loin. Yassa avait passé non loin, son fils suspendu à son sein et c'était merveille de voir combien ce petit être avait rendu sa mère à la joie. Alors le désir d'un corps de femme et, plus lointain, mais tout aussi troublant, le désir de la paternité avaient remué en eux s'ajoutant au souvenir des descriptions lyriques d'Olubunmi. C'était Mohammed qui avait commencé :

— Ainsi tu n'as jamais aimé et pourtant tu as possédé Ayisha. N'est-ce pas un péché de prendre une femme sans amour ?

Alfa resta d'abord silencieux. Il semblait à Mohammed que son ami devenait de plus en plus beau. Peut-être parce qu'il s'imposait moins de mortifications religieuses et se laissait, lui aussi, choyer par les mères de la concession, toujours prêtes à offrir un plat de to et une succulente sauce aux feuilles de baobab. Puis il se tourna vers son compagnon :

— Je ne voulais pas la prendre pour cette raison et aussi parce qu'elle t'avait fait du mal. Alors elle a pleuré...

— Pleuré d'amour... pour toi ?

Malgré lui, malgré les leçons qu'il s'était faites, Mohammed était éperdu de jalousie. Pourquoi les femmes aiment-elles celui-ci et non cet autre ? Lui qui avait voulu mourir pour Ayisha, il n'avait jamais obtenu d'elle que sourires et regards de bénigne affection. Alfa poursuivit, et on sentait bien que cette conversation était pour lui un supplice qu'il était toutefois décidé à endurer jusqu'au bout :

— Elle pleurait. Elle s'est blottie contre moi. Elle était à moitié nue. Je ne sais pas moi-même ce qui m'a pris...

Mohammed se rapprocha et interrogea fiévreusement :

— Est-ce que c'était agréable ? Même de cette manière...

A nouveau, Alfa demeura silencieux avant de répondre d'une voix troublée :

— Agréable ? Le féerique Djanna ne doit pas receler plus de délices qu'un corps de femme.

Mohammed fut atterré :

— Même si on ne l'aime pas ?...

— Je crois que si j'étais resté à Hamdallay, j'aurais... J'aurais fini par l'aimer. C'est pour cela que j'ai demandé à suivre mon père. Pour m'éloigner d'elle...

Les deux jeunes gens demeurèrent sans parler. Après pareil aveu, que dire ? Mohammed était à la fois torturé par la jalousie et par la curiosité. Jalousie, en imaginant Ayisha et son ami dans les bras l'un de l'autre, les caresses qu'ils se prodiguaient, les soupirs qu'ils poussaient, la volupté qu'ils partageaient ! Curiosité, en se demandant quand il connaîtrait enfin ces sensations. Bientôt la famille songerait à le marier. Ce qui compliquait quelque peu l'opération, c'est que, étant fils de Tiékoro et élevé à Hamdallay, on ne pouvait lui offrir qu'une musulmane. Ou une fille prête à se convertir. Hélas ? cette épouse aurait-elle la beauté d'Ayisha et comme Alfa se prendrait-il malgré lui à l'aimer après l'avoir désirée ?

Dans la cour voisine, on chantait. On riait et l'on entendait les piaillements joyeux des enfants repoussant toujours plus loin l'heure du sommeil. Quelle chaleur dans cette concession ! Alfa et Mohammed se rappelaient leur éducation austère à Hamdallay. Affamés, transis, roués de coups par un maître. Le tout au nom d'Allah ! Ils se levèrent et rejoignirent le cercle familial.

Sous le dubale, Faraman Kouyate enchantait l'auditoire avec sa chanson qui, chose étrange, avait fait le tour de Ségou comme si elle symbolisait l'attitude à la fois moqueuse et fataliste du peuple devant les décisions des puissants :

*La guerre est bonne puisqu'elle enrichit nos rois.*
*Femmes, captifs, bétail, elle leur procure tout cela.*
*La guerre est sainte puisqu'elle fait de nous des musulmans.*
*La guerre est sainte et bonne,*
*Qu'elle embrase donc nos ciels*
*De Dinguiraye à Tombouctou*
*De Guémou à Djenné…*

Depuis qu'il vivait dans la concession, le griot s'était transformé. Les femmes avaient pansé ses plaies et l'avaient nourri. Aussi se serait-il fait tuer pour les Traoré et révérait-il Mohammed à l'égal d'un dieu.

# 7

Ségou apprit le même jour deux terribles nouvelles. A peine intronisé, le nouveau Mansa, Oïtala Ali, reprenait à son compte l'alliance nouée par son frère aîné avec le Macina et, pour la concrétiser, il envoyait des soldats soutenir des bataillons de Peuls qui allaient tenter d'arrêter El-Hadj Omar dans le Bélédougou.

Tout le monde fut stupéfié. Les souverains n'apprennent-ils pas leur leçon ? Demba était mort et de quelle façon ! Or voilà qu'Oïtala Ali s'obstinait à commettre la même erreur. Voulait-il connaître la même fin ?

Pourtant certaines voix s'élevaient pour soutenir le Mansa. Que voulait-on qu'il fasse ? Qu'il se croise les bras en attendant l'arrivée d'El-Hadj Omar aux portes de Ségou ? Qu'il l'affronte tout seul ? Ne voyait-on pas que c'était impossible ?

Ceux qui se hâtaient de parler de victoire des dieux ancestraux feraient bien de réfléchir. Victoire ? Victoire ? Alors que ce fléau d'Allah détruisait tout sur son passage ? Demba était mort. Mais pourquoi ? Pour avoir touché aux fétiches du peuple de Ségou ? Ou pour avoir secrètement refusé de détruire les siens, croyant qu'il s'en tirerait grâce à un subterfuge ? On ne trompe pas Dieu. Ce discours qui était celui des musulmans de la ville commençait à couvrir tous les autres et les esprits étaient troublés. Les forgerons-féticheurs qui avaient retrouvé leur prestige depuis la mort du Mansa recommençaient sérieusement à le perdre. Des marabouts musulmans en long caftan à burnous parcouraient les rues et clamaient :

— Convertissez-vous ! Convertissez-vous ! Ségou est une femme atteinte de la variole. Les pustules n'ont pas encore envahi son visage. Mais la mort est à l'œuvre en elle.

Un exalté s'était installé sur la place du Palais à côté d'un barbier et exhortait les passants :

— Dépouillez-vous du vieil homme... Coupez vos tresses... Rejoignez Dieu !

Les gens hésitaient. Ces conversions publiques ne plaisaient pas. Une fois de plus, les Segoukaw ne comprenaient pas cette ostentation de l'islam. Toute religion ne doit-elle pas s'accompagner du secret ? Ce qui acheva cependant de semer le désarroi, c'est que le Mansa se mit à lever des troupes comme si les tondyons ne suffisaient pas. Même les esclaves étaient recrutés ! On demandait les hommes dont l'âge ne dépassait pas vingt-deux saisons sèches. On leur donnait une hache, une lance ou des flèches et des arcs, plus rarement un fusil et sous la direction d'un chef portant un sabre courbe suspendu à l'épaule, on les envoyait rejoindre les lanciers peuls qui attendaient au-delà du gué de Thio.

Les volontaires ne manquèrent pas d'affluer comme si le danger que représentait El-Hadj Omar faisait naître d'extraordinaires réactions. Toutes les familles de Ségou comptèrent bientôt une demi-douzaine de jeunes volontaires qui campaient dans la cour du palais royal en attendant le jour de leur départ. Les mères ne savaient pas si elles devaient pleurer ou être fières. Les pères regrettaient secrètement d'avoir passé l'âge requis. Car ce ne serait pas déplaisant de bouffer du Toucouleur !

Bien sûr, ce n'était pas la première fois que Ségou partait en guerre puisque, depuis sa fondation, elle vivait de la guerre, des razzias, des prises de butins et de captifs, des impôts perçus sur les peuples vassalisés ! Mais les départs au combat n'avaient jamais eu cette ampleur comme si l'existence même du royaume était menacée. Comme si chaque combattant en partant savait qu'il s'agissait de vaincre ou mourir.

Olubunmi rentra dans la concession. Toute la matinée, il avait rôdé dans Ségou, excité par l'odeur de la poudre, les sonneries des trompes, les battements des tambours. Le tabala recouvert d'une peau de bœuf que l'on venait de renouveler après la mort du Mansa, tenu horizontalement par deux hommes tandis qu'un troisième, demi-nu, un filet de sueur ruisselant entre ses omoplates sous l'effort, le frappait en mesure, n'arrêtait pas de résonner. Dominant ses battements éclataient les voix juvéniles des nouveaux soldats clamant en chœur la devise des Diarra :

*Lion, casseur de grand os... Tu as courbé le monde comme une faucille pour l'étendre comme un chemin. Tu ne peux pas ressusciter un grand cadavre, mais tu peux forcer beaucoup d'âmes fraîches.*

L'esprit d'Olubunmi s'enflammait, s'emplissant d'images violentes de gloire et d'aventures. Ah, quitter la tutelle des aînés ! Partir comme son père Malobali avant lui. Pour Olubunmi, le départ à la guerre n'était que le prélude à d'autres envols. Les querelles de religion ne l'intéressaient pas.

Allongé sur une natte à l'ombre du dubale, Mohammed et Alfa buvaient du thé vert, que leur avait préparé une esclave, en discutant d'un hadith. Pour la première fois peut-être, Olubunmi éprouva un sentiment d'exaspération devant ces compagnons qu'il chérissait pourtant. Allaient-ils toute leur vie parler d'Allah, se vautrer dans la poussière quand ils n'étaient pas ployés sur une natte ? Leurs jours se passeraient-ils sans que leur esprit comme leur sexe aspirent à quelque satisfaction terrestre ? Il s'accroupit près d'eux et fit :

— Je viens de m'engager...

— T'engager ?

— Oui, je vais partir à la guerre, moi aussi...

En fait, Olubunmi parlait ainsi par bravade pour tirer Alfa et Mohammed de leur inertie, et ne s'attendait guère à être cru. Or Alfa le fixa de ses yeux pleins d'éclat, murmurant :

— Savez-vous le rêve que j'ai fait ? J'allais à nouveau être circoncis. Alors je protestais. Je cachais mon sexe pour ne pas recevoir le couteau une deuxième fois et clamais que j'étais déjà un homme. Brusquement quelqu'un dont je n'ai pas vu le visage a éclaté de rire et a dit : « Toi ! Toi qui ne peux même pas protéger la concession de ta mère ? »

— Eh bien, qu'est-ce que ce rêve signifie, selon toi ?

Alfa devint plus grave encore :

— Ma mère ! Bien sûr, on peut penser que c'est celle qui m'a donné le jour. Mais ne peut-on penser aussi que c'est la terre où je suis né, mon pays ?

Il se tut et regarda ses compagnons, qui le fixaient sans comprendre encore où il voulait en venir :

— Mon pays, le Macina que le Toucouleur finira bien par détruire ! On dit qu'il a écrit à Amadou une lettre d'une rare violence !

Olubunmi s'attendait à tout sauf à cette réaction d'Alfa qu'il jugeait encore plus timoré que Mohammed. Pris de court, il bredouilla :

Alfa baissa les paupières .

— Prêt à protéger la concession de ma mère !

Mohammed resta sans voix, dévisageant ses compagnons comme s'ils etaient soudain devenus fous. Il n'avait aucune envie de s'engager dans la guerre ! Pourquoi en vérité ? El-Hadj Omar était un musulman et, s'il semait la mort, c'était au nom d'Allah ! Ce serait un crime que que de porter le fer contre lui ! En même temps, il se demandait ce qu'il allait devenir si ses deux compagnons s'en allaient, s'il restait seul dans la concession avec les pères de famille, les femmes et les enfants, seul dans Ségou vidée de la sève de sa jeunesse.

Olubunmi devinait ce qui se passait dans son esprit et, en fin de compte, il lui dit avec un sourire sarcastique :

— Que crains-tu de laisser derrière toi ? La femme que tu aimes ne t'appartient même pas !

La longue colonne, forte de dix mille combattants, traversa le village de Ouossébougou. Il pleuvait. Les hommes s'enfonçaient jusqu'aux genoux dans la boue, ce qui achevait de démoraliser les jeunes recrues et d'inquiéter les keletigui.

L'hivernage n'est pas une bonne saison pour la guerre, car il exige un trop lourd tribut. Il épuise bêtes et hommes, ralentit la marche, coupe les routes en faisant déborder les rivières.

Seuls les lanciers du Macina, enveloppés dans leurs épaisses cottes matelassées, étaient insensibles aux intempéries. A part eux, comme il n'y avait pas de tenue réglementaire, chacun s'était vêtu comme il le pouvait. Les uns, d'un épais burnous musulman. Les autres d'une couverture de laine. D'autres encore, de tuniques de chasseurs ou de blouses de coton. Les fétichistes exhibaient leur gris-gris. Les musulmans, leurs versets du Coran. Mais tous portaient, cachés dans les replis de leurs vêtements, les talismans que leur avaient remis leurs mères avant le départ. La troupe ne comptait pas seulement des volontaires. Outre les lanciers, il y avait deux détachements de sofas[1] de la garde personnelle du Mansa en ample culotte rouge, qui avaient semé la terreur sur tous les champs de bataille de la région.

Pourtant, ce n'était pas la présence de leurs compatriotes sofas qui rassurait en partie les jeunes recrues. C'était celle des lanciers peuls brandissant le drapeau fait d'un pagne de coton blanc qu'ils avaient rendu célèbre à Noukouma[2]. On les disait invincibles avec leurs chevaux de choc spécialement dressés à briser les murs qui

1. Cavaliers.
2. Lieu d'une célèbre bataille : Peuls contre Bambaras, en 1818.

entouraient les villages. En plus de leurs lances à grand fer plat cordiforme[3], ils possédaient un sabre, un couteau, un long bâton recourbé en forme de faucille ainsi qu'une entrave de fer composée d'une chaîne terminée par une boule de fer. Chose étrange, les amirabe peuls s'entendaient parfaitement avec les keletigui bambaras comme si pour l'heure ils faisaient taire toute querelle religieuse et ethnique. Ils s'étaient accordés sur le nombre d'éclaireurs chargés de débroussailler, élargir, remblayer la piste. Derrière les éclaireurs venait le « nombril », ou gros des troupes, que protégeaient précisément les lanciers tandis que des sentinelles fermaient la marche. Des espions montés sur de petits chevaux rapides revenaient régulièrement faire part des secrets qu'ils avaient pu glaner. Tout autour, couraient les griots chantant, jouant de leurs instruments, excitant le courage des hommes.

Depuis deux jours que l'on marchait, on n'avait pas encore eu vent de la présence d'El-Hadj Omar, comme s'il se terrait. Ou comme si il n'existait que dans l'imagination et les terreurs populaires. Comme en majorité ceux qui étaient présents n'avaient jamais vu de Toucouleurs, ils se les représentaient comme des hommes assez bestiaux, courts et trapus. Ce que démentaient ceux qui avaient des connaissances en géographie et savaient qu'ils étaient apparentés aux Peuls donc de haute taille et le teint clair.

Faraman Kouyaté cheminait à hauteur du bolo[4] de Mohammed qui allait entouré de ses deux amis. C'est pour lui donner du courage qu'il chantait :

*La guerre est bonne puisqu'elle enrichit nos rois,*
*Femmes, captifs, bétail, elle leur procure tout cela...*

Car, il le savait, s'il en avait eu la possibilité, Mohammed serait retourné à Ségou. Mohammed n'avait pas eu une enfance facile. Pourtant les souffrances qu'il avait endurées avaient une signification puisqu'elles étaient destinées à le rendre aussi parfait que possible, à le rapprocher du divin modèle. Mais, là, pourquoi souffrait-on ? Pour l'islam ? Lequel ? Celui des Peuls du Macina ? Celui d'El-Hadj Omar ? Non, on se battait pour satisfaire des orgueils et des intérêts royaux. Il avait envie de se dresser et de hurler. Mais sa voix serait étouffée sous le battement des tam-tams de guerre... C'est pour cela qu'il y a des tam-tams de guerre, pour couvrir les cris de révolte des hommes !

Comme il n'arrêtait pas de pleuvoir et que la nuit allait tomber,

3. Gawal, en peul.
4. Nom bambara des unités de combat.

on fit halte dans une plaine nue comme la main sur laquelle affleuraient des pierres bleues prenant un riche poli sous la pluie. L'armée se débanda. Les sofas allumèrent des feux qui mirent longtemps à prendre, puis firent griller des épis de maïs tendre et des quartiers de viande de mouton. Ce n'était pas l'ordinaire du « nombril » du gros de la troupe, nourri d'eau mêlée de mil pilé. Les lanciers, quant à eux, sans quitter leurs montures, vidaient des outres de lait caillé.

Une fois de plus, Mohammed se demanda pourquoi il s'était engagé dans cette équipée, pourquoi il n'avait pas retenu Alfa et ensuite fait pression avec lui sur Olubunmi. Pauvre Olubunmi ! Qu'espérait-il ? Quelle aventure à goût de fange ! Tous ces rêves dont son esprit était échauffé ne résisteraient pas à une campagne.

Grâce à l'habileté des Peuls on parvint à dresser des abris et chacun s'étendit, s'enroulant dans ses habits pour se protéger de la boue. Se retirant sans plus attendre, Mohammed ferma les yeux. Depuis qu'il était parti au combat, Ayisha avait complètement repris possession de lui. Comme il s'était trompé en croyant la rayer de ses pensées ! Elle était là présente jour et nuit. Peut-être parce qu'il avait besoin de lutter contre la laideur qui l'entourait en gardant en lui cette image de beauté. Toujours est-il que, sous ses paupières closes, elle allait et venait, coiffant ses longs cheveux, frottant sa peau de parfum haoussa ou de beurre de karité, fixant des anneaux d'or à ses oreilles délicates. A quoi occupait-elle ses jours en l'absence de son mari ? Attendait-elle impatiemment son retour ? Peut-être lui avait-il planté un fils avant de la quitter et regardait-elle s'épanouir la courge de son ventre ? Ah non, Allah ne permettrait pas cela ! Ayisha enceinte d'un autre que lui-même ! A ce moment Alfa entra à son tour sous l'abri et commença ses prières. Mohammed s'aperçut qu'il n'avait pas songé à en faire autant. Il eut honte de lui-même.

Les hommes ne dormaient pas depuis trois ou quatre heures qu'on les réveilla. Les sentinelles soupçonnaient la présence d'El-Hadj Omar dans les environs. Les ruines de quelques villages fumaient encore et on avait trouvé des monceaux de corps atrocement mutilés. La colonne se remit en marche. A l'aube, elle arriva devant un village totalement désert. Où étaient les habitants ? Dissimulés dans les halliers tout proches ?

La pluie avait cessé, mais cette chaleur gorgée d'eau était accablante. D'un commun accord, les keletigui et les amirabe donnèrent l'ordre aux hommes de s'arrêter. Ce fut un soulagement général. Comme le terrain formait comme un cirque, on dressa des abris de paille au fond de la déclivité, non loin d'un petit marigot. Les abords en étaient défoncés par le passage d'éléphants et d'hippopotames et, dans les énormes trous, une eau trouble s'accumulait. Faraman se mit à frotter les pieds endoloris de Mohammed, car ses sandales de peau de bœuf s'en étaient allées en lambeaux. Olubunmi toujours impatient et débordant d'activité s'éloigna avec quelques jeunes recrues à la recherche de fruits sauvages et l'on entendait leurs rires. Rire ? Comment rire quand on est à la guerre ? Mohammed se reprocha ces pensées négatives et se roula sur le côté. Près de lui, Alfa, apparemment indifférent à la crasse et à la promiscuité, insensible à la faim, lisait son Coran. Songeait-il parfois à sa jeune épouse dont, de son propre aveu, il avait aimé le corps ? La désirait-il ? Mohammed regarda le ciel à travers les interstices des nattes. Sombre comme le fer d'une forge. Bas comme un couvercle. Il referma les yeux.

Il s'endormit et eut un rêve. La guerre était finie. Il rentrait chez lui et voyait de l'autre côté du Joliba les murailles de Ségou. Sur ses talons, Faraman chantait. Ils prenaient tous deux place dans une barque, mais, comme elle allait aborder à la rive, la muraille située entre la porte Tintibolada et la porte Dembaka s'effondrait et des files de termites couleur de sang en sortaient, montant fiévreusement à l'assaut des embarcations somonos. L'effet de ce rêve fut tel que Mohammed s'éveilla. Autour de lui, ses compagnons épuisés dormaient. Alfa était abandonné dans le sommeil, son visage déjà amaigri, les joues salies de barbe, enroulé d'un pan de turban qui lui servait d'oreiller. Mohammed sentit l'affection gonfler son cœur. Il eut un peu de remords. C'est qu'il n'avait pas été un compagnon bien agréable depuis que l'on avait quitté Ségou, comme s'il entendait rendre le monde entier responsable de sa condition de soldat. Eh bien, puisqu'il y était à la guerre, il fallait la faire ! Peut-être même qu'il finirait par y trouver du goût.

C'est à ce moment qu'il entendit des cris, des hurlements féroces. En un clin d'œil, toute la compagnie fut debout, les recrues se précipitant au seuil des abris. Les pentes de la crique étaient noires d'hommes qui les dévalaient en flot serré. Ils portaient de larges chapeaux coniques, surmontés d'une touffe de paille, au-dessus de bonnets d'un jaune terreux. Leurs boubous étaient couleur de rouille et ils agitaient au-dessus de leurs têtes un immense pavillon rouge. Des cavaliers, le chef entouré d'un turban bleu, donnaient de grands coups d'éperons dans les flancs de leurs montures.

Il y eut un cri :

— Les Toucouleurs, les Toucouleurs, ce sont eux !

En même temps, d'un seul coup, trompes et tam-tams se déchaînèrent, vite dominés par la voix des griots, comme si l'imminence du combat leur donnait une violence exceptionnelle. Pendant que les keletigui mettaient de l'ordre dans les rangs des recrues déjà terrifiées, les lanciers du Macina partaient à l'attaque.

— *La ilaha ill' Allah*...

Qui avait crié cela ? Sans doute tous ceux qui croyaient se battre au nom de Dieu. Mohammed se trouva entraîné par d'autres corps dans une âcre odeur de sueur, de poudre de guerre et de crottin de cheval. Bientôt, il entendit le cliquetis des armes, sabres contre sabres, lances contre lances, avec par à-coups le bruit des fusils. Fugitivement il eut envie de fuir, de tourner le dos à cette bataille dont il ne comprenait pas le sens. Comme s'ils devinaient sa faiblesse, Alfa et Olubunmi l'encadrèrent.

Sur ses talons, Faraman Kouyaté commença de chanter :

*La guerre est bonne puisqu'elle enrichit nos rois.*
*Femmes, captifs, bétail, elle leur procure tout cela.*
*La guerre est sainte puisqu'elle fait de nous des musulmans.*
*La guerre est sainte et bonne,*
*Qu'elle embrase donc nos ciels*...

Mohammed pensa à sa mère Maryem qu'il n'avait pas vue depuis tant d'années. Il pensa à Ayisha. Puis serrant les dents, il ne pensa plus à rien. Qu'à se garder en vie.

# APPENDICES

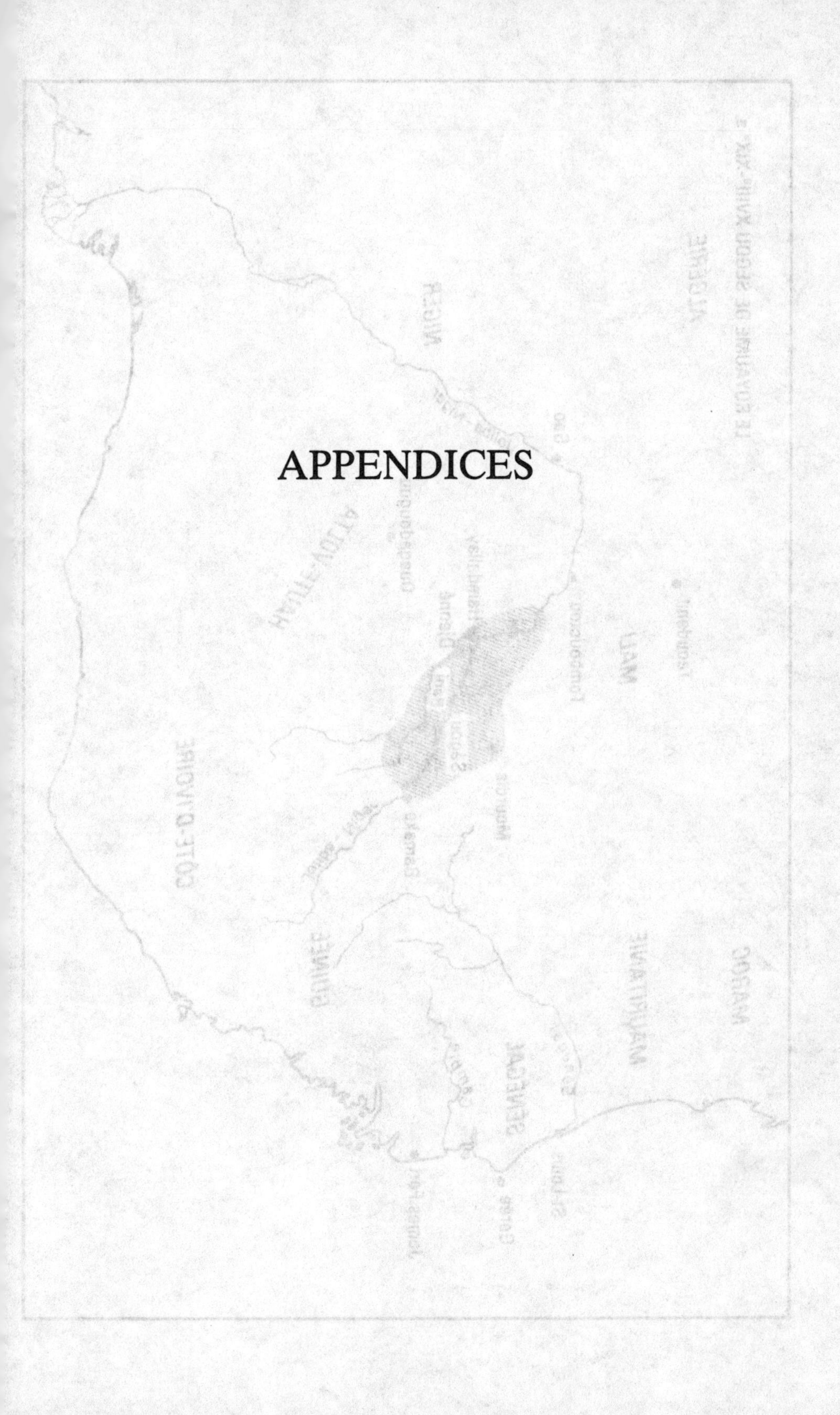

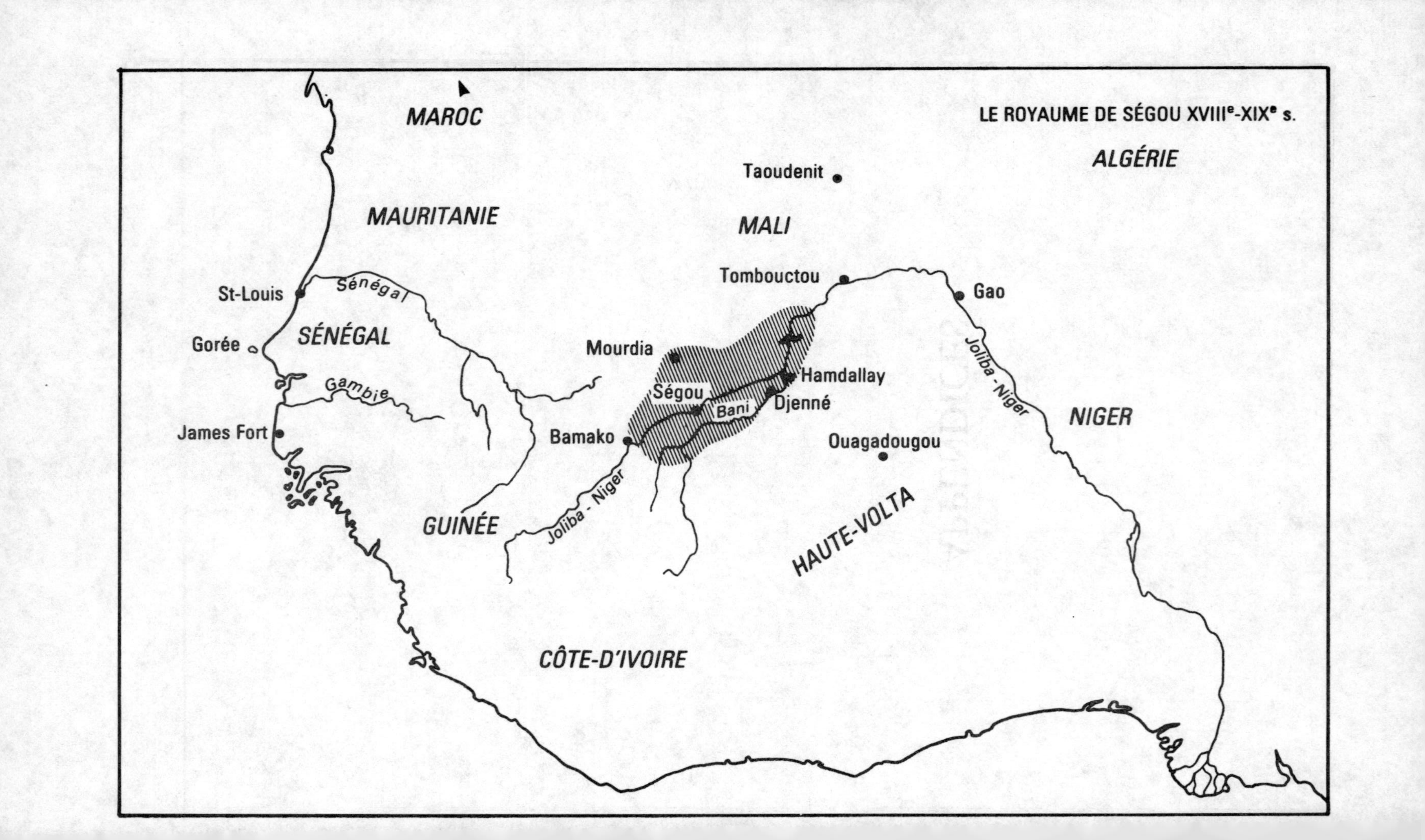
LE ROYAUME DE SÉGOU XVIII^e-XIX^e s.
MAROC
ALGÉRIE
MAURITANIE
MALI
Taoudenit
Tombouctou
Gao
St-Louis
Sénégal
SÉNÉGAL
Gorée
Gambie
James Fort
Mourdia
Ségou
Bani
Hamdallay
Djenné
Bamako
Ouagadougou
Joliba - Niger
Joliba - Niger
NIGER
GUINÉE
HAUTE-VOLTA
CÔTE-D'IVOIRE

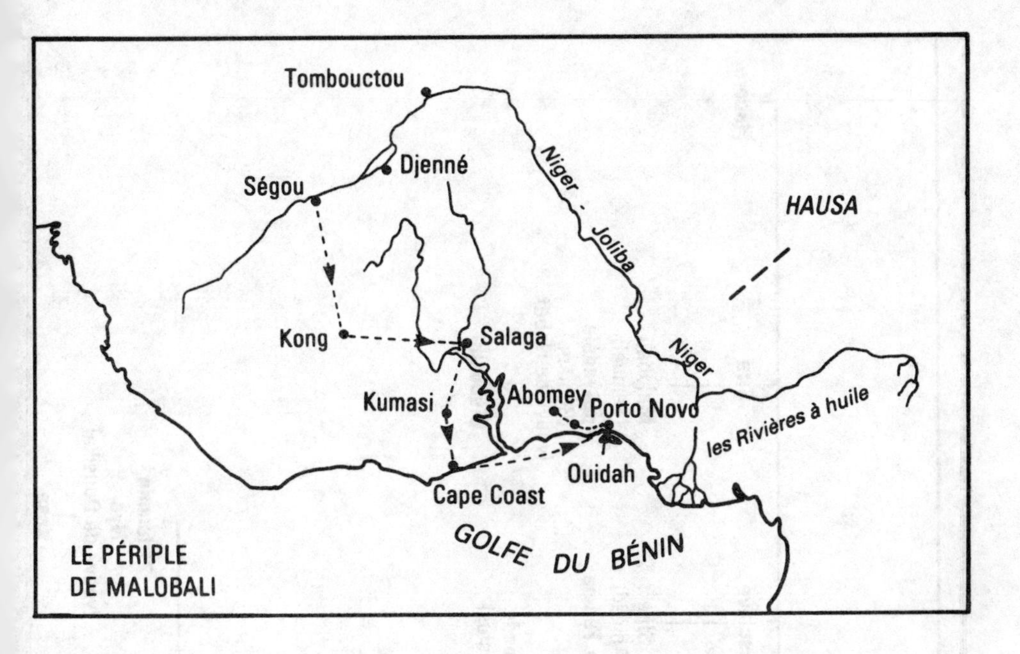
Tombouctou
Djenné
Ségou
Niger
Joliba
HAUSA
Kong
Salaga
Niger
Kumasi
Abomey
Porto Novo
les Rivières à huile
Ouidah
Cape Coast
GOLFE DU BÉNIN
LE PÉRIPLE
DE MALOBALI

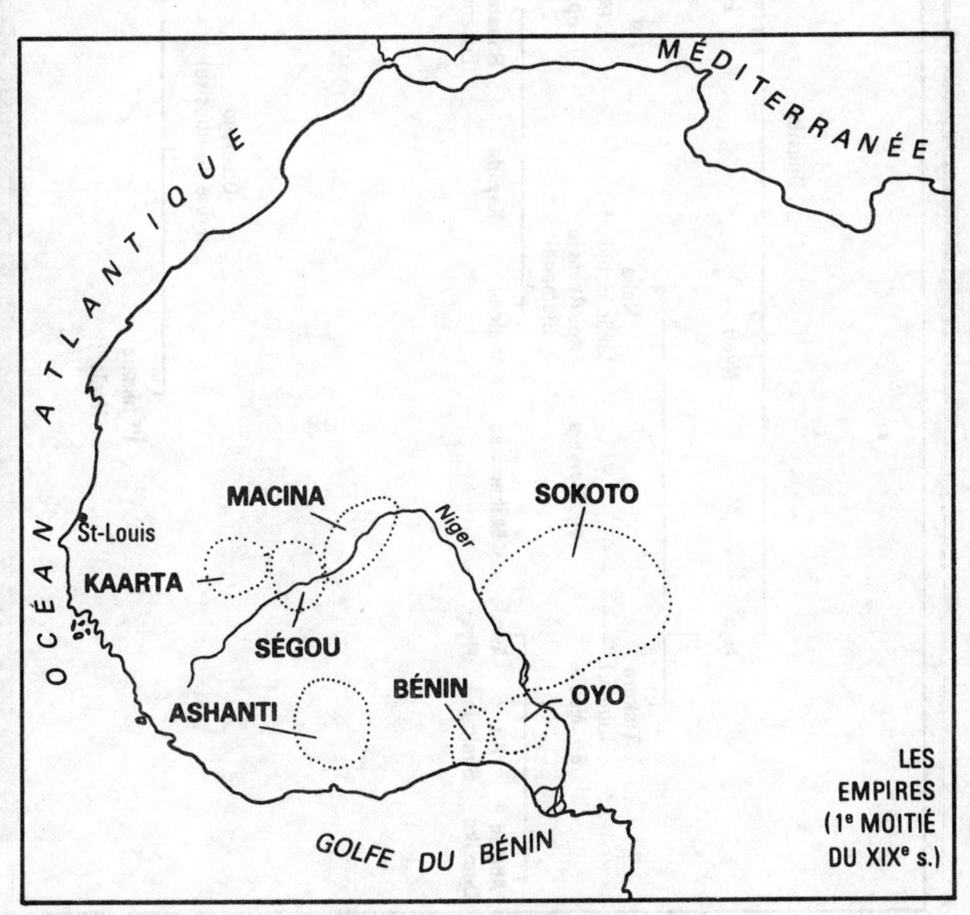
MÉDITERRANÉE
OCÉAN ATLANTIQUE
MACINA
SOKOTO
Niger
St-Louis
KAARTA
SÉGOU
BÉNIN
OYO
ASHANTI
GOLFE DU BÉNIN
LES
EMPIRES
(1e MOITIÉ
DU XIXe s.)

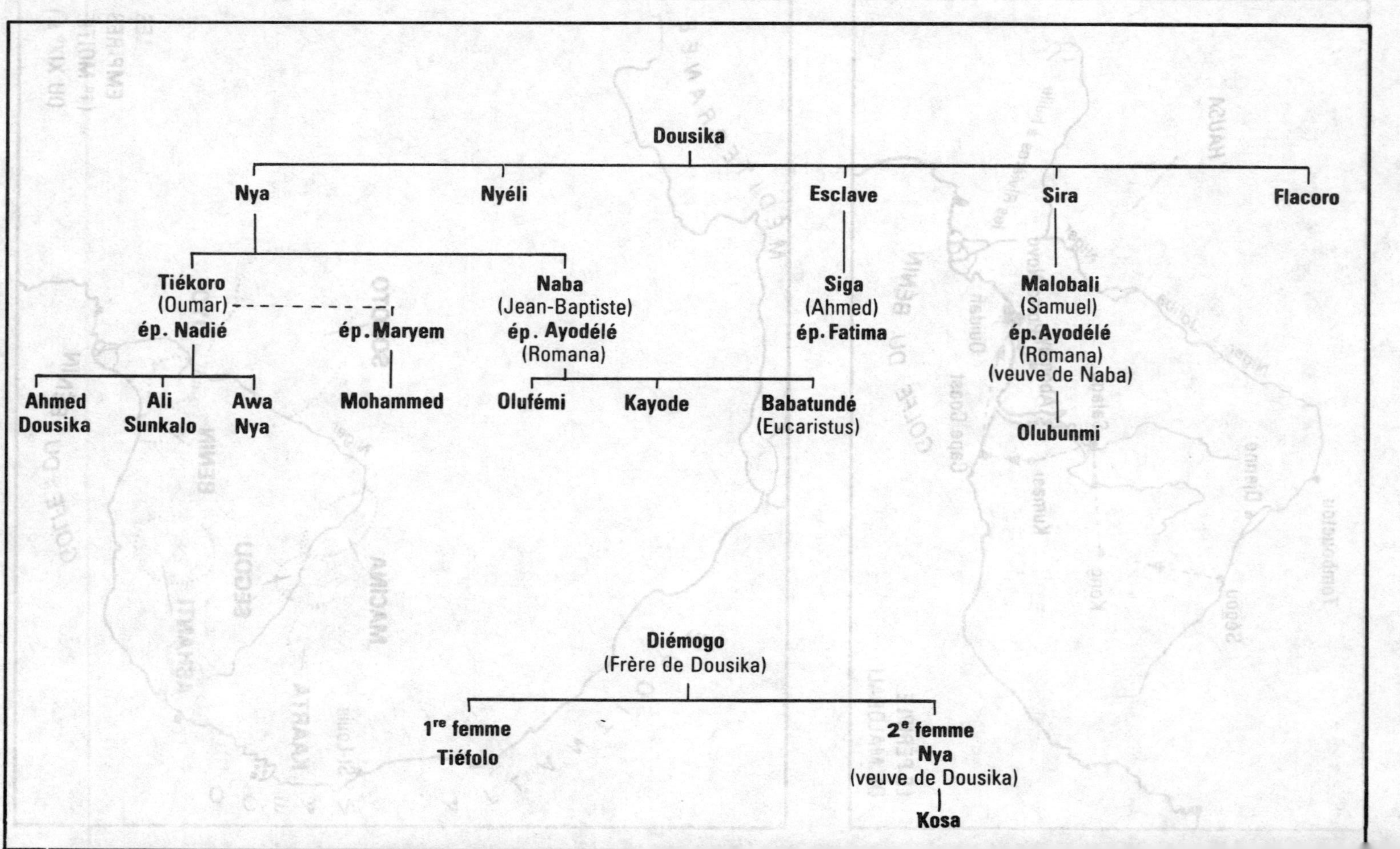


ARBRE GÉNÉALOGIQUE
DE LA 1re GÉNÉRATION

# NOTES HISTORIQUES ET ETHNOGRAPHIQUES

L'ordre est celui de l'apparition dans le récit.

Les Bambaras ou Banmanas font partie du groupe mandé qui comprend également les Malinkés, les Senoufos, les Sarakolés, les Dioulas, les Khasonkés... Ils vivent principalement dans l'actuel Mali, dont numériquement ils constituent le peuple le plus important. Ils ont formé du XVIIe au XIXe siècle deux Etats puissants dont l'un avait son centre à Ségou et dont l'autre occupait la contrée dite du Kaarta entre Bamako et Nioro. Ils sont cultivateurs et travaillent le mil, le fonio, le riz, le maïs. Ils vivent en symbiose avec un peuple de pêcheurs, les Bozos.

La religion bambara est appelée imparfaitement fétichisme. Les Bambaras conçoivent le monde comme un ensemble de forces sur lesquelles l'homme parvient à avoir prise, principalement grâce aux sacrifices. Deux principes complémentaires, Pemba et Faro, sont à l'origine de la vie sur terre, Pemba étant le créateur transmettant son verbe et son pouvoir à Faro. L'homme lui-même est un microcosme résumé de la totalité des êtres et des choses. C'est le « grain du monde ».

Le limage des dents consiste à tailler en pointe les incisives supérieures et inférieures, opération effectuée par un forgeron-féticheur dès la constitution de la dentition des enfants. Le limage est censé conférer à la parole sa puissance véritable.

Le Mansa Monzon régna de 1787 à 1808. Il appartient à la seconde dynastie régnante à Ségou, la première étant celle des Coulibali. Il vint sur le trône de Ségou après une longue période d'anarchie à l'issue de laquelle son père Ngolo Diarra usurpa le pouvoir. Il est l'un des souverains les plus prestigieux dont les griots aient conservé la mémoire.

Da Monzon succéda à son père Monzon. Il régna de 1808 à 1827, et eut la dure tâche de défendre l'empire contre le Peul Amadou Hammadou Boubou du clan Barri communément appelé Cheikou amadou du Macina. C'est avec son père l'un des souverains les plus chantés et honorés par la tradition bambara.

Les Peuls sont des pasteurs bovidiens que l'on rencontre de l'océan Atlantique au cap Vert au bassin du Nil en passant par le lac Tchad et l'Adamaoua. Les auteurs leur ont attribué des origines très diverses allant même jusqu'à voir en eux des Sémites persécutés par les successeurs d'Alexandre le Grand au IVe siècle av. J.-C. et par les Romains et descendus en Afrique. Ils restent généralement à l'écart des agriculteurs dont parfois ils élèvent les bœufs. Au Mali, ils forment d'importants groupements entourés de leurs rimaïbés, esclaves et descendants d'esclaves. Autrefois nomades ou semi-nomades, ils se sont graduellement sédentarisés. Ils parlent la même langue que les Toucouleurs, le poular. Ils se convertissent à l'islam au XVIIIe siècle et en deviennent les ardents propagateurs.

Cheikou Hamadou du clan Barri fondateur de l'empire musulman du Macina dont la capitale fut Hamdallay. Né à Malangal, fils d'un marabout originaire du Fittouga. Il fait ses études à Djenné jusqu'à ce que sa réputation de science et d'autorité fasse ombrage aux Marocains qui contrôlent alors la ville et l'obligent à fuir. Il proclame ensuite la guerre sainte, jihad, prend le nom de Cheikh et s'attaque aux Bambaras. S'il ne parvient jamais à les battre entièrement, il débarrasse les Peuls de la tutelle de Ségou et crée le royaume du Macina, Etat puissant sur lequel successivement régneront ses fils. Il meurt le 18 mars 1843.

Le VIe siècle de l'hégire (XIIe de l'ère chrétienne) voit apparaître dans le monde musulman le soufisme, dont les grands véhicules sont les confréries (tourouq). Les principales sont en Afrique au sud du Sahara : La Qadriya, du nom de son fondateur Abdel Qadir el-Jilani né en Perse en 472 (1078) et décédé en 561 (1166). Son centre fut Bagdad.

La Kounti, du nom d'une ancienne famille d'origine arabe de Tombouctou, les Kounta.

La Tidjaniya prend sa source en cheikh Ahmed Tidjani né en Algérie en 1150 (1737) et mort au Maroc en 1230 (1815). C'est là que se trouve son tombeau.

Les confréries puisent leur inspiration dans la loi islamique et la révélation coranique et en sont un effort d'approfondissement et d'intériorisation.

Ahmed Baba, de son vrai nom Abou Abbas Ahmed al-Takruri al-Mafusi, né en 1556 près de Tombouctou dans une famille de lettrés. Lorsque les troupes marocaines entrent dans cette ville en 1591, il devient l'âme de la résistance des intellectuels à l'occupation étrangère. Il est alors exilé au Maroc. Son œuvre écrite est considérable.

Le tatouage de la lèvre inférieure des femmes bambaras consiste à faire entrer au moyen d'épines végétales un baume de beurre de vache mêlé de charbon. L'opération est faite par une femme de la caste des cordonniers. Le proverbe dit que la femme n'est pas maîtresse de sa parole, le tatouage est censé remédier à ce défaut.

Anne Pépin, signare, c'est-à-dire métisse de père français et de mère africaine, née vers 1760, rendue célèbre par sa liaison avec le chevalier de Boufflers. Fille du chirurgien Jean Pépin. Avec son frère Nicolas elle fut un temps une des personnes les plus riches de Gorée dont les ruines de la maison existent encore. D'autres signares célèbres sont Caty Louet, Hélène Aussenac, Jeanne Laria, Marie-Thérèse Rossignol.

Chevalier de Boufflers, gouverneur du Sénégal de 1785 à 1787. Détestant Saint-Louis, il choisit de se fixer à Gorée où il trouve, dit-il, un séjour délicieux. Il fait de cette île le siège du gouvernement et le port d'attache de la station navale d'Afrique. Entretient avec son amie la comtesse de Sabran une correspondance publiée par Plon en 1875.

Michel Adanson, botaniste français, venu étudier les possibilités agricoles de la région. Il passera de longs mois jusqu'en 1754 à Gorée, au cap Vert, à Saint-Louis et sur le fleuve Sénégal. Ses conclusions paraîtront dans un livre *Voyage au Sénégal.*

Commandant Schmaltz, envoyé avec un contingent de travailleurs agricoles pour mettre en valeur la presqu'île du cap Vert après l'abolition de l'esclavage de traite. Cette colonisation agricole est un échec, mais avec l'aide Schmaltz s'obstine pendant plusieurs années à planter sur les rives du Sénégal de l'indigo, du café, de la canne à sucre. Il est rappelé en France en 1820 et remplacé par le baron Roger qui créera le Jardin d'essai de Richard Toll.

João VI, roi du Portugal de 1816 à 1826. Quitte son pays chassé par les guerres napoléoniennes en 1811, et se réfugie à Rio, au Brésil. Son fils sera le premier empereur du Brésil indépendant en 1822, sous le nom de Pedro I.

Les Malés : déformation probable de Malinkés, car ceux-ci vinrent au Brésil avec des Haoussas musulmans. Autre étymologie, le mot signifierait « renégat » en yoruba. Esclaves musulmans connus principalement dans la région de Bahia pour leur résistance à l'esclavage. Révoltes successives de 1822 à 1835, date à laquelle eut lieu le complot le mieux élaboré, le jour même de la fête de Na Sa da Guia, huit jours après celle de Senhor de Bomfim. Au cours des perquisitions, la police découvrit des papiers couverts d'écriture arabe. Il y eut au moins quarante esclaves tués, des centaines de blessés, autant de fugitifs.

Ganhadores, ou « nègres de gain ». Au Brésil, esclaves affranchis vivant à peu près entièrement du fruit de leur travail.

Les Ashantis. Du XIe au XIIe siècle, le pays compris entre les fleuves Bandama et Volta fut le théâtre de nombreuses migrations. Les Akans venus du nord constituèrent de petites principautés qui se regroupèrent sous la conduite d'un chef prestigieux, Osei Tutu, qui régna de 1697 à 1712. Ce fut l'origine de la Fédération ashanti dont le chef prit le nom d'Asantéhéné. Elle atteignit son apogée avec Osei Kodjoe et infligea une série de défaites aux Anglais qui tentaient de s'implanter dans la région, attirés en particulier par l'or. Ainsi l'Asantéhéné Osei Bonsu les battit en 1824 à Bonsaso. Finalement les Anglais finirent par l'emporter sur les Ashantis, mais non sans mal. Les Fantis sont aussi un peuple akan, leur langue est la même que celle des Ashantis, le twi. Mais leur position côtière en fit les protégés des Anglais contre leurs voisins, et leurs querelles avec les Ashantis furent nombreuses et sanglantes.

Wargee, né à Kisliar (Astrakhan), était probablement musulman. Il tombe entre les mains des Turcs et devient esclave, probablement vers 1787. Il parvient à racheter sa liberté et s'installe à Istanbul avant de sillonner le monde. Décide de traverser le Sahara vers 1817, visite Kano, Djenné, Kong, Tombouctou. Il est retenu prisonnier à Kumasi, capitale du royaume ashanti, puis envoyé sous bonne escorte jusqu'à la côte afin que les Anglais lui donnent les moyens de rentrer chez lui.

MacCarthy fut gouverneur de la Sierra Leone et résida à Cape Coast de 1822 à 1824. Il mourut lors du combat de Bonsaso contre les Ashantis.

Les Agoudas. A partir de 1835 débute un important mouvement de retour vers les ports africains de Ouidah, Porto Novo, Lagos... de milliers d'Africains émancipés du Brésil. Il s'agit de catholiques, mais aussi de musulmans qui se mêlent aux commerçants d'esclaves du Portugal et du Brésil, par les serviteurs de ces commerçants... désignés pêle-mêle par l'expression « les Agoudas ». Tous ces gens parlent brésilien, plus rarement espagnol (dans le cas d'Agoudas venant de Cuba). Les anciens esclaves portent le patronyme de leurs maîtres. Ils ont joué le rôle d'intermédiaire entre Africains et Européens.

Les Yorubas vivent dans l'actuel Nigeria, dans la région forestière du Sud-Ouest. Un des peuples les plus dynamiques et créateurs de l'Afrique ; leur berceau est Ife, cité mère où les dieux et les hommes apparurent pour la première fois sur terre. Les Yorubas fondèrent nombre de royaumes, dont celui d'Oyo fut peut-être le plus puissant. Ils influencèrent toute la région, vassalisant de nombreux peuples, les Edos du Bénin entre autres. Au XIX^e siècle la grande poussée peule les bouleversa. Oyo fut détruite en 1830 et Ife en partie saccagée.

Le Dahomey fut un des plus puissants royaumes du XVIII^e et du XIX^e siècle africains. Sa capitale était Abomey. Il conquit tous les royaumes qui lui barraient accès à la mer : Alada, Ouidah, monopolisa le commerce avec les Européens qui fut déclaré monopole royal. Son apogée se situe sans doute sous le roi Guézo (1818-1856). Les intérêts coloniaux de la France qui souhaitait ouvrir une porte sur la mer aux territoires du Niger lui portèrent un coup fatal. Le roi Béhanzin fut défait en 1894 par le général Dodds et un protectorat fut imposé à Agoli-Agbo. Ce fut la fin de la monarchie dahoméenne. Le yoruba et le fon, langues parlées au royaume du Dahomey, appartiennent au même groupe et dériveraient avec le goun de Porto Novo et le mina d'une souche commune. Il faut noter que les frontières de l'ancien royaume du Dahomey ne coïncident pas avec celles de l'actuel Bénin, autrefois appelé Dahomey.

Chacha Ajinakou : de son vrai nom Francisco Félix de Souza (né en ?), mort en 1849. Etait-ce un Brésilien ? Un Portugais ? Les écrits le concernant diffèrent. En tout cas, ce fut l'homme le plus riche de son époque, ami personnel du roi

Guézo, qu'il aida d'ailleurs à monter sur le trône au détriment de son frère. Certains historiens prétendent qu'il se réfugia à Ouidah pour échapper à la prison dans son pays. Ce qui est certain, c'est qu'il y arriva pauvre, probablement comme fonctionnaire de la factorerie d'Ajuda. Il eut des dizaines de concubines et un nombre incalculable d'enfants.

Guézo : roi du Dahomey de 1818 à 1856. Un des plus grands monarques de ce royaume, étendit très loin ses limites et fut célèbre par un corps d'armée, celui des Amazones. Les campagnes les plus meurtrières furent celles menées contre les Mahis au nord et les Yorubas à l'est. Le nom fort de Guézo était « l'oiseau cardinal ne met pas le feu à la brousse », les noms forts étant des expressions ayant en elles-mêmes une force, une valeur efficace. L'organisation du royaume du Dahomey a stupéfié les voyageurs européens de l'époque. Seule ombre, les sacrifices humains lors des funérailles royales et des grandes cérémonies religieuses.

Les Toucouleurs sont venus très tard au Mali, où leur implantation se fait à partir de la seconde moitié du XIXe siècle. Ils sont originaires des rives du Sénégal, des Fouta (Fouta Djallon, Fouta Toro...) Ils parlent la même langue que les Peuls, le poular. Leur attachement presque fanatique à l'islam en a fait des conquérants légendaires.

El-Hadj Omar Saïdou Tall : originaire du Fouta Toro. Né vers 1797, fils d'un marabout renommé. Il devient d'abord un enseignant et est maître d'école pendant douze ans avant d'entamer un pèlerinage à La Mecque en 1825. Il visite alors tous les Etats islamiques ouest-africains et séjourne longtemps au royaume de Sokoto (actuel Nigeria). L'enseignement d'un savant marocain Mohammed el-Gâli en fait un tidjane (voir Confrérie). De retour chez lui, il devient peu à peu le maître de toute la région du haut Sénégal. Il déclenche un jihad, plus meurtrier que celui des Peuls du Macina avant lui en 1854, se heurte aux Français qui commencent de s'implanter dans la région, puis il défait les Peuls et entre à Ségou en conquérant le 9 mars 1861. Sa mort en 1864 est mystérieuse. Assiégé par les Peuls du Macina révoltés dans Hamdallay, il se serait fait sauter avec un baril de poudre. El-Hadj Omar donne lui-même la version du conflit qui l'opposa au Macina pour la conquête de Ségou dans *Bayan ma waga'a*, présenté et traduit par Sidi Mohamed et Jean-Louis Triaud : *Voilà ce qui est arrivé* (éd. CNRS).

La Sierra Leone. En 1787, un philanthrope anglais du nom de Granville Sharp, ami de Wilberforce, leader du mouvement abolitionniste, eut l'idée d'acheter sur la côte d'Afrique occidentale quelques arpents de terre pour servir de refuge aux esclaves affranchis, rapatriés des Antilles et ensuite libérés en mer par la flotte britannique. Ce fut l'origine de Freetown, capitale de la Sierra Leone. En 1827 y fut créée la première institution d'enseignement supérieur, Fourah Bay College, séminaire formant des prêtres et des enseignants.

Samuel Ayaji Crowther. Yoruba pris en esclavage vers 1821, sauvé par un navire anglais et emmené en Sierra Leone. Il fut le premier étudiant de Fourah Bay College. Membre de l'expédition sur le Niger en 1841, il est ensuite ordonné prêtre à Islington (Angleterre) en 1842. En 1864, il devient évêque du Nigeria, le premier Africain à occuper pareille fonction. La fin de sa vie est triste, car il est en butte au racisme et est démis de ses fonctions. Il meurt, amer et frustré, en 1890.

Nanny of the Maroons : figure à demi légendaire du passé jamaïcain. Etait-elle la sœur ou la femme de Kodjoe, un autre révolté célèbre ? Elle fonda une ville dans les Blue Mountains, à la confluence des fleuves Nanny et Stony et de là tint tête aux Anglais vers 1734. On peut voir sa tombe (?) à More Town dans la province de Portland, à la Jamaïque.

Mungo Park. Ecossais qui découvrit dans quel sens coulait le Niger (Joliba pour les Bambaras). Il n'eut pas l'autorisation d'entrer à Ségou.

Ignatius Sancho : né en 1729 à bord d'un négrier. Ses parents ayant été vendus, il devient le serviteur de deux Anglaises qui le traitent fort mal avant d'être recueilli par John, duc de Montagu, qui lui donne les moyens de s'instruire et d'écrire et qui lui lègue une somme d'argent très importante. Il est, lui aussi, la coqueluche de l'aristocratie anglaise, peint par Gainsborough, en correspondance avec des écrivains célèbres, en particulier L. Sterne. On peut lire sa correspondance, *Letters of the Late Ignatius Sancho, an African,* publiée par Dawson of Pall Mall. Un de ses fils, Billy, eut une librairie au 20, Charles Street, Westminster.

Sir Thomas Fowell Buxton : né dans l'Essex en 1786, célèbre philanthrope et abolitionniste anglais. Succéda à William Wilberforce. Il est l'auteur de l'ouvrage *The African Slave-Trade and its Remedies.*

Kangourou : acrobate noir qui se produisit à Argyll Rooms dans Haymarket vers 1840.

Cheikh El-Bekkay : de la grande famille des Kounta, prit en 1847 le titre de cheikh El-Kunti qui revenait en réalité à son frère aîné. Il luttera de toutes ses forces contre l'hégémonie des Toucouleurs et pour cela conseillera aux descendants de Cheikou Hamadou l'alliance avec Ségou.

Amadou Cheikou, encore appelé Amadou II, et Amadou Amadou, encore appelé Amadou III, fils et petit-fils de Cheikou Hamadou. Le premier régna sans encombre de 1844 à 1852. Le second vit son règne interrompu par l'arrivée d'El-Hadj Omar. Sa mort en 1862 est mystérieuse.

Le rêve est très important chez les Bambaras et s'appuie sur leur conception de la personne, très complexe. Outre son corps, l'homme comprend une âme (ni), visible pendant les semaines qui suivent l'accouchement dans les mouvements de la fontanelle ; un double (dya), de sexe opposé ; un tere, siégeant dans le sang et la tête, et un wanzo, force néfaste qui siège principalement dans le prépuce masculin ou le clitoris féminin. C'est le ni qui quitte le corps pendant le sommeil et donc tout rêve est le souvenir de ce qu'il a vu, prémonition importante pour l'individu ou la communauté. La mort a pour effet de dissocier les éléments composant la personne. Le dya reste dans l'eau jusqu'à la naissance d'un enfant.

le ni s'échappe avec le dernier souffle, le tere, libéré lui aussi, peut s'attaquer aux vivants si la mort n'est pas naturelle. Tous ces éléments sont transmis intacts au nouveau-né dans la famille du défunt, après sacrifices et actions rituelles des prêtres-féticheurs.

Les albinos sont supposés être conçus à la suite d'une rupture d'interdit, c'est-à-dire de rapports sexuels en plein jour, ce qui explique leur couleur. Ils posséderaient des forces redoutables. Quand les Bambaras pratiquaient des sacrifices humains, ils étaient les victimes recherchées.

Oïtala Ali : dernier Mansa bambara avant l'arrivée d'El-Hadj Omar dans Ségou, régna de 1856 à 1861.

# Table des matières

*Achevé d'imprimer en décembre 1984*
*sur presse CAMERON*
*dans les ateliers de la S.E.P.C.*
*à Saint-Amand-Montrond (Cher)*
*pour le compte des éditions Robert Laffont*

Dépôt légal : mai 1984.
N° d'Édition : L.227. N° d'Impression : 2218.

Achevé d'imprimer en décembre 1984
sur presse CAMERON
dans les ateliers de la S.E.P.C.
à Saint-Amand-Montrond (Cher)
pour le compte des éditions Robert Laffont

Dépôt légal : mai 1984.
N° d'Édition : L 227. N° d'Impression : 2218.